William Shakespeare

Teatro completo

BIBLIOTECA
UNIVERSAL

WILLIAM SHAKESPEARE
Teatro completo em
três volumes

VOLUME 1
Tragédias e Comédias
sombrias

VOLUME 2
Comédias e Romances

VOLUME 3
Peças históricas

Chandos Portrait. O retrato a óleo, que pertenceu ao duque de Chandos, data de 1610 e possivelmente foi pintado pelo ator Richard Burbage ou Joseph/John Taylor. É a base sobre a qual foi feita postumamente a gravura Droeshout. Faz parte do acervo da *National Portrait Gallery* de Londres desde sua fundação em 1856.

WILLIAM SHAKESPEARE
Teatro completo

VOLUME 2
Comédias e Romances

Tradução
BARBARA HELIODORA

Editora
Nova
Aguilar

SUMÁRIO

Introdução geral
11 Barbara Heliodora

Comédias

17   A comédia dos erros
93   Os dois cavalheiros de Verona
191 Trabalhos de amor perdidos
305 Sonho de uma noite de verão
387 A megera domada
495 O mercador de Veneza
593 As alegres comadres de Windsor
701 Muito barulho por nada
805 Como quiserem
905 Noite de Reis

Romances

1011 Péricles
1105 Cimbeline
1237 Conto de inverno
1349 A tempestade

Sumário

INTRODUÇÃO GERAL
Tânia Rebelo

COMÉDIAS

A comédia dos erros
Os dois cavalheiros de Verona
Trabalhos de amor perdidas
Sonho de uma noite de verão
A megera domada
O mercador de veneza
Alegres comadres de Windsor
Muito barulho por nada
Como quiserem
Noite de Reis

ROMANCES

Péricles
Cimbelino
Conto de inverno
A tempestade

Introdução geral
Barbara Heliodora

Este volume inclui as dez comédias e os quatro romances que William Shakespeare escreveu; o que pode unir os dois grupos é o fato de todas as peças terem finais relativamente harmônicos e conciliatórios, sendo mesmo correto, no caso de várias das peças, falar em "final feliz" e risonho. Já no grupo das comédias, todas elas escritas nos primeiros dez ou doze anos da carreira de Shakespeare, que se despede delas no início de seu período trágico, no entanto, há uma considerável variedade de formas, pois as próprias comédias são divididas em romanas e românticas, sendo algumas mais sérias do que outras, enquanto os romances só aparecem depois desse mesmo período, criando um novo gênero escrito para uma nova plateia de elite, disposta a pagar mais caro para assistir a espetáculos noturnos, em recinto fechado e iluminado a vela, em um teatro bem diverso dos grandes teatros populares, que ofereciam espetáculos à luz do dia para públicos de 2.000 pessoas.

As comédias de Shakespeare têm alcançado sucesso nos países de língua inglesa desde que foram escritas, porém passaram por um destino crítico bastante pitoresco: até meados do século xx, afora algumas críticas adversas que as consideravam tolas e gratuitas, a grande maioria as elogiava como tendo a leveza das borboletas ou das teias de aranha, ou outras coisas igualmente inócuas e sem sentido, dando a impressão de que o autor das peças históricas e das tragédias seria perfeitamente capaz, no momento de criar uma comédia, de desligar todo o seu universo de ideias e convicções e escrever sobre o nada. Foi só a partir das décadas centrais do século passado que apareceram estudiosos que fizeram leituras mais profundas desses textos, e terminaram por comprovar que, mesmo ao usar o tom leve indispensável ao gênero, William Shakespeare apresentava no universo de suas comédias a mesma visão que lhe permitia configurar os conflitos mais densos dos outros gêneros.

Nas escolas inglesas do tempo de Shakespeare, o latim era disciplina essencial, não como uma língua morta, mas como o instrumento ainda usado para documentos importantes. Além dos deveres em classe e em casa, por isso mesmo, parte do ensino era feito com a frequente representação das peças de Plauto e Terêncio, e não é de espantar, portanto, que a primeira experiência de Shakespeare na comédia, talvez mesmo a primeira no uso da forma dramática, tenha sido *A comédia dos erros,* calcada nos *Menaechmi* de Plauto para a estrutura da ação. De seu talento Shakespeare juntou um segundo par de gêmeos, os escravos que servem a dupla original, que permitia complicações bem maiores do que as do autor romano, mas também uma série de outros detalhes que emprestam a seu texto um significado que o original não tem, pois a ênfase é dada à importância da unidade da família pela criação da figura do pai dos dois Antífolos, a narrar pateticamente o naufrágio que separou pais e filhos — em tom inadmissível na comédia romana — e à reunião final de todos os seus membros, que só assim podem realmente saber quem são.

Até mesmo os temas do bom governo e da justiça *versus* misericórdia, dois dos mais importantes de toda a obra do poeta já são apresentados aqui na figura do duque e na situação do velho pai.

A forma típica da comédia romana é aquela que no século xvii será tão brilhantemente usada por Molière: em um quadro social há um erro ou engano que precisa ser, e é, corrigido pelo riso; essa forma Shakespeare usa em *A comédia dos erros,* em *A megera domada* e em *As alegres comadres de Windsor,* muito embora em todas elas já apareçam elementos estranhos que desrespeitam a unidade de local, ação e, principalmente, do famoso decoro, que não admitia qualquer mistura de gêneros; as outras comédias que Shakespeare escreveu pertencem, no entanto, a um gênero absolutamente novo, a comédia romântica.

Durante o longo período em que, muito lentamente, o teatro começou a renascer, na Idade Média, deu-se o abalador e até hoje inexplicado fenômeno do aparecimento do culto à mulher e do amor cortês, que teve sua primeira grande expressão literária nos romances de Chrétien de Troyes no século xii e em todos os notáveis romances de cavalaria dos ciclos da Tavola Redonda e do Graal, repletos de aventuras, feiticeiros, monstros e amores, via de regra adúlteros. A influência desses romances (que tiveram esse nome por serem de início escritos em língua "romance", isto é, neolatina) marca todas as artes a partir de então. As comédias românticas, portanto, em vez de terem uma situação errada para corrigir, adotam a fórmula romântica do ideal a ser conquistado (no caso, geralmente o amor) após a superação de uma série de obstáculos.

Respeitando, no entanto, a velha tradição de que a comédia tem como referência todo um grupo social e não um representante excepcional, como na tragédia, os obstáculos deixam de ser dragões para se tornarem intrigas de inveja ou de velhas rixas familiares, ou de desentendimentos inesperados, e no final, em que há sempre a consagração da união de um único casal, passa a haver a de dois, três, ou até mesmo quatro, sempre de segmentos diversos da sociedade. A aparência e a realidade, a justiça e a misericórdia, o bom e o mau governo, determinantes nas peças históricas e nas tragédias, aparecem aqui como pano de fundo, seja na confusão dos gêmeos da inicial *A comédia dos erros,* como no perigo de morte e no antissemitismo no mais maduro *O mercador de Veneza.*

E nem deixam as comédias de ter personagens brilhantes e inesquecíveis, como a Rosalind de *Como quiserem;* a Beatriz e o Benedito de *Muito barulho por nada;* a Pórcia e o Shylock de *O mercador de Veneza* ou o Puck e o Bobina de *Sonho de uma noite de verão;* neles podemos encontrar o mesmo amor à humanidade, a mesma compaixão, a mesma precisão de observação que Shakespeare apresenta no restante de sua obra.

Os "romances" finais são uma outra história: em 1603 morreu, após 45 anos de reinado, Elisabete I, que se gabava de ser "pura inglesa", e sobe ao trono Jaime Stuart, escocês de gosto bem menos popular do que o da última Tudor. Os autores começaram a escrever peças passadas entre jovens nobres e sofisticados, ou sobre assuntos menos dolorosos do que os trágicos com os quais Shakespeare se ocupou de 1601 a 1609. A companhia do Lorde Camerlengo, da qual ele era cotista em 1594, teve de procurar um teatro diferente de seu imenso Globe (que continuava a ter grande sucesso popular). E foi em Blackfriars, um antigo convento de dominicanos, que eles instalaram sua nova sala, levando anos até poder usar como teatro, servindo-se da desculpa já utilizada por uma companhia de meninos que usara o mesmo recinto anos antes: o teatro não era "público", ele era "privado", isto é, dedicado a uma plateia restrita, embora para pertencer a ela bastasse que o indivíduo estivesse disposto a pagar um preço bem mais alto do que o do teatro dito público.

Os romances só vieram a ter essa classificação também no século xx, com sua estrutura semelhante à dos longos romances de aventura, cobrindo longos períodos de tempo e incluindo toda uma série de peripécias mais ao galante gosto da nova corte. Shakespeare só escreveu quatro deles, e se *Péricles* ainda é uma clara tentativa de descobrir um novo caminho, cada um dos que se seguem é melhor do que o anterior, e tudo culmina com a magistral última obra que Shakespeare escreveu sozinho, *A tempestade*, na qual estão presentes todos os maiores temas da obra do poeta, e na qual não faltam os que encontrem, na despedida de Próspero de seus poderes mágicos para voltar ao trono de Milão, uma despedida do próprio. Shakespeare da arte que o tornou tão famoso e apreciado nestes últimos quatrocentos anos.

Devo mais uma vez agradecer aqui o generoso e cuidadoso trabalho da Profª Dra. Liana de Camargo Leão, cuja revisão me salvou de enganos e deslizes; se alguns deles ainda aqui aparecerem, serão de minha exclusiva responsabilidade.

COMÉDIAS

A COMÉDIA DOS ERROS

Introdução
Barbara Heliodora

Publicada somente em 1623, no famoso *First Folio* das obras completas, *A comédia dos erros* é possivelmente a primeira peça de Shakespeare e, sem dúvida, a mais curta, contando apenas 1.777 linhas entre prosa e verso (correspondendo a parte em verso a 87% do total). A data da composição é incerta, com sugestões que variam de um extremo e improvável 1584 até 1592, e o primeiro registro de encenação é o do espetáculo realizado a 28 de dezembro de 1594, como parte dos festejos natalinos dos estudantes de Direito em Gray's Inn, Londres. Como Shakespeare baseia sua ação e sua estrutura principal em duas comédias de Plauto — *Menaechmi* para o todo, *Amphitrio* para vários detalhes importantes — a comédia tem sido mais ou menos tida como uma peça de aprendizado, em que o autor estreante estaria buscando seguir com fidelidade o exemplo de um comediógrafo experiente e consagrado pelos séculos, o que pode parecer razoavelmente sensato e procedente.

Se, ao escrever sua comédia, Shakespeare houvesse permanecido enquadrado no esquema plautino, a ideia de um aprendiz dedicado poderia realmente prevalecer, porém dificilmente poderiam ser mais diversos os temas e os espíritos das obras de Shakespeare e de Plauto. Na comédia romana temos a história de dois irmãos gêmeos separados desde a infância, um dos quais, solteiro, sai pelo mundo à procura do outro e chega à cidade onde o segundo cresceu e está morando, casado com uma típica megera caricata da dramaturgia romana. O reencontro dos dois irmãos e a notícia de que em sua cidade de origem ele era muito rico leva o Menaechmus, casado, a resolver voltar para lá, providenciando para isso um leilão de todos os seus bens em Epidamno, sua terra de adoção, com a inclusão, nos bens leiloados, de sua mulher. A trama é apenas uma farsesca exploração de enganos, e seu riso é mais para a linha da gargalhada; certamente no universo plautino não há espaço para qualquer tipo de sentimento mais delicado ou para maiores sutilezas de significado.

Ao "copiar" o enredo de Plauto, Shakespeare introduziu nele um tal número de alterações que o resultado é algo totalmente diverso do machismo um tanto grosseiro do autor romano. Para início de conversa, Shakespeare introduz na comédia, ou melhor dizendo, em torno dela, a fim de inserir a trama plautina em uma espécie de moldura que lhe altera inteiramente o sentido, uma segunda história que ele foi buscar no romance em prosa *Appolonius of Tyre*, que em tom patético, jamais admissível na comédia romana, narra o naufrágio em que se separam não só os gêmeos, mas na verdade toda a sua família. Shakespeare ainda viria a utilizar o mesmo naufrágio mais duas vezes em sua obra: a primeira, de passagem, em *Noite de Reis*, a segunda, com grande detalhe, em *Péricles*. Graças a essa segunda e romântica trama incluída por Shakespeare em *A comédia dos erros*, toda uma série de coisas acontece: da narrativa do pai dos gêmeos, Egeu, o público recebe a informação *a respeito da existência de dois* pares de gêmeos idênticos na cidade (os dois Antífolos e seus dois escravos Drômios); em verdade, toda a comicidade da obra vai girar em torno do fato de nós, o público, estarmos de posse de tal informação, que os personagens envolvidos na trama ignoram; mas igualmente graças a ela essa comédia, tão alegre e divertida, tantas vezes acusada de não passar de farsa vazia e inconsequente, adquire todo o seu significado maior.

Pouco mais de três séculos e meio depois, em sua comédia *The Knack* (1962), a inglesa Ann Jellicoe faria um de seus personagens dizer uma fala que define bastante bem tudo o que *A comédia dos erros* procura transmitir com sua ação: "O cavalo branco visto atrás da cerca pode ser uma zebra". Não é gratuitamente que, em lugar de dois gêmeos Menaechmi, Shakespeare recorre ao esquema de duas duplas idênticas que Plauto tirara da mitológica história da sedução de Alcmena, Júpiter/Anfitrião, Mercúrio/Sósia, mas sim porque com os dois Antífolos e os dois Drômios ele pode elaborar com muito maior eficiência todo um jogo dramático em torno da ideia de aparência e realidade, aliás um dos temas de que se ocupará ao longo de toda a sua carreira.

Por meio da confusão causada pela aparência indistinguível entre os dois pares de gêmeos, aliada ao perigo de vida que Egeu corre por aportar em Éfeso sendo de Siracusa, Shakespeare transforma a trama que encontrou em Plauto em uma parábola a respeito da perda da identidade do indivíduo quando a família se esfacela e ele se desmembra dela; só com a recomposição do núcleo familiar e com a reconquista da consciência de sua verdadeira identidade, é que todos readquirem o equilíbrio dentro do grupo social, ao qual passam a relacionar-se de forma correta, ou seja, da forma mais adequada à harmonia do indivíduo e da comunidade a um só tempo.

Como essencialmente Shakespeare se manteve fiel ao longo de toda a sua carreira à sua postura de autor popular, que atendesse aos anseios de um público amplo e variado, até mesmo uma análise singela como esta poderá sugerir, involuntariamente, um peso, um ar moralizante, que *A comédia dos erros* absolutamente não tem. É que para Shakespeare — assim como para a imensa indignação cívica de Aristófanes antes dele — a fim de que uma obra tenha conteúdo e significação, não há a menor necessidade de o autor fazê-la livresca ou ponderosa. É tornando a trama de Plauto bem mais complicada pelo uso de seus dois pares de gêmeos que Shakespeare encontra seus divertidos meios de expressar tudo aquilo que estava pensando ao conceber a obra; mas o fato é que, desde esse possível primeiro esforço, é indispensável que tenhamos consciência de que não podemos nos deixar enganar a ponto de julgarmos que só porque uma peça é divertida isso queira dizer que ela tem de ser privada de matéria para reflexão.

Os caminhos de Shakespeare para a transmissão do significado do que escreve são inesperados e misteriosos. Não é só de aparência e realidade que o poeta fala em sua comédia: em *A comédia dos erros* estão lançadas as sementes de vários dos temas e preocupações constantes do autor ao longo de sua obra. A história de Egeu, por exemplo, permitirá que o duque Solinus se torne a primeira e apenas esboçada expressão da questão da justiça e da misericórdia, que ocupará lugar tão importante em obras subsequentes. Para fins de imitação de Plauto por aprendizado não haveria a menor necessidade de a ação da comédia ser transferida de Epidamno para Éfeso; na realidade a localização é mais ou menos irrelevante, e quaisquer duas cidades relativamente distantes, sendo ao menos aquela em que se passa a ação à beira-mar, serviriam satisfatoriamente às necessidades da trama. Por que a mudança, então, já que ao menos ostensivamente tudo continua a passar-se no âmbito do império romano? A resposta a essa pergunta é surpreendente, mas, de certa forma, tão responsável pela radical mudança do quadro plautino quanto o uso do romance do naufrágio de Apolônio: toda a ação de *A comédia dos erros*, verifica-se, é perpassada pela influência de determinados trechos da Bíblia, a saber, a Epístola de São Paulo aos Efésios e os Atos dos Apóstolos. No capítulo 19 dos Atos, há não só referências ao templo de Diana em Éfeso — cidade que por isso mesmo pareceria mais familiar ao público elisabetano do que Epidamno — mas também fica dito que lá existe um artífice que trabalha com prata e, o que é mais relevante ainda, que se trata de uma cidade de feiticeiros, vigaristas e grandes confusões, ideias muito bem aproveitadas pelo poeta na criação do desagregado universo dos gêmeos em sua perda de identidade; por outro lado, particularmente nos capítulos 5 e 6 da Epístola de São Paulo aos Efésios, há toda uma série de ponderações que concernem à natureza das relações entre pais e filhos, maridos e mulheres e amos e servos, que sem dúvida são os referenciais de Shakespeare para sua retratação da perda e reconquista da harmonia do grupo social. Também nesse caso, Shakespeare não vê razão para deixar de sorrir só porque tem algo a dizer, e até mesmo a lição que a abadessa dá a Adriana sobre a harmonia no casamento é elaborada de forma divertida.

Em matéria de aprendiz, portanto, dificilmente encontraríamos aluno mais criativo ou mais brilhante do que Shakespeare em relação a Plauto. Como podemos ver com o que ele fez para chegar ao resultado final conhecido como *A comédia dos erros*, a fórmula utilizada, tal como existira antes, não se mostrou satisfatória como veículo para a expressão daquela determinada visão do poeta e certamente este poeta jamais escreveu uma única obra sem ter alguma ideia básica que sentisse necessidade de transmitir. É na parte feminina do elenco que a visão shakespeariana tem consequências mais transformadoras: em Plauto, a mulher do Menaechmus de Epidamno sequer tem nome, e sua função fica restrita ao desenho caricato da esposa/megera que por sua própria existência justifica tradicional critério moral duplo de comportamento tão característico de Roma, onde o homem procriava com sua "mulher legítima", a "matrona romana", e se divertia com a cortesã cuja função precípua era a de lhe dar o prazer que seria quase uma anomalia ele encontrar em casa. A cortesã, portanto, na vida real como no teatro, tinha maior importância e, no *Menaechmi*, tem nome (Erotium) e empregados, que em Shakespeare desaparecem, juntamente com o nome. Já correspondendo à conceituação elisabetana do casamento e da posição da mulher no esquema das coisas, tanto o nome quanto os criados reaparecem, mas, agora, todos ligados à figura da mulher de Antífolo de Éfeso: Adriana, sem dúvida, é ciumenta e queixosa, mas ao longo dos acontecimentos, bem como com o processo de recomposição do núcleo familiar, ela aprende a encarar seu relacionamento com o marido de forma mais equilibrada e, juntos, eles agora parecem estar no caminho certo para a conquista da felicidade. Ainda mais impensável para a comédia romana, no entanto, é o fato de Adriana ter uma irmã, Luciana, que depois de ficar bastante assustada com o problema da aparência e da realidade, completa a reunião familiar no final, quando fica claro que conquistará a sua felicidade casando-se com Antífolo de Siracusa. O resultado final não será o ideal feminista do século XX, mas para qualquer elisabetano estaria sempre muito presente a ideia de que, ao ocupar seu lugar adequado no encadeamento dos seres, a mulher mereceria respeito e amor.

Shakespeare tinha uma noção bastante clara do tempo durante o qual seria possível ser mantido o engano entre os gêmeos sem que algum tipo de explicação se fizesse indispensável; e por isso mesmo a ação de *A comédia dos erros* (único caso, além de *A tempestade,* na obra dramática de Shakespeare) respeita a unidade de tempo, tão soberanamente ignorada nas outras peças. Pela reação do duque à patética narrativa de Egeu fica estabelecido que é preciso encontrar uma solução para os problemas do infeliz mercador até as cinco horas da tarde; as circunstâncias permitem que, apenas por esse período limitado de tempo, as confusões entre os irmãos pareçam plausíveis.

Shakespeare, enfim, prezava demais a alegria dos homens para ter preconceitos contra a comédia como instrumento de expressão de pensamentos que, em si, podem ser "sérios". Os "erros" desta gostosa comédia são as confusões em que se toma um indivíduo por outro; é imperativo que nós não incorramos em um outro tipo de "erro", aquele que nega ao riso sua potencialidade como caminho possível e válido — mesmo que salpicado de maiores ou menores tropeços — na busca da harmonia e da conquista da felicidade.

LISTA DE PERSONAGENS

Solinus, duque de Éfeso
Egeu, um mercador de Siracusa

Antífolo de Éfeso } gêmeos, filhos de Egeu e Emília
Antífolo de Siracusa

Drômio de Éfeso } gêmeos, servos dos gêmeos Antífolos
Drômio de Siracusa

Baltazar, um mercador
Ângelo, um ourives
Doutor Pinch, um mestre-escola
Primeiro mercador
Segundo mercador
Emília, abadessa em Éfeso, mulher de Egeu
Adriana, mulher de Antífolo de Éfeso
Luciana, sua irmã
Lúcia, sua empregada
Cortesã
Carcereiro
Oficiais
Carrasco e outros servidores

ATO 1

CENA 1

(Entram Duque, Egeu, guardas, oficiais e outros.)

Egeu

Selai agora, ó duque, a minha sorte;
Meu sofrimento acabará com a morte.

Duque

Calai-vos, mercador de Siracusa;
Não é minha intenção quebrar a lei:
A inimizade que recentemente
Nasceu do ultraje de quem vos governa
Aos mercadores, nossos cidadãos,
Que, sem poder comprar as suas vidas,
Pagaram com seu sangue leis terríveis,
Baniu de nosso olhar toda piedade.
Desde os mortais conflitos que se deram
Entre nós e os traidores seus patrícios,
Foi decretado entre solenes juras,
Tanto por nós quanto por Siracusa,
Que entre as duas cidades inimigas
Não poderia mais haver comércio.
E mais:
Se fosse visto um cidadão de Éfeso
Em Siracusa, no mercado ou feira,
Ou qualquer cidadão de Siracusa
Nos visitasse de Éfeso a baía,
Seria morto, as posses confiscadas,
A não ser que, ao preço de mil marcos,
Pagasse a multa e assim salvasse a vida.
Vossos bens, com a melhor boa vontade,
Não chegam a valer nem mesmo cem;
Exige a lei, assim, a vossa morte.

Egeu

O meu consolo é o fim desta porfia;
As minhas dores findarão com o dia.

Duque

Contai-nos, em resumo, qual a causa
Que vos levou a abandonar a pátria,
E o motivo que a Éfeso vos trouxe.

EGEU
       Mais dura pena não podia eu ter
       Do que narrar todo o meu sofrimento:
35   Mas, pra que o mundo saiba que o meu fim
       Deveu-se aos fados e não a alguma ofensa,
       Falarei, se a tanto me permite a dor.
       Nasci em Siracusa e ali casei
       Com uma mulher que foi feliz comigo,
40   E ainda seria, se não fosse o acaso.
       Com ela fui feliz; e enriquecemos
       Por graça das inúmeras viagens
       Que a Epidano eu fazia, até que a morte
       Do meu feitor, e os múltiplos encargos
45   Que tive de assumir em meus negócios,
       Levaram-me pra longe de seus braços.
       Nem bem seis meses eram decorridos,
       Até que ela, arfando sob o peso
       Que às mulheres reserva a Natureza,
50   Tendo tecido cuidadosos planos,
       Seguiu-me, e me encontrou onde eu estava.
       Fazia pouco que ela ali chegara
       Quando foi mãe de dois meninos lindos;
       E, o que é estranho, eram tão iguais,
55   Que só os nomes é que os distinguiam.
       À mesma hora, nessa mesma casa,
       Uma humilde mulher também foi mãe
       De um outro par de gêmeos, também machos;
       E, sendo os pais paupérrimos, comprei
60   Os dois para servirem meus meninos.
       Mãe orgulhosa, a minha cara esposa
       Sonhava com a volta para o lar;
       Concordei, ai de mim, e bem depressa
       Estávamos no mar.
65   Bem pouco navegara nosso barco
       Antes que o mar, escravizado aos ventos,
       Desse triste sinal do que viria:
       Mas breve não restavam esperanças;
       Pois a luz que riscava a escuridão
70   Mostrava, à nossa mente apavorada,
       A morte a que já estávamos fadados;
       Eu a teria aceito de bom grado
       Não fora o pranto dessa esposa amada,
       Que, lamentando o que nos aguardava,
75   *Chorava pelos nossos pobres filhos*
       Que, assustados, chorando, na inocência,
       Faziam-me esforçar-me por adiá-la.

	Só isso, pois não via outra saída;
	Os marujos fugiram para os botes
80	Deixando-nos no barco que afundava:
	Minha esposa, cuidando do caçula,
	Atou-o a um mastro que encontrou largado,
	Juntando a ele um dos outros gêmeos;
	Fazendo eu o mesmo ao outro par;
85	Cuidadas as crianças, ela e eu,
	De olhos fixos na preciosa carga,
	Prendemo-nos ao mastro, a cada ponta;
	E ao sabor da corrente flutuamos,
	Julgando que a caminho de Corinto.
90	O sol brilhou enfim por sobre a terra
	Acabando a tormenta arrasadora;
	E como se por graça dessa luz
	Acalmaram-se as águas, e nós vimos
	Ao longe dois navios que chegavam,
95	Um de Corinto, outro de Epidano.
	Mas antes que chegassem — ai! Não posso!
	Julgai pelo passado, o que viria.

DUQUE

Continuai, senhor, o que narráveis;
Se não perdão, tereis nossa piedade.

EGEU

100	Se a tivessem os deuses, não julgara,
	E com razão, que sejam impiedosos!
	Pois quando ainda estavam muito longe,
	Fomos de encontro a vasto pedregulho
	Que, na violência do terrível choque,
105	Quebrou em dois a nossa frágil balsa.
	De modo que, em divórcio muito injusto,
	A cada um de nós deu a fortuna
	Causa de dor e causa de alegria.
	A parte dela, como se levada
110	Por menos peso, mas por dor igual,
	Tomou, ao vento, mais velocidade.
	Eu mesmo vi os três serem levados
	Por pescadores, de Corinto, penso.
	Mais tarde, outro barco recolheu-nos,
115	E, sabedores de a quem salvavam,
	Cercaram com bondade os pobres náufragos.
	E teriam salvado os outros três
	Não fora a lentidão de suas velas;
	Mas assim sendo, mantiveram o rumo.

>   Assim fiquei privado da alegria,
>   Assim o acaso preservou-me a vida,
>   Pra que narrasse a minha triste história.
>
> DUQUE
>
>   E pelo amor daqueles que chorais,
>   Contai-me agora tudo o que ocorreu
>   A vós e a eles desde aquele tempo.
>
> EGEU
>
>   O meu caçula, minha dor mais velha,
>   Desde o dia em que fez dezoito anos,
>   Começou a indagar por seu irmão,
>   Implorando que o servo — de igual fado,
>   Do irmão perdido só retendo o nome —
>   Pudesse acompanhá-lo em sua busca:
>   No sonho de rever o outro filho,
>   Arrisquei, e perdi, o que restava.
>   Há cinco anos dos confins da Grécia
>   Até a Ásia tenho procurado.
>   Na volta, pela costa, vim a Éfeso,
>   Sem esperança, mas inconformado
>   De deixar sem visita um só recanto.
>   Mas aqui vai findar a minha história;
>   E bem-vinda seria a minha morte,
>   Se me desse a certeza que eles vivem.
>
> DUQUE
>
>   Oh, triste Egeu, marcado pelos fados
>   Para sofrer azares tão terríveis!
>   Crede que se não fora contra a lei,
>   Contra a coroa, o cetro, e a dignidade,
>   Aos quais não pode opor-se o governante,
>   Defenderia eu mesmo a vossa causa.
>   Estando vós embora condenado,
>   E não seja a sentença reversível,
>   A não ser com desonra para mim,
>   Farei por vós, no entanto, o que é possível.
>   Dar-vos-ei, mercador, todo este dia
>   Para encontrardes salvação à vida;
>   Apelai para amigos nesta terra;
>   Tomai a soma por esmola ou préstimo,
>   E vivereis; senão, tereis a morte.
>   Guarda, este preso está ao teu cuidado.
>
> GUARDA
>
>   Sim, meu senhor.

EGEU
>Vai, Egeu, sem amigo e sem guarida,
>Apenas adiar o fim da vida.

CENA 2

(Entram Antífolo de Siracusa, Drômio de Siracusa e 1º Mercador.)

1º MERCADOR
>É preciso dizer-vos de Epidano
>Pros vossos bens não serem confiscados.
>Pois ainda hoje alguém de Siracusa
>Foi preso só por ter chegado aqui
>E, incapaz de pagar por sua vida,
>Segundo os estatutos da cidade,
>Irá morrer antes que o sol se ponha.
>Aqui está o dinheiro que eu guardava.

ANTÍFOLO DE SIRACUSA
>Leve-o ao Centauro, Drômio, e fique lá,
>Onde estamos pousando, à minha espera.
>A hora de almoçar não tarda muito
>E até então irei ver a cidade,
>Olhar os prédios, visitar as lojas,
>Voltando logo ao pouso pra dormir,
>Pois estou triturado com a viagem.

DRÔMIO DE SIRACUSA
>Tem muita gente que, com esta bolada,
>Pegava e simplesmente se arrancava!

ANTÍFOLO DE SIRACUSA
>Por esse, sim, eu boto a mão no fogo.
>E quando eu fico triste, chateado,
>Só ele é que consegue me alegrar.
>Não quer dar uma volta na cidade?
>E mais tarde cear lá na pousada?

1º MERCADOR
>Comprometi-me com alguns mercadores
>Dos quais espero muitos benefícios;
>Peço desculpas; mas às cinco horas
>Podemos encontrar-nos no mercado,
>Ficando, depois, juntos noite adentro:
>Mas, no momento, tenho de partir.
>Então vos deixo às vossas alegrias.

(Sai.)

ANTÍFOLO DE SIRACUSA

30 Quem me deixar às minhas alegrias,
    Deixa-me àquilo que não posso ter;
    Eu sou qual gota d'água no oceano
    Que no oceano busca uma outra gota,
    E ao mergulhar bem fundo na procura
35 (Ainda sempre buscando) se perdeu.
    Pois também eu, buscando mãe e irmão,
    Sem encontrá-los, sinto-me perdido.
    Até então eu vou fazer turismo
    Pra ver se é o que dizem a cidade.

(Entra DRÔMIO DE ÉFESO.)

40 Lá vem a minha agenda, o meu relógio.
    Como é? Que foi? Por que é que já voltou?

DRÔMIO DE ÉFESO

    Voltei? Até que eu estou chegando tarde!
    O porco e o capão já estão torrados,
    O meio-dia bateu faz tempo.
45 Já levei bofetão lá da patroa;
    O termômetro dela está lá em cima
    Porque a carne esfriou por sua causa.
    Quem não tem fome é que não vem para casa;
    Sua demora é de quem já comeu.
50 Mas nós, que não quebramos o jejum,
    Penamos à espera do senhor.

ANTÍFOLO DE SIRACUSA

    Falando tanto, você perde o fôlego;
    Onde está o dinheiro que eu lhe dei?

DRÔMIO DE ÉFESO

    Aquele que me deu na quarta-feira?
55 O tostão pra pagar o arrieiro?
    Era esse o preço; não fiquei com nada.

ANTÍFOLO DE SIRACUSA

    Não estou pra brincadeira agora, sabe?
    O que eu quero é saber do meu dinheiro.
    Como pôde entregar tamanha soma
60 Numa terra em que somos estrangeiros?

DRÔMIO DE ÉFESO

    Por favor, brinque em casa, no almoço;

A patroa mandou ter muita pressa;
Se eu voltar sem patrão, entro no couro;
E o meu coco é que paga os seus pecados.
65 Eu não sei como é que o seu estômago
Não lhe avisa que é hora de comer.

ANTÍFOLO DE SIRACUSA
Vamos, Drômio, já chega dessa asneira;
Deixa essas coisas para melhor momento.
Onde está o dinheiro que eu lhe dei?

DRÔMIO DE ÉFESO
70 O senhor não me deu dinheiro algum!

ANTÍFOLO DE SIRACUSA
Vamos, canalha, chega de piadas;
Onde foi que parou esse dinheiro?

DRÔMIO DE ÉFESO
Me mandaram buscá-lo aqui na praça
Para ir almoçar, na sua casa:
75 A patroa, com a irmã, 'stão esperando.

ANTÍFOLO DE SIRACUSA
Mas pelo amor de Deus, responde, onde,
Em que lugar, guardou o meu dinheiro?
Se não disser, eu quebro-lhe essas fuças
Pra você não brincar com quem não deve:
80 Onde estão os mil marcos que eu lhe dei?

DRÔMIO DE ÉFESO
Eu tenho várias marcas que são suas,
Tenho outras, que quem deu foi a patroa;
Mas nem juntando dá pra fazer mil.
E, além do mais, não creio que gostasse
85 Se eu desse elas de volta pro senhor.

ANTÍFOLO DE SIRACUSA
Marcas? Que marcas? E de que patroa?

DRÔMIO DE ÉFESO
Sua mulher, que mora lá no Fênix;
Aquela que me faz vir procurá-lo,
E quer que o senhor volte pra comer.

ANTÍFOLO DE SIRACUSA
90   Mas você inda insiste, seu canalha?
            Quer brincadeiras? Pois então, vai lá!

DRÔMIO DE ÉFESO
            Mas o que foi, patrão? Pare com isso!
            Se não para, é melhor eu dar no pé!

                                                                    (Sai.)

ANTÍFOLO DE SIRACUSA
            Eu não sei, mas vai ver que de algum jeito
95   Esse débil perdeu o meu dinheiro.
            Consta que aqui há muitos vigaristas,
            Caloteiros, e amigos do alheio,
            Feiticeiros que levam à loucura,
            E bruxas, que estropiam nossos corpos,
100   Larápios disfarçados, saltimbancos,
            Que a cidade é um antro de pecados.
            Se é verdade, é melhor eu ir embora.
            Vou ao Centauro procurar o Drômio:
            O dinheiro, para mim, não está seguro.

                                                                    (Sai.)

ATO 2

CENA 1
(Entram Adriana, mulher de Antífolo de Éfeso, e sua irmã Luciana.)

Adriana
Não voltou o marido, nem o escravo
Que mandei pra chamar pelo patrão!
Ora, Luciana, já são duas horas!

Luciana
É possível que algum dos mercadores
5 O tenha convidado pra cear.
Minha irmã, vamos nós comer tranquilas:
Os homens têm direito à liberdade;
Vão e vêm, são senhores de seu tempo.
É assim, minha irmã; tenha paciência.

Adriana
10 Mas por que hão de ser eles tão livres?

Luciana
Porque os negócios sempre são na rua.

Adriana
Ele se ofende só porque eu insisto.

Luciana
Cabe a ele frear os seus caprichos.

Adriana
Mas só um burro é que se freia assim!

Luciana
15 A independência custa muita dor;
Tudo aquilo que o sol iluminar
Tem seu freio, na terra, céu, ou mar.
As feras, peixes, e até as aves voando
Obedecem ao macho e ao seu comando.
20 Os homens, como deuses sem altares,
Senhores deste mundo e destes mares,
Dotados, como são, de alma e intelecto,
Mais importantes do que peixe ou inseto,
De suas fêmeas são também senhores:
25 E elas se curvam, cheias de temores.

ADRIANA

    Você não casa, tendo ideias tais.

LUCIANA

    O que eu temo são lutas conjugais.

ADRIANA

    Se casar, vai mandar; só quero ver.

LUCIANA

    Para amar, eu terei de obedecer.

ADRIANA

30   E se o marido der para passear?

LUCIANA

    Até que volte, eu tenho de esperar.

ADRIANA

    Mas que beleza! Ainda bem que hesita!
    Eu quero ver-lhe a calma é na desdita!
    Quando a desgraça vem ferir um'alma
35   Pedimos que se aquiete e tenha calma;
    Mas se sentimos nós a mesma dor,
    Queixar-nos-emos com o mesmo ardor.
    Você, a quem ninguém faz exigência,
    Me tortura e me pede paciência,
40   Mas se você um dia for casada,
    Perderá a paciência hoje rogada.

LUCIANA

    Hei de casar-me só pra experimentar.
    Mas seu marido agora vai chegar.

(Entra DRÔMIO DE ÉFESO.)

ADRIANA

    Como é? Botou a mão no seu patrão?

DRÔMIO DE ÉFESO

45   Não, ele é que botou em mim, como o poderão atestar as minhas orelhas.

ADRIANA

    Mas, diga, conseguiu falar com ele? Ele deu alguma ordem?

DRÔMIO DE ÉFESO
    A ordem foi direta aqui na orelha!
    Bem aqui; mas não deu pra compreender.

ADRIANA
    Falou ele assim tão dubiamente que não deu para você perceber o sentido?

DRÔMIO DE ÉFESO
    Não; ele bateu com tanta clareza, que deu para eu sentir cada argumento; o que não deu, foi para compreender por quê.

ADRIANA
    Mas, ouça, ele está vindo pra casa?
    Ele faz tudo para agradar à esposa...

DRÔMIO DE ÉFESO
    Patroa, ele está louco dos chifres!

ADRIANA
    Dos chifres?

DRÔMIO DE ÉFESO
    Mas não são chifres de corno! Parece um touro louco! Quando eu falei que é hora do almoço, ele gritou um troço de mil marcos. "O almoço", disse eu, "meu ou-ro", disse ele. "Tá frio", disse eu; "meu ouro", disse ele. "Não quer vir?", disse eu; "meu ouro", disse ele. "Onde estão os mil marcos que eu lhe dei?" "Vai queimar!", disse eu; "Meu ouro", disse ele. "A patroa", disse eu; "Pois que se dane! Que me interessa a tal da sua patroa!"

LUCIANA
    Disse quem?

DRÔMIO DE ÉFESO
    Disse o patrão. E ainda disse mais:
    "Não conheço nem casa nem patroa".
    E assim o encargo que levei na boca
    Trago dele de volta sobre os ombros,
    Pois foi nos ombros que ele mais bateu.

ADRIANA
    Pois volte lá e trate de trazê-lo.

DRÔMIO DE ÉFESO
    Voltar eu lá, só pra apanhar de novo?
    Será que não tem outro pra mandar?

ADRIANA

    Vá já ou abro em dois sua cabeça.

DRÔMIO DE ÉFESO

    E ele completa a cruz quebrando em quatro.
75   Dos meus patrões, sempre recebo bênçãos.

ADRIANA

    Fora, matraca; e traga aqui seu amo.

DRÔMIO DE ÉFESO

    De tanto me fazer rolar aí,
    Parece que já pensam que eu sou bola;
    Ela manda pra lá e ele pra cá:
80   Por aqui, tudo sempre acaba em couro.

(Sai.)

LUCIANA

    Como a impaciência lhe sombreia o rosto!

ADRIANA

    Aos que encontra na rua, ele dá gosto;
    A mim, me nega a honra de um olhar —
    Pois perdi a beleza aqui no lar.
85   Mas perdi-a por ele! E a inteligência?
    Estará também gasta, com a aparência?
    Se falo com amargura e irritação,
    É que sofro com a falta de atenção.
    Ele reclama porque sou instável,
90   Mas como sou reflexo, é inevitável.
    Daquilo que hoje sou, ele é culpado;
    Sendo o senhor, determinou meu fado.
    É ele o responsável pela ruína:
    Se estou murchando, o sol que me ilumina
95   Me refaria o viço; mas, matreiro,
    Cervo rebelde, sai do cativeiro
    Pra comer fora, e eu fico com os restos;
    E sempre são inúteis meus protestos.

LUCIANA

    Esqueça por um pouco esse seu zelo.

ADRIANA

100   Os que não sofrem podem esquecê-lo;
    Seus olhares, eu sei, são de outra agora;

Se assim não fosse, não viria embora?
Há pouco, prometeu dar-me um presente;
Ia comprar pra mim uma corrente.
105 Dessa corrente, eu só desejo um fim,
Que, como prenda, ela o prenda a mim,
E que o mantenha sempre em nosso leito.
O mais rico adereço, o mais perfeito,
Perde a beleza, mas o ouro fica;
110 De ser tocada, a forma de um tesouro
Desaparece, só ficando o ouro.
E assim o homem de honrada vida
Não humilha com farsa corrompida.
Se co'a minha beleza eu não o prendo,
115 Só de chorar hei de acabar morrendo.

LUCIANA
A que loucuras leva este ciúme!

(Saem.)

CENA 2
(Entra Antífolo de Siracusa.)

ANTÍFOLO DE SIRACUSA
Drômio guardou o ouro que eu lhe dei
Na hospedaria e, pelo que entendi
Do que me disse o dono, ele saiu
Para me procurar. Ainda não o vi
5 Desde o mercado. Mas aí vem ele.

(Entra Drômio de Siracusa.)

Como é, seu moço; já mudou de ideias?
Continue a brincar, se quer pancada.
Não conhece o hotel, não viu o ouro?
Estão à minha espera pra cear?
10 Estou no Fênix? E você, está louco?
Isso são modos de me responder?

DRÔMIO DE SIRACUSA
Responder ao senhor? Eu disse isso?

ANTÍFOLO DE SIRACUSA
Disse aqui mesmo, há menos de uma hora.

DRÔMIO DE SIRACUSA
    Pois se não o vi, desde que me mandou
    Até o Centauro pra guardar o ouro.

ANTÍFOLO DE SIRACUSA
    Pois se negou que eu lho havia dado,
    Falando na patroa e no almoço,
    O que me deu bastante irritação...

DRÔMIO DE SIRACUSA
    Que bom é vê-lo assim tão brincalhão.
    Vamos, patrão: que brincadeira é essa?

ANTÍFOLO DE SIRACUSA
    E ainda insiste em caçoar comigo?
    É jogo, então? Pois tome lá, e lá.

        (Batendo nele.)

DRÔMIO DE SIRACUSA
    Pare, senhor! Que o jogo assim é sério,
    Mas não entendo o que foi que eu fiz.

ANTÍFOLO DE SIRACUSA
    Só porque às vezes, com intimidade,
    Converso com você e me divirto,
    Vejo que abusa já dessa afeição
    E brinca até nas horas que estou sério.
    Os insetos que ao sol tanto esvoaçam
    Escondem-se, se a luz se faz sombria.
    Pra brincar, observe-me, portanto,
    E regule o seu tom por meu semblante.
    Ou preciso esmurrar o seu boné?

DRÔMIO DE SIRACUSA
    E o senhor ainda chama de boné? Se o senhor parar de me bater, eu prefiro cabeça mesmo; mas se o senhor vai continuar, eu vou precisar é de um boné de ferro; senão, daqui a pouco, vou ter de pensar com os ombros. Mas, por favor por que é que o senhor está me batendo?

ANTÍFOLO DE SIRACUSA
    Então, você não sabe?

DRÔMIO DE SIRACUSA
    Eu só sei que apanho muito.

ANTÍFOLO DE SIRACUSA
40 Quer que eu diga por quê?

DRÔMIO DE SIRACUSA
Sim, senhor, e para quê; pois dizem que todo porquê tem um por causa de quê.

ANTÍFOLO DE SIRACUSA
Em primeiro lugar... por me desrespeitar; e depois, porque... inda ficou insistindo.

DRÔMIO DE SIRACUSA
45 Nunca vi levar tanto cachação
Por um porquê de tão pouca razão.
Bom, então, muito obrigado.

ANTÍFOLO DE SIRACUSA
Obrigado? Por quê?

DRÔMIO DE SIRACUSA
Por tudo que o senhor me deu, assim, de graça.

ANTÍFOLO DE SIRACUSA
50 Ainda há tempo de me corrigir; ainda posso dar-lhe alguma coisa pelo que me deu. Mas, meu senhor, não é hora do almoço?

DRÔMIO DE SIRACUSA
Não, senhor. A carne ainda não está como eu.

ANTÍFOLO DE SIRACUSA
Não está, como?

DRÔMIO DE SIRACUSA
Sovada.

ANTÍFOLO DE SIRACUSA
55 Pelo tempo, já está curtida.

DRÔMIO DE SIRACUSA
Se estiver, acho bom não comê-la.

ANTÍFOLO DE SIRACUSA
Por quê?

DRÔMIO DE SIRACUSA
É capaz de ela lhe trazer vontade de me curtir também.

ANTÍFOLO DE SIRACUSA
Pois então, meu senhor, aprenda a brincar na hora certa. Tudo tem seu tempo certo.

DRÔMIO DE SIRACUSA
Se o senhor não estivesse tão zangado, eu tomava coragem pra discordar.

ANTÍFOLO DE SIRACUSA
Segundo que regra?

DRÔMIO DE SIRACUSA
Ora, senhor, uma regra tão clara quanto a clareira da careca do próprio Tempo.

ANTÍFOLO DE SIRACUSA
Diga lá como é.

DRÔMIO DE SIRACUSA
Que não há tempo para um homem recuperar os cabelos se ficou careca por meios naturais.

ANTÍFOLO DE SIRACUSA
Será que não pode pagar para recuperar?

DRÔMIO DE SIRACUSA
Sim, se pagar uma peruca e recuperar com os cabelos de outro homem.

ANTÍFOLO DE SIRACUSA
E por que o tempo é tão sovina com os cabelos sendo (como é) tão generoso em excrescências?

DRÔMIO DE SIRACUSA
Porque se trata de uma bênção que ele concede aos animais; e o que ele tirou aos homens em cabelos, concedeu-lhes em sabedoria.

ANTÍFOLO DE SIRACUSA
Ora, mas há muitos homens que têm mais cabelos que sabedoria.

DRÔMIO DE SIRACUSA
Mas, desses, não há um só que não tenha sabedoria bastante para perder os cabelos.

ANTÍFOLO DE SIRACUSA
Ora, então você conclui que os homens cabeludos fazem transações honestas sem sabedoria.

Drômio de Siracusa

80 Quanto mais honesto, mais depressa ele perde tudo, mas perde numa transa divertida.

Antífolo de Siracusa

Por que razão?

Drômio de Siracusa

Por duas razões, todas duas muito saudáveis.

Antífolo de Siracusa

Saudáveis, não, por favor.

Drômio de Siracusa

85 Então seguras.

Antífolo de Siracusa

Não, não há segurança em negócios falsos.

Drômio de Siracusa

Então certas.

Antífolo de Siracusa

Diga quais são.

Drômio de Siracusa

A primeira é que ele economiza o dinheiro que gastaria se penteando;
90 a segunda é que no jantar não ia cair cabelo na sopa.

Antífolo de Siracusa

Nesse tempo todo você devia estar provando que não há tempo para tudo.

Drômio de Siracusa

E provei, senhor, pelo menos que não há tempo para recuperar cabelo que se perde por vontade da natureza.

Antífolo de Siracusa

95 Mas suas razões não são válidas quanto a não haver tempo para recuperar.

Drômio de Siracusa

Deixe eu consertar: o próprio tempo é careca, e por isso no fim do mundo só haverá carecas.

Antífolo de Siracusa

Eu sabia que seria uma conclusão careca.
100 Mas, quem nos chama?

(Entram Adriana e Luciana.)

ADRIANA
    Pode ficar me olhando assim, com fúria;
    Os olhares amáveis são pra outra;
    Eu não sou Adriana, sua esposa.
    Bem me lembro do tempo em que jurava
105   Que não havia música na voz,
    Nem beleza no objeto, nem prazer
    No carinho da mão, e nem deleite
    No mais doce de todos os manjares,
    Que de mim não viesse para você.
110   Como acontece agora, meu marido,
    Que a si mesmo você se torne estranho?
    Digo a si mesmo, pois tornou-se estranho
    A mim, que, indivisível, integrada,
    Sou melhor que o melhor de você mesmo.
115   Por favor, não se afaste assim de mim,
    Pois saiba, meu amor, que é tão difícil
    Pingar u'a gota d'água em meio ao golfo
    E tornar a tirá-la de onde estava
    Sem ficar misturada ou diminuída,
120   Quando você partir sem me levar.
    Sei que seria pra você um choque
    Se ouvisse que tornei-me licenciosa
    E que este corpo que lhe consagrei
    Já fora por alguém contaminado!
125   Não cuspiria sobre mim com asco,
    Atirando em meu rosto seu desprezo,
    Chamando-me perdida e conspurcada,
    E desta falsa mão cortando a aliança,
    E quebrando-a com a força do divórcio?
130   Sei que é direito; e sei que há de fazê-lo.
    Hoje eu possuo a mancha do adultério;
    Há em meu sangue um misto de luxúria;
    Pois se os dois somos um, e um foi falso,
    Eu digiro o veneno de sua carne,
135   Prostituída pelo seu contágio.
    Guarde, pois, seu primeiro compromisso:
    Conservando o seu leito verdadeiro,
    E eu serei pura e você honrado.

ANTÍFOLO DE SIRACUSA
    Falais a mim, senhora? Eu não conheço
140   Ninguém aqui; cheguei há duas horas,
    Estranho a esta cidade e às vossas falas;

Pois sendo alheio a tudo o meu espírito,
Desejara entender uma palavra.

LUCIANA
Ó meu irmão! Como o mudou o mundo!
Por que tratar assim a minha irmã?
Ela mandou chamá-lo pelo Drômio.

ANTÍFOLO DE SIRACUSA
Pelo Drômio?

DRÔMIO DE SIRACUSA
Por mim?

ADRIANA
Por você. E qual foi sua resposta?
Que o senhor lhe batera e, em meio aos golpes,
Negava sua casa e sua esposa.

ANTÍFOLO DE SIRACUSA
Você andou falando com esta dama?
Qual é o intuito dessa situação?

DRÔMIO DE SIRACUSA
Eu, senhor? Nunca a vi em minha vida.

ANTÍFOLO DE SIRACUSA
É mentira, vilão; foi isso mesmo
Que você me contou lá no mercado.

DRÔMIO DE SIRACUSA
Nunca falei com ela em minha vida.

ANTÍFOLO DE SIRACUSA
Como pode chamar-nos pelos nomes?
A não ser uma pura inspiração!

ADRIANA
Não combina com a sua dignidade
Conspirar deste modo com um escravo
E levá-lo a negar o que eu afirmo!
Acuse-me por ter-me atraiçoado
Mas não agrave assim o seu pecado.
Eu vou prender a sua manga à minha —
Você será o olmo, e eu a vinha;
Cuja fraqueza, a algo mais forte unida,

                    Recebe dessa força nova vida.
                    De mim, você só tem o que é mesquinho:
170   Sou planta sem valor, musgo daninho,
                    Sou mato intruso que envenena o são,
                    Infecta a seiva e cria a confusão.

          Antífolo de Siracusa
                    Fala de mim em sua fantasia!
                    Acaso a desposei em sonho, um dia?
175   Ou durmo agora, e penso ouvir tudo isso?
                    Que erro me envolve, em que planeta existo?
                    Até que saiba o que é certo, o que é errado,
                    Manterei este engano inesperado.

          Adriana
                    Agora, Drômio, vai pedir o almoço.

          Drômio de Siracusa
180   Mas que loucura! Que angu de caroço!
                    Esta terra parece enfeitiçada!
                    Não sei se isso é demônio ou se isso é fada!
                    Se eu não vou logo, vai dar bode nisso!
                    E eu não quero brincadeira com feitiço!

          Luciana
185   O que é isso? Quer parar de resmungar?
                    Seu cretino, não conhece o seu lugar?

          Drômio de Siracusa
                    Patrão, será que hoje eu mudei tanto?

          Antífolo de Siracusa
                    Eu também; nós mudamos por encanto.

          Drômio de Siracusa
                    Eu sinto que estou todo transformado.

          Antífolo de Siracusa
190   Em quê?

          Drômio de Siracusa
                    Eu fiquei todo emacacado!

          Antífolo de Siracusa
                    Para ser burro é que só falta o nome.

DRÔMIO DE SIRACUSA
　　　　Sou burro! Meu capim! Estou com fome!
　　　　Posso ser burro, mas o que acontece
195　　É que eu não sei como ela me conhece.

ADRIANA
　　　　Agora, chega: não suporto mais
　　　　Sofrer e ainda ser desrespeitada;
　　　　Passar os dias a chorar sozinha
　　　　Pra fazer rir o escravo e o patrão.
200　　Venha almoçar, senhor; Drômio, olha a porta.
　　　　Hoje almoçamos cá, senhor marido;
　　　　Irá hoje explicar suas loucuras.
　　　　Drômio, se alguém pelo amo perguntar,
　　　　Ele saiu e ninguém pode entrar.
205　　Entremos, minha irmã. Drômio, cuidado!

ANTÍFOLO DE SIRACUSA
　　　　Estou na terra ou no inferno danado?
　　　　Isto parece um sonho pelo avesso,
　　　　Ela me fala e eu não me conheço.
　　　　Farei o que quiserem; pode ser
210　　Que desse engano nasça algum prazer.

ADRIANA
　　　　Sim; e que ninguém consiga entrar.

LUCIANA
　　　　Vamos, já é tarde para cear.

(Saem todos.)

ATO 3

CENA 1

(Entram Antífolo de Éfeso, Drômio de Éfeso, Ângelo e Baltazar.)

Antífolo de Éfeso
Caro senhor, eu peço que me ajude;
Minha mulher me ralha pelo atraso:
Eu sei que demorei em sua loja,
Vendo a fabricação desse colar
5 Que prometeu-me entregar amanhã.
Mas este vigarista aqui ao lado
Jura que o espanquei lá no mercado,
Que exigi uma soma de mil marcos,
E ainda reneguei a casa e a esposa!
10 Seu bêbado, que história foi aquela?

Drômio de Éfeso
Pode gritar; eu falei, tá falado!
Fui eu quem apanhou lá no mercado;
Se murro fosse tinta de escrever,
Eu nem falava nada; era só ler!

Antífolo de Éfeso
15 Você é uma besta!

Drômio de Éfeso
Pois então, cuidado!
Posso dar coices, sendo escoiceado!
Besta que apanha, dá; isso é que é certo!
E portanto, é melhor não ficar perto.

Antífolo de Éfeso
20 Amigo Baltazar, venha almoçar;
Gentileza, não dá pra alimentar.

Baltazar
Ora, comida já se tem bastante.

Antífolo de Éfeso
E também falsidade bem falante.

Baltazar
Prefiro mais afeto e menos festa.

ANTÍFOLO DE ÉFESO
Se a festa é pouca, o anfitrião não presta!
A mesa poderá ser farta ou não;
Mas tudo será dado com afeição.
Vai lá dizer que nos deixem entrar.

DRÔMIO DE ÉFESO
Maria, Maroca, Maruca, vem cá!

DRÔMIO DE SIRACUSA
(De dentro.)
Burro, palhaço, imbecil, bestalhão!
Fica sentado, ou dormindo no chão!
Pra que chamar por tanto mulherio?
Não enche! Vá pra casa do seu tio!

DRÔMIO DE ÉFESO
Olha o patrão, porteiro d'uma figa!

DRÔMIO DE SIRACUSA
(De dentro.)
Que se vá embora, eu não quero briga!

ANTÍFOLO DE ÉFESO
Mas quem está aí? Por que não abre a porta?

DRÔMIO DE SIRACUSA
(De dentro.)
Por que não vai encher sua avó torta?

ANTÍFOLO DE ÉFESO
E o meu almoço? Ainda não comi!

DRÔMIO DE SIRACUSA
Nem vai comer, ao menos por aqui!

ANTÍFOLO DE ÉFESO
Quem me impede de entrar na minha casa?

DRÔMIO DE SIRACUSA
(De dentro.)
Eu, Drômio; sou porteiro desta casa.

DRÔMIO DE ÉFESO
Vilão, me tirou o emprego e o nome —
Só serve pra fazê-lo passar fome.

O Drômio que está aqui neste momento
Só conseguiu que o chamem de jumento.

LÚCIA

(De dentro.)
Que foi, ó Drômio? Quem está lá fora?

DRÔMIO DE ÉFESO
É o patrão.

LÚCIA

(De dentro.)
Pois sim! Pode ir embora!
E ele também!

DRÔMIO DE ÉFESO
Será que tá maluca?
Ó Lúcia, espera que te parto a cuca!

LÚCIA

(De dentro.)
E eu, a sua, seu engraçadinho!

DRÔMIO DE SIRACUSA

(De dentro.)
Bravos, Lucinha! Quebra-lhe o focinho!

ANTÍFOLO DE ÉFESO
Estão me ouvindo? Vão abrir ou não?

LÚCIA

(De dentro.)
Eu já não disse?

DRÔMIO DE SIRACUSA

(De dentro.)
Disse que não vão!

DRÔMIO DE ÉFESO
E essa agora? Deu pra responder!

ANTÍFOLO DE ÉFESO
Abre, cretina!

LÚCIA

(De dentro.)
Hei de abrir por quê?

DRÔMIO DE ÉFESO
                Bate mais, meu senhor!

LÚCIA
                        (De dentro.)
                                        Bate, pra ver!

ANTÍFOLO DE ÉFESO
                Você me paga, se eu arrombo a porta!

LÚCIA
                        (De dentro.)
                Você vai acabar com a tromba torta!

ADRIANA
                        (De dentro.)
                Quem é que está fazendo esta algazarra?

DRÔMIO DE SIRACUSA
                        (De dentro.)
60   Uns marginais querendo fazer farra!

ANTÍFOLO DE ÉFESO
                A minha esposa! Quer abrir agora?

ADRIANA
                        (De dentro.)
                Eu, sua esposa? Pode ir dando o fora!

DRÔMIO DE ÉFESO
                Mas essa é boa! Mas, que patacoada!
                'Tou vendo que o patrão não é de nada!

ÂNGELO
65   Não está com jeito de sair comida.

BALTAZAR
                Mas vexame maior é esta acolhida!

DRÔMIO DE ÉFESO
                É melhor distrair os convidados.

ANTÍFOLO DE ÉFESO
                Não sei o que é que houve com os criados!

DRÔMIO DE ÉFESO
                "O que houve com os criados", essa é boa!

O que houve com ele, e com a patroa?
Ela lá dentro, e ele aqui de fora;
Só quero ver quem é que manda, agora.

Antífolo de Éfeso
Eu quebro a porta, nem que seja de aço.

Drômio de Siracusa
(De dentro.)
E eu te arrebento a cara, seu palhaço!

Drômio de Éfeso
Isso é só bafo de quem não está brabo.
E bafo só faz mal quando é de rabo.

Drômio de Siracusa
Bafo é você; passe daqui pra fora.

Drômio de Éfeso
Que história é essa? Eu quero entrar agora.

Drômio de Siracusa
Só quando peixe já souber voar.

Antífolo de Éfeso
Eu quebro! Quero um troço pra arrombar.

Drômio de Éfeso
Um pé de cabra serve, meu senhor?
Não nada, nem é peixe voador,
Mas pode ser que o pé nos faça entrar.

Antífolo de Éfeso
Pois vai buscar, e trata de ir depressa.

Baltazar
Senhor, que é isso? Tenha paciência!
Assim, seu nome pode entrar em jogo,
E mesmo provocar certa suspeita
Em torno da virtude de sua esposa.
A certeza que tem de seu caráter,
De sua honra, modéstia e dignidade,
Nos fala de razões desconhecidas.
E não duvido que ela explicará
A razão de negar-lhe agora a porta.
Aceite o meu conselho: venha embora —

       Vamos todos ao Tigre, pra cear;
       E mais tarde, o senhor volta, sozinho,
       Pra ter a explicação deste imprevisto.
       Se insiste em entrar à força, neste instante,
       À luz do dia, quando há gente à volta,
       Não faltará quem faça comentários;
       E a calúnia que o povo logo cria
       Contra um nome tão limpo quanto o seu
       Poderá, uma vez iniciada,
       Manchá-lo até mesmo após a morte.
       Pois a injúria cresce com o tempo
       E nunca perde o campo que conquista.

Antífolo de Éfeso
       É bom conselho; vamos sem mais luta.
       É preciso fingir que estou alegre.
       Eu conheço uma moça encantadora,
       Que é bonita, gentil, e até discreta:
       Vamos cear com ela. A minha esposa —
       Sem ter razão — por causa dessa moça
       Mais de uma vez já discutiu comigo:
       Vamos à casa dela.

            (Para Ângelo.)

                        Por favor,
       Vá buscar o colar, que já está pronto,
       E traga-o consigo ao Porco Espinho:
       É onde mora; dá-lo-ei a ela,
       Só por vingança contra a minha esposa.
       Eu só lhe peço que não tarde muito;
       Se em minha casa, sou assim tratado,
       Vou bater onde sei ser estimado.

Ângelo
       Estarei lá em cerca de uma hora.

Antífolo de Éfeso
       Perfeito. Vamos ver quem ri, agora.

                  CENA 2
       (Entram Luciana e Antífolo de Siracusa.)

Luciana
       Por que anda esquecido dos deveres
       De marido? Ouve bem, caro cunhado,

Em plena primavera dos amores
   Acaso já se encontra o seu fanado?
5 Se casou só por causa do dinheiro,
   Pela mesma razão, tenha cuidado;
   Ou, se a trair, que seja mais discreto:
   Mascare o falso amor com certo zelo,
   Não deixe que ela o veja nos seus olhos;
10 Não proclame você a sua culpa.
   Mostre-se terno, fale com doçura,
   Dê ao vício a aparência da virtude,
   Dê ao pecado um ar de santidade.
   Seja falso em segredo, sem magoá-la:
15 Que ladrão vai gabar-se dos seus furtos?
   É um erro duplo atraiçoar o leito
   E deixar que ela o veja, quando à mesa.
   A vergonha encoberta tem bom nome —
   Os atos maus dobram co'as más palavras.
20 Pobres de nós, mulheres! Sendo crédulas,
   Só pedimos que finjam que nos amam;
   Aceitamos o aspecto pela essência;
   A nossa vida é feita por vocês.
   Volte pra casa, pois, gentil irmão;
25 Conforte minha irmã, chame-a querida,
   Quem mente até merece louvação,
   Quando a lisonja cura uma ferida.

ANTÍFOLO DE SIRACUSA
   Gentil donzela, cujo nome ignoro,
   E não compreendo como sabe o meu,
30 A não ser que esse encanto me revele
   Não milagre terrestre, mas divino.
   Ensine-me a pensar e a responder;
   Explique a este cérebro terreno,
   Perdido em erros, fraco, débil, rude,
35 O sentido de frases tão estranhas.
   Por que busca tornar em tal mistério
   A verdade mais pura da minha alma?
   Por que, qual Deus, há de querer criar-me?
   Pois que crie — eu me entrego ao seu poder.
40 Mas se ainda sou eu, eu lhe garanto
   Que a sua irmã não é minha mulher,
   E que ao seu leito eu nunca prestei jura.
   Muito mais para si é que me inclino;
   Não tente, com o seu canto de sereia,
45 Afogar-me nas lágrimas da irmã:
   Cante para si mesma, que eu me rendo;

                    Nas ondas louras desses seus cabelos
                    Estou pronto a mergulhar e a me entregar,
                    Pois sei que ali, feliz, eu julgarei
50   Que é bom morrer, quando se morre assim.
                    Deixe que o amor, que é luz, se afogue nele.

     LUCIANA
                    Suas palavras são de um tresloucado.

     ANTÍFOLO DE SIRACUSA
                    Não sei; só sei que estou apaixonado.

     LUCIANA
                    É dos seus olhos que nasce o pecado.

     ANTÍFOLO DE SIRACUSA
55   Quem olha o sol, sempre acaba ofuscado.

     LUCIANA
                    Olhe onde deve, pra ficar mais puro.

     ANTÍFOLO DE SIRACUSA
                    E o que é que adianta, amor, olhar pro escuro?

     LUCIANA
                    Diga amor à irmã, e não a mim.

     ANTÍFOLO DE SIRACUSA
                    A irmã da irmã.

     LUCIANA
                              Não pode ser assim.

     ANTÍFOLO DE SIRACUSA
60   Só a você, que me trouxe esta calma,
                    Luz dos meus olhos, alma de minh'alma,
                    Meu sonho de esperança, meu tormento,
                    Meu céu na terra, flor do firmamento.

     LUCIANA
                    À minha irmã é que isso é devido.

     ANTÍFOLO DE SIRACUSA
65   Então, direi irmã ao seu ouvido.
                    É com você que eu vou querer viver;
                    Somos livres, podemos escolher.
                    Dê-me sua mão.

LUCIANA
                A sua jura é vã.
        É melhor falar com a minha irmã.

                                                                (Sai.)

        (Entra DRÔMIO DE SIRACUSA.)

    ANTÍFOLO DE SIRACUSA
70   Que é isso, Drômio? Onde é que vai com tanta pressa?

    DRÔMIO DE SIRACUSA
            O senhor me conhece? Eu sou Drômio? Sou seu escravo?
            Eu sou eu mesmo?

    ANTÍFOLO DE SIRACUSA
            Você é Drômio, é meu escravo, e é você mesmo.

    DRÔMIO DE SIRACUSA
            Eu sou um jumento, escravo de uma mulher, e estou fora de mim.

    ANTÍFOLO DE SIRACUSA
75   Escravo de que mulher? E por que é que está fora de si?

    DRÔMIO DE SIRACUSA
            Mas amo, descobri que além do senhor, eu pertenço a uma mulher;
            ela diz que eu sou dela, me persegue, e me quer a qualquer preço.

    ANTÍFOLO DE SIRACUSA
            Mas a troco de que ela diz que é sua dona?

    DRÔMIO DE SIRACUSA
            Bom, ela acha que eu sou dela, assim como o senhor diz que o seu
80   cavalo é seu; ela me quer assim, pra besta de carga; só que se eu fosse
            uma besta de carga, aí ela não quereria mais. Mas como ela é uma
            besta, diz que eu sou dela.

    ANTÍFOLO DE SIRACUSA
            Como é ela?

    DRÔMIO DE SIRACUSA
            Um corpanzil respeitabilíssimo; daqueles com os quais a gente não
85   pode falar sem chamar de "vossa corpanzilidade". Ela é um osso tão
            duro de roer, mais parece um casadinho de banha.

    ANTÍFOLO DE SIRACUSA
            Ela é casada com a banha?

DRÔMIO DE SIRACUSA
Ela é ajudante da cozinha, toda coberta de banha, eu não sei o que eu
posso fazer com ela, a não ser transformá-la numa lâmpada e acender
pra ver o caminho pra fugir dela. Eu juro que aquele pavio dá pra
queimar durante um inverno polonês inteiro; se ela viver até o Juízo
Final, vai queimar mais uma semana do que todo o resto do mundo.

ANTÍFOLO DE SIRACUSA
Loura ou morena?

DRÔMIO DE SIRACUSA
Encardida, feito o meu sapato; só que tem que a cara dela é mais suja:
porque sua feito uma louca — sai sebo que dá pra engraxar sapato a
vida inteira.

ANTÍFOLO DE SIRACUSA
Mas nisso um pouco d'água dá jeito.

DRÔMIO DE SIRACUSA
Pois sim, nem o dilúvio limpa aquilo.

ANTÍFOLO DE SIRACUSA
Como se chama?

DRÔMIO DE SIRACUSA
Norma, porque é enorme.

ANTÍFOLO DE SIRACUSA
Quer dizer que é um pouco larga?

DRÔMIO DE SIRACUSA
Dos pés à cabeça mede o mesmo que de um lado a outro; é esférica,
como um globo. Ela é toda coberta de países.

ANTÍFOLO DE SIRACUSA
Em que parte do corpo fica a Irlanda?

DRÔMIO DE SIRACUSA
Nas nádegas, senhor. Vê-se pelos pântanos.

ANTÍFOLO DE SIRACUSA
E a Escócia?

DRÔMIO DE SIRACUSA
Pela secura e a dureza, fica no couro das palmas das mãos.

ANTÍFOLO DE SIRACUSA
E onde fica a França?

DRÔMIO DE SIRACUSA
   Na testa — armada e revolta. Nela cabelos lutam como herdeiros.

ANTÍFOLO DE SIRACUSA
   E a Inglaterra?

DRÔMIO DE SIRACUSA
   Eu andei olhando os rochedos, mas não tinha nenhum branco — mas acho que fica no queixo, onde corre o suor salgado que separa a França dos despenhadeiros.

ANTÍFOLO DE SIRACUSA
   E a Espanha?

DRÔMIO DE SIRACUSA
   Essa eu não vi... Só senti no hálito quente!

ANTÍFOLO DE SIRACUSA
   E a América e as Índias?

DRÔMIO DE SIRACUSA
   Ora, senhor, no nariz, que é todo decorado com rubis, carbúnculos e safiras, que inclinam suas riquezas para o hálito da Espanha; pois esta mandou armadas inteiras de carga para servir de lastro ao nariz.

ANTÍFOLO DE SIRACUSA
   E a Bélgica e os Países Baixos?

DRÔMIO DE SIRACUSA
   Ora, meu amo — eu não olhei tão baixo. Mas o fato é que esse monstro, essa bruxa, disse que eu sou dela; me chamou de Drômio; disse que nós estamos mais do que comprometidos; me descreveu uma porção de particularidades que eu tenho — como a marca aqui no ombro, a verruga no nariz, o verrugão no braço esquerdo... Eu dei no pé, porque isso é bruxaria.
   Lutei como um leão, fugi, busquei abrigo.
   Senão aquela bruxa acabava comigo.

ANTÍFOLO DE SIRACUSA
   Pois o melhor é ir depressa ao porto
   Pra ver se há vento que nos leve ao mar.
   Não podemos ficar mais nem um dia
   Nesta cidade; e se algum barco parte
   Venha ao mercado, pr'onde eu vou agora
   E onde ficarei à sua espera.
   A confusão está demasiada;
   O melhor é bater em retirada.

DRÔMIO DE SIRACUSA
    O que eu preciso agora é me mandar,
    Antes daquela bruxa me apanhar.

(Sai.)

ANTÍFOLO DE SIRACUSA
    Nesta cidade só existem bruxos;
140   É melhor ir embora de uma vez.
    A que me chama de marido, odeio
    Com toda a alma, mas a linda irmã,
    Cheia de tanta graça soberana,
    De presença tão doce e encantadora,
145   Quase me fez querer mudar de vida.
    Antes que eu caia em sua linda teia
    É melhor não ouvir mais a sereia.

(Entra ÂNGELO com o colar.)

ÂNGELO
    Senhor Antífolo.

ANTÍFOLO DE SIRACUSA
              Esse é o meu nome.

ÂNGELO
    Pois eu não sei? Eis aqui o colar
150   Que devia levar ao Porco Espinho.
    Eu demorei porque não estava pronto.

ANTÍFOLO DE SIRACUSA
    Que quer, senhor, que eu faça com essa joia?

ÂNGELO
    Isso eu não sei; eu fiz para o senhor.

ANTÍFOLO DE SIRACUSA
    Fez para mim? Mas não a encomendei.

ÂNGELO
155   Nunca vi joia tão encomendada!
    Leve-a pra casa, dê-a à sua esposa!
    Quando eu for lá, na hora do jantar,
    Poderemos fazer as nossas contas.

ANTÍFOLO DE SIRACUSA
    Mas eu prefiro pagar tudo agora
160   Para evitar as dúvidas mais tarde.

ÂNGELO
    Oh, por favor! Pra que tais brincadeiras!

(Sai.)

ANTÍFOLO DE SIRACUSA
    Confesso que não sei o que pensar.
    Mas acho que também seria um louco
    Se recusasse a oferta do colar.
165   Deve haver por aqui muito dinheiro
    Pois nunca vi presente dado assim!
    Vou ao mercado, procurar por Drômio
    Pra tentar escapar do manicômio!

ATO 4

CENA 1
(Entram o 2º Mercador, Ângelo e um Oficial.)

2º MERCADOR
    O senhor está me devendo desde a Páscoa,
    Mas nem por isso o tenho importunado;
    Nem o faria agora se não fosse
    Por ter necessidade do dinheiro
5   Pr'uma viagem que farei à Pérsia.
    Mas agora ou me paga ou eu terei
    De prendê-lo aqui por meio deste guarda.

ÂNGELO
    Exatamente a soma que lhe devo
    É o que a mim deve o cavalheiro Antífolo;
10   E agora mesmo, antes de encontrá-lo,
    Dei-lhe um colar que hoje, às cinco horas,
    Em sua casa ele irá pagar.
    Eu lhe peço o favor de vir comigo
    Pra receber a soma que lhe devo.

(Entram Antífolo de Éfeso e Drômio de Éfeso, vindos da casa da cortesã.)

OFICIAL
15   Nem precisam ir lá; aí vem ele.

ANTÍFOLO DE ÉFESO
    Enquanto eu vou à casa do ourives,
    Vai comprar uma corda, que usarei
    Nessa cambada que trancou a porta.
    Mas vem lá o ourives; podes ir —
20   Compra a corda e me traz aqui em casa.

DRÔMIO DE ÉFESO
    Como não é pra mim, eu vou comprar.

    (Sai.)

ANTÍFOLO DE ÉFESO
    Pobre de quem confia no senhor!
    Fiquei à sua espera, com o colar,

                    Mas fiquei sem colar e sem ourives.
25   Temeu acaso que com uma corrente
                    Eu me prendesse, e preferiu não vir?

        ÂNGELO
                    Muito engraçado; mas 'stá aqui a nota
                    Com o cálculo do peso do colar,
                    O grau do ouro e custo do lavor,
30   Que somam justamente três ducados
                    Mais do que eu devo aqui a este senhor.
                    Devo insistir que pague com presteza
                    Pois meu credor vai ter de viajar.

        ANTÍFOLO DE ÉFESO
                    Não tenho esse dinheiro aqui comigo;
35   E tenho alguns negócios na cidade.
                    Peço que vá com ele à minha casa
                    Entregar o colar à minha esposa,
                    Que o pagará assim que o receber.
                    Eu volto ainda a tempo de encontrá-los.

        ÂNGELO
40   Quer dizer que o senhor traz o colar?

        ANTÍFOLO DE ÉFESO
                    Não; o senhor. Não sei se volto a tempo.

        ÂNGELO
                    Muito bem, ele está aí consigo?

        ANTÍFOLO DE ÉFESO
                    Eu espero que esteja com o senhor.
                    Pois senão, não teria o que pagar.

        ÂNGELO
45   Por favor, meu senhor, dê-me o colar;
                    O barco está à espera deste homem,
                    Que está atrasado só por minha causa.

        ANTÍFOLO DE ÉFESO
                    E o senhor acha que com tais mentiras
                    Vai disfarçar o atraso com que veio?
50   Motivos tinha eu para zangar-me —
                    E é o senhor que vem brigar comigo?

        2º MERCADOR
                    É hora; por favor, estou com pressa!

ÂNGELO
    O colar! Não está vendo como insiste?

ANTÍFOLO DE ÉFESO
    Mas ela o pagará, ao recebê-lo!

ÂNGELO
55   O senhor sabe que eu lho entreguei!
    Dê-me o colar, ou dê-me a sua paga!

ANTÍFOLO DE ÉFESO
    Vamos! Agora já não tem mais graça.
    Onde está o colar? Deixe-me vê-lo!

2º MERCADOR
    Não tenho tempo para brincadeiras;
60   Diga, senhor, se vai pagar-me ou não.
    Se não pagar, a coisa é aqui com o guarda.

ANTÍFOLO DE ÉFESO
    Pagar-lhe, eu? Por que devo eu pagar-lhe?

ÂNGELO
    É a soma que me deve, do colar.

ANTÍFOLO DE ÉFESO
    Sem o colar eu não lhe devo nada.

ÂNGELO
65   Mas eu lho dei, faz mais de meia hora.

ANTÍFOLO DE ÉFESO
    Não deu, e é incorreto caluniar-me.

ÂNGELO
    Mais incorreto é inda querer negar.
    Já viu que o seu bom nome está em jogo.

2º MERCADOR
    Oficial, pode prendê-lo agora.

OFICIAL
70   No alto nome do duque, o senhor está preso.

ÂNGELO
    Minha reputação sofre com isso;

Ou paga agora a soma que me deve
Ou darei ordem para que o prendam.

ANTÍFOLO DE ÉFESO
Pagar-lhe pelo que não recebi?

ÂNGELO
A escolha é sua; prenda-o oficial.
Não pouparia nem meu próprio irmão
Se me ofendesse assim, desta maneira.

OFICIAL
A causa é justa, e o senhor está preso.

ANTÍFOLO DE ÉFESO
Eu o obedeço até pagar fiança.
Quanto ao senhor, não há na sua loja
Ouro que baste pra pagar por isso.

ÂNGELO
Há leis em Éfeso, senhor, que punem
Escândalos como este que causou.

(Entra DRÔMIO DE SIRACUSA.)

DRÔMIO DE SIRACUSA
Meu amo, há um barco pra Epidano
Que espera apenas que nós embarquemos
Para fazer-se ao mar. Nossa bagagem
Já está a bordo, e eu já comprei o óleo,
O bálsamo, e um pouquinho de aquavita.
O barco é bom, e o vento está soprando
Da terra para o mar; vamos embora,
Pois só faltamos nós e o capitão.

ANTÍFOLO DE ÉFESO
Está louco, seu cabeça de galinha?
Que barco pra Epidano é esse agora?

DRÔMIO DE SIRACUSA
O que o senhor mandou que eu contratasse.

ANTÍFOLO DE ÉFESO
Você bebeu? O que eu mandei comprar
Foi a corda que eu estava precisando.

DRÔMIO DE SIRACUSA
  Corda? Vai ver que foi pra me enforcar.

ANTÍFOLO DE ÉFESO
  Pode deixar: depois nós conversamos;
  Mas precisa prestar mais atenção.
100   Agora vai falar com a Adriana:
  Dê-lhe essa chave e diga que na mesa
  Coberta com damasco rebordado
  Há uma bolsa da qual estou precisando.
  Diga também que fui preso na rua —
105   A bolsa é pra fiança. Agora, corra!
  Enquanto isso, oficial, para a prisão!

(Saem todos menos DRÔMIO.)

DRÔMIO DE SIRACUSA
  Adriana! Foi lá que nós comemos,
  Com a bruxa que me chama de marido!
  Mas com aquela eu não dou nem pra saída!
110   Tinha de ir, mesmo que não quisesse —
  O patrão manda, e o escravo obedece.

(Sai.)

CENA 2
(Entram ADRIANA e LUCIANA.)

ADRIANA
  Mas, Luciana, ele falou assim?
  Não pôde ver você, em seu olhar,
  Se estava sério ou se fazia troça?
  Parecia corar? Estava alegre?
5   Que pôde você ver, em seu semblante,
  Que pudesse mostrar seu coração?

LUCIANA
  Só disse que você não tem direito...

ADRIANA
  Direito eu tenho, mas sou insultada!

LUCIANA
  E garantiu que era forasteiro...

ADRIANA

Ele é traidor; é mais um foragido.

LUCIANA

Falei do seu amor.

ADRIANA

E ele atendeu?

LUCIANA

Disse que o amor que ele deseja é o meu.

ADRIANA

E fez alguma coisa para obtê-lo?

LUCIANA

Falou como quem ama com desvelo.
Exaltou-me a beleza e a inteligência...

ADRIANA

E você ajudou?

LUCIANA

Tenha paciência!

ADRIANA

Não posso me conter ante esta injúria!
Hei de domá-lo com amor ou fúria!
Ele é um monstro, feio, deformado.
O corpo, como a alma, é estropiado,
É mau, perverso, não tem coração,
Só tem defeitos, como um aleijão.

LUCIANA

E quem terá ciúme desse horror?
Se fosse embora, era até um favor.

ADRIANA

Eu sei que ele é melhor do que o que disse;
Mas eu queria que ninguém mais visse.
Como uma ave que destrói o ninho,
Eu mato com essas pragas meu carinho.

(*Entra* DRÔMIO DE SIRACUSA.)

Drômio de Siracusa
    Depressa! A bolsa! A mesa! Já! Correndo!

Luciana
    O que é que você tem?

Drômio de Siracusa
                        Eu estou morrendo!

Adriana
    Seu amo, Drômio, como tem passado?

Drômio de Siracusa
    Pior que mal! Está sendo torturado!
    O demo pegou ele, direitinho;
    Pegou, e está fazendo picadinho!
    É um monstro, um fantasma, aparição!
    É um gato que tem pata de leão,
    Um mau caráter com poderes mágicos,
    Que tem uns pensamentos que são trágicos
    Quando ele pega um cara pela pança,
    Não sobra nem cheirinho, de lembrança.

Adriana
    Que é isso? Está maluco? Fale claro!

Drômio de Siracusa
    Estou falando que prenderam o patrão por causa de um caso lá...

Adriana
    Mas quem deu ordem pra prender o amo?

Drômio de Siracusa
    Ah, quem foi que deu ordem eu não sei;
    Só sei que ele 'stá vendo o sol quadrado.
    A senhora dá o dinheiro pra fiança?

Adriana
    Minha irmã, vai buscar.

                            (*Luciana sai.*)

    O que me espanta
    É estar ele devendo alguma coisa.
    Você sabe por que é que foi detido?

DRÔMIO DE SIRACUSA
　　Por uma coisa muito apropriada!
　　Uma corrente! Mas não está batendo?

ADRIANA
　　O quê? A corrente?

DRÔMIO DE SIRACUSA
　　O sino! Acho melhor eu ir embora!
　　Já deram três, como é que é uma agora?

ADRIANA
　　Onde é que já se viu ficar mais cedo?

DRÔMIO DE SIRACUSA
　　Vai ver que até o relógio está com medo!

ADRIANA
　　Será que o tempo também está devendo?

DRÔMIO DE SIRACUSA
　　Ninguém sabe o que está acontecendo!
　　O tempo não é ladrão? Não rouba a vida?
　　O roubo é atividade proibida,
　　Que é ilegal, e pode ser punida.

(Volta LUCIANA com uma bolsa.)

ADRIANA
　　Vai, Drômio, é melhor levar a bolsa
　　Para o patrão poder voltar para casa.
　　Minha irmã, tudo isto é uma agonia —
　　Eu nem sei se me ofende ou se alivia.

(Saem.)

CENA 3
(Entra ANTÍFOLO DE SIRACUSA.)

ANTÍFOLO DE SIRACUSA
　　Todos me cumprimentam quando eu passo;
　　Parece até que todos me conhecem;
　　Eu não sei como, sabem o meu nome,
　　Convidam para festas, dão dinheiro,
　　Agradecem favores que prestei,
　　E me oferecem coisas pra comprar.

            Inda há pouco encontrei um alfaiate
            Cheio de sedas que comprou pra mim,
            E ainda me mediu de alto a baixo.
10   Na certa tudo isso é uma armadilha
            E este é o reino da feitiçaria.

            (Entra Drômio de Siracusa.)

    Drômio de Siracusa
            Pronto; aqui está o ouro que o senhor pediu. Mas, como é?
            Conseguiu "conversar" o nosso Adão?

    Antífolo de Siracusa
            Que ouro? E que tal de Adão é esse?

    Drômio de Siracusa
15   Não o que guardava o Paraíso, mas o que guarda o xadrez: aquele
            que anda vestido com a pele do bezerro que mataram para o filho
            pródigo; aquele que chegou sub-repticiamente — pelas suas costas,
            como um anjo mau, e convidou-o a abrir mão de sua liberdade.

    Antífolo de Siracusa
            Eu não estou entendendo nada.

    Drômio de Siracusa
20   Não? Pois o caso é líquido e certo: aquele que anda todo encourado,
            como certas pessoas que conhecemos; aquele que, quando as pessoas
            fazem algum esforço físico, fica tão comovido que as convida a "des-
            cansar" por uns tempos; que abriga os pecadores, dando-lhes casa e
            comida de graça.

    Antífolo de Siracusa
25   Ah, você está falando do guarda?

    Drômio de Siracusa
            Isso mesmo, meu senhor, não é ele que remenda a lei emendando
            quem a quebrou? E não deixa quem está emendado bem trancafiado
            debaixo de seus olhos protetores?

    Antífolo de Siracusa
            Agora deixa dessa bobagem; há algum barco para sair hoje?
30   Podemos embarcar?

    Drômio de Siracusa
            Meu amo, pois eu não lhe disse, faz uma hora, que sai hoje o *Expedição*,
            e o oficial não disse que era melhor para o senhor a detenção? Mas
            aqui estão os espíritos bons capazes de salvá-lo.

ANTÍFOLO DE SIRACUSA
Mas o homem está louco, e eu também!
Aqui tudo parece pesadelo!
Só espero que eu consiga sair desta!

(Entra uma Cortesã.)

CORTESÃ
Mas que feliz acaso, mestre Antífolo!
Apareceu, então, o tal ourives?
Ou foi outro o colar que prometeu?

ANTÍFOLO DE SIRACUSA
Vade retro, Satanás! Ordeno-lhe que não me tente!

DRÔMIO DE SIRACUSA
Meu amo, essa é que é a tal de Madame Satã?

ANTÍFOLO DE SIRACUSA
Ela é o próprio diabo!

DRÔMIO DE SIRACUSA
É pior. É a mãe do diabo; aí, toda vestida de moça de vida fácil. É por isso que quando as moças são muito danadas, também acabam com a vida fácil. É com esse tipo de facilidade que se vai mais facilmente para o inferno. É melhor não chegar perto dela.

CORTESÃ
Pelo que vejo os dois 'stão muito alegres.
Como é? Vai pagar aqui o almoço?

DRÔMIO DE SIRACUSA
Patrão, olha que a carne vai queimar!

ANTÍFOLO DE SIRACUSA
Por quê, Drômio?

DRÔMIO DE SIRACUSA
Quem come com o diabo sai torrado.

ANTÍFOLO DE SIRACUSA
Vai embora, monstro! Quer cear o quê?
Não quero nada com feitiçarias,
Faça o favor de me deixar em paz!

CORTESÃ
    É só me dar de volta o meu anel,
    Ou dar-me esse colar por meu brilhante
    Que eu vou o mais depressa que puder.

DRÔMIO DE SIRACUSA
    Já vi muito diabo querer unha,
    Gota de sangue, fio de cabelo,
    Caroço de cereja, e roupa usada;
    Mas joias, nunca! Essa diaba é esperta!
    Amo, cuidado, se o senhor der pra ela,
    Vai preso na corrente p'ros infernos.

CORTESÃ
    Ou me entrega o colar ou, então, o anel:
    Não vai querer bancar o vigarista!

ANTÍFOLO DE SIRACUSA
    Cai fora! Drômio, venha embora!

DRÔMIO DE SIRACUSA
    Não se trata de fuga: é retirada!

(Saem ANTÍFOLO e DRÔMIO.)

CORTESÃ
    Antífolo deve ter ficado louco,
    Pois de outro modo não faria isso.
    O anel que lhe dei é valiosíssimo;
    Em troca prometeu-me uma corrente,
    E agora não quer dar nem um nem outro.
    Não é só o que fez comigo agora
    Que me leva a pensar que esteja louco —
    Há também uma história esquisitíssima
    Que me contou; lá no almoço hoje
    Não o deixaram entrar na própria casa.
    Vai ver que por saber desses ataques,
    Sua mulher mandou fechar as portas.
    Acho melhor eu ir à casa dela
    Contar que num acesso de loucura
    Ele roubou o anel da minha casa.
    Eu sei que não são meios delicados,
    Mas tenho de salvar os meus ducados.

(Sai.)

CENA 4
(Entram Antífolo de Éfeso e o Oficial.)

ANTÍFOLO DE ÉFESO
Fique tranquilo que eu não vou fugir;
Eu não me afastarei antes de dar-lhe
O total da tal soma que me prende.
Minha mulher está de mau humor
5 E o mensageiro não é grande coisa,
Mas saber que em Éfeso fui preso
Não é coisa que a deixe indiferente.

(Entra Drômio De Éfeso.)

DRÔMIO DE ÉFESO
Já pode começar a acertar contas.

ANTÍFOLO DE ÉFESO
E o dinheiro?

DRÔMIO DE ÉFESO
10 Uai, eu usei o dinheiro para comprar a corda.

ANTÍFOLO DE ÉFESO
Quinhentos ducados por uma corda, ó boçal?

DRÔMIO DE ÉFESO
Bom, se aquilo era quinhentos...

ANTÍFOLO DE ÉFESO
O que é que eu mandei você buscar lá em casa?

DRÔMIO DE ÉFESO
Um pedaço de corda, e olhe que eu corri um pedaço para buscar.

ANTÍFOLO DE ÉFESO
15 Pedaço de asno! Tome, para não desperdiçar a ida!

(Bate nele.)

OFICIAL
Meu senhor, tenha paciência!

DRÔMIO DE ÉFESO
Eu é que tenho de ter paciência! Eu é que sofro!

OFICIAL
Agora chega! Cale a boca!

DRÔMIO DE ÉFESO
Por que é que o senhor não manda ele calar as mãos?

ANTÍFOLO DE ÉFESO
Seu filho da mãe, seu vagabundo insensível!

DRÔMIO DE ÉFESO
Quem me dera ser insensível, para não sentir os seus bofetes!

ANTÍFOLO DE ÉFESO
Pancada é a única coisa que você sente; é como um burro!

DRÔMIO DE ÉFESO
E sou burro mesmo, é só olhar para o tamanho das minhas orelhas. Desde que nasci que eu sirvo a ele, e a única coisa que recebi até hoje de suas mãos foi pancada; é o que me acorda quando durmo, o que me levanta quando eu sento, o que me faz sair se estou em casa, e o que me dá as boas-vindas quando volto. Carrego a pancada nos ombros como as mendigas carregam os filhos. E acho que quando ele me aleijar de uma vez, vou apanhar para pedir esmolas.

ANTÍFOLO DE ÉFESO
Anda daí; lá vem minha esposa.

(Entram ADRIANA, LUCIANA, a CORTESÃ e um DOUTOR.)

DRÔMIO DE ÉFESO
Senhora, *respice finem*, pense em seu fim, ou, para falar mais claro, como um papagaio, "a corda é fina".

ANTÍFOLO DE ÉFESO
Vai calar a boca?

(Bate nele.)

CORTESÃ
Eu não disse? Seu marido não está louco?

ADRIANA
É o que sugere essa brutalidade.
Eu lhe juro, doutor, que se os seus passes
Recobrarem o juízo deste homem,
Eu farei tudo o que o senhor quiser.

LUCIANA
 Nunca vi um olhar tão transtornado!

CORTESÃ
 Vejam só como treme com o ataque!

DOUTOR
 Dê-me sua mão, para eu tomar o pulso.

ANTÍFOLO DE ÉFESO
 Quer minha mão, não é? Pois aqui está!

 (Bate no doutor.)

DOUTOR
 Espíritos que moram neste homem!
 Cedei às minhas preces sacrossantas!
 Voltai às vossas covas nos infernos!
 Eu vos conjuro! Pelo céu! Deixai-o!

ANTÍFOLO DE ÉFESO
 Cala a boca, imbecil! Eu não estou louco!

ADRIANA
 Quem dera que assim fosse, meu marido!

ANTÍFOLO DE ÉFESO
 Leviana! Então são estes seus amigos?
 Foi essa coisa rota e desbotada
 Que se fartou à minha mesa hoje
 Com as portas bem trancadas pra ocultá-lo,
 E para me barrar da *minha* casa?

ADRIANA
 Marido, pois não almoçamos juntos?
 Por que não fica em casa, como deve,
 E evita essa vergonha e esses escândalos?

ANTÍFOLO DE ÉFESO
 Comemos juntos! Drômio, isso é verdade?

DRÔMIO DE ÉFESO
 Eu juro que é mentira, sim, senhor!

ANTÍFOLO DE ÉFESO
 Eu não fiquei aos gritos, cá de fora?

Drômio de Éfeso
   Ficou aos gritos, mas ninguém abriu.

Antífolo de Éfeso
   E ela não me xingou, de lá de dentro?

Drômio de Éfeso
   Verdade nua e crua: ela xingou.

Antífolo de Éfeso
   E a criada, não me fez pior ainda?

Drômio de Éfeso
   Lá isso fez: xingou que não foi vida.

Antífolo de Éfeso
   E eu não fui embora, indignado?

Drômio de Éfeso
   Se foi; isso eu garanto por meus ossos
   Que os mais indignados foram eles!

Adriana
   Talvez seja melhor não discutir.

Doutor
   Com loucos não se brinca. Os seus humores
   Estão fervendo com loucura insana.

Antífolo de Éfeso
   Você mandou o ourives me prender.

Adriana
   Pois se eu mandei o dinheiro pra salvá-lo!
   Mandei com toda a pressa, pelo Drômio!

Drômio de Éfeso
   Por mim? Não me mandou dar nem recado;
   Quanto mais dar dinheiro pro patrão.

Antífolo de Éfeso
   Você não foi buscar a minha bolsa?

Adriana
   Foi, sim; e fui eu que a dei a ele.

LUCIANA
    Eu vi; sou testemunha: ela a deu.

DRÔMIO DE ÉFESO
    Juro por Deus e pelo cordeiro
    Que o senhor só mandou buscar a corda!

DOUTOR
    Senhora, estão ambos possuídos!
    Não vê que estão com cara de fantasma?
    É preciso prendê-los bem no escuro.

ANTÍFOLO DE ÉFESO
    Por que razão não me deixou entrar?
    E por que não mandou-me a minha bolsa?

ADRIANA
    Mas, meu marido, eu o deixei entrar!

DRÔMIO DE ÉFESO
    Patrãozinho, o dinheiro não me deram;
    Mas a porta trancada eu sei que eu vi.

ADRIANA
    Mentira assim já é demais, canalha!

ANTÍFOLO DE ÉFESO
    Você é que me mente, qual rameira.
    E ainda se liga a esta corja infame
    Para insultar-me desta forma baixa!
    Hei de arrancar-lhe os olhos com estes dedos,
    Pra que não veja a farsa que forjou!

(Entram três ou quatro e tentam agarrá-lo. Ele luta.)

ADRIANA
    Amarrem-no! Socorro! Quem me ajuda?

DOUTOR
    Está tomado de espíritos fortíssimos!

ANTÍFOLO DE ÉFESO
    Mas querem me matar? Como é, oh, guarda,
    Eu não estou preso, então por que permite
    Que me levem os outros?

OFICIAL

                     Meus senhores
100   O preso é meu; ninguém pode levá-lo.

DOUTOR

    Então vamos pegar o outro louco!

(Tentam prender DRÔMIO.)

ADRIANA

    Que é isso, guarda? O senhor fica aí
    Gozando o espetáculo de um homem
    A fazer os desmandos que esse faz?

OFICIAL

105   O preso é meu; se sai da minha mão,
    Sou eu quem vai pagar o que ele deve.

ADRIANA

    Se é por isso, não se preocupe:
    Venha comigo; leve-me ao credor
    Que eu pagarei a soma que ele deve.
110   Meu bom doutor; agora vá levá-lo,
    Mas com cuidado. Ai! Que dia triste!

ANTÍFOLO DE ÉFESO

    Triste é você, vagabunda!

DRÔMIO DE ÉFESO

    Patrão! 'Stão me levando, de fiança!

ANTÍFOLO DE ÉFESO

    Cretino! Você quer me deixar louco?

DRÔMIO DE ÉFESO

115   E o senhor vai com ele, assim, de graça?
    Banque o maluco! Chame Satanás!

LUCIANA

    Coitados! Como estão fora de si!

ADRIANA

    Podem levá-lo. Venha, minha irmã.

(Saem todos menos ADRIANA, LUCIANA, a CORTESÃ e o OFICIAL.)

LUCIANA

Por favor, quem pediu que fosse preso?

OFICIAL

120 Um tal de ourives, cujo nome é Ângelo.

ADRIANA

Eu sei quem é. Quanto é que ele lhe deve?

OFICIAL

São duzentos ducados.

ADRIANA

De uma compra?

OFICIAL

De um colar, que vendeu ao seu marido.

ADRIANA

Falou-me de um colar; mas não o vi.

CORTESÃ

125 Depois que entrou, maluco, em minha casa,
E num acesso me levou o anel,
Eu o vi, e o colar 'stava com ele.

ADRIANA

Pode-ser; mas eu não cheguei a vê-lo.
Mas vamos; quero ver o tal ourives,
130 Pode ser que ele explique tudo isto.

(Entram ANTÍFOLO DE SIRACUSA, com um punhal na mão, e DRÔMIO DE SIRACUSA.)

LUCIANA

Meu Deus! Socorro! Olha os dois aí!

ADRIANA

E de arma na mão! É necessário
Chamar mais gente para que os amarrem!

OFICIAL

Vamos! Pois são capazes de matar!

(Saem todos menos ANTÍFOLO DE SIRACUSA e DRÔMIO DE SIRACUSA.)

DRÔMIO DE SIRACUSA

135   As bruxas 'stão com medo do punhal!
Mas que "esposa" fujona é essa sua!

ANTÍFOLO DE SIRACUSA

Vai ao Centauro e traz nossa bagagem
Quero me ver a salvo em pleno mar.

DRÔMIO DE SIRACUSA

Que bobagem! Vamos passar a noite aqui; ninguém vai fazer nada;
140   o senhor mesmo viu como são amáveis e ainda nos dão dinheiro! Eu acho isso aqui tão agradável, que se não fosse aquela montanha de carne que quer casar comigo, eu ficava aqui para virar bruxo também.

ANTÍFOLO DE SIRACUSA

Não fico aqui nem pago, está ouvindo?
Vai logo levar tudo para o barco!

(Saem.)

ATO 5

CENA 1
(Entram o 2º Mercador e Ângelo.)

ÂNGELO

    Eu me desculpo pelo seu atraso,
    Mas juro que entreguei o tal colar,
    Muito embora ele o negue, com cinismo.

2º MERCADOR

    Em que conta ele é tido na cidade?

ÂNGELO

5   Sua reputação é impoluta;
    Seu crédito é perfeito, é estimado;
    É o nome mais honrado da cidade:
    Sua palavra vale uma fortuna!

2º MERCADOR

    Silêncio! Não é ele que vem lá?

(Entram Antífolo de Siracusa e Drômio de Siracusa.)

ÂNGELO

10   É ele; com o colar bem no pescoço —
    Eu lhe peço: venha ouvir nossa conversa.
    Senhor Antífolo, eu me espanto muito
    Que me tenha causado tais injúrias:
    E nem ficou seu nome muito limpo
15   Com as juras e as mentiras com que ousou
    Negar que tinha a joia que ora usa.
    Não só foi preso e desmoralizado
    Mas também deu prejuízo ao meu amigo
    Que, se não fosse por este imprevisto,
20   Já estaria em mar alto, a esta hora.
    Inda nega que eu lhe dei esse colar?

ANTÍFOLO DE SIRACUSA

    De modo algum, e nunca o negaria.

2º MERCADOR

    Com jura falsa eu mesmo o ouvi negar.

ANTÍFOLO DE SIRACUSA
>Quem disse que o neguei, ou jurei falso?

2º MERCADOR
>Eu, que o ouvi com estes meus ouvidos.
>Não tem vergonha? Pois a mim me espanta
>Que inda possa tratar com homens honestos.

ANTÍFOLO DE SIRACUSA
>Canalha é quem me atira isso em rosto.
>Em guarda, então pois aqui mesmo, e agora,
>Quero lavar com sangue a minha honra.

2º MERCADOR
>Repito o que já disse: Vamos lá!

(Sacam as espadas. Entram ADRIANA, LUCIANA, CORTESÃ e outros.)

ADRIANA
>Não permitam que lute! Ele está louco!
>É preciso agarrá-lo e desarmá-lo.
>Atem o Drômio, e o levem para casa.

DRÔMIO DE SIRACUSA
>Fuja, patrão; não pense, busque abrigo!
>O melhor é entrar nesse convento!

(Saem para o convento ANTÍFOLO DE SIRACUSA e DRÔMIO DE SIRACUSA. Entra a ABADESSA.)

ABADESSA
>Silêncio! Por que estão todos aqui?

ADRIANA
>Pra buscar meu marido tresloucado.
>Precisamos entrar para amarrá-lo
>Para que possa ser tratado em casa.

ÂNGELO
>Eu não sabia que ele estava insano.

2º MERCADOR
>E eu sinto ter pensado em me bater.

ABADESSA
>Faz muito tempo que ele está assim?

ADRIANA

    Toda a semana esteve perturbado
45   E já nem parece ser o mesmo;
    Mas foi só hoje que a destemperança
    Atingiu os extremos mais terríveis.

ABADESSA

    Ele perdeu dinheiro ou propriedades?
    Não terá enterrado algum amigo?
50   Será culpado de infidelidade?
    Isso é pecado de marido jovem
    Que anda olhando pr'onde não devia.
    Por qual destas tristezas passou ele?

ADRIANA

    Nenhuma, a não ser, talvez, a última,
55   Isto é, algum amor, fora do lar.

ABADESSA

    Seria seu dever repreendê-lo.

ADRIANA

    E o fiz.

ABADESSA

            Mas talvez não o bastante.

ADRIANA

    O mais que permitiu minha modéstia.

ABADESSA

    Talvez a sós.

ADRIANA

            E até também em público.

ABADESSA

60   Mas nunca o suficiente.

ADRIANA

    Era esse o tema eterno da conversa:
    Eu nem deixava que dormisse à noite.
    E, à mesa, não falava de outra coisa.
    Quando estávamos a sós eu reclamava,
65   E o mencionei diante de visitas.
    Sempre insistindo que ele estava errado.

ABADESSA

    Então foi isso que o enlouqueceu.
    A língua de uma esposa enciumada
    Tem mais veneno que a de uma cobra.
70   Pelo que vejo, o homem não dormia,
    Não há cabeça que resista a isso.
    Diz-me que à mesa não lhe dava paz —
    Comer assim só traz indigestão;
    E dela nasce a febre que alucina —
75   Pois o que é febre, se não é loucura?
    Confessa que o irritava sem cessar;
    Mas se um homem não pode divertir-se,
    Vai no caminho da melancolia,
    A qual, num passo, chega ao desespero,
80   Atrás do qual, em bando, chegará
    Tudo o que amarga e prejudica a vida.
    O sono, a mesa, a vida sem repouso,
    Enlouquecem o homem e o animal;
    O seu ciúme é que causou o dano
85   Deixando louco o seu marido humano.

LUCIANA

    Ela sempre falou com suavidade,
    E apenas quando ele esteve em falta.
    Por que você não fala ouvindo isso?

ADRIANA

    Ela me fez trair meu próprio erro.
90   Meus amigos, lhes peço, vão buscá-lo.

ABADESSA

    Não, ninguém entra aqui na minha casa.

ADRIANA

    Mandai então trazer o meu marido.

ABADESSA

    Tampouco. Ele aqui tem santuário,
    E eu o livrarei de suas mãos
95   Até que esteja novamente são.
    Eu farei tudo para o conseguir.

ADRIANA

    Darei ao meu marido o meu cuidado;
    Quero assisti-lo, que é do meu dever —
    Não quero ver ninguém no meu lugar;
100   É por isso que peço pra levá-lo.

ABADESSA

    Tenha paciência, pois não o verá
    Enquanto eu não usar meios que tenho —
    Xaropes, drogas, fortes orações —
    Pra devolvê-lo à condição de homem.
105   Pois fazer isso é parte de meus votos,
    Caridoso dever da minha ordem.
    Partam, portanto, e deixem-no comigo.

ADRIANA

    Não parto sem levar o meu marido;
    E não vai bem à vossa dignidade,
110   Separar o marido da mulher.

ABADESSA

    É melhor ir, pois daqui não o leva.

(Sai.)

LUCIANA

    É preciso informar o duque disto.

ADRIANA

    Sim; a seus pés eu hei de me prostrar,
    Até que minhas lágrimas e preces
115   Consigam que ele venha até aqui
    Arrancar meu marido da abadessa.

2º MERCADOR

    Eu creio que são quase cinco horas;
    E, dentro em breve, eu sei que o próprio duque
    Passará por aqui quando a caminho
120   Do terrível local da execução
    Que fica para além desta abadia.

ÂNGELO

    Por que razão?

2º MERCADOR

    Um nobre mercador de Siracusa
    Teve o azar de aportar aqui em Éfeso,
125   Quebrando assim leis desta cidade;
    Será decapitado pela ofensa.

ÂNGELO

    Aí vêm eles — nós veremos tudo.

LUCIANA

    Implore agora ao duque, de joelhos!

    (Entram o Duque, com séquito, Egeu, sem chapéu, Carrasco e outros oficiais.)

DUQUE

    Insisto em proclamá-lo inda uma vez:
130   Se algum amigo apresentar a soma,
    Não morrerá, pois assim prometi.

ADRIANA

    Justiça, duque meu, contra a abadessa!

DUQUE

    A abadessa é justa e virtuosa;
    Não posso acreditar que faça mal.

ADRIANA

135   Ouvi-me, duque! O meu marido Antífolo,
    Que fiz senhor de mim e do que é meu,
    Por vossas ordens foi tomado hoje
    De violento acesso de loucura.
    Saiu descontrolado pelas ruas,
140   Junto com o escravo, que também está louco,
    Fazendo mal a vários cidadãos,
    Entrando-lhes nas casas, onde roubava
    Joias, anéis, em grande desvario.
    Consegui uma vez fazer prendê-lo
145   E andei pela cidade, onde estivera,
    Tentando compensar o mal que fez.
    Mas, não sei por que meios violentos,
    Ele escapou daqueles que o guardavam
    E, sempre acompanhado do outro louco,
150   Ambos em fúria, e já agora armados,
    Achou-nos e atirou-se sobre nós,
    Fazendo-nos fugir até encontrar
    Mais gente para ajudar. E então fugiram
    E entraram no convento. Nós tentamos
155   Segui-los pra de novo capturá-los,
    Mas a abadessa fecha-nos as portas
    E não permite que o recuperemos.
    Por isso, duque, peço-vos que ordeneis
    Que nos deixem levá-lo, pra tratá-lo.

DUQUE

160 Há anos que me serve o seu marido,
E eu empenhei minha ducal palavra
Ao elegê-lo dono do seu leito.
Por ele faço tudo neste mundo.
Que alguém bata à porta no meu nome,
165 E peça à abadessa que aqui venha;
Quero ver tudo isso esclarecido.

(Entra um SERVO.)

SERVO

Salve-se quem puder, minha patroa!
Tornaram a fugir os dois malucos!
Bateram nas criadas e amarraram
170 O tal doutor, queimando a barba dele.
Depois jogaram água pra apagar,
E cobriram ele todo de imundícies.
O patrão só dizia: "Fique calmo",
Enquanto o Drômio espetava o coitado.
175 Eu acho que eles vão matar o homem!

ADRIANA

Pare com isso! Os loucos 'stão aqui.
Tudo isso não passa de mentiras.

SERVO

Juro, patroa, que é tudo verdade;
Eu vi, inda agorinha, com estes olhos.
180 O patrão diz que vai pegar a senhora
E cortar o seu rosto em pedacinhos!

(Ouve-se barulho.)

É ele! É ele! Eu acho bom fugir!

DUQUE

Pode ficar sem medo. Venham, guardas!

ADRIANA

É o meu marido, que está possuído!
185 Agora cruza os ares invisível.
Há pouco entrou, fugindo, no convento,
E agora chega, vindo lá de casa.

(Entram ANTÍFOLO DE ÉFESO e DRÔMIO DE ÉFESO.)

ANTÍFOLO DE ÉFESO

    Meu nobre duque, clamo por justiça!
    Em nome dos serviços que prestei,
    Das guerras que já fiz por vossa causa,
    Das minhas cicatrizes, e do sangue
    Que perdi, peço que me protejais.

EGEU

    Ou temo tanto a morte que estou louco,
    Ou vejo ali Antífolo e Drômio.

ANTÍFOLO DE ÉFESO

    Peço justiça contra essa mulher
    Que vós me destes para minha esposa,
    Pois ela me ofendeu e desonrou-me
    Com injúrias que não posso suportar
    Não podeis conceber por que vergonhas
    Passei, por causa dela, na cidade.

DUQUE

    Diga-me como: sabe que sou justo.

ANTÍFOLO DE ÉFESO

    Negou-me entrada hoje, em minha casa,
    Enquanto a transformava num bordel.

DUQUE

    É grave; como pôde fazer isso?

ADRIANA

    É falso; eu almocei hoje com ele.
    Em casa, junto com esta minha irmã.
    Quero morrer se falto com a verdade!

LUCIANA

    Que o sol me cegue, e a lua me regele
    Se o que ela diz não é pura verdade!

ÂNGELO

    (À parte.)
    Perjuras! Todas duas 'stão mentindo;
    É justa a acusação que o louco faz.

ANTÍFOLO DE ÉFESO

    Senhor, eu sei medir minhas palavras;
    Embora com motivos pra estar louco.

<pre>
                    Essa mulher trancou-me porta afora:
215   Se o ourives não fosse seu comparsa,
                    Podia me servir de testemunha;
                    Pois deixou-me, a seguir, para ir buscar
                    Um colar que traria ao Porco Espinho
                    Onde eu fora almoçar com Baltazar.
220   Depois do almoço, já que ele não vinha,
                    Fui procurá-lo, e o encontrei na rua
                    Acompanhado desse cavalheiro.
                    Na frente do outro acusou-me ele
                    De haver recebido o tal colar
225   Que, sabe Deus, eu nunca havia visto.
                    Fez-me prender, por causa dessa joia;
                    Obedeci, pedindo ao meu escravo
                    Que buscasse o dinheiro da tal dívida.
                    No caminho encontramos
230   Minha mulher, a irmã, e uma cambada
                    De sórdidos comparsas, entre os quais
                    Um tal doutor, de aspecto macilento,
                    Um saltimbanco mistificador.
                    Pois esse esbirro, dando-se importância,
235   Tomou meu pulso e examinou-me os olhos,
                    E em meio a cabalísticos esgares
                    Gritou que *eu* estava possuído!
                    Levaram-me amarrado para casa;
                    Livrando-me das cordas com meus dentes
240   Fugi, e vim buscar-vos, pra pedir-vos
                    Que ordeneis que me sejam explicadas
                    As causas dessa vil indignidade.

        ÂNGELO
                    Senhor, posso depor, em favor dele,
                    Que a porta realmente foi trancada,
245   E que ele não comeu em sua casa.

        DUQUE
                    Mas jura que o colar está com ele.

        ÂNGELO
                    Sem dúvida; e quando ele entrou aqui,
                    Trazia minha joia em seu pescoço.

        2º MERCADOR
                    E eu juro que *o ouvi admitir*
250   Que o recebera mesmo desse ourives,
                    Depois de o haver negado no mercado.
</pre>

Puxei de minha espada, pra bater-me,
Quando o louco fugiu para o convento
De onde saiu, parece, por milagre.

ANTÍFOLO DE ÉFESO

255 Eu nunca pus os pés nesse convento,
Não puxei minha espada a este senhor,
E juro que não vi o tal colar!
Não sei por que me acusam com mentiras!

DUQUE

O caso tem aspectos complicados,
260 Creio que Circe confundiu a todos.
Se ele tivesse entrado no convento,
Lá estaria agora; e, sendo louco,
Não poderia argumentar tão bem.
Diz a mulher que ele almoçou em casa;
265 O ourives diz que não; que diz o escravo?

DRÔMIO DE ÉFESO

Comeu com ela, lá no Porco Espinho.

CORTESÃ

E ainda me tirou aquele anel.

ANTÍFOLO DE ÉFESO

Isso é verdade, duque; o anel é dela.

DUQUE

E o viu entrar, também, nesse convento?

CORTESÃ

270 Tão claro quanto eu vejo agora a vós.

DUQUE

Que estranho! Que me chamem a abadessa!

(Sai alguém para chamar a ABADESSA.)

EGEU

Bom duque! Permiti-me uma palavra.
Já tenho amigo que me salve a vida,
Pagando-vos o preço que é exigido.

DUQUE

275 Pois fale livremente, mercador.

EGEU
>	Senhor, não é Antífolo o seu nome?
>	E este seu escravo não é Drômio?

DRÔMIO DE ÉFESO
>	Até bem pouco tempo eu era escravo.
>	Mas depois que os seus dentes me soltaram,
280	Graças a ele sou um homem livre!

EGEU
>	Então hão de lembrar-se de quem sou.

DRÔMIO DE ÉFESO
>	O senhor faz lembrar-nos de nós mesmos,
>	Pois fomos nós também acorrentados.
>	O senhor não é cliente do doutor?

EGEU
285	Que olhar é esse? Vocês me conhecem!

ANTÍFOLO DE ÉFESO
>	Eu sei que nunca o vi em minha vida.

EGEU
>	Eu sei que a vida muda nosso aspecto,
>	E o quanto envelheci com o sofrimento
>	Desde o momento em que vocês partiram.
290	Mas nem a voz será que reconhecem?

ANTÍFOLO DE ÉFESO
>	Tampouco!

EGEU
>	E Drômio, você também não?

DRÔMIO DE ÉFESO
>	 Não sei quem é, senhor.

EGEU
>	Mas sabe, sim!

DRÔMIO DE ÉFESO
>	Mas eu juro que não, e quem está preso
295	Não tem o direito de duvidar de nada.

EGEU

    Mas nem a voz? Oh, sofrimento atroz,
    Será que de tal modo me mudaste
    Neste tempo, que nem meu próprio filho
    É mais capaz de conhecer-me o timbre?
300   Pois apesar deste meu rosto esquálido
    Ter sido encanecido pela neve,
    Que enregelou também as minhas veias,
    Minha memória não morreu de todo;
    E as poucas forças que me sobram hoje
305   Ainda dão aos meus ouvidos surdos
    O dom de me informar que este é meu filho.
    Não tenho dúvida: esse é o meu Antífolo.

ANTÍFOLO DE ÉFESO

    Mas, meu senhor, não conheci meu pai.

EGEU

    Faz sete anos que, em Siracusa,
310   Nos separamos — você não se lembra?
    Talvez sinta vergonha de eu estar preso...

ANTÍFOLO DE ÉFESO

    O duque e toda a gente da cidade
    Podem testemunhar o que lhe digo.
    Nunca vi Siracusa em minha vida:
315   O senhor se confunde em sua dor.

(Entram a ABADESSA, ANTÍFOLO DE SIRACUSA e DRÔMIO DE SIRACUSA.)

ABADESSA

    Meu duque, eis um pobre injustiçado.

(Juntam-se todos para olhá-los.)

ADRIANA

    São meus olhos, ou tenho dois maridos?

DUQUE

    Um desses homens é do outro o gênio;
    E um dos outros também; quem sabe aqui
320   Qual é o homem, e quem é o espírito?

DRÔMIO DE SIRACUSA

    Senhor, sou Drômio; despachai o outro.

DRÔMIO DE ÉFESO
Senhor, sou Drômio; deixai-me ficar.

ANTÍFOLO DE SIRACUSA
E você, é Egeu ou o seu fantasma?

DRÔMIO DE SIRACUSA
Meu velho amo! Mas, por que está preso?

ABADESSA
325 Não sei por que, mas eu o soltarei,
Com o que eu recupero o meu marido.
Pois não era você, meu velho Egeu,
Quem teve outrora Emília por mulher,
Aquela que lhe deu dois lindos filhos?
330 Fale comigo, pois eu sou Emília.

DUQUE
Vai ter portanto um fim a sua história:
Estes dois, tão iguais, são os Antífolos
E ali estão os Drômios, tão iguais.
E pelos dois relatos do naufrágio,
335 Vemos que estes são os tristes pais
Que o acaso reuniu neste lugar.

EGEU
Ou sonho, ou você é a minha Emília:
Diga-me depressa o que se deu
Com o filho que levou em sua balsa.

ABADESSA
340 Fomos salvos por homens de Epidano,
E junto a nós foi salvo também Drômio.
Mas rudes pescadores de Corinto
Raptaram-me os meninos, sendo que eu
Permaneci nas mãos dos de Epidano.
345 Não os vi mais, e dei-me a este convento.

DUQUE
Você não veio de Corinto, Antífolo?

ANTÍFOLO DE SIRACUSA
Não, meu senhor; eu sou de Siracusa.

DUQUE
Fique um aqui e outro lá, bem separados.

ANTÍFOLO DE ÉFESO
    Senhor, sou eu quem veio de Corinto.

DRÔMIO DE ÉFESO
350   E eu com ele.

ANTÍFOLO DE ÉFESO
    Trazido pelo herói desta cidade,
    O vosso tio, o duque Menafon.

ADRIANA
    E quem foi que almoçou hoje comigo?

ANTÍFOLO DE SIRACUSA
    Fui eu.

ADRIANA
            E é ou não é o meu marido?

ANTÍFOLO DE ÉFESO
355   Respondo eu, e digo que não é.

ANTÍFOLO DE SIRACUSA
    Eu bem lhe disse, mas ela insistia;
    E a outra me chamava de cunhado.

        (Para LUCIANA.)

    O que lhe disse então, que a assustava,
    Espero agora tornar realidade —
360   A não ser que o que vejo seja um sonho.

ÂNGELO
    Não fui eu que lhe dei esse colar?

ANTÍFOLO DE SIRACUSA
    Nunca disse que não; ainda é seu.

ADRIANA
    Dei a Drômio uma bolsa com o dinheiro;
    Mas acho que ela nunca foi entregue.

ANTÍFOLO DE ÉFESO
365   A mim ninguém deu nada.

ANTÍFOLO DE SIRACUSA
>Fui eu quem recebeu a sua bolsa;
>Foi meu escravo Drômio que ma deu.
>Parece que os dois homens, confundidos,
>Ficaram a servir o amo trocado,
>E disso é que nasceram tantos *erros*.

ANTÍFOLO DE ÉFESO
>Eis aqui o resgate de meu pai.

DUQUE
>Não é preciso; ele é um homem livre.

CORTESÃ
>Senhor, quer devolver-me o meu brilhante?

ANTÍFOLO DE ÉFESO
>Ei-lo aqui, e obrigado pelo almoço.

ABADESSA
>Meu nobre duque, peço-vos que entreis
>Conosco para a sala do convento,
>Onde ouvireis detalhes desta história.
>E peço a todos os que aqui vieram
>E sofreram com os erros deste dia,
>Que não nos neguem sua companhia
>Para terem, de nós, satisfações.
>Depois de trinta anos de agonia,
>Tenho aqui meus dois filhos que hoje nascem:
>Meu longo parto só termina agora.
>A vós, meu duque, e a todos os demais,
>O meu marido e eu, e os nossos filhos,
>Convidamos à festa da saudade;
>Depois da dor, vem a felicidade.

>>*(Saem todos menos os dois ANTÍFOLOS e os dois DRÔMIOS.)*

DRÔMIO DE SIRACUSA
>Não é melhor buscar nossa bagagem?

ANTÍFOLO DE ÉFESO
>Você levou o que para onde, Drômio?

DRÔMIO DE SIRACUSA
>Levei tudo que é nosso para o barco.

ANTÍFOLO DE SIRACUSA
        Isso é comigo! O seu patrão sou eu!
        Vamos entrar; depois se pensa nisso.
        Abrace o seu irmão, e esqueça o resto!

                    (Saem ANTÍFOLO DE ÉFESO *e* ANTÍFOLO DE SIRACUSA.*)*

DRÔMIO DE SIRACUSA
395   Há uma gordona lá na sua casa
        Que andou me cozinhando hoje no almoço —
        Ainda bem que ela é minha cunhada!

DRÔMIO DE ÉFESO
        Você, além de irmão, serve de espelho;
        E, pelo visto, eu sou bem apanhado!
400   Agora está na hora de ir para a festa.

DRÔMIO DE SIRACUSA
        Eu não; entra você, que é o mais velho.

DRÔMIO DE ÉFESO
        Será? Como é que nós vamos saber?

DRÔMIO DE SIRACUSA
        No par ou ímpar; mas pode ir na frente.

DRÔMIO DE ÉFESO
        Nós nascemos irmãos, iguais no fado —
405   Só podemos entrar de braço dado.

                                            (Saem.)

Os dois cavalheiros de Verona

Introdução
BARBARA HELIODORA

Os dois cavalheiros de Verona é a primeira experiência do jovem autor William Shakespeare no gênero da comédia romântica. A cronologia das obras de Shakespeare escritas na primeira metade de sua carreira é em boa parte com base na publicação de *Palladis Tamia,* de Francis Mere, de 1598, onde são listadas dezesseis peças do autor, com *Os dois cavalheiros* aparecendo em primeiro lugar entre as comédias. Como de hábito, há toda espécie de teoria a respeito da data de composição de peças como esta, só publicada na famosa edição das obras completas, o "First Folio", de 1623; mas depois de muita discussão, todos parecem concordar que 1594 seria a data mais provável para a estreia da comédia.

A grande diferença entre a comédia romana e a romântica é a primeira ser de crítica a alguma situação que precisa ser consertada, e a segunda, a história da conquista de um final feliz com a superação de alguns tropeços no caminho. Bastante característico do empenho de um autor novo em se mostrar em dia com o que está literariamente em moda, é o uso frequente que faz Shakespeare do trocadilho (a maldição de todo tradutor), um dos mais explorados meios usados pelos autores elisabetanos para proclamar e explorar o quanto era bom brincar com a flexibilidade de sua língua; por outro lado, a incidência da rima é muito alta, seja em rima parelha, seja em versos alternados, com a prosa aparecendo quase que exclusivamente nas falas dos cômicos, estabelecendo diferenças de nível social.

Em nenhuma outra obra parece ficar tão clara a precipitação de um jovem autor, sua inexperiência e desatenção para com detalhes, pois há um sem número de confusões e distrações: a momento algum, por exemplo, fica estabelecido, realmente, que Valentino e Proteu, os dois cavalheiros, sejam realmente originários de Verona, pois isso jamais aparece no diálogo, só no título. Por outro lado, muito embora nas primeiras referências Milão, para onde vão os dois rapazes, seja governada por um Duque, são várias as referências ao fato de eles irem para a "corte imperial", e Valentino ser considerado digno de uma imperatriz. Quando Silvia resolve fugir para buscar o banido Valentino, diz que ele foi para Mântua, o que aumenta a confusão a respeito de sua cidade de origem. O pai de Silvia, que seria o Duque, é muitas vezes mencionado apenas como "seu pai", sem indicações de título ou poder, enquanto Julia só em um momento tem um pai mencionado e, quando resolve seguir para Milão atrás de Proteu, deixa todos os seus assuntos particulares nas mãos de Luceta, sua aia, e não dá a impressão de estar deixando para trás qualquer membro da família.

Um aspecto interessante desses *Dois cavalheiros* é o fato de nesta peça aparecerem, pela primeira vez, alguns recursos que Shakespeare usará mais tarde, em outras peças, e com maior habilidade: o primeiro é Julia se transformar no pajem Sebastian; considerando que todas essas jovens heroínas shakespeareanas eram interpretadas *por igualmente jovens aprendizes de ator*, nada mais plausível do que elas se disfarçarem de rapaz, o que irá acontecer em *Noite de Reis, Como quiserem* e *O mercador de Veneza,* entre outras. No frustrado plano de fuga de Silvia e Valentino aparece a ideia do uso de uma escada de corda, que mais tarde aparecerá com sucesso em *Romeu e Julieta*, enquanto a ideia de fugir para uma floresta será reutilizada tanto em *Sonho de uma noite de verão* quanto em *Como quiserem*.

É verdade que esta comédia da primeira fase, ainda de aprendizado, por assim dizer, não pode ser contada entre as obras-primas de William Shakespeare, mas nem por isso ela deixa de ter consideráveis encantos, e no palco o texto sempre rende muito bem, mesmo que não tenha a densidade que as comédias mais tardias apresentam. Se mais não fora, aqui aparece uma das mais famosas canções ("Quem é Silvia?") das muitas que Shakespeare inclui em suas peças. Mais do que tudo, porém, é preciso lembrar que é com *Os dois cavalheiros de Verona* que Shakespeare faz o que será sua grande opção quanto ao gênero de comédia que irá escrever. *A comédia dos erros*, que é anterior a esta, é de fórmula romana, que n'*A megera domada* ainda estará presente (embora já um pouco modificada pelo romantismo); mas depois disso todas as comédias serão desenvolvimento da experimentação feita com os *Dois cavalheiros*, com a única exceção de *As alegres comadres de Windsor*, escrita a toda pressa e de encomenda.

Os dois cavalheiros de Verona pode ser obra de um principiante, mas quando esse principiante é William Shakespeare, as qualidades já superam de muito as hesitações do aprendiz.

LISTA DE PERSONAGENS

Duque, pai de Silvia

Valentino
Proteu } os dois cavalheiros

Antonio, pai de Proteu
Turio, tolo rival de Valentino
Eglamour, ajudante de Silvia em sua fuga
Hospedeiro, dono da casa onde Julia se instala
Os Fora da lei, com Valentino
Raio, pajem de Valentino
Lança, criado cômico de Proteu
Pantino, servidor de Antonio
Julia, amada de Proteu
Silvia, amada de Valentino
Luceta, aia de Julia
Empregado que serve o Duque
Músicos

ATO 1

CENA 1
(Entram Valentino e Proteu.)

Valentino

Não adianta insistir, Proteu querido;
Jovem que fica em casa é limitado.
Não fora o amor que o acorrenta aqui
Ao doce olhar de seu honrado amor,
5   E eu preferia que me acompanhasse
Pra ver as maravilhas deste mundo
Do que (morando no tédio do lar)
Gastasse a juventude em tolo ócio.
Mas, já que ama, que o amor cultive,
10 Como eu farei, co'o amor que inda não tive.

Proteu

Vai partir mesmo? Adeus, meu Valentino;
Pense no seu Proteu ao vislumbrar
Coisas interessantes na viagem.
Deseje-me parceiro de alegrias,
15 Quando algo de bom lhe acontecer,
E se acaso correr algum perigo
Recomende-se sempre às minhas preces,
Já que por Valentino eu rezo sempre.

Valentino

Por meu sucesso, em um livro de amor?

Proteu

20 Por você, em qualquer livro que eu ame.

Valentino

Um livro raso sobre amor profundo,
No qual Leandro nada o Helesponto.

Proteu

História funda de profundo amor,
Que ele molhou mais que os pés eu consinto.

Valentino

25 Mas o amor já o molhou até o cinto,[1]
Embora sem nadar o Helesponto.

---

[1] Nesse seu período inicial, Shakespeare usava com incrível frequência o recurso do trocadilho, que estava em moda em função de os ingleses estarem encantados com o que se podia brincar com sua língua. Nesse diálogo, no original o que aparece é "boot", bota, "to boot", além do mais, e na tradução a opção foi de ilustrar, mesmo que com substituição radical, o uso desse recurso. É claro que nadando o Helesponto Leandro se terá molhado até bem mais alto do que o cinto. (N.T.)

PROTEU
Não me fale em ser preso até o cinto.

VALENTINO
Não falo; nada disso eu sinto.

PROTEU
O quê?

VALENTINO
30 Amor, que com ais paga o desprezo,
Olhares com suspiro; uma alegria
Com vinte noites inquietas e insones;
Quando se ganha, não há garantias;
Quando se perde, custou sofrimento;
35 Uma tolice comprada com espírito,
Ou este derrotado por tolice.

PROTEU
De um modo ou outro, chama-me de tolo.

VALENTINO
De um modo ou outro, você é que o prova.

PROTEU
Você ofende o Amor, e eu não sou ele.

VALENTINO
40 O Amor é seu mestre, ele o domina;
E quem tão facilmente ostenta a canga
Não pode ser contado entre os sábios.

PROTEU
Porém é no mais doce dos botões
Que mora o verme, e também, no Amor
45 É que habita o mais fino dos espíritos.

VALENTINO
Assim como o mais doce dos botões
É comido antes do desabrochar,
Pelo Amor o espírito inda jovem
Vira loucura, queimado em botão,
50 Perdendo o seu verdor de meninice
E as esperanças todas do futuro.
Por que perder meu tempo a aconselhá-lo,
Se o vejo ser devoto do desejo?

Ainda adeus: o meu pai, no caminho,
55 Está à espera para ver-me embarcar.

PROTEU

Eu também o acompanho, Valentino.

VALENTINO

Não, Proteu; despeçamo-nos agora.
Que, de Milão, receba novas suas,
De sucesso no amor; e quaisquer outras
60 Que advenham na ausência deste amigo;
Eu, por meu lado, mandarei as minhas.

PROTEU

Que só tenha, em Milão, felicidade.

VALENTINO

Como você aqui; e passe bem.

(Sai.)

PROTEU

O que ele busca é honra; e eu, o amor;
65 Deixa os amigos, pra dignificá-los;
Eu deixo a mim e tudo por amor;
Julia, você é que me transformou;
Fez-me esquecer estudos, perder tempo,
Ver como zero os conselhos e o mundo;
70 Fraco, perder o espírito e o pensar.

(Entra RAIO.)

RAIO

Senhor Proteu, acaso viu meu amo?

PROTEU

Acaba de partir para Milão.

RAIO

E já navega o mar encarneirado,
E eu fico aqui, um carneiro perdido.

PROTEU

75 É muito fácil carneiro perder-se,
Se fica um instante longe do pastor.

RAIO

Quer dizer que meu amo é um pastor, e que eu apenas um carneiro?

PROTEU

Quero.

RAIO

Então meus cornos são cornos dele, esteja eu dormindo ou acordado?

PROTEU

80 Resposta boba, digna de um carneiro.

RAIO

O que prova que continuo um carneiro.

PROTEU

Isso mesmo; e seu amo um pastor.

RAIO

Não, isso posso negar, por uma circunstância.

PROTEU

Vai ser difícil, mas eu provo por outra.

RAIO

85 O pastor busca o carneiro, não o carneiro o pastor; mas eu procuro meu amo, e meu amo não me procura: portanto, não sou carneiro.

PROTEU

O carneiro busca o pastor por ração, mas o pastor não busca o carneiro por alimento; você busca seu amo por salário, seu amo não o busca: portando você é um carneiro.

RAIO

90 Esse tipo de prova vai me fazer gritar "Mée!"

PROTEU

Escute aqui; deu minha carta a Julia?

RAIO

Sim, senhor. Eu, um cordeiro perdido, dei sua carta a ela, uma cordeira temperada[2] e ela não deu a mim, um cordeiro perdido, nada por meu trabalho.

---

2 O termo "laced mutton", cordeira temperada, era usado no período elisabetano para indicar uma cortesã. (N.T.)

Proteu

95 É pasto muito pequeno para tanto cordeiro;

Raio

Se o pasto está muito cheio, é melhor abatê-la.

Proteu

Não, está enganado; é melhor prendê-la

Raio

Qualquer prenda sonante me compensa por ter levado a sua carta.

Proteu

Não falo nisso, digo pô-la dentro de limites.

Raio

100 O quê? E limitar a prenda? Melhor dobrá-la. O triplo é pouco pra levar carta pra amada.

Proteu

Mas o que disse ela?

Raio

(Acenando primeiro.)
Sim.

Proteu

Aceno, sim... quase que dá "asno, sim".

Raio

105 Confusão sua; disse que ela acenou; o senhor perguntou e eu disse sim...

Proteu

Mas juntou as coisas com asno.

Raio

Se sofreu pra juntar a ideia, fique com ela.

Proteu

Não, fique você, por ter arcado com a carta.

Raio

E agora vejo que vou ter de arcar com o senhor.

Proteu

110 Que história é essa de arcar comigo?

RAIO

A carta em si estava em ordem; mas por meu esforço só recebi a mais a palavra asno.

PROTEU

Ora, como é rápido na resposta.

RAIO

Mas nem assim alcança sua bolsa lenta.

PROTEU

Abra logo essa boca e responda; o que disse ela?

RAIO

Se abrir sua bolsa, o parto do dinheiro e da resposta acontece imediatamente.

PROTEU

(Dando-lhe dinheiro.)
Está aqui, senhor; por suas dores.
O que foi que ela disse?

RAIO

Acho que vai ser duro conquistá-la, senhor.

PROTEU

Mas deu para perceber tudo isso só de vê-la?

RAIO

Dela eu não percebi nada; não, nem um único ducado por levar sua carta; e sendo assim tão dura comigo, que levei seus pensamentos, receio que seja também dura para dar-lhe sua resposta. É melhor só dar pedras a ela, de presente, pois é rija como aço.

PROTEU

Mas o que disse ela? Nada?

RAIO

Nem sequer "tome isto por seu trabalho". Como testemunho de sua generosidade, deu-me só uma esmolinha; pois de agora em diante leve as suas próprias cartas; e assim, senhor, hei de dar suas recomendações a meu amo.

(Sai.)

PROTEU

Vá logo, para a nau não afundar,

        Pois não naufraga se o tiver a bordo,
        Cujo destino é morte seca em terra.
        Hei de arranjar mensageiro melhor;
135   Temo que Julia nem me olhe a carta
        Se for levada por um tal carteiro.

                                                    (Sai.)

CENA 2
(Entram JULIA e LUCETA.)

JULIA

'Stamos sozinhas; agora, Luceta,
Diga se me aconselha a apaixonar-me.

LUCETA

Se não cair em tropeço, senhora.

JULIA

De toda a coleção de cavalheiros
5   Que todo dia conversam comigo,
Qual acha que merece o meu amor?

LUCETA

Pois diga os nomes, que eu digo o que penso,
Segundo a minha pobre condição.

JULIA

Que pensa de Sir Eglamour, tão belo?

LUCETA

10 É bem falante, a roupa é caprichada;
Porém, com ele, eu não queria nada.

JULIA

E de Mercatio, que é tão rico, enfim?

LUCETA

Que o ouro é bom, mas ele, assim, assim.

JULIA

E de Proteu, que é todo só doçura?

LUCETA

15 Já vi que aqui quem reina é a loucura!

JULIA
O que é isso? Por que tanta paixão?

LUCETA
É descabido, senhora – perdão –
Que eu (por falta de merecimento)
Sobre homem bom expresse um julgamento.

JULIA
E nem sobre Proteu, que é só mais um?

LUCETA
'Stá bem, porque entre todos, é o melhor.

JULIA
Sua razão?

LUCETA
Minha razão é razão de mulher:
Acho que é só porque acho que é.

JULIA
E devo gastar nele o meu amor?

LUCETA
Se acha que ainda não gastou.

JULIA
Ele jamais me afetou mais que os outros.

LUCETA
Mas ele a ama muito mais que os outros.

JULIA
Fala pouco; é pequeno o seu amor.

LUCETA
Fogo abafado é o que dá mais calor.

JULIA
Não ama o que não mostra o seu amor.

LUCETA
Não ama o que proclama o seu amor.

JULIA
Só queria saber o que ele pensa.

LUCETA

    É só ler este papel, senhora.

JULIA

    "Para Julia"; diga, de quem vem?

LUCETA

    Isso quem revela é o conteúdo.

JULIA

    Conte depressa: quem entregou?

LUCETA

    Serve Valentino; vem de Proteu.
    Era pra si, mas tropeçou em mim,
    Que, desculpe, recebi em seu nome.

JULIA

    Que alcoviteira achou, pro meu pudor!
    Como ousou receber linhas impuras,
    Perigo para a minha juventude?
    Acredite que é ofício de importância,
    E você tem talento pra ocupá-lo.
    Pronto: tome o papel e o devolva,
    Ou não torne jamais ao meu olhar.

LUCETA

    Quem pede amor não é pago com ódio

    (Deixa cair a carta.)

JULIA

    Mas, já vai?

LUCETA

    Pra deixá-la pensar.

    (Sai.)

JULIA

    Bem que eu queria ter olhado a carta.
    Tenho vergonha de a chamar de volta
    E aplaudir o que repreendi.
    Ela foi tola, pois se sou donzela,
    Deveria obrigar-me a olhar a carta!
    Todas as virgens, por modéstia, negam
    Aquilo a que mais querem dizer sim.

60 Incrível! Esse amor, tão tolo e louco,
Como um bebê teimoso arranha a ama,
Depois, humilde, beija a palmatória!
Com grosseria eu enxotei Luceta,
Quando o que quero é tê-la junto a mim!
Fiquei franzindo o cenho, aborrecida,
Quando, por dentro, o coração sorria!
65 A penitência é chamar Luceta,
E implorar seu perdão pela tolice.
Olá! Luceta!

(Entra Luceta.)

LUCETA

Aqui estou, senhora.

JULIA

É hora do jantar?

LUCETA

Quem dera fosse,
70 Pra que matasse o mau humor com ele
E não com sua aia.

(Ela apanha no chão a carta de Proteu.)

JULIA

O que é que apanhou, assim, ligeiro?

LUCETA

Nada.

JULIA

Então por que se abaixou?

LUCETA

75 Pra pegar um papel que aqui caiu.

JULIA

E o papel não é nada?

LUCETA

Nada do que me interesse.

JULIA

Então deixe-o aí, para quem ele interessar.

LUCETA

    Deixá-lo não o torna interessante
    A não ser que o interpretem falsamente.

JULIA

    Podem ser versos seus, de um namorado.

LUCETA

    Para eu achar melodia e cantá-los.
    Dê-me uma nota. A senhora compõe.

JULIA

    Brinquedo assim não vale muita força:
    É só cantá-lo ao som de "Luz do Amor".

LUCETA

    O peso é muito pra ária tão leve.

JULIA

    É muito? Então tem acompanhamento.

LUCETA

    Uma ária linda, se a senhora a canta.

JULIA

    E você, não?

LUCETA

        Eu não chego tão alto.

JULIA

    (Pegando o papel.)
    Vejamos a canção. Que é isso, moça?

LUCETA

    Mantenha o tom, que acabará cantando.

    (JULIA bate nela.)

    Não gosto desse tipo de canção.

JULIA

    Ah, não?

LUCETA

    Não, senhora; é um pouco dura.

JULIA

95 E você, moça, é um pouco abusada.

LUCETA

E a senhora de mão um pouco aberta,
Que acabou desafinando o acorde:
A melodia ficou sem tom certo.

JULIA

O seu baixo-contínuo atrapalhou.

LUCETA

100 Só em contínuo apelo por Proteu.

JULIA

Não quero mais ouvir tagarelices.
Essa bobagem fica sem resposta. (*Rasga a carta.*)
Pode sair; deixe a carta no chão,
Vai me irritar, se a tiver na mão.

LUCETA

105 Faz essa cena, porém ia adorar
Ficar zangada com mais uma carta.

(Sai.)

JULIA

(Juntando os pedaços da carta.)
Quem me dera estar zangada com esta!
Mãos odiosas, que rasgam o amor,
Vespa maldita, que devora o meu mel,
110 E, com o ferrão, mata a abelha que o faz!
Por penitência eu beijo o que rasguei.
Aqui diz "Boa Julia", ah, Julia má!
Como vingando a sua ingratidão,
Eu atiro o seu nome nessas pedras,
115 Pra que elas tripudiem seu desdém.
Aqui, "Proteu, trespassado de amor";
Coitado, aqui, no leito do meu seio
Hás de jazer até ficar curado;
Com um beijo soberano eu vou tratá-lo.
120 'Stá escrito "Proteu" umas três vezes;
Bom vento, não afaste uma palavra,
Até que eu ache até a última letra,
Menos meu nome; que uma ventania,
De alguma escarpa dura e assustadora,
125 Há de lançar nas ondas furiosas.

Numa linha o seu nome duas vezes:
"Pobre Proteu", e "apaixonado Proteu".
"À doce Julia" – isso eu vou rasgar.
Mas não, já que de modo assim tão doce
130 Ele o liga a seu nome sofredor.
Vou dobrar os pedaços todos juntos,
Que se beijem, ou briguem, se quiserem.

(Entra Luceta.)

Luceta

Está pronto o jantar; seu pai a espera.

Julia

Pois então vamos.

Luceta

135 Ficam aí, à vista, esses papéis?

Julia

Se os respeita, é melhor apanhá-los.

Luceta

Não; apanhei porque os recebi.
Porém, no chão, vão ficar resfriados

(Recolhe os pedaços da carta.)

Julia

Já vi que têm a sua simpatia.

Luceta

140 Chame o que vê do que quiser, senhora;
Eu também vejo, melhor do que pensa.

Julia

Como é, vamos ou não vamos?

(Saem.)

CENA 3
(Entram Antonio e Pantino.)

Antonio

Diga, Pantino, que conversa triste
Tanto o prendeu com meu irmão, no claustro?

PANTINO

    Ele falava de Proteu, teu filho.

ANTONIO

    Dizendo o quê?

PANTINO

          Que o espanta o senhor
    Manter em casa o seu filho jovem,
    Enquanto outros, menos importantes,
    Mandam os filhos buscar honras fora:
    Alguns na guerra buscam sua glória,
    Alguns em ilhas distantes daqui,
    Alguns estudam na universidade.
    Para qualquer dessas atividades
    Ele julga Proteu 'star preparado;
    E pediu-me que eu o importunasse,
    Pra que não o faça mais ficar em casa;
    Sofre bastante na maturidade
    O que não viajou na juventude.

ANTONIO

    Não é preciso importunar-me muito,
    Pois há um mês que o venho remoendo.
    Tenho pensado em seu tempo perdido,
    E não poder chegar à perfeição,
    Sem as lições aprendidas no mundo:
    Só a prática traz a experiência,
    Que o tempo que passa aperfeiçoa.
    Pra onde crê seja melhor mandá-lo?

PANTINO

    O senhor, estou certo, não ignora
    Que o jovem Valentino, seu amigo,
    'Stá na corte real, com o Imperador.

ANTONIO

    Sei muito bem.

PANTINO

    Seria bom mandá-lo para lá:
    Há de lutar em justas e torneios,
    De ouvir e conversar com muitos nobres,
    E de observar as mil atividades
    Dignas de todo jovem bem nascido.

ANTONIO

    Gostei de seus conselhos bem pensados.
35   E há de ver o quanto gostei deles
    Ao vê-los todos sendo executados.
    Da forma mais veloz e expedita
    Mando Proteu para a corte imperial.

PANTINO

    Pois amanhã, se quiser, Dom Alfonso
40   E outros cavalheiros de bom nome
    Vão partir pra saudar o Imperador,
    E a ele oferecer os seus serviços.

ANTONIO

    É gente boa, e Proteu vai com eles.

(Entra Proteu.)

    E, bem na hora, dou-lhe essa notícia.

PROTEU

    (À parte.)
45   Doce amor! Doces carta e vida!
    É sua letra, o agente de seu peito!
    Sua jura de amor, sua palavra.
    Quem dera nossos pais nos aplaudissem,
    Selando o nosso amor com sua bênção!
50   Celeste Julia!

ANTONIO

    Olá! Que carta é essa que está lendo?

PROTEU

    Pois não, senhor: uma palavra ou duas
    De saudações que vêm de Valentino,
    Que ele me fez chegar por um amigo.

ANTONIO

55   Deixe-me ver quais são as novidades.

PROTEU

    Nenhuma, meu senhor; e só informa
    Como vive feliz, e é benquisto,
    Sempre nas graças do Imperador;
    E desejando a minha companhia.

ANTONIO

60 E o que pensa você de seu desejo?

PROTEU

Como alguém só a si subordinado,
Não aos desejos de quem é amigo.

ANTONIO

Minha vontade é igual a seu desejo.
Não se espante que eu aja num repente,
65 Pois o que quero, quero, e acabou-se.
E resolvi que há de passar um tempo
Na corte imperial, com Valentino:
O mesmo que ele tem pra sustentar-se
De mim você terá para ostentar.
70 E o quero pronto, amanhã, pra partir.
Não há desculpas; já está resolvido.

PROTEU

Senhor, não dá pra preparar-me, assim;
Peço que pense mais um dia ou dois.

ANTONIO

O que quiser eu mandarei depois.
75 Vai amanhã; eu não quero demoras.
Vamos, Pantino; há de ser usado
Pra dar mais pressa a essa expedição.

(Saem ANTONIO e PANTINO.)

PROTEU

Fugi do fogo para não queimar,
E ora me vejo afogando no mar.
80 Não o deixei ler a carta de Julia,
Pra que não condenasse o meu amor,
E aproveitando a desculpa que dei,
Feriu ainda mais o meu amor.
A fonte desse amor de primavera
85 É como as chuvas incertas de abril,
Que ora mostram a beleza do sol,
E logo após cobrem tudo com nuvens.

(Entra PANTINO.)

PANTINO
Meu senhor Proteu, o seu pai o chama;
Está com pressa, é melhor ir, então.

PROTEU
90 'Stá certo assim: meu coração concorda.
Mas, mesmo assim, fica dizendo "Não".

(Saem.)

ATO 2

CENA 1
(Entram V<small>ALENTINO</small> e R<small>AIO</small>.)

R<small>AIO</small>
    Senhor, sua luva.

V<small>ALENTINO</small>
              Já levo duas.

R<small>AIO</small>
    Leve mais uma, pra quando lavar.

V<small>ALENTINO</small>
    Deixe-me ver; é minha; dê-me aqui.
    Orna o objeto mais divino que já vi!
5   Ah, Silvia, Silvia!

R<small>AIO</small>
    Senhora Silvia! Senhora Silvia!

V<small>ALENTINO</small>
    O que é isso, rapaz?

R<small>AIO</small>
    Daqui não dá para ela ouvir, patrão.

V<small>ALENTINO</small>
    Mas quem lhe pediu que a chamasse?

R<small>AIO</small>
10   Se não me engano, foi o senhor mesmo.

V<small>ALENTINO</small>
    Pois está indo longe demais.

R<small>AIO</small>
    A última repreensão foi por de menos.

V<small>ALENTINO</small>
    Pare com isso e diga: conhece a senhora Silvia?

R<small>AIO</small>
    Aquela que o senhor ama?

VALENTINO

Ora essa, como sabe se eu amo ou não?

RAIO

Ora essa, pelos sinais característicos: primeiro, aprendeu (como Sir Proteu) a enrolar os braços como um infeliz; a gostar de canções de amor, como um papo-roxo; a andar sozinho, como quem está com peste; a suspirar, como colegial que perdeu a cartilha; a chorar, como menina que perdeu a avó; a jejuar, como quem faz dieta; a ficar alerta, como quem espera ser roubado; a falar choramingando, como mendigo em dia santo. O senhor costumava, no tempo em que ria, cacarejar como um galo; quando andava, era como um leão; quando jejuava, era antes do jantar; e quando ficava triste, era por falta de dinheiro. Mas agora está metamorfoseado com uma amada, de tal modo que, quando o olho, mal reconheço o meu patrão.

VALENTINO

E dá para perceber tudo isso em mim?

RAIO

Dá para perceber os sintomas exteriores.

VALENTINO

Só por fora? É impossível.

RAIO

Só se der o fora. Mas tirando fora seu jeito, ninguém desconfia. Mas estão tão por fora essas loucuras que estão dentro do senhor, que brilham como água em urinol; não há olho que o veja sem virar médico e ver logo sua doença.

VALENTINO

Mas diga: você conhece a minha dama, Silvia?

RAIO

A para quem o senhor olha durante o jantar?

VALENTINO

Mas você observou isso? É essa mesmo.

RAIO

Bem, senhor, essa eu não conheço.

VALENTINO

Você a conhece de me ver olhar para ela, mas não a conhece?

Raio

Ela não tem um aspecto meio feioso, senhor?

Valentino

40 Não é tão bonita, quanto bem favorecida.

Raio

Ah, senhor, isso eu sei muito bem.

Valentino

Sabe o quê?

Raio

Que não é assim bonita, mas pelo senhor é muito favorecida.

Valentino

Quis dizer que sua beleza é requintada, e seu favor infinito.

Raio

45 Isso é porque uma é pintada, e o outro incalculável.

Valentino

Pintada, como? E como incalculável?

Raio

Ora, senhor, pintada de modo que todos a achem bonita e ninguém possa calcular sua beleza.

Valentino

O que pensa de mim? Eu sei o quanto ela é bela.

Raio

50 Não a viu desde que ficou deformada.

Valentino

Há quanto tempo está deformada?

Raio

Desde que o senhor a ama.

Valentino

Eu a amo desde que a vi, e continuo sempre a vê-la bela.

Raio

Se a ama, não pode vê-la.

VALENTINO
Por quê?

RAIO
Porque o Amor é cego. Ah, se tivesse os meus olhos, ou se os seus tivessem a luz de quando condenava Proteu por andar desleixado.

VALENTINO
O que veria então?

RAIO
Sua loucura presente, e a deformidade temporária dela; ele, apaixonado, não via como estava desleixado; e o senhor, apaixonado, não vê nem o bastante para calçar as meias.

VALENTINO
Mais provável que você esteja apaixonado, pois hoje não viu que devia limpar meus sapatos.

RAIO
É verdade; estava apaixonado por minha cama. Obrigado por me repreender por meu amor, fico mais à vontade para repreendê-lo pelo seu.

VALENTINO
Enfim, ela tem minha afeição.

RAIO
Tomara que tenha; é melhor que infecção.

VALENTINO
Ontem à noite ela pediu-me que escrevesse algumas linhas a alguém que ela ama.

RAIO
E escreveu?

VALENTINO
Escrevi.

RAIO
E não estão de pés quebrados?

VALENTINO
Não, rapaz, estão o melhor que sei fazer.

(Entra Silvia.)

75 Quieto; aí vem ela.

Raio
(À parte.)
Isso é que é teatro! Que linda boneca! E agora ele vai interpretar para ela.

Valentino
Senhora minha, mil bons-dias!

Raio
(À parte.)
Ai, que grandes boas-noites! É um milhão de mesuras.

Silvia
Sir Valentino e servo, aos dois, dois mil.

Raio
(À parte.)
80 Ele lhe devia oferecer juras, mas quem deu juros foi ela.

Valentino
A carta que pediu eu escrevi
A seu amigo secreto e sem nome.
Com a maior má vontade é que o fiz,
Apenas por dever a sua alteza.

(Dá-lhe uma carta.)

Silvia
85 Mil graças, gentil servo, bom escriba.

Valentino
Eu sei que não me saí bem, senhora;
Mas ignorando a quem é dirigida,
Eu escrevi a esmo, e inseguro.

Silvia
Julgou, acaso, grande o sacrifício?

Valentino
90 Não, senhora; se isso a satisfaz,
E assim ordena, hei de escrever mil outras.
No entanto...

Silvia
Bonita hesitação. Já sei o resto;

95   No entanto eu calo; não me importa nada.
    No entanto, tome-a; e eu lhe agradeço,
    E não irei de novo importuná-lo.

Raio

(À parte.)
No entanto irá; já é outro "no entanto".

Valentino

Que quer dizer, senhora? Não gostou?

Silvia

Gostei; os versos estão bem escritos,
100   Mas de má vontade; tome-os de novo.
    Não, tome-os.

Valentino

Senhora, eles são seus.

Silvia

Eu sei que os escreveu a meu pedido,
Mas não os quero: são para o senhor.
105   Eu os teria feito bem mais ternos.

Valentino

(Tomando a carta.)
Para agradá-la, posso escrever outra.

Silvia

E pense em mim ao lê-la, quando escrita.
Se lhe agradar, bem; se não, ora, assim fica.

Valentino

A mim, senhora? Que acontece, então?

Silvia

110   Se ela lhe agradar, é a sua paga;
    Até amanhã, meu servo.

(Sai.)

Raio

Oh chiste indecifrável, invisível!
Nariz no rosto, cata-vento em torre!
Meu amo a quer, ela indica o caminho
115   Pra que ele passe de aluno a tutor.

Alguém já viu um recurso melhor?
Fazer meu amo escrever pra si mesmo?

VALENTINO
Que é, rapaz? O que está remoendo aí nessa cabeça?

RAIO
Quem tem de usar a cabeça é o senhor.

VALENTINO
Para o quê?

RAIO
Para ser o porta-voz da senhora Silvia.

VALENTINO
Junto a quem?

RAIO
Ao senhor mesmo. Ela o corteja por charadas.

VALENTINO
Que charadas?

RAIO
As de uma carta, parece.

VALENTINO
Ora, ela não escreveu para mim.

RAIO
E para que ia escrever, se o senhor escreve por ela? Não entendeu a brincadeira?

VALENTINO
Acredite que não.

RAIO
Acredito que não, mesmo. Mas nem percebeu que ela já estava dando o sinal?

VALENTINO
Não deu nenhum, senão uma palavra irritada.

RAIO
Ora, ela lhe deu uma carta.

VALENTINO
Essa era a carta que escrevi para o amigo dela.

RAIO
135   E que ela entregou, e ponto final.

VALENTINO
Menos mal, se fosse.

RAIO
Eu garanto que está tudo bem.
Pois quantas cartas escreveu a ela,
Que ela, por pudor, não respondeu,
140   Temendo que um correio descobrisse,
Mandou o amor escrever para o amado.
Dou a palavra, porque está escrito.
Que pensa agora? É hora de cear.

VALENTINO
Eu já ceei.

RAIO
145   Porém, escute; embora o camaleão Amor possa alimentar-se de ar, eu só posso ser alimentado por comestíveis; e gostaria de uma boa carne. Não seja como sua amada, mostre o que sente.

(Saem.)

CENA 2
(Entram PROTEU e JULIA.)

PROTEU
Paciência, doce Julia.

JULIA
Tenho de ter, se não há remédio.

PROTEU
Assim que puder, eu volto.

JULIA
Se não mudar, volta quando puder,
5   E use esta lembrança da sua Julia.

(Ela dá um anel a PROTEU.)

PROTEU
Façamos uma troca: use esse meu.

(Ele dá um anel a Julia.)

JULIA

Troca selada com um beijo santo.

PROTEU

Eis aqui minha mão; serei constante.
E se algum dia se passar a hora
Em que eu, por minha Julia, não suspire,
Que na hora seguinte algum desastre
Me abata, por falhar ao meu amor.
Meu pai me aguarda. Não, não diga nada.
É a maré; não a maré de lágrimas
Que me prende mais tempo do que devo.
Julia, até breve.

(Julia sai.)

Assim, sem dizer nada?
O verdadeiro amor não tem palavras,
Pois a elas prefere sempre os atos.
(Entra Pantino.)

PANTINO

Estão à sua espera.

PROTEU

E eu já vou.
O adeus a voz dos amantes tirou.

(Saem.)

CENA 3
(Entra Lança, com seu cão Azedo.[3])

LANÇA

Vai levar uma hora para eu parar de chorar. Toda a família dos Lança tem esse defeito. Recebi meu quinhão, como o filho pródigo, e lá vou para a corte imperial com o senhor Proteu. Acho meu cão Azedo o cão mais desnaturado que existe: minha mãe chorando; meu pai gemendo; minha irmã gritando; nossa empregada uivando; nosso gato torcendo as mãos; a casa toda na maior complexidade; e nem

---

3 No original, o nome do cão é "Crab"; a princípio, isso pareceria sugerir "Siri" ou "Caranguejo" como tradução lógica, porém "crab apple" é maçã azeda, e Shakespeare a esta se refere mais de uma vez para sugerir o mau humor de alguém. Dados todos os comentários que Lança faz a respeito de seu cão, fiquei convencido de que "Azedo" seria o melhor equivalente da intenção do autor. (N.T.)

assim esse vira-lata sem coração deixou rolar uma só lágrima. É de pedra; de uma pedrinha de pedra; e não há nele mais piedade do que num cão. Um judeu teria chorado ao ver nossas despedidas. Ora, a minha avó, que não tem olhos, reparem só, ficou cega de tanto chorar, com a minha partida. Eu vou mostrar como foi. Este sapato é meu pai. Não, este esquerdo é meu pai; não, não, o esquerdo é minha mãe; não, também não dá para ser assim. Mas é sim, pois é o que tem a sola pior. A sola com um buraco é minha mãe; e este é meu pai. Danem-se. Fica assim mesmo. Bem, senhor, esse cajado é minha irmã; pois fique sabendo que ela é branca como um lírio, e pequena como uma varinha de condão. Aquele chapéu é Nan, a empregada. Eu sou o cão. Não, o cão é ele mesmo e eu sou o cão. Não, o cão é eu, e eu sou eu mesmo. Está certo. Agora eu vou até meu pai: "Meu pai, sua bênção". Pois o sapato não consegue dizer nada, de tanto chorar; e aí eu beijo meu pai, e ele continua chorando; e agora vou até a minha mãe. Ah, se ela pudesse falar agora, como uma boa mulher! Bem, vou beijá-la. Pronto, está aí; é o hálito de minha mãe, de alto a baixo. Agora chego na minha irmã; ouçam só seus gemidos. Pois o cão, em tudo isso, não solta uma única lágrima; nem diz uma só palavra; e vejam como eu rego o chão com minhas lágrimas.

(Entra PANTINO.)

PANTINO

Lança, depressa, depressa, a bordo; seu amo já embarcou, e você vai atrás, com os remadores. O que é que há? Por que está chorando, homem? Ande logo, asno; vai perder a maré se demorar.

LANÇA

Pouco importa que eu perca a maré, que é a maré mais amarela que já me amarelou.

PANTINO

Que maré mais amarela é essa?

LANÇA

A que amarrou aqui meu cão Azedo.

PANTINO

Deixe de bobagem. Você perde a cheia; e se perder a maré, perde a viagem. Se perder a viagem, perde seu amo. E se perder seu amo, perde seu emprego, e se perde seu emprego... por que me tapa a boca assim?

LANÇA

Por medo que perca a sua língua.

PANTINO
E por que haveria eu de perder minha língua?

LANÇA
Porque nessa fala ela abunda.

PANTINO
E o que tem a língua com a bunda?

LANCE
Perde a maré, e a viagem, e o amo, e o emprego, a perda não abunda? Ora, homem, se o rio estivesse seco, eu o poderia encher com as minhas lágrimas; se o vento baixasse, poderia guiar o barco com meus suspiros.

PANTINO
Venha logo, rapaz; fui mandado para chamá-lo.

LANÇA
Senhor, pode me chamar do que quiser.

PANTINO
Como é? Vai ou não vai?

LANÇA
Está bem, eu vou.

(Saem.)

CENA 4
(Entram VALENTINO, SILVIA, TURIO e RAIO.)

SILVIA
Meu servo...

VALENTINO
Senhora?

RAIO
Meu amo, o Sir Turio lhe franze o cenho.

VALENTINO
Ah, rapaz, é por amor.

RAIO
Não pelo senhor.

VALENTINO
Então pela minha senhora.

RAIO
O senhor deveria dar-lhe umas pancadas.

(Sai.[4])

SILVIA
Servo, parece triste.

VALENTINO
Na verdade, senhora, pareço.

TURIO
10   O senhor parece o que não é?

VALENTINO
É possível que sim.

TURIO
Isso fazem os falsários.

VALENTINO
Como faz o senhor.

TURIO
O que pareço eu que não seja?

VALENTINO
15   Sábio.

TURIO
Que exemplos tem que o conteste?

VALENTINO
A sua tolice.

TURIO
E como caracteriza minha tolice.

VALENTINO
Percebo-a em seu colete.

---

4   Nem todos os editores concordam que Raio saia nesse momento, mas há duas justificativas para isso: ele não fala mais e com Raio ausente fica mais claro que é Valentino quem Silvia chama de "servo". (N.T.)

Turio

É um colete de frente dupla.

Valentino

Que assim dobra a sua tolice.

Turio

Como!

Silvia

Zangado, Sir Turio? Mudou de cor?

Valentino

Deixe-o, senhora; ele é uma espécie de camaleão.

Turio

Que tem mais vontade de alimentar-se de seu sangue do que de seu ar.

Valentino

É o que diz, senhor.

Turio

Disse, senhor; e chega por agora.

Valentino

Conheço-o bem senhor: sempre acaba antes de começar.

Silvia

Uma boa descarga de palavras, senhores, e disparada com muita rapidez.

Valentino

Verdade, senhora; de acordo com o artilheiro.

Silvia

E quem é esse, servo?

Valentino

A sua doce pessoa, senhor, que acendeu o fogo. Sir Turio toma emprestado espírito de sua beleza, e o gasta bondosamente em sua companhia.

Turio

Senhor, se quiser gastar comigo palavra por palavra, o deixarei falido.

Valentino

Bem o sei, senhor. Tem um erário de palavras, e creio que nenhum outro tesouro para dar a seus seguidores; pois pelas librés gastas que usam parecem viver de suas palavras gastas.

SILVIA
Agora chega, cavalheiro; basta. Aí vem meu pai.

(Entra o DUQUE.)

DUQUE
Como está cercada, filha Silvia.
Seu pai 'stá muito bem, Sir Valentino.
Quer ver a carta aqui, de seus amigos,
Com boas novas?

VALENTINO
Serei muito grato
Por tudo que de bom vier de lá.

DUQUE
Conhece Don Antonio, seu patrício?

VALENTINO
Sim, meu senhor; e sei que o cavalheiro
É valoroso e tido em alta conta,
Merecedor de sua reputação.

DUQUE
Ele não tem um filho?

VALENTINO
Sim, senhor, e filho que merece
A honra e o bom nome desse pai.

DUQUE
Conhece-o assim bem?

VALENTINO
Como a mim mesmo, pois desde a infância
Que conversamos, passando horas juntos,
E embora eu tenha sido o mais vadio,
Perdendo os benefícios que o tempo
Nos dá de perfeição angelical,
Fez Sir Proteu (pois esse é o seu nome)
Bom uso das vantagens de seus dias:
Jovem de idade, é experiente;
De crânio verde, é maduro o cérebro;

                    Em resumo (pois menos que seu mérito
                    É qualquer elogio que eu lhe faça)
                    Ele é completo em seu corpo e mente,
                    Com as graças todas de um bom cavalheiro.

DUQUE

                    Com mil diabos, se é tão bom assim,
                    Merece o amor de alguma imperatriz,
                    Ou de um imperador ser conselheiro.
                    Pois bem, senhor, ele vem para cá
                    Sob recomendação de potentados,
                    E aqui pretende ficar por um tempo:
                    A nova não lhe é mal vinda, eu creio.

VALENTINO

                    É tudo que eu pudesse desejar.

DUQUE

                    Recebam-no segundo o seu valor.
                    Silvia, falo consigo e com Sir Turio;
                    E nem preciso incluir Valentino.
                    O mandarei aqui para encontrá-los.

                                                                (Sai.)

VALENTINO

                    É o de quem eu lhe falei, senhora,
                    Comigo aqui 'staria, se sua amada
                    Não o prendesse ao cristal de seus olhos.

SILVIA

                    Talvez ela o tenha libertado
                    Graças a algum penhor de lealdade.

VALENTINO

                    Ele, na certa, ainda é prisioneiro.

SILVIA

                    Então seria cego e, 'stando cego,
                    Como veria a trilha até o senhor?

VALENTINO

                    Ora, senhora, o Amor tem vinte olhos.

TURIO

                    Pois se é dito que o Amor não tem nenhum.

VALENTINO
>Pra ver amantes, Turio, do seu tipo:
>Ante um alvo feioso, o Amor pisca.

>*(Entra Proteu.)*

SILVIA
90
>Agora chega; eis o cavalheiro.

VALENTINO
>Proteu, bem-vindo; senhora eu lhe peço
>Confirmar de algum modo que é bem-vindo.

SILVIA
>O seu valor garante as boas-vindas,
>Se é de quem mais notícias desejava.

VALENTINO
95
>Senhora, é ele; e peço que permita
>Que ele seja seu servidor, comigo.

PROTEU
>Nunca, senhora; sou demais humilde
>Para sequer olhar senhora tal.

VALENTINO
100
>Separemos discurso e habilidade.
>Doce senhora, aceite-o como servo.

PROTEU
>Vou gabar-me do posto, nada mais.

SILVIA
>Jamais faltou valor ao bom serviço.
>Bem-vindo seja a ama sem valor.

PROTEU
>Eu mato um outro que assim disser.

SILVIA
105
>Que é bem-vindo?

PROTEU
>   Que não tem valor.

>*(Entra um Criado.)*

CRIADO

    Senhora, o seu pai lhe quer falar.

SILVIA

    E eu irei com prazer. Venha, Sir Turio,
    Comigo. Uma outra vez bem-vindo, servo;
    E eu os deixo pra falarem de casa.
110   Quando acabarem, venham procurar-nos.

PROTEU

    Nós ambos já iremos.

(Saem SILVIA, TURIO, RAIO e CRIADO.[5])

VALENTINO

    E como estão todos os que deixou?

PROTEU

    Seus amigos 'stão bem, e o saúdam.

VALENTINO

    E os seus? Como está a sua amada?

PROTEU

115   Sempre o cansei com falas amorosas:
    Sei que não gosta de falar de amor.

VALENTINO

    Eu sei, Proteu; mas a vida mudou:
    E estou pagando o que disse do Amor,
    Cujo poder imperial me pune
120   Com jejuns e gemidos penitentes,
    Prantos noturnos, suspiros diários.
    Pra vingar meu desprezo pelo Amor,
    O Amor baniu o sono dos meus olhos,
    E os fez vigias do meu sofrimento.
125   Gentil Proteu, o Amor é poderoso,
    E me fez tão humilde que confesso
    Que não há dor em suas punições,
    E nem prazer mais alto que servi-lo.
    Não quero fala a não ser de amor;
130   Pois posso agora quebrar meu castigo
    E me fartar só com o nome do Amor.

---

5 Hoje em dia, na maioria das montagens, Raio sai logo no princípio, após sua última fala. (N.T.)

Proteu
       Agora, basta; o seu olhar diz tudo.
       E era ela o ídolo que adora?

Valentino
       Ela mesma; e não é santa celeste?

Proteu
       Isso não; mas humano paradigma.

Valentino
       Chame-a divina.

Proteu
                  Isso é bajulação.

Valentino
       É o que quero; o amor gosta de loas.

Proteu
       Pro meu sofrer, deu-me remédio amargo;
       Agora faço o mesmo com você.

Valentino
       Só a verdade: se não é divina,
       Que ela seja, então, um principado,
       Soberana de todos que há na terra.

Proteu
       Menos o meu amor.

Valentino
                  Menos ninguém,
       E não faça exceções ao meu amor.

Proteu
       Mas não é certo que eu prefira o meu?

Valentino
       E terá minha ajuda junto a ela:
       Ela terá a honra e o privilégio
       De carregar-lhe a cauda, pra que a terra
       Não se aventure acaso a dar-lhe um beijo,
       E ficar tão orgulhosa se alcançá-lo
       Que no verão não acolha mais as flores
       Deixando tudo ser um inverno perene.

Proteu
    Valentino, que gabação é essa?

Valentino
    Perdão, Proteu; tudo o que digo é nada
155   Junto à que torna nada tudo o mais.
    Ela fica única.

Proteu
    Então, deixe-a sozinha.

Valentino
    Nem pelo mundo. Homem, ela é minha,
    E eu tão rico, só por ter tal joia,
160   Quanto dez mares de praias de pérolas,
    Água de néctar, e rochas de ouro.
    Desculpe não lhe dirigir meus sonhos,
    Pois pode ver que adoro o meu amor.
    O meu tolo rival, que o pai prefere

    (Só porque suas posses são imensas)

165   Foi com ela, e eu tenho de ir atrás,
    Pois sabe como o amor é ciumento.

Proteu
    Mas ela o ama?

Valentino
    Sim; 'stamos noivos; mais, o casamento,
    Graças a um hábil plano para a fuga,
170   Está marcado: subo à sua janela,
    Com uma escada de cordas, mais os meios
    Já prontos, pra nossa felicidade.
    Proteu amigo, venha até meu quarto,
    Para ajudar-me com os seus conselhos.

Proteu
175   Pode ir na frente, que eu o sigo já.
    Eu inda tenho de ir desembarcar
    Algumas coisas de que necessito,
    Para logo a seguir ir ter consigo.

Valentino
    Mas depressa?

PROTEU

180   É claro.

(Sai VALENTINO.)

Assim como um ardor derrete um outro,
Ou como um prego outro prego expulsa,
A lembrança de meu antigo amor
É apagada por um novo objeto.
185   Foi olhar, ou o que diz Valentino,
A sua perfeição ou ser eu falso,
Que me faz raciocinar sem razão?
Ela é bela, como a Julia que eu amo...
Que amava, pois derreteu-se esse amor.
190   Como imagem de cera junto ao fogo
Deixa de ter a forma que tivera.
Esfriou meu apego a Valentino.
Não gosto dele como costumava
Mas esta dama eu amo em demasia,
195   Razão porque a ele amo tão pouco.
Como hei de amá-la mais se aconselhado,
Se a amo tanto sem conselho algum?
Até aqui só vi a sua imagem,
Cuja luz ofuscou-me a da razão;
200   Mas ao mirar a sua perfeição
Não há razão que me impeça a cegueira.
Se não puder sustar meu louco amor,
Pra conquista-la mostro o meu ardor.

(Sai.)

CENA 5
(Entram RAIO e LANÇA, com seu cão.)

RAIO

Lança, de coração, bem-vindo a Pádua.

LANÇA

Não seja perjuro, rapaz, pois sei que não sou bem-vindo. Sempre achei que ninguém está liquidado antes de enforcado, nem bem-vindo antes de pagar a conta e a hospedeira dizer " seja bem-vindo".

RAIO

5   Que é isso, louco: Vou já, já, com você para a taverna, onde por uma dose de cinco *pence* você terá cinco mil boas-vindas. Mas, moleque, como é que seu amo e a senhora Julia se separaram?

LANÇA

Depois de se juntarem num abraço sério, se separaram como se fosse brincadeira.

RAIO

Mas ela vai se casar com ele?

LANÇA

Não.

RAIO

Como, então? Ele é que vai casar com ela?

LANÇA

Também não.

RAIO

Partiram eles o seu amor?

LANÇA

Estão ambos inteirinhos como um peixe.

RAIO

Então como é que estão as coisas entre eles?

LANÇA

Bom, é assim: quando estão firmes para ele, estão firmes para ela.

RAIO

Quanta besteira, eu não entendi nada.

LANÇA

Besta é você que não entende! O meu bastão me dá pleno apoio.

RAIO

O que você diz?

LANÇA

E o que eu faço, também; olhe só: basta eu me encostar, que ele me apoia logo.

RAIO

Ele entende o que você quer?

LANÇA

Entender e apoiar são a mesma coisa.

RAIO

25 Falando a verdade, os dois vão se atar?

LANÇA

Pergunte ao cão; se disser que sim, vão; se disser que não, vão; e se abanar o rabo e não disser nada, eles também vão.

RAIO

Sua conclusão, enfim, é de que vão.

LANÇA

De mim você não arranca esse segredo a não ser por parábolas.

RAIO

30 Isso eu já compreendi. Mas o que diz, Lança, do meu amo assim abestalhado de amor?

LANÇA

Nunca o vi que não fosse.

RAIO

Que não fosse o quê?

LANÇA

Abestalhado, segundo você dizia.

RAIO

35 Seu filho da mãe, está torcendo as coisas.

LANÇA

Ora, idiota, não falava de você, mas do seu amo.

RAIO

E eu só digo que meu amo virou amante fogoso.

LANÇA

E eu digo que pouco me importa que ele se queime de amor. Se quiser, venha comigo para a taverna; se não, você é um hebreu, um judeu, 40 que não vale o nome de cristão.

RAIO

Por quê?

LANÇA

Porque não tem caridade o bastante para ir beber cerveja com um cristão. Vai ou não vai?

RAIO
    Às suas ordens.

(Saem.)

CENA 6
(Entra PROTEU, só.)

PROTEU
    Se deixo a minha Julia, sou perjuro;
    E se amo Silvia também sou perjuro;
    Traindo o amigo, eu serei perjuro.
    E o poder que me fez jurar primeiro
5   É que me leva a esse perjúrio triplo.
    Por Amor eu jurei, por amor traio.
    Oh sugestivo Amor; se já pecaste,
    Ensina este teu súdito a explicá-lo.
    Primeiro eu adorei trêmula estrela,
10   Agora adoro um sol celestial:
    Razão pode anular jura impensada,
    E é tolo o que não tem vontade firme
    Pra trocar o que é mau pelo melhor.
    Que vergonha, chamar de mal a ela,
15   Que tanto teve como soberana,
    E a quem sua alma fez tantas mil juras.
    Deixar de amar não posso; porém deixo;
    A quem deixo de amar, eu devo amar.
    Perdendo Julia, eu perco Valentino;
20   Mas pra retê-los eu perco a mim mesmo;
    Eis o que eu ganho, se a eles perco:
    Por Valentino, eu; por Julia, Silvia.
    Eu prezo mais a mim do que a um amigo,
    Pois nada é mais precioso do que o amor,
25   E Silvia (já que o céu a fez tão bela)
    Deixa Julia parecer-se com uma etíope.[6]
    Hei de esquecer que Julia ainda vive,
    Hei de lembrá-la qual amor já morto.
    Julgarei Valentino um inimigo,
30   Prezando mais a amizade de Silvia.
    Não posso mais ser fiel a mim mesmo
    Sem trair de algum modo a Valentino.
    Ele pensa, esta noite, com uma escada,
    Galgar ao quarto de Silvia, na janela,

---

6 Pode ser deduzido desse comentário que, quando escreveu esta comédia, a companhia tinha, como no caso de *Sonho de uma noite de verão*, um aprendiz alto e louro e outro moreno e baixo. (N.T.)

35　　　　Segundo disse a mim, o seu rival.
　　　　　Pois eu irei informar o pai dela
　　　　　Desse plano escondido para fuga;
　　　　　Ele, com raiva, bane Valentino,
　　　　　Já que deseja casá-la com Turio.
40　　　　Porém com Valentino ausente, eu logo
　　　　　Dou um jeito de liquidar com Turio.
　　　　　Amor, quero tuas asas pr'alcançar
　　　　　O que me deixas ora planejar.

　　　　　　　　　　　　　　　　　　　　　　(Sai.)

CENA 7
(Entram Julia e Luceta.)

Julia

　　　　　Luceta, dê-me seu conselho e ajuda,
　　　　　Pois em nome do amor é que a invoco,
　　　　　A você, página em que meus pensamentos
　　　　　Ficam pra sempre escritos e gravados,
5　　　　 Pra que me ensine, e que me encontre os meios
　　　　　Pr'eu, de forma honrada, empreender
　　　　　Esta viagem pra encontrar Proteu.

Luceta

　　　　　É uma viagem longa e cansativa.

Julia

　　　　　Um peregrino fiel nunca se cansa
10　　　　Contando reinos com seus fracos passos,
　　　　　E menos o fará quem leva o Amor
　　　　　E o voo leva a alvo tão querido.

Luceta

　　　　　É melhor esperar Proteu voltar.

Julia

　　　　　Olhar pra ele me alimenta a alma.
15　　　　Tenha pena do quanto já sofri,
　　　　　Tanto tempo privada de alimento.
　　　　　Quem conhece, do amor, a dor interna
　　　　　Prefere o esquentar fogo com neve
　　　　　A jogar água no fogo do amor.

Luceta

20　　　　Eu não quero apagar o seu amor,

Mas evitar os extremos do fogo,
Pra não queimar as bordas da razão.

JULIA

Quanto mais o molhar, mais ele queima:
O regato que corre delicado,
Atinge a fúria, sendo represado;
Mas se não tem seu curso interrompido,
Ele até canta volteando as pedras,
E beija, delicado, os manguezais
Que passa em sua peregrinação.
E assim, serpenteando, ele se apressa
E vai brincando até o oceano.
Deixe-me ir, portanto; não me impeça.
Terei a paciência do regato,
Farei de cada passo um passatempo,
E o último me leva ao meu amor,
E então descansarei como, sofrida,
A alma abençoada alcança o Elíseo.

LUCETA

Que roupas vestirá nesse caminho?

JULIA

Não de mulher, pois eu hei de evitar
Os maus encontros com homens lascivos:
Boa Luceta, encontre pr'eu vestir
Roupas próprias pr'um pajem de bom nome.

LUCETA

Mas terá de cortar os seus cabelos.

JULIA

Não, eu os prendo trançados com seda,
Amarrados de forma inesperada:
Calha bem querer ser original
Até a pajens mais velhos que eu.

LUCETA

É o mesmo que perguntar a um nobre
De que feitio quer o espartilho.

JULIA

Ora, Luceta, do que achar melhor.

LUCETA

A braguilha estufada, com certeza.

JULIA
Ora, Luceta, não fica distinto.

LUCETA
Mas os calções de hoje, senhora
Não valem nada sem tais alçapões.

JULIA
Luceta, por favor, só me consiga
O que pareça civil e viril.
Mas diga, o que hão de pensar todos
De mim por empreender essa viagem?
Ficam, na certa, escandalizados.

LUCETA
Se assim pensa, fique em casa e não vá.

JULIA
Isso eu não faço.

LUCETA
Então não pense em infâmias, e vá.
Se Proteu aprovar, quando chegar,
Não importa o que dizem quando for.
Mas temo que não fique satisfeito.

JULIA
É o menor dos meus medos, Luceta:
Mil juras, um oceano só de lágrimas,
Declarações sem número de amor,
Me fazem ser bem-vinda por Proteu.

LUCETA
Coisas que servem aos enganadores.

JULIA
homens vis os usam pra vilezas;
Mas é mais firme a estrela de Proteu.
Sua palavra é firme, sua jura, santa.
O seu amor sincero, a mente limpa,
Seu pranto fala por seu coração,
Seu coração tão distante da fraude
Quanto o céu fica sempre desta terra.

LUCETA
Que assim o mostre o céu, ao encontrá-lo.

JULIA

80 Se me ama, não fale assim mal dele,
Julgando mal o que é sua verdade.
Aprove o meu amor, que a ele amo,
E venha logo comigo ao meu quarto,
Para anotarmos tudo o que preciso
A fim de viajar bem equipada.
85 Tudo o que é meu entrego em suas mãos,
Meus bens, as terras e a reputação,
E em troca peço só que me despache.
Não responda, ponhamos mão à obra,
Eu não aguento mais essa demora.

(Saem.)

ATO 3

CENA 1
(Entram o Duque, Turio e Proteu.)

DUQUE

    Sir Turio, dê-nos um momento, eu peço,
    Para falar de um assunto secreto

(Sai Turio.)

    E ora diga, Proteu, que quer comigo?

PROTEU

    Meu senhor, o que devo revelar
5   A amizade pede que eu esconda;
    Mas quando penso nos muitos favores
    Que me tem feito, mesmo sem ter mérito,
    O meu dever obriga a declarar
    O que ouro nenhum me arrancaria.
10   Senhor, o meu amigo Valentino
    Pensa esta noite roubar sua filha;
    A mim revelou ele o planejado.
    Sei que o senhor está determinado
    A concedê-la a Turio, que ela odeia,
15   E se ela fosse, assim, arrebatada,
    A dor seria imensa, em sua idade.
    Assim, por ser dever, eu preferi
    Atrapalhar em seu plano o amigo,
    A ocultá-lo e deixar precipitar-se
20   Sobre sua cabeça dor tamanha
    Que o levaria a uma morte precoce.

DUQUE

    Agradeço, Proteu, a fala honesta,
    E lhe sou devedor por toda a vida.
    Eu mesmo já notei esse amor deles,
25   Quando acaso julgavam que eu dormia,
    E já tinha a intenção de proibir
    A Valentino a minha corte e ela.
    Temendo que um erro, por ciúme,
    Injustamente desgraçasse um homem
30   (Nunca adotei ações precipitadas),
    Olhei-o com bons olhos pra, no fim,

  Me deparar com o que revela agora.
  Há de entender o quanto eu o temia –
  Sabendo a juventude vulnerável –
35 Quando instalei-a no alto da torre,
  Cuja chave eu guardei sempre comigo,
  Pra que dali ninguém a removesse.

Proteu

  Saiba, senhor que ele achou um meio
  De subir à janela de seu quarto,
40 E fazê-la descer por uma escada;
  Essa, de corda, ele já foi buscar,
  E já, na posse dela, passa aqui,
  Quando então, se quiser, o intercepta.
  Mas o faça, senhor, com tanta argúcia
45 Que o meu relato não seja notado;
  Pois seu amor, não ódio a meu amigo,
  É que me fez divulgar a farsa toda.

Duque

  Eu juro que ele nunca saberá
  Que por você eu fui esclarecido.

Proteu

50 Adeus, senhor. Aí vem Valentino.

(Sai.)

(Entra Valentino.)

Duque

  Sir Valentino, por que tanta pressa?

Valentino

  Perdão, senhor, mas há um mensageiro,
  À espera de cartas que escrevi
  A uns amigos, e vou entregá-las.

Duque

55 São de grande importância?

Valentino

  O teor delas fala tão apenas
  Do quão feliz estou em sua corte.

Duque

  Mas então não importa. Fique um pouco.

	Eu tenho alguns assuntos a tratar
60	Que a mim importam, e que são secretos.
	Não desconhece ser minha intenção
	Casar o amigo Turio e minha filha.

VALENTINO

	Muito bem, senhor, e sei que a boda
	Será rica e honrada. E que o cavalheiro
65	É generoso, com virtude e mérito
	Que o fazem digno de sua bela filha.
	Não conseguiu fazê-la gostar dele?

DUQUE

	Não, garanto; ela é teimosa, tonta,
	Orgulhosa, falha nos deveres,
70	Não se lembra que é a minha filha,
	E nem me teme por eu ser seu pai.
	E eu lhe digo, esse orgulho dela
	(Por conselhos) tirou-lhe o meu amor,
	E, se pensava que o meu fim de vida
75	Teria o amparo de um amor filial,
	Eu resolvi agora me casar,
	E abandoná-la a quem a desejar,
	Tendo só a beleza como dote,
	Sem meu tesouro e sem a minha estima.

VALENTINO

| 80 | E, de mim, que deseja sua graça? |

DUQUE

	Há uma dama que habita em Verona
	A quem estimo; é boa e recatada,
	Mas não vê bem minha eloquência idosa.
	Queria então que fosse o meu tutor
85	(Pois já há muitos anos não cortejo,
	E as modas deste tempo já são outras)
	No meio e modo que devo assumir
	Para atrair aqueles olhos jovens.

VALENTINO

	Se não o ouve, compre-a com presentes;
90	Muitas vezes as joias, com o silêncio,
	São mais eficientes que a palavra.

DUQUE

| | Ela, porém, não quis os que mandei. |

VALENTINO

    A mulher menospreza o que a atrai.
    Mande-lhe outros; não desista nunca,
95   O desprezo aumenta o amor; insista.
    Ela não franze o cenho por horror,
    Mas só pra provocar-lhe mais amor.
    Se o ofende, não é para afastá-lo;
    A tola chora, se é abandonada.
100   Não se ofenda com o que diz na hora;
    "Agora saia!" não é banimento.
    Faça de suas loas recital;
    Mesmo escura, tem rosto angelical;
    Um homem não será homem sequer,
105   Se sua língua não prende uma mulher.

DUQUE

    Porém amigos já a prometeram
    A um cavalheiro jovem, de valor,
    E a mantiveram longe de outros homens
    Pra que, de dia, nenhum se aproxime.

VALENTINO

110   Terá de procurá-la, então, à noite.

DUQUE

    As portas 'stão trancadas, não há chave,
    Ninguém chega até ela, nem à noite.

VALENTINO

    E o que impede entrar pela janela?

DUQUE

    O quarto é alto, bem longe do chão,
115   E a projeção não permite escaladas
    Sem perigos mortais para quem suba.

VALENTINO

    Mas nesse caso uma escada de cordas
    Jogada ao alto, com ganchos que a prendam,
    Serve para chegar à nova Hero,
120   Desde que haja outro bravo Leandro.

DUQUE

    Será que o cavalheiro poderia
    Informar-me onde encontrar tal escada?

Valentino
    Pra usá-la quando? Diga, por favor.

Duque
    Hoje à noite. O amor é uma criança
    Que deseja o difícil de alcançar.

Valentino
    Às sete horas lhe consigo a escada.

Duque
    Mas, atenção: eu devo ir lá sozinho;
    Como hei de transportar a tal escada?

Valentino
    É muito leve, senhor; pode levá-la
    Qualquer um que use capa mais comprida.

Duque
    Serve, então, uma capa como a sua?

Valentino
    Sim, senhor.

Duque
                    Deixe, então, que eu veja a sua,
    Par'arranjar outra, de igual comprimento.

Valentino
    Mas qualquer capa serve, meu senhor.

Duque
    Como hei de habituar-me a usar capa?
    Permita, por favor, que eu experimente.

    (Ele toma a capa de Valentino, e descobre a escada e uma carta.)

    Mas que é isso? Uma carta? "Para Silvia"!
    E aqui a engenhoca que eu desejo.
    Vou ter a ousadia de abri-la.
    (Lê.) "Ficam com Silvia, à noite, os pensamentos
    Que voam, meus escravos, para lá;
    Pudera o amo ter tais movimentos.
    E ir voando pr'onde a mente está.
    Abrigue os meus arautos no seu peito;
    Eu sou seu rei, que a eles importuna,

*Por essas graças a que têm direito,
E inveja de meus servos a fortuna.
Eu maldigo a mim mesmo por mandar
Que eles se abriguem onde eu quero estar."*
E o que é isto?
"Silvia, esta noite eu a libertarei."
É isso; a escada já está aqui, à mão.
Então Faeton, que é filho de Mérope,
Quer dirigir o carro celestial?
E, louco, incendiar o mundo inteiro?
Pensa alcançar a estrela que brilha?
Pois saia, intruso, escravo presunçoso!
Vá bajular, sorrindo, os seus iguais;
Minha condescendência (não seu mérito)
Lhe dá o privilégio de partir.
E só por isto, mais que por favores
Que concedi, deve me agradecer.
Mas se for visto no meu território
Mais tempo do que o preparo rápido
Exige pra partida desta corte,
Minha ira será maior que o amor
Que tenho a minha filha, ou tive a si.
Saia daqui; não quero ouvir escusas;
Se ama a vida, parta a toda pressa.

(Sai.)

Valentino
Antes morrer que viver em tormento.
Morrer é ser banido de mim mesmo,
Pois eu sou Silvia: e 'stando longe dela
O estou de mim. Maldito banimento.
Que luz é luz, se não posso ver Silvia?
Que alegria existe, sem Silvia por perto?
A não ser que, pensando que está perto,
Viva da sombra de sua perfeição.
À noite, não estando junto a Silvia,
Não nasce música do rouxinol.
De dia, a não ser que eu veja Silvia,
Não aparece dia para eu olhar.
Ela é minha essência, e tudo cessa
Se eu não me vejo, por sua influência,
Alimentado, são, mantido vivo.
Não fujo à morte, quando fujo à pena:
Ficando aqui, eu só espero a morte.
Mas, se fujo daqui, fujo da vida.

*(Entram P*ROTEU *e L*ANÇA*.)*

PROTEU
Corra, rapaz, corra a procurá-lo.

LANÇA
Aqui, aqui, aqui.

190 PROTEU
O que está vendo?

LANÇA
A quem procuramos. Juro por um fio de cabelo que aquele é Valentino.

PROTEU
Valentino?

VALENTINO
Não.

PROTEU
Então quem é? Seu espírito?

195 VALENTINO
Também não.

PROTEU
O quê, então?

VALENTINO
Nada.

LANÇA
E nada fala? Posso bater, amo?

PROTEU
Bater em quem?

200 LANÇA
Em nada.

PROTEU
Chega disso, calhorda.

LANÇA
Ora, senhor, não vou bater em nada. Por favor...

PROTEU
    Eu disse chega. Amigo Valentino, uma palavra.

VALENTINO
    'Stá surdo o meu ouvido à boa nova,
    Foi saturado pelas muitas más.

PROTEU
    Em silêncio eu enterro as que ora trago,
    Já que são duras, más, desafinadas.

VALENTINO
    Silvia morreu?

PROTEU
    Não, Valentino.

VALENTINO
    Pra deusa Silvia não há Valentino.
    Ela me traiu?

PROTEU
    Não, Valentino.

VALENTINO
    Se Silvia trai, não há mais Valentino.
    Quais são as suas novas?

LANÇA
    Foi gritado que o senhor 'stá sumido.

PROTEU
    Que está banido – essa é a minha nova—
    Daqui, de Silvia, e deste seu amigo.

VALENTINO
    Já fui alimentado com essa dor,
    E agora, com o excesso, me empanturro.
    Silvia já sabe que eu fui banido?

PROTEU
    Já sabe; e ofereceu a tal sentença
    (Mesmo sem forças para revertê-la)
    Um mar de pérolas que chama lágrimas;
    Aos pés do irado pai as derramou,
    Ajoelhando-se, com humildade,

            Torcendo as mãos, que ficaram tão brancas
            Como se a dor as empalidecesse.
            Porém, nem os joelhos, nem as mãos,
            Suspiros, ou gemidos lacrimosos
230   Comoveram seu impiedoso pai;
            Sendo encontrado, Valentino morre.
            E tanto os seus pedidos o irritaram,
            Quando implorou que ele arrefecesse,
            Que o pai deu ordens pra que fosse presa,
235   Com ameaças de ser amarrada.

    VALENTINO
            Basta! A não ser que o que disser agora
            Tenha poder fatal na minha vida.
            E se assim for, sussurre em meu ouvido
            Hino final pra minha dor sem fim.

    PROTEU
240   Pare de lamentar o que é sem cura,
            E busque cura para o que lamenta.
            O tempo gera e nutre todo o bem.
            Ficando aqui, não vê o seu amor;
            E, se ficar, ainda encurta a vida.
245   Seu bastão é a esperança, vá com ela
            E pense, pra sustar o desespero,
            Que poderá estar aqui em cartas,
            Mandando-as para mim, para entregá-las
            Ao níveo seio de seu grande amor.
250   Irei levá-lo às portas da cidade,
            E até lá podemos conceber
            Planos para ajudar o seu amor.
            Por seu amor a Silvia (não por si)
            Lembre o perigo que é ficar aqui.

    VALENTINO
255   Lança, eu lhe peço que, se vir meu pajem,
            Diga que na Porta Norte o espero.

    PROTEU
            Vá procurá-lo. Vamos, Valentino.

    VALENTINO
            Querida Silvia! Pobre Valentino!

                          (Saem PROTEU e VALENTINO.)

LANÇA

260 Posso ser bobo, mas fiquem sabendo que sou esperto o bastante para achar que meu amo é uma espécie de canalha; mas tudo bem, se for só um canalha. Não vive homem que saiba que estou apaixonado, mas estou, mesmo que uma parelha de cavalos não o arranque de mim; nem quem eu amo; mas é uma mulher; mas que mulher não digo nem a mim mesmo; mesmo assim, é a moça do leite, mas não sei se
265 é moça, porque tem compadres; mas mesmo assim é moça, porque é a moça do patrão, a quem serve por salário. Ela tem mais qualidades do que um perdigueiro, o que é mais que um cristão puro. *(Pegando um papel.)* Isto é um gatálogo[7] de suas condições. "*Inprimis*, busca e carrega"; nem cavalo faz mais; não, cavalo não busca, só carrega; logo,
270 ela é melhor que uma égua. "*Item*, sabe ordenhar"; e saibam que essa é uma doce virtude em uma moça de mãos limpas.

(Entra RAIO.)

RAIO

Então, senhor Lança, o que há de novo com o seu senhorio?

LANÇA

Meu senhorio? Deve estar no mar.

RAIO

Continua com sua mania de trocar palavras. Que novas traz nesse papel?

LANÇA

275 As mais negras que jamais se ouviu.

RAIO

Mas negras, como, homem?

LANÇA

Ora, negras como tinta.

RAIO

Deixe-me ler.

LANÇA

Que é isso, palerma? Você não sabe ler.

RAIO
280 Mentira; sei, sim.

---

7 No original "cate-logue", com possível implicação do uso comum de "cat", para prostituta; o uso de "gata" para uma mulher atraente sugeriu a tradução, preservando a semelhança com catálogo. (N.T.)

LANÇA

Vou fazer uma prova: quem o gerou?

RAIO

Ora essa, o filho do meu avô.

LANÇA

Paspalhão analfabeto! Foi o filho da sua avó. E assim fica provado que não sabe ler.

RAIO

285   Chega, idiota. Quero fazer a prova com o papel.

LANÇA

(Dando-lhe o papel.)
Está aí. E que São Nicolau o ajude.

RAIO

"*Imprimis*, ela sabe ordenhar"!

LANÇA

E sabe mesmo.

RAIO

"*Item*, sabe fazer boa cerveja."

LANÇA

290   E daí é que vem o provérbio: "Bendito seja quem sabe fazer cerveja".

RAIO

"*Item*, ela sabe coser."

LANÇA

É o mesmo que dizer que saber cozinhar.

RAIO

"*Item*, ela sabe tricotar."

LANÇA

O que importa que uma moça tenha um pé de meia quando ela sabe
295   tricotar umas meias?

RAIO

"*Item*, ela sabe lavar e esfregar."

LANÇA

Grande virtude; pois assim não é preciso ser lavada e esfregada.

RAIO

"*Item*, ela sabe fiar."

LANÇA

Então posso botar o mundo numa roda, se ela pode ganhar a vida na roca.

RAIO

"*Item*, ela tem um bando de virtudes sem nome."

LANÇA

Isso é igual a dizer "virtudes bastardas", que não conhecem os pais e por isso não têm nome.

RAIO

"E aqui seguem-se seus vícios."

LANÇA

Bem nos calcanhares das virtudes.

RAIO

"*Item*, não deve ser beijada em jejum, por causa de seu hálito."

LANÇA

Bem; esse defeito se conserta com um desjejum. Pode ler mais.

RAIO

"*Item*, tem boca doce."

LANÇA

Isso já compensa o mau hálito.

RAIO

"*Item*, ela fala quando dorme."

LANÇA

Não importa; desde que não durma quando fala.

RAIO

"*Item*, é lenta de palavra."

LANÇA

É um safado quem põe isso na lista dos vícios! Ser lenta de palavra é a única virtude na mulher. Peço que passe isso para virtude principal.

RAIO

"*Item*, é orgulhosa."

LANÇA

    Tira, também. É herança de Eva, não pode ser tirada dela.

RAIO

    "*Item*, ela não tem dentes."

LANÇA

    Isso não me importa; eu gosto das cascas.

RAIO

    "*Item*, ela é raivosa."

LANÇA

320   Ainda bem que ela não tem dentes.

RAIO

    "*Item*, ela muitas vezes canta as glórias da bebida."

LANÇA

    Se a bebida for boa, tudo bem; se não for, eu canto; pois tudo o que é bom deve ser louvado.

RAIO

    "*Item*, ela é muito liberal."

LANÇA

325   De língua não é, porque é de fala lenta; de bolsa não será, pois a guardarei fechada. Bom, de uma outra coisa pode ser, e para isso não tenho remédio. Continue.

RAIO

    "*Item*, tem mais cabelos que juízo, mais faltas do que cabelos, e mais riqueza do que faltas."

LANÇA

330   Pare aí; eu a quero. Foi minha e não minha, duas ou três vezes no último artigo. Repita aí.

RAIO

    "*Item*, tem mais cabelo que juízo."

LANÇA

    Mais cabelo que juízo: pode ser. Vou tirar a prova: a casca[8] do saleiro

---

8 A referência é aos antigos saleiros verticais, ricos e ornados, cuja tampa , "casca", tinha de ser aberta, e além disso ficava acima do nível do sal contido nele. (N.T.)

esconde o sal, e por isso é mais que sal; cabelo que cobre o juízo é mais do que juízo; pois o mais cobre o menos. E depois?

Raio

"E mais faltas que cabelos."

Lança

Isso é monstruoso: isso eu queria que saísse.

Raio

"E mais riqueza do que faltas."

Lança

Só essa palavra torna lindas as suas faltas. Está resolvido: eu a quero. E se tudo se acertar, nada é impossível.

Raio

E daí?

Lança

Daí eu lhe digo que seu amo está à sua espera na Porta Norte.

Raio

À minha espera?

Lança

À sua? Ora, quem é você? Ele já ficou à espera de gente bem melhor do que você.

Raio

E é para eu ir lá?

Lança

E correndo; pois já demorou tanto que só ir não basta.

Raio

E por que não me disse antes? Raios partam suas cartas de amor.

(Sai.)

Lança

Agora vai apanhar por ler a minha carta; um escravo muito do desajeitado, que fica se metendo nos segredos dos outros. Eu vou atrás, só para ver a lição que ele vai levar.

(Sai.)

CENA 2
(Entram o Duque e Turio.)

Duque

Sir Turio, não tema; ela há de amá-lo,
Agora que não vê mais Valentino.

Turio

Desde o exílio, me despreza mais,
Não me quer por perto e inda me ofende
Só porque a quero com esse desespero.

Duque

A marca leve do amor é uma imagem
Cavada em gelo, que uma hora quente
Transforma em água, e perde toda a forma.
Mais um tempinho degela a lembrança,
E ela se esquece do vil Valentino.

(Entra Proteu.)

Como é, Proteu; então, seu conterrâneo
Já foi, obedecendo o proclamado?

Proteu

Já foi, senhor.

Duque

E minha filha lamenta a partida?

Proteu

Pouco tempo, senhor, mata essa dor.

Duque

Assim eu creio; mas Turio discorda.
Proteu, o bom conceito em que o tenho
(Pois já mostrou alguns sinais de mérito)
Me faz falar mais livre com o senhor.

Proteu

Por mais tempo do que leal, senhor,
Que eu não viva a seus olhos, senhor.

Duque

Já sabe do prazer que me daria
Casar Sir Turio com a minha filha?

PROTEU

Já sei, senhor.

DUQUE

25 Mas não deve ignorar tampouco, eu sei,
O quanto ela se opõe ao meu desejo?

PROTEU

Enquanto estava Valentino aqui, eu sei.

DUQUE

Pois, por perversa, ainda persevera.
Que podemos fazer pra que ela esqueça
30 O amor de Valentino e ame Turio?

PROTEU

O melhor é cobri-lo de calúnias,
De falso, de covarde, má linhagem:
De tudo isso as mulheres têm ódio.

DUQUE

Ela há de ver que falamos por ódio.

PROTEU

35 Se um inimigo o diz.
E nessas circunstâncias é preciso
Que fale alguém que ela julgue amigo.

DUQUE

É preciso o senhor caluniá-lo.

PROTEU

Tarefa, meu senhor, que me repugna:
40 É atividade vil, pr'um cavalheiro,
Mais ainda se o alvo é um seu amigo.

DUQUE

Se o não pode ajudar com sua fala,
Sua calúnia não o prejudica;
A tarefa se torna indiferente
45 Quando é encomendada por amigo.

PROTEU

Convenceu-me, senhor; se o conseguir
Por dizer algo que o desprestigie,
Ela não o amará por muito tempo.

50	Porém, mesmo esquecendo Valentino,
	Não há certeza que amará Sir Turio.

TURIO

    E, portanto, ao matar o amor por ele,
    E antes que ele se perca, sem proveito,
    Há de buscar voltá-lo para mim;
    É preciso que me elogie tanto
55   Quanto tira o valor de Valentino.

DUQUE

    Proteu, ouso entregar-lhe tal tarefa
    Por já saber (segundo Valentino)
    Que já é firme adorador do Amor,
    E não se altera com facilidade.
60   Por tal certeza é que terá acesso
    A local onde conversar com Silvia.
    Pois anda macambúzia, melancólica,
    E, pelo amigo, gostará de vê-lo;
    O seu consolo há de persuadi-la
65   A odiar Valentino, e a amar Turio

PROTEU

    O que me for possível, eu farei.
    Mas o senhor, Turio, está pouco afiado:
    Precisa capturar os seus desejos.
    Com sonetos chorosos, cujas rimas,
70   Devem 'star plenas de juras de amor.

DUQUE

    Tem muita força a divina poesia.

PROTEU

    Diga que no altar de sua beleza
    Sacrifica o seu pranto e o coração.
    Escreva até secar a tinta; e então
75   Molhe com lágrimas, que lhe transmitam
    A sua integridade toda inteira.
    Pois são as cordas da lira de Orfeu
    Só tendões de poetas, cujo som
    Doma tigres, e faz leviatãs,
80   Abandonando o mar, dançar na areia.
    E após as elegias lamentosas,
    Sob a janela da amada, à noite,
    Leve um conjunto que, com instrumentos,
    Toque algo triste; naquele silêncio

85   Será bem-vinda essa chorosa música.
        Ou isso ou nada há de conquistá-la.

   Duque

        Tudo isso é prova que conhece o amor.

   Turio

        E à noite vou seguir os seus conselhos:
        Portanto, meu orientador, Proteu,
90   Vamos os dois, depressa, pra cidade,
        Para escolher uns homens bons de música.
        Tenho um soneto que é muito adequado
        Pr'eu começar a seguir seus conselhos.

   Duque

        Ao trabalho, senhores.

   Proteu

95   Veremos sua graça após a ceia,
        Quando apresentaremos nossos planos.

   Duque

        Tratem de começar. 'Stão dispensados.

                                        (Saem.)

ATO 4

CENA 1
(Entra um grupo de homens Fora da Lei.)

1º Fora da Lei
 Alerta, pessoal: é um viajante.

2º Fora da Lei
 Mesmo que sejam dez, os derrotamos.

(Entram Valentino e Raio.)

3º Fora da Lei
 Alto! E passe pra cá tudo o que é seu.
 Se não, sentado será revistado.

Raio
 Amo, 'stamos perditos; são vilões
 Que tanto susto dão aos viajantes.

Valentino
 Meus amigos...

1º Fora da Lei
 Está enganado; somos inimigos.

2º Fora da Lei
 Calma aí; vamos ouvi-lo.

3º Fora da Lei
 Vamos, sim; parece bom sujeito.

Valentino
 Riqueza pra perder eu tenho pouca;
 Fui abatido pela adversidade:
 Minha fortuna está nas minhas roupas,
 Das quais se agora, aqui, me despojarem,
 Me levam tudo aquilo que hoje tenho.

2º Fora da Lei
 Para onde viaja?

Valentino
 Para Verona.

1º Fora da Lei
    E de onde vem?

Valentino
    De Milão.

3º Fora da Lei
    Ficou lá muito tempo?

Valentino
    Um ano e pouco, e ficaria mais
    Se a má fortuna não me atrapalhasse.

1º Fora da Lei
    O quê? Foi banido de lá?

Valentino
    Fui.

2º Fora da Lei
    Por que ofensa?

Valentino
    Pelo que me atormenta só lembrar:
    Matei um homem, e muito o lamento,
    Porém matei-o bravamente, em luta,
    Sem usar truques falsos nem traição.

1º Fora da Lei
    Não se arrependa, se foi feito assim;
    Mas foi banido por coisa tão pouca?

Valentino
    Eu fui, e inda agradeço tanta sorte.

2º Fora da Lei
    Fala outras línguas?

Valentino
    O estudo me deu tal alegria,
    E por isso escapei de muitas dores.

3º Fora da Lei
    Pelo escalpo do frei de Robin Hood,
    Ele dá belo rei pro nosso bando.

1º FORA DA LEI
É a nossa escolha. Senhor, uma palavra.

RAIO
Amo, junte-se a eles; parece que é ladroagem muito honrada.

VALENTINO
40   Quieto, vilão.

2º FORA DA LEI
Diga-nos: tem algum destino certo?

VALENTINO
Só a minha fortuna.

3º FORA DA LEI
Saiba que, alguns, somos cavalheiros,
Que a juventude louca e sem governo
45   Levou a adotar más companhias.
Eu mesmo sou banido de Verona,
Porque tentei roubar uma donzela,
Uma herdeira, aliada ao próprio Duque.

2º FORA DA LEI
E eu de Mântua, por um cavalheiro
50   Que, sem controle, apunhalei no peito.

1º FORA DA LEI
E eu por ofensas menores assim.
Ao que interessa: falamos dos erros
Para desculpar 'starmos fora da lei;
E, mais, por vermos, na sua aparência,
55   De bela forma, e por nos haver dito
Que fala línguas, termos encontrado
A perfeição que nos faz tanta falta.

2º FORA DA LEI
Na verdade, por ser homem banido,
Mais do que tudo, nós lhe perguntamos:
60   Concorda em ser o nosso general?
Fará virtude da necessidade,
Vivendo, como nós, como selvagem.

3º FORA DA LEI
Que diz? Não quer ser do nosso bando?
Diga que sim, e nos comanda a todos:

65 Terá nossa palavra e obediência,
E como rei terá o nosso amor.

1º FORA DA LEI
Mas, se recusa a cortesia, morre.

2º FORA DA LEI
Não viverá pra gabar-se da oferta.

VALENTINO
Eu a aceito, e viveremos juntos,
70 Se juram jamais cometer ultrajes
Contra donzelas ou passantes pobres.

3º FORA DA LEI
Nós detestamos praticas tão vis.
Venham conosco conhecer a todos,
E pra mostrarmos o nosso tesouro;
75 Do qual há de dispor, junto conosco.

(Saem.)

CENA 2

(Entra PROTEU.)

PROTEU
Eu já fui falso pra com Valentino,
E ora com Turio devo ser injusto:
Com a desculpa de ajudar a ele
Poderei promover meu próprio amor.
5 Silvia é bela demais, honrada e pura,
Pra ser comprada com presentes tolos.
Quando eu proclamo lealdade a ela,
Ela me acusa de trair o amigo;
Quando digo que é bela, com meus versos,
10 Ela me lembra que já sou perjuro
E desleal com Julia, que eu amava.
Mas ignorando seus cruéis repentes,
Que matam a esperança de um amante,
Eu, seu cãozinho, quanto mais negado
15 Mais cresce o meu amor, e mais a busco.

(Entra TURIO, com MÚSICOS.)

Mas lá vem Turio; vamos à janela
Levando serenata a seus ouvidos.

Turio

    Senhor Proteu, chegou antes de nós?

Proteu

    Sim, doce Turio, que sabe que o amor
20   Usa serviço onde não pode entrar.

Turio

    Mas não 'stá aqui, espero, o seu amor.

Proteu

    Claro que está; ou não estaria eu.

Turio

    Por Silvia?

Proteu

    Sim; por Silvia, em causa sua.

Turio

    Eu lhe agradeço o seu. Vamos, senhores,
25   Bem afinados, toquem com vontade.

(Entram o Taverneiro e Julia, em trajes de rapaz.)

Taverneiro

    Meu jovem hóspede me parece alicólico.[9] Não quer dizer por quê?

Julia

    Ora, hospedeiro, porque não me sinto alegre.

Taverneiro

    Mas havemos de alegrá-lo: vou levá-lo onde há de ouvir música, e ver o cavalheiro que procura.

Julia

30   E o ouvirei falar?

Taverneiro

    Ouvirá, com certeza.

Julia

    O que será música.

---

9 A troca de palavras é frequentemente usada por Shakespeare para ilustrar o nível cultural do personagem. (N.T.)

(Tocam música.)

Taverneiro
Escute só!

Julia
Ele está entre esses?

Taverneiro
Está; mas, quieto; vamos ouvi-los.

Músicos
Quem é Silvia? O que é ela?
De quem cantam tais louvores?
Santa, boa, sábia é ela,
Do céu tem muitos favores,
Pra ser admirada e bela.

Além de boa é bonita?
Beleza é par de bondade.
O Amor os seus olhos fita,
Sonhando com claridade,
E, grato a ela, a habita.

Silvia ganha recitais
Porque a tudo Silvia excede:
Melhor que as coisas mortais
Que têm a terra por sede.
Eis suas loas musicais.

Taverneiro
O quê? Ficou mais triste do que antes?
Que é isso, homem? Não gosta de música?

Julia
Errou. O músico é que não me gosta.

Taverneiro
Mas por que, belo rapaz?

Julia
É falsa música, meu pai.

Taverneiro
O quê, as cordas estão desafinadas?

Julia
Não; mas mesmo assim têm som tão falso que machuca as cordas do meu coração.

Taverneiro
O seu ouvido é muito agudo.

Julia
Quisera ser surda; meu coração não bateria tanto.

Taverneiro
Já vi que não gosta de música.

Julia
Nem um pouco, quando agride assim.

Taverneiro
Ouça que linda variação da música!

Julia
A variação é que me tortura.

Taverneiro
Quer que toquem sempre a mesma coisa?

Julia
Queria que se tocasse sempre uma só coisa.
Mas diga, Sir Proteu, de quem falava,
Vem com frequência ver essa senhora?

Taverneiro
Eu lhe digo o que Lança, seu homem, me disse, que ele a amou à primeira vista.

Julia
Onde anda Lança?

Taverneiro
Foi procurar seu cão que, amanhã, por ordem do amo deve levar, de presente, para sua amada.

(A música cessa.)

Julia
Silêncio. Afaste-se; eles estão saindo.

PROTEU

75   Não tema, Sir Turio; hei de falar
De modo inda mais hábil do que espera.

TURIO

Nos encontramos?

PROTEU

              Na fonte São Gregório.

TURIO

                        Adeus.

(Saem TURIO e os MÚSICOS.)

(Entra SILVIA, no alto.)

PROTEU

Senhora, eu lhe desejo boa noite.

SILVIA

Senhores, eu lhes agradeço a música.
80   Quem foi que falou?

PROTEU

Quem cujo coração, se conhecesse,
Aprenderia a conhecer a voz.

SILVIA

Sir Proteu, suponho.

PROTEU

Sir Proteu, suave dama, e seu criado.

SILVIA

85   O seu desejo?

PROTEU

           Conquistar o seu.

SILVIA

Já conquistou: o que eu desejo é
Que vá logo pra sua cama, em casa.
*Homem perjuro, ardiloso, falso,
Julga-me tão privada de consciência*

Que seja seduzida pelas loas
De quem enganou tantos com suas juras?
Vá desculpar-se junto ao seu amor.
Quanto a mim, pela branca lua eu juro
Estar tão longe de atender seu canto
Quanto o desprezo por suas juras falsas;
E repreendo a mim mesma até mesmo
Por este tempo gasto em lhe falar.

PROTEU

Eu confesso que amei uma outra dama,
Mas que morreu.

JULIA

   (À parte.)
                Desminto, se falar;
Pois eu bem sei que não foi enterrada.

SILVIA

Vá lá; mas seu amigo Valentino
Inda está vivo; e dele, como sabe,
Estou noiva; não sente, então, vergonha
De ofendê-lo ao me importunar?

PROTEU

Mas Valentino, ouvi dizer, 'stá morto.

SILVIA

Pois então eu também; em sua tumba,
Creia, está enterrado o meu amor.

PROTEU

Deixe, senhora, que eu o desenterre.

SILVIA

Busque o do seu amor na tumba dela,
Ou, pelo menos, lá enterre o seu.

JULIA

   (À parte.)
Isso ele não ouve.

PROTEU

Senhora, se o seu peito é tão infenso,
Conceda ao meu amor o seu retrato,
O que está pendurado no seu quarto:

115   Eu lhe darei suspiro, pranto e fala,
Pois já que sua perfeição real
A outro se dedica, quero a sombra;
E à sua sombra darei amor real.

JULIA

    (À parte.)
Se tivesse a substância, a trairia,
120   Transformando-a em sombra, como a mim.

SILVIA

A mim repugna, senhor, ser seu ídolo;
Mas como ao mentiroso cai tão bem
Amar sombras e adorar formas falsas,
Pode mandar buscá-lo de manhã.
125   E passe bem.

PROTEU

        Qual desgraçado à espreita
Da execução que vem pela manhã.

(Saem PROTEU e SILVIA.)

JULIA

Vamos, meu hospedeiro?

TAVERNEIRO

Macacos me mordam, se não dormi.

JULIA

Por favor, onde mora Sir Proteu?

TAVERNEIRO

130   Ora, na minha casa. Confie em mim; é quase dia.

JULIA

Não; mas a noite foi a mais comprida
E a mais pesada que passei na vida.

(Saem.)

CENA 3

(Entra EGLAMOUR.)

EGLAMOUR

Foi nesta hora que a senhora Silvia
Disse pr'eu vir saber do seu desejo:

                    Ela me quer pr'algo muito importante.
                    Senhora!
                            (Entra Silvia, no alto.)

        Silvia
5   Quem chama?

        Eglamour
                    O seu servo e amigo,
                    Que só aguarda as ordens que lhe der.

        Silvia
                    Sir Eglamour, eu lhe dou mil bons-dias.

        Eglamour
                    Outros tantos, senhora, eu lhe desejo.
10   Seguindo as suas caras instruções
                    Aqui estou bem cedo, pra saber
                    Qual a tarefa que a mim ordena.

        Silvia
                    Sir Eglamour, cavalheiro que é
                    (Eu não bajulo, asseguro que não)
15   Valente, sábio, virtuoso e bom.
                    Não há de ignorar que, com bons olhos,
                    Tenho visto o banido Valentino;
                    Porém meu pai quer forçar-me a casar
                    Com o tolo Turio, que minh'alma odeia.
20   O senhor já amou e, ouvi dizer,
                    Nenhuma dor jamais marcou-lhe o peito
                    Como a morte de sua amada dama,
                    A quem jurou, na tumba, castidade.
                    Senhor, eu quero ir ter com Valentino,
25   Em Mântua, onde dizem que ele mora;
                    E pr'os perigos desse meu caminho
                    Quero a sua valente companhia,
                    Por confiar em sua fé e honra.
                    Esqueça a ira paterna, Eglamour,
30   E pense só na minha imensa dor,
                    E na justiça dessa minha fuga,
                    Para escapar de tal boda sacrílega,
                    Que do céu só poderá ter pragas.
                    O meu pedido sai de um coração
35   Cheio de dores como o mar de areia,
                    Que vá comigo, como companheiro;
                    Se não quiser, oculte o que lhe disse,
                    Para que eu vá me aventurar sozinha.

EGLAMOUR

        Senhora, eu sinto muito a sua dor,
        E como sei que a razão é virtuosa,
        Consinto em dar-lhe a minha companhia,
        Sem pensar no que acaso me aconteça,
        Mas apenas na sua boa fortuna.
        Quando pretende ir?

SILVIA

                Inda hoje à noite.

EGLAMOUR

        Onde a encontro?

SILVIA

                Na cela de Frei Patrício,
        Onde irei confessar-me.

EGLAMOUR

        Eu não lhe falharei. Muito bom dia.

SILVIA

        Muito bom-dia, bom Sir Eglamour.

                                          (Saem.)

CENA 4
(Entra LANÇA, com seu cachorro.)

LANÇA

        Quando o criado de um homem age feito vira-lata com ele, as coisas vão mal: esse aí, que eu criei desde filhotinho; que salvei do afogamento quando três ou quatro de seus irmãozinhos cegos afundaram. Que ensinei a ele exatamente como está na cartilha "Assim se ensina a um cão". E agora, quando sou mandado a entregá-lo como presente à senhora Silvia por parte do meu amo, mal entrei na sala de jantar que ele saltou na bandeja e roubou uma coxa de capão. Que coisa mais feia, quando um cão não sabe se comportar na companhia de estranhos: eu preferia (como se diz) um que assumisse ser cachorro mesmo, ou seja, um cão para toda obra. Se eu não fosse mais esperto do que ele, tomando para mim a vergonha cometida por ele, acho que ele teria sido enforcado pelo que fez. Julguem só: ele se enfiou na companhia de três ou quatro cães muito cavalheiros, debaixo da mesa do Duque; não estava ali (Deus que me perdoe) nem pelo espaço de um xixi, que a sala inteira já cheirava a ele. "Fora com o cão", gritou um; "Que vira-lata é esse?", disse outro; "Para fora a chicotadas", disse um terceiro. "É melhor enforcar", disse o Duque. Eu, que já conhecia o cheiro, sabia que era o Azedo; e fui falar com o sujeito que açoita os cachorros: "Amigo", disse eu, "tem a intenção de açoitar esse cão?" "Claro que sim", disse ele. "Pois é injusto com ele", disse eu; "fui eu que fiz o que você sabe." Sem dizer mais nada, ele me botou para fora a chicotadas. Quantos amos fariam isso por um criado? Pois eu juro que já fiquei no cepo não sei quantas vezes por causa de pudins que ele roubou; amarrado na estaca por não sei quantos gansos que ele matou, por que de outro modo ele é teria sofrido. E agora você aí nem pensa nisso. Não, e eu ainda me lembro do que me fez quando eu estava me despedindo da senhora Silvia: eu não falei para você reparar em mim, e fazer o que eu fazia? E quando é que você já me viu levantar a perna e regar a saia de uma dama fina? Já me viu fazer uma coisa dessas?

(Entram Proteu e Julia.)

PROTEU

Chama-se Sebastian? Pois me agradou,
E em breve eu hei de usá-lo a meu serviço.

JULIA

No que quiser. Farei o que puder.

PROTEU

Assim espero. *(Para Lança.)* Então, filho da mãe,
Que fez nesses dois dias sem eu vê-lo?

LANÇA

Ora, senhor, levei para a Dona Silvia o cão que o senhor me pediu para levar.

PROTEU

E o que disse ela de minha pequena joia?

LANÇA

Pela Virgem que ela achou que o cão era um vira-lata, e diz que agradecimento vira-lata é suficiente para um presente assim.

PROTEU

Mas ela recebeu o meu cão?

LANÇA

Não, senhor; olhe só, eu o trouxe de volta.

PROTEU

O quê? Você ofereceu a ela isso da minha parte?

LANÇA

45 Sim, senhor; o outro esquilo foi roubado por uns moleques lá no mercado, e então ofereci o meu, que é um cão dez vezes maior do que o seu, e portanto um presente maior.

PROTEU

Pois passe fora, e encontre o meu cão,
Ou então que eu nunca mais o veja.
Fora! Está ficando para me irritar?
50 Escravo, que só me faz passar vergonha!

(Sai LANÇA.)

Sebastian, quero tê-lo a meu serviço
Em parte por ter precisão de um jovem,
Que possa ser discreto a meu serviço:
Não posso confiar naquele idiota;
55 Mas também por seu rosto e compostura
Que (se não me enganam os meus augúrios)
Em você veem educação e verdade.
Saiba que é por isso que o quero.
E agora eu quero que leve este anel
60 E o entregue à senhora Silvia:
Muito me amava a que a mim o deu.

(Ele entrega um anel a ela).

JULIA

Não o senhor a ela, se o dá;
Acaso ela morreu?

PROTEU

Não, vive ainda.

JULIA

Coitada!

PROTEU

65 Por que razão diz assim "Coitada"?

JULIA

Não posso deixar de ter pena dela.

PROTEU

E por que haveria de ter pena dela?

JULIA
      Por parecer que ela o amava tanto
      Quanto o senhor ama a senhora Silvia:
70   Ela sonha com quem a esqueceu,
      O senhor ama quem não quer amá-lo.
      É uma pena ser o amor desencontrado;
      E só por isso é que eu disse "Coitada!"

PROTEU
      Bem; entregue-lhe o anel – e com ele
75   Esta carta. (*Entrega-lhe uma carta.*)
      Fica alí o quarto dela.
      Diga à minha dama
      Que lhe cobro a promessa do retrato.
      Feita a tarefa, volte à minha casa,
80   Onde há de ver-me triste e solitário.

                                    (*Sai.*)

JULIA
      Quantas moças prestavam tal serviço?
      Tolo Proteu, sem saber contratou
      Uma raposa, pr'olhar os seus carneiros.
      Tola sou eu; por que sentir piedade
85   De quem, de coração, a mim despreza?
      Porque a ama, ele despreza a mim,
      E por amá-lo é que eu sinto piedade.
      O anel que eu lhe dei quando partiu,
      Para que sempre lembrasse de mim,
90   Agora eu devo, infeliz mensageiro,
      Implorar o que não quero obter;
      Levar o que desejo recusado;
      Louvar o que só quero condenar.
      Eu sou o amor fiel desse meu amo,
95   Porém não posso servir bem meu amo,
      Sem ser traidora e falsa pra mim mesma.

      (*Entra SILVIA.*)

      Minha senhora, tem acaso meios
      De me fazer falar com a Dona Silvia?

SILVIA
      Que quer com ela, se sou ela eu mesma?

JULIA

Se é mesmo ela, peço paciência
Para ouvir a mensagem que lhe trago.

SILVIA

De quem?

JULIA

Do meu amo, Sir Proteu.

SILVIA

Ele quer um retrato?

JULIA

Sim, senhora.

SILVIA

(Chamando.)
Ursula, traga aqui o meu retrato.

(O retrato é trazido.)

Dê-o a seu amo, e diga a ele
Que uma Julia, de quem se esqueceu
Vai melhor em seu quarto que essa sombra.

JULIA

Senhora, peço que leia esta carta.

(Entrega-lhe uma carta.)

Perdão, senhora; cometi um engano
E entreguei-lhe papel que não é seu;
Esta é carta que lhe foi mandada.

(Toma de volta a primeira carta e entrega outra.)

SILVIA

Eu lhe peço pra ver essa de novo.

JULIA

Não é possível; por favor, desculpe-me.

SILVIA

Tome aqui.
Não quero olhar as linhas de seu amo:

                    Elas são entulhadas de protestos,
                    Cheias de juras que ele irá quebrar,
120   Tão fácil quanto eu rasgo este papel.

                        (Ela rasga a segunda carta.)

   JULIA
                    Senhora, eu devo entregar-lhe este anel.

                        (Ela oferece o anel a Silvia.)

   SILVIA
                    É uma vergonha que o mande a mim;
                    Pois eu o ouvi dizer umas mil vezes
                    Que Julia o deu a ele ao despedir-se:
125   Se o falso dedo dele o profanou,
                    O meu não fará o mesmo a Julia.

   JULIA
                    E ela lhe agradece.

   SILVIA
                    O que disse?

   JULIA
                    Eu lhe agradeço só por pensar nela:
130   Pobre coitada, o amo a maltratou.

   SILVIA
                    E você a conhece?

   JULIA
                    Quase tão bem quanto a mim mesmo.
                    Pensando no que sofre, eu lhe confesso,
                    Já chorei umas centenas de vezes.

   SILVIA
135   Ela julga que Proteu a largou?

   JULIA
                    Creio que sim; é por isso que sofre.

   SILVIA
                    Ela não é bem bonita?

   JULIA
                    Já foi mais do que é hoje, senhora;

　　　　　　　Quando se via amada por meu amo,
140　　　　　Foi tão bonita quanto é a senhora.
　　　　　　　Mas, ao deixar de se olhar no espelho,
　　　　　　　E jogou fora a máscara de sol,[10]
　　　　　　　O ar comeu o rosa de suas faces,
　　　　　　　E encardiu o lírio de sua pele,
145　　　　　E ela ficou morena como estou.

　　SILVIA

　　　　　　　Qual é a sua altura?

　　JULIA

　　　　　　　Mais ou menos a minha. Em Pentecostes,
　　　　　　　Quando são feitas nossas peças sacras,
　　　　　　　Por ser tão jovem fiz papel de moça.
150　　　　　E as roupas que eu usei foram as dela,
　　　　　　　Que me serviram, pelo que disseram,
　　　　　　　Como se fossem feitas para mim;
　　　　　　　Por isso eu sei que é da minha altura.
　　　　　　　Naquele dia eu a fiz chorar,
155　　　　　Por ser tão triste o papel que eu fiz.
　　　　　　　Senhora, era Ariadne, cujo amor
　　　　　　　Teseu traiu, fugindo sem razão;
　　　　　　　E eu o desempenhei com tanto pranto
　　　　　　　Que a minha pobre ama, comovida,
160　　　　　Banhou-se em lágrimas; quero morrer
　　　　　　　Se em pensamento não senti sua dor.

　　SILVIA

　　　　　　　E ela lhe é devedora, rapaz.
　　　　　　　Pobre moça, tão triste e abandonada;
　　　　　　　Eu mesma choro, com as suas palavras.
165　　　　　Tome aqui minha bolsa, que eu lhe dou
　　　　　　　Pelo amor que dedica à sua ama.

　　　　　　　　　(Ela lhe dá uma bolsa.)

　　　　　　　Adeus.
　　　　　　　　　　　　　　　　　　　　　　　(Sai.)

　　JULIA

　　　　　　　Se a conhecer, verá que ficou grata.
　　　　　　　Que moça virtuosa, doce e linda.
170　　　　　Tomara esfrie a corte do meu amo,

10　Era costume da época as mulheres usarem máscara ao sair de casa, para proteger a beleza da pele do sol. (N.T.)

Já que respeita o amor da minha ama.
Que pena o amor brincar consigo mesmo!
Eis seu retrato: deixe-me ver; penso
Que com vestido assim, este meu rosto
175 Seria tão bonito quanto o dela;
Mas o pintor exagerou um pouco,
Ou então sou muito pretensiosa.
O seu cabelo é cobre, o meu é trigo:
Se é essa a diferença pro amor dele,
180 Eu compro uma peruca já tingida.
Os seus olhos, como os meus, são cinzentos;
Mas sua testa é curta, a minha é alta.
O que será que tanto o atrai nela
Que eu não pudesse ver igual em mim,
185 Se o tolo deus do Amor não fosse cego?
Venha, sombra, enfrentar est'outra sombra
Que é sua rival. Forma insensível,
Que há de ser beijada e adorada;
Sendo sensata a idolatria dele
190 Minha substância é que seria o ídolo.
Por minha ama, a trato com carinho
Quem foi boa comigo; mas, por Júpiter,
Eu deveria rasgar esses seus olhos
Pra que o meu amo não a amasse mais.

(Sai.)

ATO 5

CENA 1
(Entra Eglamour.)

Eglamour
Começa o sol a dourar o ocidente,
E esta é quase exatamente a hora
Que Silvia deve vir da confissão.
Ela virá; amantes são pontuais
5 Ou então chegam antes do marcado,
Só de vontade de cumprir seu plano.

(Entra Silvia.)

Lá vem ela. Senhora, boa noite.

Silvia
Amém. Amém. Vamos, bom Eglamour,
Pelo portão nos fundos da abadia;
10 Estou sempre com medo de espiões.

Eglamour
Não tema; são três léguas até a floresta;
Cobrindo isso, estaremos a salvo.

(Saem.)

CENA 2
(Entram Turio, Proteu e Julia.)

Turio
Proteu, o que diz Silvia à minha corte?

Proteu
Achei-a mais cordata do que antes,
Porém lhe faz ainda restrições.

Turio
Mas por quê? Por ter a perna comprida?

Proteu
5 Não, antes por achá-la curta.

TURIO

Vou calçar botas, pra aumentar um pouco.

JULIA

(À parte.)
Espora não transforma ódio em amor.

TURIO

Que diz ela do meu rosto?

PROTEU

Que é claramente bonito.

TURIO

10   É mentira; o meu rosto é preto.[11]

PROTEU

Porém é clara a pérola, e dizem todos
Que o homem preto, pr'as belas, é pérola.

JULIA

(À parte.)
São pérolas que cegam essas belas,
Eu prefiro não ver a olhá-los.

TURIO

15   Gosta do meu discurso?

PROTEU

Não quando fala de guerra.

TURIO

Mas se o discurso é de amor e paz?

JULIA

(À parte.)
Mais, mesmo, só quando fica calado.

TURIO

O que diz ela de minha bravura?

PROTEU

20   Isso ela jamais põe em dúvida.

---

11   Preto é usado com frequência por moreno, na época. (N.T.)

JULIA

 (À parte.)
Nem precisa; sabe que é covarde.

TURIO

O que diz do meu berço?

PROTEU

Que tem ascendência boa.

JULIA

 (À parte.)
Verdade: de cavalheiros nasceu um tolo.

TURIO

25 E leva em conta minhas grandes posses?

PROTEU

Sim, e as lamenta.

TURIO

Mas por quê?

JULIA

 (À parte.)
Por tamanho asno possuí-las.

PROTEU

Por serem todas arrendadas.

JULIA

30 Aí vem o duque.

 (Entra o DUQUE.)

DUQUE

Então, Sir Proteu e Sir Turio!
Têm visto, acaso, Sir Eglamour?

TURIO

Eu, não.

PROTEU

 Nem eu.

DUQUE

 E viram minha filha?

PROTEU
Também não.

DUQUE
Então fugiu para o vil Valentino;
E Eglamour em companhia dela.
Verdade; frei Lourenço os encontrou,
Andando, em penitência, na floresta.
O conhecia, e imaginou ser ela,
Que, mascarada, não pôde ver bem.
Além disso, ela foi confessar-se
À tarde com frei Patrick, e sumiu.
Tudo isso leva a crer que ela fugiu;
Portanto peço, que sem mais conversa
Montem logo e vão-se encontrar comigo
Na ladeira a caminho da montanha
Que leva a Mântua, pra onde fugiram.
Depressa, cavalheiros; e me sigam.

(Sai.)

TURIO
Mas vejam que mocinha mais teimosa,
Que foge da fortuna que a procura.
Eu vou; mais pra vingar-me de Eglamour
Que por amor à tresloucada Silvia.

(Sai.)

PROTEU
E vou também, mais por amor a Silvia
Do que por ódio a Eglamour, que a segue.

(Sai.)

JULIA
E eu vou também, mais pra atrapalhar
Do que por ódio a quem só quer amar.

(Sai.)

CENA 3
(Entram SILVIA e os FORA DA LEI.)

1º FORA DA LEI
Calma; vamos levá-la ao capitão.

SILVIA
>	Tropeços bem piores do que este
>	Já me ensinaram a ser paciente.

2º FORA DA LEI
>	Vamos levá-la, logo.

1º FORA DA LEI
>	E o cavalheiro que estava com ela?

3º FORA DA LEI
>	Bom das pernas, correu mais do que nós,
>	Mas Valério e Moisés foram atrás.
>	Levem-na pro oeste da floresta,
>	O capitão 'stá lá. E o fugitivo
>	Não poderá fugir. Vamos buscá-lo.

(Saem 2º e 3º FORA DA LEI.)

1º FORA DA LEI
>	Tem de ir pra caverna do comando.
>	Não tenha medo dele; é muito honrado
>	E incapaz de fazer mal a mulher.

SILVIA
>	Tudo isto é por você, meu Valentino.

(Saem.)

CENA 4

(Entra VALENTINO.)

VALENTINO
>	Como é fácil a ação se tornar hábito!
>	Esta floresta, sombria e deserta,
>	Eu suporto melhor que a vida urbana:
>	Aqui sento sozinho, sem ser visto,
>	E ao som das queixas de um rouxinol
>	Eu harmonizo a aflição e a dor.
>	Oh tu, que habitas dentro do meu peito,
>	Não deixes a mansão desabitada,
>	Pra que o solar não caia, arruinado,
>	E deixe só lembrança do que foi.
>	Que a tua *presença* me conforte, Silvia;
>	Doce ninfa, acolhe quem te ama.

(Gritos, fora.)

Que confusão, que gritaria é essa?
Meus amigos, cuja vontade é lei,
Apanharam, na certa, algum passante.
Gostam de mim, porém é com esforço
Que os impeço de atos ultrajantes.
Melhor eu me afastar; quem há de ser?

(Afasta-se.)
(Entram PROTEU, SILVIA e JULIA.)

PROTEU

Senhora, esse serviço eu lhe prestei
(Mesmo que não respeite esse seu servo),
Botando em risco a vida, pra salvá-la
De quem lhe forçaria a honra e o amor.
Conceda-me, por paga, um olhar bom:
Eu lhe peço o menor prêmio possível,
Não poderia dar-me ainda menos.

VALENTINO

(À parte.)
Parece um sonho! Mas eu ouço e vejo:
Amor, permita que eu espere um pouco.

SILVIA

Que miserável infeliz eu sou!

PROTEU

'Stava infeliz, senhora, antes de eu vir;
Mas ao chegar eu a tornei feliz.

SILVIA

Vê-lo por perto deixa-me infeliz.

JULIA

(À parte.)
E a mim, quando procura sua presença.

SILVIA

Se um leão me tivesse abocanhado,
Eu preferia alimentar a fera
A ser salva pelo traidor Proteu.

Sabem os céus que eu amo Valentino,
Cuja vida, pra mim, vale a minh'alma,
Ou seja, tanto (e mais é impossível)
Quanto eu detesto o perjuro Proteu:
40 Então, parta, e não me importune mais.

PROTEU

Que risco, ou que desafio à morte,
Não corro eu por um olhar mais calmo?
É a comprovada maldição do amor
A mulher não amar onde é amada.

SILVIA

45 Quando Proteu não ama onde é amado:
Olhe no coração da amada Julia,
A quem em outros tempos jurou fé,
Em mil juras, e a todas essas juras
Perjurou, quando disse amar a mim.
50 Não há fé em você, só se for dupla,
O que é pior que nenhuma; antes isso
Que uma fé plural, demais pra fé.
Caluniou seu amigo!

PROTEU

                E, no amor,
Quem tem amigo?

SILVIA

                Só Proteu que não.

PROTEU

55 Se o espírito da fala comovente
Não a leva a conduta mais amena,
Eu passo a corte militar, armada,
Amando-a contra o amor: forçando-a.

SILVIA

Oh céus!

PROTEU

        Hei de forçá-la ao meu desejo.

VALENTINO

    (Avança.)
60 Canalha! Não a toque com essas mãos,
Amigo sem critério.

PROTEU
>> Valentino!

VALENTINO
>> Amigo vil, sem honra e sem amor,
>> Que hoje é um tal amigo. Com traição
>> Matou-me a esperança; só meus olhos
>> Poderiam prová-lo; e hoje não digo
>> Que tenha amigo pois você o nega.
>> Em quem confiar, se minha mão direita
>> Não passa de um perjuro? Ouça, Proteu:
>> Em você nunca mais devo confiar,
>> Pois pra mim fez do mundo um inimigo.
>> Pior é o golpe pessoal: maldigo
>> O dia em que o inimigo é o amigo!

PROTEU
>> A vergonha e a culpa me confundem.
>> Perdoa, Valentino; se o lamento
>> For resgate bastante para a ofensa,
>> Você o tem; eu sofro na verdade
>> Tanto quanto pequei.

VALENTINO
>> Então 'stou pago;
>> E novamente o considero honesto.
>> A quem não satisfaz o arrepender-se
>> Não é de céu ou terra, que o aceitam.
>> A penitência abate a Eterna ira.
>> E pra provar meu amor e apreço,
>> Tudo o que é meu em Silvia lhe ofereço.

JULIA
>> Ai de mim!

(Ela desmaia.)

PROTEU
>> Olhe o rapaz.

VALENTINO
>> Menino!
>> O que é isso? O que há? Acorde e fale.

JULIA
>> Meu bom senhor, meu amo encarregou-me de entregar um anel à senhora Silvia; que (por negligência) nunca foi feito.

PROTEU

    Onde está o anel, rapaz?

JULIA

                  Aqui: é este.
(Ela lhe dá um anel.)

PROTEU

    Mas este anel é o que eu dei a Julia.

JULIA

90   Desculpe, eu me enganei:
    Este é o anel que mandou para Silvia.

(Ela lhe dá outro anel.)

PROTEU

    Mas como pode ser isso? Quando parti, eu o dei a Julia.

JULIA

    E a própria Julia o deu a mim,
    E a própria Julia o trouxe aqui.

(Ela se revela.)

PROTEU

95   O quê! Julia!

JULIA

    Eis o alvo de suas juras todas,
    Que as recebeu de todo coração.
    Quantas vezes seu perjúrio a feriu!
    Proteu, que minhas vestes o enrubesçam.
100   Envergonhe-se por eu ter feito uso
    De roupas sem modéstia, se a vergonha
    Pode viver em disfarce de amor!
    É pecado menor para a modéstia
    Mudar eu forma do que o homem jura?

PROTEU

105   Que o homem jura? É certo; e sendo o homem
    Constante, era perfeito: e esse erro
    O inunda erros e pecados;
    Com a inconstância morre o que viria.
    Que há em Silvia que eu não possa ver,
110   Sendo constante, no rosto de Julia?

VALENTINO
    Venham! Uma das mãos de cada um;
    Eu abençoo esse final feliz
    Entre amigos não dura a inimizade.

PROTEU
    Tenho pra sempre, céus, o meu desejo.

JULIA
115   E eu o meu.

(Entram os FORA DA LEI, TURIO e o DUQUE.)

FORA DA LEI
    Uma presa! Uma presa!

VALENTINO
    Mais calma, amigos: é o senhor Duque.
    Sua graça é bem-vinda ao desgraçado
    Valentino banido.

DUQUE
    Valentino!

TURIO
120   Veja: ali está Silvia, e Silvia é minha!

VALENTINO
    Turio, se a não devolve, aceite a morte;
    Não chegue aonde alcança a minha ira;
    Não diga que Silvia é sua. Se o repete,
    Verona não o salva. Aí está ela,
125   Com um só toque apodere-se dela:
    Proíbo um sopro seu no meu amor.

TURIO
    Sir Valentino, eu nem gosto dela:
    E será tolo quem correr perigo
    Por uma moça que não quer amá-lo.

DUQUE
130   Pois é mais vil e mais degenerado
    O que anda atrás dela, como fez,
    Pr'abandoná-la por razão tão fraca.
    E pela honra de minha linhagem

Eu lhe aplaudo a bravura, Valentino,
E o vejo digno de uma imperatriz:
Saiba que aqui renego antigas dores,
Renego ofensas, e o repatrio.
Dou promoção a seus imensos méritos,
Os quais defino assim: Sir Valentino,
Que o senhor, cavalheiro e bem nascido
Aceite Silvia, pois a mereceu.

Valentino

Fico feliz e grato a sua graça.
E agora, por amor à sua filha,
Há um favor que tenho de pedir-lhe.

Duque

Seja o que for, por si é concedido.

Valentino

Esses banidos, com os quais convivi,
São homens de imensas qualidades:
Perdoe-os pelo que aqui fizeram,
E deixe que termine o seu exílio:
'Stão reformados, sérios, corrigidos,
Merecem do senhor melhor emprego.

Duque

Convenceu-me: 'stão todos perdoados:
Use-os como o julga merecerem.
Vamos, e abraçaremos as discórdias
Em paradas solenes e alegrias.

Valentino

E nessa caminhada eu ousarei
Com uma conversa fazê-lo sorrir.
O que pensa, senhor, daquele pajem?

Duque

O menino é gracioso, e enrubesce.

Valentino

É muito mais gracioso que menino.

Duque

Que quer dizer com isso?

Valentino
    Se me permite, enquanto vamos indo,
    Há de querer saber do acontecido.
    Venha, Proteu; por penitência escute
165   Que se revelem esses seus amores.
    Assim as minhas bodas serão suas,
    Numa festa, felicidade dupla.

(Saem.)

QUEVEDO

Se te preguntarem quanto vários judeu
lhe deu, quero saber o acontecido:
Vinha Flora, por querer-te oculta
Que se revolvem teses e seus amores
Assim as cunhas borrascas vistas
Numa resta felicidade muita]

(Seen?)

Trabalhos de amor perdidos

Introdução
BARBARA HELIODORA

O texto de *Trabalhos de amor perdidos*, encontrado na primeira edição das obras dramáticas completas de William Shakespeare, em 1623, tem como fonte única a edição da peça, em separado, em 1598, a primeira publicação em que o nome do autor aparece na página de rosto, onde podemos ler que a peça foi "de novo revista e aumentada" pelo poeta. A maior parte dos especialistas considera que a comédia foi escrita para um público especial, montada no salão de alguma casa nobre, talvez a do conde de Southampton. É ao conde que Shakespeare dedicou seus dois longos poemas escritos enquanto os teatros estavam fechados em função da peste (entre 1592 e 1594), já que o tom e o estilo da peça apresenta muita semelhança não só com os dos dois poemas como também os do primeiros sonetos, que começaram a circular também nos primeiros anos da década de 1590. Outra teoria reza que Shakespeare havia escrito algum tipo de rascunho ou primeira versão, e que por isso a que conhecemos era a "revista e aumentada", fortalecida pela publicação de um poema, em 1598 ("Alba" de Roberto Tofte) que começa dizendo "Trabalhos de amor perdidos,/ Certa vez vi uma peça com esse nome", com o termo sugerindo uma considerável passagem de tempo desde então.

Não há dúvida de que *Trabalhos de amor perdidos* tenha um clima bem mais sofisticado do que o de todas as outras comédias escritas por Shakespeare, e a maioria dos estudiosos acredita que uma primeira versão da peça tenha sido apresentada em 1593 ou 1594 em uma residência nobre, provavelmente a do Conde de Southampton; essa ideia é fortalecida pelo fato de, em tom e estilo, a comédia ter toda uma série de características semelhantes aos dos dois poemas longos, "Vênus e Adonis" e "O rapto de Lucrecia", que justamente nessa época Shakespeare havia dedicado ao mesmo conde. Também semelhantes a esse conjunto de obras são os primeiros sonetos da famosa série escrita por Shakespeare, que já circulavam, em manuscrito, a essa época.

A questão da originalidade do enredo é das mais interessantes; muito embora os acontecimentos da trama em si só possam ser atribuídos a Shakespeare, não há dúvida de que ele encontrou a fonte de todos os seus personagens principais em fatos históricos: em 1578, Catarina de Médici e sua filha Marguerite de Valois foram a Nérac visitar Henrique IV de Navarra, marido de Marguerite, de quem estava temporariamente separado. Na época era largamente difundido o título de "esquadrão volante" para o grupo de jovens lindas e nobres que acompanhavam mãe e filha em todas as suas viagens e visitas. Embora o nome do rei tenha sido mudado (nunca houve um Ferdinand de Navarra), os nomes de seus companheiros foram tirados de personagens também da época, como o marechal Biron (na peça Berowne), o duque de Longueville (agora Longaville), ambos comandantes das tropas de Henrique de Navarra, enquanto o duque de Mayenne (agora Dumain) comandava seus opositores. Biron, em particular, era muito conhecido dos ingleses, por ter sido o assessor e conselheiro do conde de Essex quando este comandou as forças inglesas que foram lutar ao lado de Navarra. Historicamente a desculpa para a visita seria uma tentativa de reconciliação do casal, embora a razão verdadeira fosse a usada na peça, ou seja, uma negociação entre as duas partes pela posse da Aquitania.

Na peça, é claro, o rei e a princesa de França não são casados, e a questão da Aquitanias é apenas mencionada. Reunindo, no entanto, um elenco tão nobre e sofisticado, Shakespeare aproveita a situação para se divertir um pouco com a moda das "academias", vinda da Itália quando, como parte da nova visão das coisas da Renascença, começaram a aparecer pequenos grupos dedicados ao estudo como um ideal de vida, que como tudo o que entra em moda provoca excessos, No caso, a proposta do rei é claramente despropositada, e Berowne, o mais brilhante do quarteto masculino, desde logo prevê se impossível obedecer a regras tão contrárias ao natural.

Como o contrato proibia o rei de receber mulheres no palácio, a princesa e suas três amigas são acampadas no parque real, o que já é de si uma desculpa esfarrapada, pois a proibição nascera para não permitir qualquer contato com mulheres, que se dá mesmo que por meio do recurso improvisado. As quatro moças, informadas dos problemas que estão criando para os quatro amigos "acadêmicos", aproveitam para se divertir à custa destes, e já são bons exemplos do brilho das protagonistas de todas as melhores comédias.

É possível, porém, ver que Shakespeare ainda está no estágio inicial de seu ofício, quando ele fracassa na apresentação de um espetáculo realizado pelo integrantes mais populares do elenco, mas que irá realizar brilhantemente no *Sonho de uma noite de verão*.

De todas as comédias de Shakespeare essa é a única que termina em tom melancólico e sem a completa harmonia do final feliz: o perigo, a ameaça de morte, aparecem em forma atenuada, ao menos, em todas as comédias, porém só em *Trabalhos de amor perdidos* eles têm tamanho peso; quando os quatro casais, devidamente apaixonados, estão a ponto de se declararem abertamente, chega a notícia da morte do rei da França e as quatro moças pedem que seus quatro pretendentes aguardem doze meses para obterem suas respostas, cada um deles tendo de cumprir uma espécie de penitência, segundo o seu temperamento e comportamento. É possível que Shakespeare tenha encontrado a inspiração para isso no poema "O parlamento das aves", do medieval Geoffrey Chaucer, com cuja obra ele tinha bastante intimidade.

Nenhuma peça de Shakespeare tem tantos pontos que ninguém até hoje conseguiu decifrar, o que confirma a ideia de a comédia ter sido escrita de encomenda para um grupo especial, do qual essas referências inexplicáveis seriam privativas. Esses pontos, porém, não chegam a impedir que se possa apreciar a comédia como um todo, mesmo sentindo ser ela um tanto diversa de suas companheiras; se foi a princípio escrita para um público específico e restrito, é possível que tenha sido um tanto alterada para ser apresentada em um teatro "público", como eram chamados os teatros que cobravam entradas para seus espetáculos; isso, inclusive, pode responder por algumas repetições no texto, principalmente as duas falas semelhantes de Berowne a respeito da importância da constante presença da mulher na vida normal de qualquer homem.

LISTA DE PERSONAGENS

Rei Ferdinand de Navarra
Berowne
Longaville } nobres, companheiros do rei
Dumain

Boyet
Marcade } nobres do séquito da princesa de França

Don Adriando de Armado, um espanhol fantástico
Sir Nataniel, um cura
Holofernes, um mestre-escola
Tonto, um policial
Melão, um cômico
Mariposa, pajem de Don Armado
Um lenhador
A Princesa de França
Maria
Katherine } damas que servem a Princesa
Rosaline

Jacquenetta, uma jovem camponesa
Oficiais e outros, séquitos do Rei e da Princesa

A cena: parque do rei de Navarra.

ATO 1

CENA 1
(Entram Ferdinand de Navarra, Berowne, Longaville e Dumain.)

Rei

    A fama, que todos buscam na vida,
    Viva talhada em nossos bravos túmulos,
    Trazendo graça à desgraça da morte
    Quando, a despeito da fome do Tempo,
5   A empresa deste hálito presente
    Possa cortar o gume do fio da foice,
    E nos fazer herdar a eternidade.
    Portanto, meus nobres conquistadores,
    Que lutam contra as próprias afeições
10   E as grandes hostes do desejo humano,
    Nosso recente edito agora é válido:
    Nossa Navarra há de espantar o mundo;
    Nossa corte, uma pequena academia,
    A, quieta, contemplar da vida as artes.
15   Os três, Berowne, Dumain e Longaville
    Juram viver comigo por três anos,
    Colegas, observando os estatutos
    Bem anotados, aqui neste horário;
    Já juraram; agora aqui assinem,
20   Para que a própria mão golpeie a honra
    De quem ferir de qualquer modo o texto:
    Estando prontos, como já juraram,
    Assinem esta jura, e a respeitem.

Longaville

    Aceito. São três anos de jejum:
25   A mente farta-se, se o corpo sofre:
    Pançudos têm mentes magras; quitutes
    Enchem costelas, e arruínam mentes.

Dumain

    Senhor amado, Dumain deixa o mundo:
    A grosseria do prazer terreno
30   Deixa aos escravos vis de nosso mundo;
    Para amor, riqueza e pompa, estou morto,
    Para viver só co'a filosofia.

Berowne

    Só posso repetir os seus protestos;

                        E a tanto, meu senhor, eu já jurei,
35   Três anos estudar, vivendo aqui.
                        Mas, encontro maiores exigências;
                        Como não ver mulheres nesse tempo,
                        Que espero não estar nas arroladas;
                        Uma vez por semana sem comida,
40   E uma só refeição nos outros dias,
                        Que espero não estar nas arroladas;
                        Depois, dormir só três horas por noite,
                        E ficar sem piscar o dia inteiro,
                        Quando nunca achei pecado a noite toda,
45   E criar noite por um meio dia,
                        Que espero não estar nas arroladas.
                        São tarefas estéreis pra seguir,
                        Não ver mulher e estudar, sem dormir.

    REI
                        Porém jurou passar sem todas essas.

    BEROWNE
50   Permita-me, senhor, não coisas dessas.
                        Só jurei estudar, como nos planos,
                        Ficando em sua corte por três anos.

    LONGAVILLE
                        Jurou isso, Berowne, e a lista inteira.

    BEROWNE
                        Mas, se jurei, foi só por brincadeira.
55   Por que estudamos, podem me dizer?

    REI
                        Para alcançar com isso o conhecer.

    BEROWNE
                        Coisas ocultas, longe do bom senso?

    REI
                        Sim, como diz um divino consenso.

    BEROWNE
                        Está bem; eu juro ver bem estudada
60   Toda essa sapiência que é vedada;
                        Como... estudar onde posso jantar
                        Quando qualquer festejo é proibido;
                        Onde uma amante não se possa achar,

                  Já que o amor aqui fica escondido;
65   Ou, com essa jura contra o sentimento,
                  Aprender a quebrar tal juramento.
                  Se é o que dizem o ganho do estudo,
                  'Stá longe o estudo de saber de tudo.
                  Jurem-me isso, que eu juro tudo.

        Rei
70   Esses tropeços, mais frequentemente
                  Pr'o vão deleite desviam a mente.

        Berowne
                  Todo deleite é vão, e inda mais vão
                  O comprado com dores que dor dão:
                  Se a leitura nos dói, sem dar sossego,
75   Em busca da verdade, que seduz,
                  Só faz cortar a luz e deixar cego:
                  Luz que quer luz empana a luz da luz:
                  Pois antes de encontrar a luz no escuro,
                  A escuridão lhes corta a luz, eu juro.
80   Pra mim, o estudo que aos olhos agrada
                  Vem de se olhar pra olhos bem mais belos
                  Que, deslumbrando, terá atenção dada,
                  Dando-lhe a luz cegada por seus zelos.
                  Estudo é o glorioso sol do céu,
85   Em que os olhares mesquinhos não entraram;
                  E pouco faz o medíocre teimoso
                  Mais do que os livros de outros mostraram.
                  O que é padrinho de astro celeste,
                  Que a uma estrela ou um astro nomeia
90   Lucra tão pouco com aquela ou este
                  Quanto os que deles não fazem ideia.
                  Saber demais é fazer fama falar;
                  Nome, qualquer padrinho sabe dar.

        Rei
                  Leu tanto que discute com a leitura!

        Dumain
95   É formado em podar toda a cultura!

        Longaville
                  Colhe o milho, deixa a erva má crescer.

        Berowne
                  Na primavera, tolos vão nascer.

DUMAINE

    E daí?

BEROWNE

    Para ele é a hora certa.

DUMAINE

    Não faz sentido.

BEROWNE

    Faz, se a rima acerta.

REI

100   Berowne é o tipo de frio cortante,
    Que açoita o neném na primavera.

BEROWNE

    Que seja. Por que ser verão falante
    Se causa pra cantar a ave espera?
    Por que comemorar parto abortado?
105   No Natal não procuro mais a rosa
    Do que no esplendor de maio a neve
    Mas tudo só na estação que deve.
    E estudarem, senhores, só então,
    É entrar na casa pra abrir o portão.

REI

110   Pois fique fora: vá pra casa: Adeus!

BEROWNE

    Não, senhor; eu jurei ser um dos seus.
    E embora diga tais barbaridades
    Contra o que é bom no angelical estudo,
    Confio que hei de ter capacidade
115   E sofrer quieto os dias disso tudo.
    Dê-me o papel; ainda o quero ler,
    Às leis mais duras quero subscrever.

REI

    E da vergonha o salva assim ceder!

BEROWNE

    (Lendo.)
    "*Item*: mulher alguma chegará a menos de uma milha de minha corte."
120   Isto foi proclamado?

LONGAVILLE
>Há quatro dias.

BEROWNE
>Vejamos a multa – sob pena de ela perder sua língua. Quem inventou essa penalidade?

LONGAVILLE
>Ora, fui eu.

BEROWNE
>Meu querido amigo, e por quê?

LONGAVILLE
>Para afastá-las daqui com essa medida horrível.

BEROWNE
>Lei perigosa contra as boas maneiras!
>"*Item*: homem visto falando com uma mulher, durante esse período de três anos, passará a maior vergonha pública que pudermos imaginar."
>Esse artigo o senhor mesmo é que quebra;
>Pois sabe estar chegando, em embaixada,
>Filha do rei da França, pra falar-lhe –
>Jovem de grande encanto e majestade –
>A respeito da entrega da Aquitânia
>A seu pai velho, doente e acamado:
>O artigo, portanto, é feito em vão,
>Ou a princesa, em vão, vem até cá.

REI
>Que dizem, nobres? Disso eu esquecera.

BEROWNE
>Estudar desse jeito é exagerar:
>Quando o estudo é só pensa em mais saber,
>Esquece o que foi feito pra fazer;
>E quando alcança o que mais procurou,
>É glória a fogo, e perde quem ganhou.

REI
>É preciso anular a ordem dada;
>É necessário aqui ser hospedada.

BEROWNE
>Por precisão perjuros nós seremos

150 Nesses três anos, mais de três mil vezes;
Pois com nossos afetos nós nascemos
E só a graça a eles traz revezes.
Se eu for perjuro, há só uma resposta;
Quebrei a jura por necessidade.
Às leis eu deixo a assinatura aposta;
E quem as quebre, em qualquer quantidade
155 É acusado da vergonha exposta:
A tentação pra todos é verdade;
Mas creio, não querendo me gabar,
Que dos três sou o último a quebrar.
Nem vai haver qualquer divertimento?

REI

160 Claro que sim. Nossa corte é dotada,
De um visitante espanhol, barulhento,
Em dia com a moda mais ousada,
Cunhando frases loucas a contento;
Sua língua vaidosa do que é cantado
165 Estraga todo o encanto da harmonia;
Ser de talento, ao qual o certo e o errado
Elegeram juiz dessa porfia:
Chama-se Armado a figura imaginosa,
Que nas pausas do estudo vai narrar,
170 Com palavras que dão nobreza à prosa,
Por que 'stá sempre a Espanha a guerrear.
Eu não sei se ele os há de divertir,
Mas gosto muito de o ouvir mentir.
E quero usá-lo para me servir.

BEROWNE

175 Armado é um ilustre cavalheiro
Cuja fala, na moda, é um braseiro.

LONGAVILLE

Tendo ele e Melão pra divertimento,
Dos três anos o estudo é um momento.

(Entram TONTO, com uma carta, e MELÃO.)

TONTO

Qual é a própria pessoa do duque?

BEROWNE

180 Esta, amigo. O que deseja?

TONTO
: Eu mesmo repreendo sua própria pessoa, pois sou o trispetor de sua graça; mas quero ver sua própria pessoa em carne e osso.

BERTRAM
: Esse é ele.

TONTO
: E Signor Arm... Arm... recomenda o senhor. Há vilania à solta: esta carta vai lhe contar tudo.

MELÃO
: E o conteúdo da mesma é sobre mim.

REI
: Uma carta do magnífico Armado.

BEROWNE
: Por mais baixo que seja o conteúdo, espero que as palavras sejam altissonantes.

LONGAVILLE
: Alta esperança para um céu baixo: Deus nos dê paciência!

BEROWNE
: Para ouvir? Ou para evitar ouvir?

LONGAVILLE
: Para ouvir com humildade, senhor, e rir com moderação; ou evitar as duas coisas.

BEROWNE
: Muito bem, tudo será segundo o estilo nos possa dar motivo para uma crescente alegria.

MELÃO
: A briga é comigo, senhor, sobre a Jacquenetta.
E criada porque me pegaram com a criada.

BEROWNE
: E bem criada?

MELÃO
: Criada da seguinte forma, senhor: todas três; eu fui visto com ela na ala dos criados, sentado com ela em um banco e depois seguindo ela para o parque; o que são a maneira que se seguiu. Agora, senhor, quan-

to à maneira – a maneira foi a de um homem falar com uma mulher;
e a forma – de alguma forma.

BEROWNE
E quanto ao que se seguiu?

MELÃO
205 Isso será seguido na minha correção; e Deus que defenda o direito!

REI
Querem ouvir esta carta com atenção?

BEROWNE
Qual um oráculo.

MELÃO
É essa a simplicidade do homem que ouve os chamados da carne.

REI
(Lendo.)
"Grande deputado, vice-regente dos céus, e único dominador de Navar-
210 ra, Deus na terra de minha alma, e estimulante patrono do corpo."

MELÃO
Até agora, nem uma palavra de Melão.

REI
"Sendo assim..."

MELÃO
Pode ser assim; mas se ele diz que é assim, vai estar, se disser a verdade,
sendo assim.

REI
215 Quieto!

MELÃO
Mas para mim e todo mundo ele não é de briga.

REI
Chega de falar!

MELÃO
De segredos dos outros, por favor!

REI

"Sendo assim, e assoberbado com as cores escuras da melancolia, eu recomendei o negro humor opressivo o mais saudável remédio de vosso saudabilíssimo ar; e, sendo eu um cavalheiro, tomei a resolução de dar um passeio. Qual o momento? Por volta da sexta hora; quando as feras mais pastam, os pássaros mais bicam, e os homens sentam-se para aquela alimentação que chamam de ceia; quanto ao momento, basta. E agora, o local; qual foi? Qual, quero dizer, aquele sobre o qual andei; ele é intitulado o vosso parque. Então, quanto ao lugar onde? Onde, quero dizer, eu me deparei com aquele acontecimento obsceno e arquigrotesco, que arrancou de minha pena branca de neve a tinta cor de ébano, que aqui vós vedes, encarais, observais, ou enxergais. Mas quanto ao lugar onde: ele se posta a nornordeste e a leste do canto oeste de vosso curioso jardim de labirinto; lá em vi esse campônio pobre de espírito, essa vil sardinha de vossa alegria..."

MELÃO

Eu?

REI

"... essa alma analfabeta e iletrada..."

MELÃO

Eu?

REI

"... esse vassalo superficial..."

MELÃO

Ainda eu?

REI

"... que, segundo me lembro, é rotutado de Melão..."

MELÃO

Ah, eu!

REI

"... sentado e bem assentado, contrariando seu édito estabelecido proclamado e abrangente cânone, que com – Oh! – com – eu com isso digo e acrescento com paixão..."

MELÃO

Com uma rapariga.

REI

"... com uma filha de nossa avó Eva, uma fêmea; ou, para seu melhor entendimento, uma mulher. Ele, como manda meu sempre estimado dever, eu mandei a vós, para receber a medida de punição, por meio do oficial de sua doce graça, Antonio Tonto, homem de boa reputação, porte, postura, e respeito."

TONTO
Eu, se lhe apraz; sou Antonio Tonto.

REI
"Quanto a Jaquenetta – pois assim é chamado o vaso mais frágil – que eu apreendi com o campônio acima mencionado, eu a retenho como receptáculo da fúria de vossa lei; e hei de, ao mínimo de seus doces gestos, trazê-la para julgamento. Vosso em todo o cumprimento devotado dever de um coração quente, Don Adriano de Armado."

BEROWNE
Não foi tão bom quanto eu esperava, mas o melhor que jamais ouvi.

REI
Sim, o melhor dos piores. Mas, rapaz, o que diz você a tudo isso?

MELÃO
A rapariga eu confesso.

REI
Você não ouviu a proclamação?

MELÃO
Confessso que foi um ouvir que não acabava; mas nada de prestar muita atenção.

REI
Foi decretado um ano de prisão para quem fosse apanhado com uma rapariga.

MELÃO
Mas não fui apanhado com nenhuma: fui apanhado com uma donzela.

REI
Na proclamação estava donzela.

MELÃO
Mas donzela também não, senhor. Era virgem.

REI
Isso é sinônimo. Foi proclamado virgem.

MELÃO
Se foi, nego a virgindade dela. Eu fui só apanhado com uma empregada.

REI
Empregada que não vai poder servi-lo, meu senhor.

MELÃO
Mas ela me serve muito bem, senhor.

REI
Senhor, vou pronunciar sua sentença: vai passar uma semana a pão e água.

MELÃO
Eu preferia rezar um mês com carneiro e mingau.

REI
Don Armado será seu carcereiro.
Senhor Berowne, providencie a entrega:
E nós, os nobres, vamos pôr em prática
Tudo o que, uns aos outros, já juramos.

(Saem o REI, LONGAVILLE e DUMAIN.)

BEROWNE
Dou a cabeça por qualquer chapéu
Que leis e juras vão ser debochadas.
Camarada, vamos.

MELÃO
Eu sofro pela verdade, senhor: pois é verdade que fui apanhado com Jaquenetta, e Jaquenetta é uma menina honesta; e portanto bem-vinda seja a amarga taça da prosperidade! Pode ser que a aflição torne a me sorrir um dia; e até então, pode sentar-se, sofrimento!

(Saem.)

CENA 2
(Entram ARMADO e MARIPOSA.)

ARMADO
Menino, é sinal do quê quando um homem grande de espírito se torna melancólico?

MARIPOSA
É um grande sinal, senhor, de que vai parecer triste.

ARMADO

Ora essa! Tristeza é a mesma e uma só coisa, meu querido diabinho.

MARIPOSA

Não, não, por Deus que não.

ARMADO

Como você consegue repartir a tristeza e a melancolia, meu tenro juvenal.¹

MARIPOSA

Por uma demonstração prática de seus funcionamento, meu duro *signior*.

ARMADO

Por que duro *signior*? Por que duro *signior*?

MARIPOSA

Por que tenro juvenal? Por que tenro juvenal?

ARMADO

Eu falei assim, tenro juvenal, como um epíteto congruente com teus dias de juventude, que podemos nomear de tenros.

MARIPOSA

E eu, duro *signior*, como título apertinente à sua velhice, que podemos nomear de dura.

ARMADO

Muito bonitinho, e a propósito.

MARIPOSA

O que quer dizer, senhor? Eu bonitinho e o que digo a propósito? Ou eu apto e o que digo bonitinho?

ARMADO

Você bonitinho, porque é pequeno.

MARIPOSA

Bonitinho pequeno, porque pequeno. Por que a propósito?

ARMADO

E portanto a propósito, por ser rápido.

---

1 A mistura de "juvenil" com o nome de Juvenal, satirista romano, é um dos problemas até hoje não resolvidos no texto. De todas as comédias, esta é a mais tópica, e rica em referências não identificadas. (N.T.)

MARIPOSA
Afirma o senhor tudo isso para me elogiar?

ARMADO
Em seu mais condigno elogio.

MARIPOSA
Eu vou elogiar uma enguia com o mesmo elogio.²

ARMADO
O quê? Por considerar uma enguia engenhosa?

MARIPOSA
Porque a enguia é rápida.

ARMADO
Estou dizendo que você é rápido nas respostas; já está esquentando o meu sangue.

MARIPOSA
Estou respondido, senhor.

ARMADO
Não gosto de cruzes no meu caminho.³

MARIPOSA
(À parte.)
Está falando ao contrário: as cruzes é que não gostam dele.

ARMADO
Prometi estudar três anos com o duque.

MARIPOSA
Pode resolver tudo em uma hora, senhor.

ARMADO
Impossível.

MARIPOSA
Quanto é um dito três vezes?

ARMADO
Não sou bom de cálculos; isso é bom para taverneiro.

---

2 Novamente uma referência não compreendida até hoje. Já foi sugerida ligação com um ditado que dizia "pegar mulher pela cintura ou enguia pelo rabo", mas ninguém compreende bem a razão das falas. (N.T.)
3 Há um jogo de palavras com a cruz que aparece nas moedas; a indigência de Armado é que justifica a fala seguinte.

MARIPOSA

O senhor é um cavalheiro e um jogador, senhor.

ARMADO

Confesso as duas coisas: formam ambas o verniz de um homem completo.

MARIPOSA

Então estou certo de que sabe quanto é a soma total de dois e ás.

ARMADO

A soma total é a de um mais dois.

MARIPOSA

O que nós, o vulgo, chamamos de três.

ARMADO

É verdade.

MARIPOSA

Então, senhor, isso é um pedaço de estudo? Viu que estudou três antes de piscar três vezes; e como é fácil juntar anos à palavra três; e estudar três anos em duas palavras, o cavalo dançante há de lhe ensinar.[4]

ARMADO

Uma bela figura!

MARIPOSA

Que faz do senhor um zero à esquerda.

ARMADO

Quando então confesso que estou apaixonado; e como é uma baixeza um soldado se apaixonar, ainda mais por uma rapariga baixa. Se, puxando minha espada contra o humor da afeição eu me livrasse de pensamento totalmente reproboso, eu faria prisioneiro o Desejo, e o resgataria qualquer cortesão francês ao preço de uma mesura recém-inventada. Considero desprezível suspirar; creio que deveria superamaldiçoar Cupido. Console-me, menino. Que grandes homens estiveram apaixonados?

MARIPOSA

Hércules, senhor.

---

4   No período do reino de Elizabeth, houve um famoso cavalo adestrado que dançava em festas e comemorações. (N.T.)

ARMADO

60 O doce Hércules! Mais autoridades, meu rapaz, diga mais nomes; e, meu doce menino, que sejam homens de bom nome e grande porte.

MARIPOSA

Sansão, amo; ele foi homem de grande porte, pois carregou as portas da cidade nas costas, com grande compostura, e estava apaixonado.

ARMADO

Ah, Sansão parrudo! Sansão de boas juntas! Eu o supero com meu punhal tanto quanto você a mim carregando portas. Eu também
65 estou apaixonado. Quem era o amor de Sansão, meu caro Mariposa?

MARIPOSA

Uma mulher, meu amo.

ARMADO

De que compleição?

MARIPOSA

De todas quatro, ou de três, de duas ou de uma das quatro.

ARMADO

Diga-me exatamente de que compleição?

MARIPOSA

70 Da do verde-mar, senhor.

ARMADO

E essa é uma das quatro compleições?[5]

MARIPOSA

Segundo o que andei lendo, é; e a melhor delas.

ARMADO

O verde é realmente a cor dos apaixonados; porém ter um amor dessa cor, ao que me parece, não vejo que Sansão pudesse ter boas
75 razões para isso. Ele deve ter sido atraído pelo espírito dela.

MARIPOSA

É verdade, senhor, pois ela tinha um espírito verde.

ARMADO

O meu amor é imaculadamente branco e vermelho.

---

5 Compleição, é claro, é relacionado ao tom da pele do rosto, porém Mariposa está confundindo com os quatro humores que, na medicina da época, determinavam o temperamento do indivíduo. (N.T.)

MARIPOSA
Pensamentos mais que maculados, meu amo, são mascarados sob essas cores.

ARMADO
Define, define, infante bem escolarizado.

MARIPOSA
O espírito de meu pai e a língua de minha mãe que me amparem!

ARMADO
Doce evocação de um filho; muito bonitinha e patética!

MARIPOSA
Se ela só for branca e carmim,
Ficam ocultos seus pecados,
Pois o pecado é rubro assim,
Porém os medos, desbotados.
Se ela tiver medo ou pecar,
Por cor você não vai saber
Pois sempre as faces vão guardar
As que tiveram ao nascer.
É uma rima perigosa, meu amo, contra o argumento de vermelho e branco.

ARMADO
Não há uma outra balada, com a história do Rei e da Mendiga?

MARIPOSA
O mundo foi culpado de uma tal balada há umas três gerações; mas hoje ninguém mais a encontra; e se encontrasse, não dava nem com a música e nem com a letra.

ARMADO
Hei de fazer o assunto redigido novamente, para que eu possa dar exemplo para minha digressão com precedente importante. Menino, eu amo aquela moça caipira que apanhei no parque com Melão, aquele palhaço esperto: ela tem merecimento.

MARIPOSA
(À parte.)
Para ser chicoteada; mas mesmo assim, para um amor melhor do que o meu amo.

ARMADO
Canta, menino; meu espírito está pesado de amor.

MARIPOSA

    (À parte)
O que é de espantar, se ama uma moça leviana.

ARMADO

    Estou dizendo: cante!

MARIPOSA

    Espere até não termos mais companhia.

    (Entram TONTO, MELÃO e JAQUENETTA.)

TONTO

    Senhor, é do prazer do duque que o senhor guarde Melão bem seguro: e não deve permitir que ele passe por prazeres ou sofrimentos, mas tem de ficar em jejum três dias por semana. Quanto a esta donzela, tenho de mantê-la no parque; ela agora é diarista. Passe muito bem.

ARMADO

    Eu traio meu segredo enrubescendo. Donzela.

JAQUENETTA

    Homem.

ARMADO

    Eu a visitarei na cabana.

JAQUENETTA

    Isso é que nós vamos ver.

ARMADO

    Eu sei onde ela está situada.

JAQUENETTA

    Senhor, mas quanta sabedoria!

ARMADO

    Eu lhe contarei maravilhas.

JAQUENETTA

    Com essa cara?

ARMADO

    Eu te amo.

JAQUENETTA

    Já ouvi dizer.

ARMADO
Então, passe bem.

JAQUENETTA
E bons ventos o levem!

TONTO
Vamos, Jaquenetta, anda logo!

(Saem TONTO e JAQUENETTA.)

ARMADO
Vilão, há de jejuar por suas ofensas antes de ser perdoado.

MELÃO
Muito bem, senhor, mas espero que faça é jejum de barriga cheia.

ARMADO
Você há de ser pesadamente punido.

MELÃO
Sou mais ligado ao senhor do que seus criados, pois eles são muito levemente recompensados.

ARMADO
Leve embora o vilão: trate de trancafiá-lo.

MARIPOSA
Vamos, seu escravo transgressivo; passa fora!

MELÃO
Não me amarre. Eu faço jejum e morro, mas não corro.

MARIPOSA
Não senhor, nada de brincadeiras. Vai é para a prisão.

MELÃO
Bem, se eu jamais tornar a ver os alegres dias de desolação que já vi, alguns vão ver...

MARIPOSA
Alguns vão ver o quê?

MELÃO
Não, nada, senhor Mariposa, a não ser o que olharem. Não fica bem para prisioneiro ficar muito silencioso com suas palavras, e por isso

não vou dizer nada: dou graças a Deus ter tão pouca paciência quanto qualquer outro, e por isso posso ficar quieto.

(*Saem* Mariposa *e* Melão.)

ARMADO

140 Eu adoro o próprio chão, que é pisado, onde seu sapato, mais pisado ainda, guia seu pé, o mais pisado de todos, caminha. Serei perjuro, o que é uma grande prova de mentira, se eu amar. E como pode um amor ser verdadeiro quando é buscado com falsidade? O Amor é um familiar;[6] o Amor é um demônio; o Amor é o único anjo do mal. Mas
145 mesmo assim Sansão foi tentado, embora fosse muito forte; mesmo assim Salomão foi seduzido, e era muito inteligente. As flechas de Cupido são fortes demais para a maça de Hércules, e portanto levam muita vantagem sobre um punhal espanhol. A primeira e a segunda causas não me servem; a *passagem* ele não respeita, o *duello*[7] ele nem
150 leva em conta: sua desgraça é ser chamado de menino, sua glória é subjugar os homens. *Adieu*, bravura! Enferruja, punhal! Fica em silêncio, tambor! Pois seu gerente está apaixonado; sim, ele ama. Ajude-me, algum destemperado deus da rima, pois é certo que vou virar soneteiro. Pensa, espírito; escreve, pena; pois estou pronto para pilhas de
155 volumes, e dos grandes.

(*Sai.*)

---

6 No sentido de "demônio familiar", que seria um demônio sob o controle de um indivíduo. (N.T.)
7 Tanto *passagem* quanto *duello* são de esgrima, aqui mal aplicados. (N.T.)

ATO 2

CENA 1
(Entram a Princesa Da França, Maria, Katherine, Rosaline, Boyet, nobres e séquito.)

Boyet
Senhora, use todo o seu talento;
Lembre-se quem o rei aqui mandou,
A quem mandou e pra que embaixada:
A si, preciosa para o mundo inteiro,
Para negociar com o herdeiro único
Que é de todas as perfeições herdeiro,
O ímpar Navarra; e o pleito não menor
Que a Aquitânia, dote de rainha.
Seja agora tão pródiga de graça
Quanto lhe deu a Natureza em graças,
Quando matou de fome a terra inteira
Só para, pródiga, fazê-las suas.

Princesa
Nobre Boyet, minha pouca beleza
Não precisa a pintura de tais loas:
A beleza é comprada pelo olhar,
Não proclamada por voz no mercado.
Não valho tanto por suas palavras
Quanto o senhor se vê com elas sábio,
Por gastar o seu brilho em meu louvor.
Mas, pra ensinar ao mestre: bom Boyet,
Não ignora o que a fama boateira
Espalha que Navarra já fez jura
Que enquanto por três anos estudar,
Mulher não quebra o silêncio da corte:
Assim, parece seja necessário,
Antes de entrar nas portas proibidas,
Saber do seu desejo; e pra tal fim,
Por ser bravo e ousado o escolhemos
Como ideal pra nosso suplicante.
Diz-lhe que a filha do bom Rei da França,
Para assunto que exige certa pressa,
Implora ter audiência com Sua Graça.
Aje com pressa; enquanto aqui esperamos,
Quais humildes pedintes, o seu desejo.

BOYET

35 Vaidoso com a missão, irei com gosto.

PRINCESA

Toda vaidade, em todos, é de gosto.
Amigos nobres, quem são os devotos
Seguidores do duque virtuoso?

1º NOBRE

Longaville é um deles.

PRINCESA

                            E o conhece?

MARIA

40 Eu conheço, senhora. Numas bodas
Do Lord Perigort e a bela herdeira
De Jacques Falconbridge, solenizada
Na Normandia, eu vi Longaville:
De soberanos dotes, é estimado
45 Como feliz nas armas e nas artes;
Nada lhe calha mal, se o quer bem.
A só mancha no chão de tal virtude,
Se é que chão pode manchar virtude,
É espírito afiado, e teima forte;
50 O fio de um iguala a força do outro,
E nunca poupa quem lhe cai na mão.

PRINCESA

Um nobre alegre e desdenhoso, não?

MARIA

Assim dizem os que mais o conhecem.

PRINCESA

Talentos desses secam quando crescem.
55 E quanto aos outros?

KATHERINE

Dumain é jovem, coberto de dotes,
Amado dos virtuosos por virtude:
Capaz de fazer mal, não por maldade,
Tem tino pra dar forma boa à má,
60 E forma pra agradar, mesmo sem tino.
O vi em casa do Duque Alençon;
E muito bom desses bens que vi
Está no meu relato de seu mérito.

ROSALINE

      Outro estudante estava lá, então,
65   Com ele, se me informam com verdade.
      É chamado Berowne; homem alegre,
      Quase chegando ao nível do exagero;
      Jamais eu encontrei conversa igual.
      Seu olhar põe em marcha seu espírito;
70   Pois tudo aquilo que o primeiro capta
      O outro transforma em chistes e risadas,
      Que sua língua (expressando o conceito)
      Expõe em termos tão justos e graciosos.
      Que ouvidos velhos se esquecem do tempo
75   E os jovens, ao ouvi-los, se deslumbram,
      Tão volúvel e doce é seu discurso.

PRINCESA

      Meu Deus! Estarão já apaixonadas,
      Que cada uma de tal modo adorna
      O seu, com os ornamentos do louvor?

1º NOBRE

80   Aí vem Boyet.

      (Volta BOYET.)

PRINCESA

      Mas pôde entrar, senhor?

BOYET

      Navarra soube de sua chegada;
      E ele, mais os outros que juraram
      Estavam prontos pra encontrá-la, alteza,
      Antes de eu ir. Eis o que descobri:
85   Ele pretende instalá-la no parque,
      Qual se viesse sitiar a corte,
      Em vez de suspender o juramento,
      E hospedá-la na casa vazia.
      Aí vem Navarra,

      (Entram o REI, LONGAVILLE, DUMAIN, BEROWNE e séquito.)

REI

90   Cara princesa, bem-vinda a esta corte.

PRINCESA

      Com caros votos respondo; porém bem-vinda ainda não fui; o teto

desta corte é alto demais para ser seu, e ser bem-vinda a estes campos
é baixo demais para mim.

REI

Será bem-vinda, alteza, à minha corte!

PRINCESA

95 Se assim for, pode levar-me até lá.

REI

Cara princesa, fiz um juramento.

PRINCESA

Pela Virgem! Vai ser perjuro agora!

REI

Nunca, jamais, senhora, por vontade.

PRINCESA

A vontade o vai fazer, sem vontade.

REI

100 Mas sua alteza ignora o juramento.

PRINCESA

Se o ignorasse o senhor, seria sábio,
Porém o que ora sabe é ignorância.
Sua graça jurou banir-me a casa:
É pecado mortal manter tal jura,
105 E pecado quebrá-la, senhor.
Mas peço-lhe perdão; 'Stou sendo ousada:
Não fica bem dar aulas a um mestre.
Peço que leia o motivo por que vim,
E dê solução rápida ao proposto.

REI

110 Se me permite, senhora, leio agora.

PRINCESA

Assim consegue que eu vá logo embora,
Pois se me faz ficar, será perjuro.

BEROWNE

Não dancei consigo um dia, em Brabante?

ROSALINE

Não dancei consigo um dia, em Brabante?

Berowne

115   Sei que dançou.

Rosaline

                    Então foi coisa inútil perguntar!

Berowne

          Não seja tão precipitada.

Rosaline

          A lentidão da pergunta me esporeou.

Berowne

          Seu espírito é esquentado, rápido demais; vai cansar.

Rosaline

          Não antes de derrubar o cavaleiro na lama.

Berowne

120   Que horas são?

Rosaline

                    As que os bobos perguntam.

Berowne

          Bendita seja sua máscara!

Rosaline

          Bendito seja o rosto que ela cobre!

Berowne

          E lhe mande muitos amantes!

Rosaline

          Amém, desde que não seja um deles.

Berowne

125   Nesse casse, vou-me embora.

Rei

          Minha senhora, aqui seu pai sugere
          O pagamento de cem mil coroas;
          Isso é apenas metade do todo
          Do que gastou meu pai em suas guerras.
130   Mas mesmo que ele ou eu, o que é errado,
          Recebeu essa soma, há por pagar

Mais cem mil; dos quais, como garantia,
'Stá presa a nós metade da Aquitânia,
Que não vale, aliás, tamanha soma.
135 Se, então, o rei seu pai, restituir
Só tal metade do que inda é devido,
Abrimos mão do nosso na Aquitânia,
Mantendo firme a amizade com o rei.
Mas o seu objetivo não é esse,
140 Pois pede aqui lhe sejam devolvidas
Cem mil coroas; porém não querendo,
Com o pagamento das cem mil coroas,
Validar sua posse da Aquitânia;
Que a nos é preferível dispensar,
145 E ter a soma que meu pai cedeu,
Que a Aquitânia, hoje tão vazia.
Cara princesa, não fosse o pedido
Tão despropositado, sua beleza
Venceria a razão neste meu peito,
150 E voltaria vitoriosa à França.

PRINCESA
'Stá sendo injusto com o rei meu pai,
E maculando a fama de seu nome,
Negando-se a admitir recebimento
Do que já foi tão fielmente pago.

REI
155 Juro que disso não tive notícia;
E se provar que sim, as pagarei,
Ou cedo a Aquitânia.

PRINCESA
              É sua palavra.
Boyet lhe pode apresentar as provas,
De uma tal soma, de altos funcionários
160 De seu pai Charles.

REI
              É só satisfazer-me.

BOYET
Perdão, alteza, não chegou a mala
Que contém esses e outros documentos:
Mas amanhã poderá verificá-los.

REI

 É o que basta; e nesse encontro mesmo,
165 Eu cederei a todo o razoável.
 E entrementes, sejam tão bem-vindos
 Quanto a honra, sem desonra, permita
 Que a minha mão ofereça a seus méritos.
 Não vai passar, princesa, as minhas portas,
170 Mas, fora, recebida de tal modo
 Que há que sentir-se no meu coração,
 Mesmo que sem entrar na minha casa.
 Que os seus bons pensamentos me perdoem:
 Adeus, até a visita de amanhã!

PRINCESA

175 Saúde e votos bons a sua alteza!

REI

 É o que lhe quero, pode ter certeza!

(Sai.)

BEROWNE

 É ao meu coração que a recomendo.

ROSALINE

 Peço que sejam boas recomendações. Gostaria de vê-las.

BEROWNE

 Quisera que o ouvisse gemer.

ROSALINE

180 O bobo está doente?

BEROWNE

 Doente do coração.

ROSALINE

 Coitado! Faça uma sangria.

BEROWNE

 E crê que adiantasse?

ROSALINE

 Minha medicina diz que sim.

BEROWNE

185 Não quer então furá-lo com seus olhos?

ROSALINE
Não têm ponta. Com minha faca.

BEROWNE
Deus salve a sua vida!

ROSALINE
E a sua, de vida longa!

BEROWNE
Não posso dizer que agradeça.

(Afasta-se.)

DUMAIN
190 Senhor, por favor, que dama é aquela?

BOYET
A filha de Alençon. É Katherine.

DUMAIN
Como é galante. Senhor, passe bem.

(Sai.)

LONGAVILLE
Uma palavra; o que é a de branco?

BOYET
Uma mulher, às vezes, como viu.

LONGAVILLE
195 Isso me diz a luz. Quero o seu nome.

BOYET
Mas ela só tem um. Querê-lo é erro.

LONGAVILLE
Senhor, por favor: de quem ela é filha?

BOYET
De sua mãe, segundo ouvi dizer.

LONGAVILLE
Que Deus abençoe a sua barba!

Boyet

200 Meu bom senhor, não se ofenda.
É a herdeira de Falconbridge.

Longaville

Pronto, a minha raiva já passou.
Ela é uma moça de grande doçura.

Boyet

Não é improvável; pode ser que sim.

(Sai Longaville.)

Berowne

205 Como se chama a de tocado?

Boyet

Por um feliz acaso, Rosaline.

Berowne

Ela é casada, ou não?

Boyet

Só com a vontade dela.

Berowne

O senhor é bem-vindo, senhor. Adeus.

Boyet

210 Adeus digo eu, senhor, e bem-vindo seja.

(Sai Berowne.)

Maria

Esse último é o nobre brincalhão, Berowne.
Cada palavra um chiste de sua lavra.

Boyet

E cada chiste só uma palavra.

Maria

Fez muito bem de assim lhe retrucar.

Boyet

215 Estava tão disposto a lutar quanto ele a abordar.

KATHERINE
Bodes lutando!

BOYET
Naus; não pode ser?
Bode só pra carneirinha comer.

KATHERINE
São bodes, e eu pasto; agora, acabou.

BOYET
Se me der algum pasto.

KATHERINE
Não, não dou.
Meus lábios não são, pra todos, capim.

BOYET
A quem pertencem?

KATHERINE
Aos fados e a mim.

PRINCESA
Brilham talentos, mas fique tudo assim:
Essa guerra será melhor usada
Contra Navarra; e não desperdiçada.

BOYET
Se raro mente minha observação,
Meu olhar, por ter lido o coração,
Não me engana. Navarra 'stá infectado.

PRINCESA
Com o quê?

BOYET
Nós, amantes, dizemos afeição.

PRINCESA
Sua razão?

BOYET
Seu jeito, que evitava, a todo ensejo,
Deixar no olhar espreitar o desejo:
No coração, sua marca está gravada,

> Vaidoso no olhar e na forma expressada:
> A língua, ansiosa por falar, sem ver,
> Tropeçou na pressa do não poder;
> Os sentidos num sentido se juntaram
> E a mais bela das belas só olharam:
> Olhavam com intensidade igual
> À de um nobre na compra de um cristal;
> Vendo bem o valor do que comprava,
> Para si apontou, quando passava:
> Seu rosto revelava o que anotara,
> E todos viram o que o encantara.
> Eu lhe dou a Aquitânia e o mais que é dele
> Se por mim conceder um beijo a ele.

Princesa

> Pro pavilhão! Boyet só quer brincar.

Boyet

> Pra contar o que disse o seu olhar.
> Eu fiz boca de seus olhos, somente,
> Juntando a ela língua que não mente.

Maria

> Discursa bem, o corretor de amor.

Katherine

> De Cupido é avô e professor.

Rosaline

> Então Vênus deve ter parecido com a mãe, já que seu pai é tão sério.

Boyet

> Ouviram?

Maria

> Não.

Boyet

> E o que viram, enfim?

Maria

> Só a saída.

Boyet

> *São demais pra mim.*

(Saem.)

ATO 3

CENA 1
(Entram ARMADO e MARIPOSA.)

ARMADO
Pipila, menino. Deixa apaixonado o meu ouvido.

MARIPOSA
(Cantando.)
Concolinel.

ARMADO
Doce melodia! Continua, tenra idade! Toma esta chave, liberta o namorador, e o traz velozmente para cá; preciso utilizá-lo em uma carta para o meu amor.

MARIPOSA
Meu amo, será que conquista o seu amor com uma briga francesa?[8]

ARMADO
Que queres dizer? Brigar em francês?

MARIPOSA
Não, meu completo amo; mas ter uma jiga na ponta da língua, e canariá-la com os pés, temperando com um arregalar das pálpebras, suspirar uma nota e cantar uma nota, às vezes pela garganta, como se tivesse engolido o amor com amor cantante, às vezes pelo nariz, como se tivesse espevitado o amor cheirando o amor; seu chapéu como um sobrado acima da loja dos seus olhos; com seus braços cruzados sobre a cintura fina de seu colete, como um coelho em um espeto; ou suas mãos no bolso, como homem em pintura antiga; e não continuar muito tempo com uma melodia, mas só um pedacinho e pronto! Esses complementos, esses humores, esses, traem mocinhas boazinhas, que seriam traídas sem esses todos; e faça deles homens de notar (ouviram, homens?) que são os mais afetados por todos eles.

ARMADO
Como adquiriste tal experiência?

MARIPOSA
Com meu tostão de observação.

---

8 Uma dança francesa, *brensle*, ficou muito popular na Inglaterra nesse período. No original é usado *brawl* (briga). (N.T.)

ARMADO
Mas oh!, mas oh!

MARIPOSA
Esqueceu-se do cavalinho de pau.

ARMADO
Está chamando minha amada de cavalinho de pau?

MARIPOSA
Não, meu amo. O cavalinho de pau é só um potro,
(À parte.) E seu amor talvez já seja um pangaré –
Mas já esqueceu do seu amor?

ARMADO
Quase que sim.

MARIPOSA
Estudante vadio! É preciso sabê-la de cor!

ARMADO
De cor e no coração, menino.

MARIPOSA
E fora do coração, amo; eu provo os três.

ARMADO
Vais provar o quê?

MARIPOSA
Que sou homem, se viver; e esses de, no e fora, agora mesmo: de cor, ou coração, o senhor a ama, porque seu coração não consegue agarrá-la; no coração a ama, porque seu coração está em crise amorosa por ela; e fora do coração a ama, estando com o coração de fora, porque não pode gozar dela.

ARMADO
Eu sou todos os três.

MARIPOSA
E ainda três vezes mais, e mesmo assim, não é nada.

ARMADO
Traz aqui o enamorado: ele tem de levar uma carta para mim.

MARIPOSA
Uma mensagem muito bem planejada: um cavalo vai servir de embaixador de um asno.

ARMADO

    Como é? O que foi que disse?

MARIPOSA

    Ora, senhor, que o senhor tem de mandar o asno a cavalo, porque o
andar dele é lento. Mas já vou.

ARMADO

    O caminho é curto: vai logo!

MARIPOSA

    Tão rápido quanto o chumbo.

ARMADO

    Teu significado, meu engenhoso lindo?
Chumbo não é metal pesado, fosco e lento?

MARIPOSA

    Minime, amo honesto; isto é, não.

ARMADO

    Digo que é lento.

MARIPOSA

                 Mas diz muito rápido.
É lento o chumbo da bala de um tiro?

ARMADO

    A doce fumaça da retórica!
Pensa que sou canhão, e a bala é ele...
Eu o atiro para o amante...

MARIPOSA

                 E eu corro.

(Sai.)

ARMADO

    Um juvenal agudo: gracioso e ágil!
Céus, em seu rosto eu quero suspirar:
Tristeza, ceda à bravura o lugar.
Retorna meu arauto.

(Volta MARIPOSA, com MELÃO.)

MARIPOSA

60   Milagre, amo! Olhe um melão que se esborrachou em uma canela.

ARMADO

            Bom enigma, bom mistério; vamos, agora o *envoy*; pode começar.

MARIPOSA

            Nem enigma nem milagre; e muito menos *envoy*; esta bandeja não contém mensagens. Uma banana, meu amo; tudo simples como uma banana; a solução é a banana.

ARMADO

65   Sua virtude me provoca o riso; seu pensamento tolo, minha depressão; o arfar dos meus pulmões me provoca um sorriso ridículo: perdoai-me, estrelas! Esse irresponsável acha que *envoy* é solução, ou que solução é bandeja?

MARIPOSA

            E os sábios pensam de outro modo? O *envoy* não vem numa salva?

ARMADO

70   Não, pajem; a solução é um epílogo ou fala de esclarecimento.
            Algum precedente obscuro que fora dito antes.
            Dou um exemplo:
            A raposa, o mono, o gato maltês
            Continuam ímpares, sendo só três.[9]
75   Essa é a moral; e agora o *envoy*.

MARIPOSA

            Eu acrescento o *envoy*. Repital a moral.

ARMADO

            A raposa, o macaco, o gato maltês,
            Continuam ímpares, sendo só três.

MARIPOSA

            Até que o ganso da porta saltou,
80   E a imparidade o quarto cortou.
            Agora eu é que começo a moral, e o senhor continua com o meu *envoy*.
            A raposa, o macaco, o gato maltês,
            Continuam ímpares, sendo só três

---

9   Entre muitas outras, a peça é tida como sendo *à clef*, e há um sem número de interpretações de trechos inexplicáveis. Esse, consta, confirma uma possível interferência de Thomas Nash, responsável por infindável polêmica com o erudito Harvey. Mas nem por isso a razão da citação fica mais clara. (N.T.)

ARMADO
    Até que o ganso da porta saltou,
85   E a imparidade o quarto cortou.

MARIPOSA
    É um bom *envoy*, esse que acaba com um ganso; ainda quer mais outro?

MELÃO
    Com o ganso, o rapaz fez boa barganha,
    Ganso só vale um níquel se tem banha.
    Venda assim têm de ser feita às pressas
90   Só *envoy* gordo prega peças dessas.

ARMADO
    Venha cá, venha cá. Como é que foi iniciado o seu argumento?

MARIPOSA
    Dizendo que o melão se esborrachou num pau.
    E aí o senhor pediu um *envoy*.

MELÃO
    E eu, banana; começou assim;
95   Depois, um *envoy* gordo, do seu ganso;
    E o mercado ficou liquidado.

ARMADO
    Mas diga: como foi que o melão se esborrachou numa canela?[10]

MARIPOSA
    Vou dizer-lhe, sensatamente.

MELÃO
    Você não tem sensibilidade para isso, Mostarda: esse *envoy* sou eu que falo.
100
    Eu, Melão, muito quieto na janela,
    Caí no chão e quebrei minha canela.

ARMADO
    Não se fala mais no assunto.

MELÃO
    Até aparecer mais assunto na canela.

ARMADO
105   Senhor Melão, vou libertá-lo.

---

10 A expressão era usada, àquela época, para uma relação sexual fracassada. (N.T.)

MELÃO

Ah, então me case com a Berta – estou cheirando algum *envoy* nisso, tem cheiro de ganso.

ARMADO

Minha doce alma, quero dizer deixá-lo livre, desprendê-lo, livrar sua pessoa: estava emparedado, restrito, capturado, amarrado.

MELÃO

Isso mesmo, isso mesmo, e agora o senhor vai me purgar e me deixar solto.

ARMADO

Vou dar-lhe liberdade, tirar-lhe as amarras e, em lugar disso, não lhe imponho nada senão isto: transporte este documento significativo para a jovem pastora Jaquenetta. Há remuneração; pois a mais alta guarda de minha honra é a recompensação de meus dependentes. Mariposa, venha.

(*Sai.*)

MARIPOSA

Eu sou a segunda parte. Senhor Melão, *adieu*.

MELÃO

Minha doce libra de carne! Meu judeuzinho lindo!

MARIPOSA

Agora deixa eu ver essa tal remuneração. Remuneração! Deve ser a palavra em latim para três quartos de *penny*! Três quartos de *penny*, igual a remuneração. "Quanto custa esse cadarço?" "Um *penny*"; "Não, eu lhe dou uma remuneração"; é, dá certo, mesmo. Remuneração! Ora, é palavra ainda mais bonita do que coroa francesa. Nunca mais vou comprar ou vender nada sem ela.

(*Entra* BEROWNE.)

BEROWNE

Melão, meu moleque! Este é um encontro excelente.

MELÃO

Por favor, senhor, quanta fita cor de cravo se pode comprar por uma remuneração?

BEROWNE

E o que é uma remuneração?

MELÃO

Ora, senhor, meio *penny* e mais um quarto de *penny*.

BEROWNE

130   Então, vai poder comprar três quartos de *penny* de seda.

MELÃO

Eu agradeço a sua senhoria. Que Deus esteja consigo.

BEROWNE

Espere um instante. Preciso seus serviços.
Se quiser agradar-me, meu rapaz,
Faça por mim o que agora lhe peço.

MELÃO

135   E quando quer que o faça, meu senhor?

BEROWNE

Esta tarde.

MELÃO

Eu faço, sim, senhor. E passe bem.

BEROWNE

Mas não sabe ainda do que se trata.

MELÃO

Mas logo que fizer, fico sabendo.

BEROWNE

140   Cretino, precisa saber primeiro.

MELÃO

Eu o procuro amanhã de manhã.

BEROWNE

Tem de ser feito hoje de tarde. Ouça, cretino, é o seguinte:
A princesa vai vir caçar no parque,
E vem com ela uma moça distinta;
145   A língua, pra ser doce, diz seu nome,
E ela se chama Rosaline; procure-a,
E às suas brancas mãos dê esta ideia
Selada. E eis a compensação. Vai.

MELÃO

Compensação. Doce compensação! Melhor que remuneração! Onze

150 quartos de *penny* melhor! Doce compensação! Eu faço tudo, letra por letra. Compensação! Remuneração!

(Sai.)

BEROWNE
Ai! Eu, apaixonado de verdade!
Eu, até hoje o carrasco do amor;
O bedel dos suspiros amorosos;
155 O crítico, até mesmo o policial,
Pedante desdenhoso do menino
Mais magnífico do que qualquer homem!
Menino cego, ardiloso, teimoso,
Miniadulto, anão gigante, Cupido;
160 Senhor dos versos e braços cruzados,
Ungido soberano dos suspiros,
Suserano de à toas e vadios,
Bom príncipe de saias e braguilhas,
Imperador e grande general
165 De meirinhos sexuais. Meu coração!
E eu fazer de cabo em suas tropas,
Tão colorido quanto um saltimbanco!
O que! Eu amo! Eu cortejo uma esposa!
Uma mulher qual relógio alemão,
170 Sempre em conserto, nunca consertado,
Precisando controle pra andar certo!
E ser perjuro, que é o pior de tudo,
E entre as três, inda amar pior;
Toda capricho, e com tez de veludo,
175 Duas bolas de piche como olhos;
Mas, pelo céu, que um dia vai ser minha
Mesmo com Argus como eunuco e guarda:
E eu a suspirar por ela! A observá-la!
A rogar! O que é iso, é uma praga
180 Imposta por Cupido por meu desdém
Em relação a seu poder tão forte.
Pois vou amar, suspirar, escrever:
Ou se ama a ela, ou a outra qualquer.

(Sai.)

ATO 4

CENA 1
(Entram a Princesa, Maria, Katherine, Rosaline, Boyet, Nobres, séquito e um Lenhador.)

Princesa
Foi o rei, quem galopou tão depressa
Pela íngreme encosta da colina?

Lenhador
Não vi, mas acho que não era ele.

Princesa
Seja quem for, só pensava em subir.
5 Hoje, senhores, teremos audiência;
No sábado voltamos para à França.
Mas, Lenhador, aonde está a moita
Onde vamos brincar de assassinato?

Lenhador
Aqui perto; bem junto àquele arbusto;
10 É de onde se dá mais belos tiros.

Princesa
E quem é bela, belamente atira,
E por isso nos fala em bela mira.

Lenhador
Perdão, não era isso que eu dizia.

Princesa
Faz elogios, depois arrepia?
15 Pobre do orgulho! Que melancolia!

Lenhador
É bela, sim.

Princesa
Não dá para remendar.
Feiúra, ninguém pode consertar.
Tome, espelho, por dizer a verdade:
Tem bela paga quem diz crueldade.

LENHADOR

20   Foi só beleza o que a senhora herdou.

PRINCESA
        Minha beleza o mérito salvou.
        Heresia no belo é a moda agora!
        A mão que dá, tem loa sem demora!
        O meu arco; a piedade vai matar,
25   E atirar certo pode ser pecar.
        E o tiro certo é só o que se admite:
        Só ferir, a piedade não permite.
        Ferindo, mostro só bem manejar,
        Porém sem mostrar fome de matar.
30   E muita vez a glória vai se impondo,
        Porém saindo de um crime hediondo,
        Quando por fama, loa, exibição,
        Deformamos o nosso coração;
        E agora, só por ter fama derramo,
35   O caro sangue do inocente gamo.

BOYET
        Não há megera de forte querer
        Que só por fama faz tudo pra ser
        Senhora de seu senhor?

PRINCESA
        Só pela fama; e há de dela dispor
40   Toda senhora que doma o senhor.

        (Entra MELÃO.)

BOYET
        'Stá aí um membro da comunidade.

MELÃO
        Deus dê bom dia a vosmecês! Por favor, qual é a cabeça das donas?

PRINCESA
        Pode reconhecê-la rapaz, por as outras não terem cabeças.

MELÃO
        Qual é a maior dama, a mais elevada?

PRINCESA
45   A mais gorda e mais alta.

MELÃO

A mais gorda e mais alta? Isso mesmo, verdade é verdade. Se a sua cintura, moça, fosse tão fininha quanto o meu bestunto, O espartilho das aias ia dar certinho na sua cintura. A senhora não é a dama-chefe? A senhora é a mais gorda dessas aqui.

PRINCESA

O que deseja, senhor? O que deseja?

MELÃO

Eu tenho aqui uma carta de Monsieur Berowne para a Dama Rosaline.

PRINCESA

Oh, a carta, a carta. Ele é muito meu amigo.
Afaste-se, correio. Boyet, pode trinchar;
Abra o capão.

BOYET

Estou a seu serviço.
Há algum engano; isso não é daqui:
É para Jaquenetta.

PRINCESA

Vamos lê-la.
Quebrem o lacre, e todos ouçam bem.

BOYET

(Lendo.)
"Pelo céu, que és linda, é mais que infalível; verdade, que tu és bela; pura verdade, que tu és um encanto. Mais linda que a lindeza, bela que a beleza, verdadeira que a verdade, tem comiseração de teu heroico vassalo! O magnânino e ilustríssito rei Copétua pôs os olhos na perniciosa e indubitável mendiga Zenelofon, e é ele quem poderia, com todo direito, dizer Vini, Vidi, Vici; que pode ser anotadizado no vulgar (Oh vulgar baixo e obscuro!), videlicet,[11] ele veio, viu e venceu: ele veio, um; viu, dois; venceu, três. Quem veio? O rei: por que veio ele? Para ver: por que viu ele? Para vencer. Até quem ele veio? A mendiga; o que ele viu? A mendiga; a quem ele venceu? A mendiga. A conclusão é a vitória: do lado de quem? Do rei. A cativa foi enriquecida: do lado de quem? Da mendiga. A catástrofe são umas núpcias: do lado de quem? Do rei; não, ambos em um, ou um em ambos. Eu sou o rei, pois assim fica a comparação; tu és a mendiga, como o testemunha a sua inferioridade. Devo comandar o amor? Posso. Hei de forçar teu amor? Poderia. Hei de implorar teu amor? O farei. O que trocarás por

---

11 Expressão latina que quer dizer "a saber", "evidentemente". (N.T.)

teus andrajos? Vestes: por partículas? Títulos: por ti mesma? A mim.
Assim, aguardando tua resposta, eu profano meus lábios em teu pé,
meus olhos em sua imagem, e meu coração em todas as tuas partes.
Teu, nos mais caros desígnios da assiduidade, Don Adriano De Armado."
Ouve o Leão da Nemeia rugir
Junto a ti, ovellhinha, sua presa;
E, muito humilde, sua pata cair,
Co'a fome se mudando em prazereza.
Mas que acontece, se optas por briga?
Só servirás para encher-lhe a barriga.

Princesa
Que pluma ou pena cometeu tal carta?
Que cata-vento ou biruta? Isso é carta?

Boyet
Se não me engano, o estilo é conhecido.

Princesa
Relendo o todo, só sendo esquecido.

Boyet
Armado, o espanhol, que vive na corte;
Fantasmagórico, serve pra esporte
Do príncipe e os amigos.

Princesa
                               Portador,
Quem lhe deu essa carta?

Melão
                               O meu senhor.

Princesa
E a quem deve dá-la?

Melão
À dama dele.

Princesa
De que senhor a que dama?

Melão
Do meu senhor Berowne, tenho certeza,
A dona Rosaline, dama francesa.

PRINCESA
Enganou-se na carta. Amigos, vamos.
Segure isto, e tente um outro dia.

(Saem a Princesa e seu séquito.)

BOYET
Quem manda as flechas?

ROSALINE
E quer que eu lhe diga?

BOYET
100 Claro, beleza.

ROSALINE
A que carrega o arco.
É uma boa tirada.

BOYET
Vai matar chifres; se você casar,
Chifres, 'stou certo, não irão faltar.
Essa foi bem posta!

ROSALINE
105 Eu é que atiro, então.

BOYET
Qual o seu cervo?

ROSALINE
Por chifres, o senhor não é meu servo.
Melhor; imagine só!

MARIA
Melhor não discutir com ela, Boyet, porque ela acerta sempre na testa.

BOYET
Mas foi acertada mais baixo; não acertei agora?

ROSALINE
110 Será que devo atacá-lo com a velha história que houve um homem, quando o Rei Pepino da França era pequeno, a respeito de acertar tiro?

BOYET
Desde que possa responder com outra, igualmente velha, de ter havi-

do uma mulher, quando a Rainha Guinevere era menininha, a respeito de acertar o tiro?

ROSALINE
Não pode acertar, não pode,
Não pode acertar, bom amigo.

(Sai.)

BOYET
Eu não posso acertar, não posso.
Mas outro pode, eu lhe digo.

MELÃO
Palavra que foi divertido; ver os dois acertarem.

MARIA
Foi marca bem deixada, pois ambos acertaram.

BOYET
A marca! Pois marque bem tal marca; a marca que diz ela;
Mas deve ter um alvo, pra não haver querela.

MARIA
Passou longe! Sua mão pegou errado.

MELÃO
Tem de atirar mais perto, senão não acerta o alvo.

BOYET
Se eu errei a mão, quer dizer que a sua acertou.

MELÃO
E quem leva o resultado de eu acertar a mira.

MARIA
Dobre essa língua; não seja indecente.

MELÃO
Ela é dura demais pras suas flechas; é melhor desafiar ela pro boliche.

BOYET
Temo que haja esfregação[12] demais. Boa noite, minha boa coruja..

(Saem BOYET, MARIA e KATHERINE.)

---

[12] "Rubbing", esfregar, era o termo técnico usado para o toque quando uma bola passa pela outra no jogo de boliche; como o resto do diálogo, o termo é usado com duplo sentido. (N.T.)

MELÃO

130 Um namorado! É um simples palhaço!
Perdeu de todos na queda de braço!
Palavra que a minha doce vulgaridade
Parece que acertou, com toda a obscenidade.
Da um lado armado, um homem bem bonito;
135 Com o leque da dama, é esquisito,
Beijando a própria mão, fazendo votos!
E o pajem do outro lado, espevitado
Palavra que é patético e abobado.
Olá! Olá!

(Gritos fora, sai MELÃO.)

CENA 2
(Entram HOLOFERNES, SIR NATANIEL e TONTO.)

NATANIEL

É brincadeira muito respeitável, na verdade; e feita como a aprovação de consciência limpa.

HOLOFERNES

O cervo estava, como sabem, *sanguis*, sangrando; como uma maçã madura, mas agora pende como joia na orelha do *coelo*, o céu, o es-
5 paço, o firmamento; e logo cai como um caranguejo na cara da *terra*, o solo, o chão, o terreno.

NATANIEL

Verdade, Mestre Holofernes, os epítetos são docemente variados, muito eruditos; mas eu garanto que era um cervo de galhada plena.

HOLOFERNES

Sir Nataniel, *haud credo*.[13]

TONTO

10 Não era *haud credo*, era uma corça.

HOLOFERNES

Que sugestão bárbara! Mas uma espécie de insinuação, por assim dizer *in via*, ao modo de explicação; *facere*, como se fosse uma replicação, ou, antes, *ostentare*, mostrando, por assim dizer, sua inclinação – segundo seu modo não elaborado, impolido, deseducado, impoda-
15 do, destreinado, ou antes iletrado, ou mais antes inconfirmado – a fim de repor meu *haud credo* para um cervo.

---

13 Expressão latina que significa "Creio antes". (N.T.)

TONTO
> Eu disse que o veado não era um *haud credo*, era uma corça.

HOLOFERNES
> Ingenuidade dupla, *bis-coctus!*
> Ignorância monstruosa, como pareces deformada!

NATANIEL
> Senhor, ele nunca provou os quitutes que são criados nos livros. Não comeu papel, por assim dizer; não bebeu tinta; seu intelecto não foi reabastecido; ele é só um animal, sensível apenas nas partes mais duras; E tais plantas estéreis nos são apresentadas para que sejamos gratos, Por nós, que de gosto e sensibilidade somos, pelas partes que frutificam mais em nós do que ele;
> Calha tão mal em mim vaidade tola
> Quanto ele aprender, indo pra escola:
> Mas por seguir dos pais o pensamento
> Há quem aguente a chuva, contra o vento.

TONTO
> Vocês são de livro; será que dizem, espertos,
> Quem tinha um mês quando nasceu Caim, e
> ainda não tem cinco semanas

HOLOFERNES
> Dictina,[14] meu bom Tonto; Dictina, seu Tonto.

TONTO
> Quem é Dictina?

NATANIEL
> Um título de Phoebe, de Luna, de lua.

HOLOFERNES
> A lua fez quatro semanas com Adão,
> E sempre essas quatro, com ele oitentão.
> A alusão se aguenta com a troca.

TONTO
> Isso; a colusão se aguenta com a troca.

HOLOFERNES
> Que Deus proteja sua capacidade! Eu disse a alusão se aguenta...

---

14 Rara variante de Diana. (N.T.)

TONTO
> E eu digo que a poluição se aguenta com a troca, pois a lua nunca tem mais de um mês; e ainda digo mais que foi uma corça que a princesa matou.

HOLOFERNES
> Sir Nataniel, quer ouvir um epitáfio improvisado sobre a morte do cervo? E, para agradar os ignorantes, ainda chamo de corça o cervo que a princesa matou.

NATANIEL
> Proceda, Mestre Holofernes; proceda; desde que lhe apraza abolir a obscenidade.

HOLOFERNES
> Assumirei algumas aliterações; pois pendem para a facilidade:
> A pressurosa princesa penetrou e pinçou a corça querida;
> Doída, disseram; mas não dantes doída, só doída com a flecha.
> Choraram cachorros, chiando da chibata recebida;
> Espetados de espinhos, destruído quem desflecha.
> Só dói com dor o ador que a garra agarra
> Se faço fel ferida, fujo de fazer mais farra.

NATANIEL
> Um talento raro!

TONTO
> E se o talento é uma garra, vejam como ele se agarra ao talento!

HOLOFERNES
> É um dom que tenho, simples, simples; um espírito tolo e extravagante, cheiro de formas, figuras, feitios, objetos, ideias, apreensões, moções, revoluções: todos foram concebidos no ventrículo da memória, alimentados no ventre da *pia mater*,[15] e na verdade partejados no amadurecimento da ocasião. Porém o dom é bom naqueles em quem é agudo, e sou muito grato por ele.

NATANIEL
> Senhor, louvo a Deus pelo senhor, e o mesmo possam fazer meus paroquianos; pois seus filhos o tem como ótimo tutor, e suas filhas têm grande proveito sob o senhor, que é um bom membro da comunidade.

---

15 Na *História Natural*, de Plínio, "a fina membrana ou película chamada *Pia Mater*, que imediatamente toca e envolve o cérebro". (N.T.)

HOLOFERNES

Mehercle![16] Se seus filhos forem engenhosos, não hão de precisar de instrução; se as filhas forem capazes, eu as servirei. Mas *vir sapit qui pauca loquitur.*[17] Uma alma feminina nos saúda.

(Entram JAQUENETTA e MELÃO.)

JAQUENETTA

Que Deus lhe dê um bom dia, mestre cura.

HOLOFERNES

Mestre Cura, quase, quase meia-cura; quem poderia gostar de ser curado?

MELÃO

Muito bem, tutor-livreiro, o que mais parecer porco que fuça no chiqueiro.

HOLOFERNES

Um chiqueiro fuçado! É uma boa ideia para algum pedaço de terra; é dar fogo à pederneira e atirar pérolas aos porcos; mas está bem, fica tudo bem.

JAQUENETTA

Bom mestre Cura, faça o favor de me ler esta carta; quem me deu foi o Melão, mandado por Don Armado; por favor, pode ler?

HOLOFERNES

Facile precor gelida quando pecus omne sub umbra Ruminant[18] e as sim por diante. Ah, o bom e velho Mantuanus. Posso falar de ti como faz o viajante de Veneza:
Venetia, Venetia,
Chi non ti vede, non ti pretia.[19]
Velho Mantuanus! Quem não te compreende, não te ama. *Ut, re, sol, la, mi, fa.*[20] Perdão senhor, qual é o conteúdo ou, antes, como diz Horácio na sua... o quê! Por minh'alma! Versos!

NATANIEL

Sim, senhor; e muito eruditos.

---

16 "Por Hércules!" (N.T.)
17 "O sábio faz muito com poucas palavras." (N.T.)
18 Citação truncada de uma écloga de Mantuanus. (N.T.)
19 "Veneza, Veneza, quem não te vê não te aprecia." (N.T.)
20 Antiga notação musical, porém dada em ordem errada. Mais tarde *ut* foi transformado em "dó".

HOLOFERNES
Deixem-me ler uma estrofe, uma *stanza,* um verso:
  Lege, domine.

NATANIEL
Se o amor me faz perjuro, como amor jurar?
Só permanece fiel jura feita à beleza;
Mesmo perjuro a ti fiel hei de ficar:
O que julguei carvalho era palha e fraqueza.
Que no livro do teu olhar se possa ler
Todo o alcance de tudo o que é em ti contido;
Se o saber é tudo, basta eu te conhecer.
Erudita é a língua que em ti tenha lido.
Aquele que te vê sem clamar é ignorante;
E pra mim é orgulho admirar os teus dons;
Tens o olhar de Zeus, tens sua voz troante,
Que sem ira, porém, são fogo e canto bons.
Oh tu, celestial, perdoa o erro do amor
Que eleva ao céu louvores, com tamanho ardor.

HOLOFERNES
O senhor não encontra o *apostrophus,* e com isso quebra o ritmo; deixe-me supervisionar a cançoneta. Aqui só há versos com a proporção correta; porém, na elegância, facilidade e cadência dourada de poesia, muito carece. Ovidius Naso foi o homem: e por que, na verdade, *naso,* se não pelo olfato para as flores odoríferas da fantasia, as sacudidelas da invenção? *Imitari* não é nada; assim faz o cão a seu amo, o macaco a seu guarda, o cavalo cansado a seu cavaleiro. Mas, *damosella* virgem foi a si que foi direcionado isto?

JAQUENETTA
Sim, senhor, por um Monsieur Berowne, um dos nobres da rainha estrangeira.

HOLOFERNES
Deixe-me observar o sobrescrito. "Para a nívea mão da bela senhora Rosaline." Vou examinar de novo o intelecto da carta, pois, buscando a nomeação da parte que escreve para a pessoa escrita: "De sua senhoria, integralmente à disposição, Berowne". Sir Nataniel, esse Berowne é um dos seguidores do rei; e ele redigiu uma carta a uma das seguidoras da rainha estrangeira que, acidentalmente, ou por um processo de progresssão, perdeu seu caminho. Salte e corra, doçura; entregue este papel à mão real do rei; pode ter grande importância. Não demore no cumprimento; eu lhe perdoo a presença; adeus.

JAQUENETTA
Bom Melão, venha comigo. Senhor, que Deus lhe abençoe a vida!

MELÃO
Vamos lá, menina.

(Saem MELÃO e JAQUENETTA.)

NATANIEL
Senhor, agiu nisto como um temente a Deus, de forma muito religiosa; e, como disse um certo pai...

HOLOFERNES
Senhor, não me fale de pai; na certa chove no molhado. Mas, retornando aos versos; eles o agradaram, Sir Nataniel?

NATANIEL
Para a pena, foram maravilhosos.

HOLOFERNES
Hoje à noite janto com o pai de um aluno meu; onde se (antes do repasto) lhe agradar gratificar a mesa dando graças, eu, graças ao privilégio de que gozo junto aos pais do dito menino ou aluno, providenciarei o seu *ben venuto*; onde hei de provar que aqueles versos foram muito deserúditos, não sabendo a poesia, espírito ou invenção. Imploro a sua sociedade.

NATANIEL
E eu lhe agradeço; pois a sociedade, diz o texto,[21] é a felicidade da vida.

HOLOFERNES
E por certo o texto o conclui muito infalivelmente. *(Para* TONTO.*)* Senhor, eu o convido também; não há de me recusas: *pauca verba.* Adiante! Se os fidalgos têm sua caça, nós temos nossa recreação.

(Saem.)

CENA 3
(Entra BEROWNE, com um papel.)

BEROWNE
O rei está caçando veados; eu persigo a mim mesmo: eles armaram uma armadilha; eu me debato em outra, negra como o piche – o piche que macula: macula, que palavra sórdida. Pois bem, assenta-te, tristeza! Pois assim dizem, o bobo o disse, e assim digo eu, sendo eu o bobo: bem comprovado, espírito! Por Deus, este amor é louco como Ajax: mata carneiros, mata a mim, que sou um carneiro: também já

---

21 O referido texto nunca foi identificado. (N.T.)

foi bem provado por mim! Não hei de amar; que me enforquem, se eu amar; verdade que não. Ah, porém seus olhos... por esta luz que se não fosse por seus olhos, eu não haveria de amá-la; isso, por seus dois olhos. Bem, não faço outra coisa no mundo senão mentir, mentir desabridamente. Pelos céus, eu amo, o que me ensinou a versejar, e a ser melancólico; e aqui tenho parte de meus versos, e parte de minha melancolia. A esta hora ela já recebeu meu soneto; o tonto o levou, o bobo o mandou, e a dama o recebeu: um doce tonto, mais doce bobo, dulcíssima dama! Por todo este mundo, não aposto um tostão que os outros três não estejam assim também. Lá vem um com um papel: que Deus lhe dê o dom do gemido!

(Afasta-se.)
(Entra o Rei com um papel.)

REI

Ai de mim!

BEROWNE

Atingido, pelos céus! Continua, doce Cupido: acertaste-o com tua flechinha logo abaixo do peito esquerdo. Verdade, temos segredos!

REI

(Lendo.)
Não é tão doce o beijo ensolarado
Que dá à rosa a gota matinal,
Quanto o raio por seu olhar lançado
A este meu orvalho lacrimal;
Nem brilha tanto a lua prateada
No seio do oceano transparente,
Quanto sua face em pranto iluminada
Que brilha em cada lágrima candente.
Qual coche cada lágrima a transporta
E a mostra triunfante à minha dor.
É só mirar o jato do meu pranto
Pra ver a sua glória em minha dor:
Porém não ame a si; vai espelhar
Só lágrimas que eu sempre hei de chorar.
Rainha-mor! O seu mérito é tal
Que não pode expressá-lo este mortal.
Da minha dor, como a hei de informar
Cai aí, folha. Quem vejo eu chegar?

(Afasta-se.)

Longaville, lendo? Vamos escutar.

(Entra Longaville, com vários papeis.)

BEROWNE

40   Com seu aspecto, chega mais um tolo!

LONGAVILLE

Ai, ai! Sou um perjuro!

BEROWNE

Como os perjuros, cheio de papéis.

REI

Amando, espero: é mais um da irmandade!

BEROWNE

Todos querem amigo na maldade!

LONGAVILLE

45   Terei sido o primeiro a ser traidor

BEROWNE

Com dois eu alivio a sua dor.;
Completa o trio da sociedade,
E vai pra forca com simplicidade.

LONGAVILLE

Estes versos não dão pra comover,
50   Maria, amor, rainha do meu ser!
Vou rasgar tudo, e escrever em prosa.

BEROWNE

Pra Cupido, só a rima é mimosa;
Não desfaça o todo!

LONGAVILLE

                    Vão estes mesmos.
Não foi de teu olhar a persuasão
55   Contra a qual não existem argumentos
Que me tornou traidor o coração?
Trair por ti é de castigo isento,
Traí uma mulher; porém hei de provar
Que, como és deusa, a ti eu não traí;
60   És do céu; foi terreno o meu jurar;
Cura a tua graça o mal em que caí.
Juras são ar, e o ar é só vapor:
Tu, belo sol, que brilhas sobre a terra,

                    Transformas jura em ar, é de supor
65   Quebrá-la, então, nenhuma falta encerra.
                    A que bobo há de então faltar juízo,
                    Se quebrar jura leva ao paraíso?

        BEROWNE
                    Assim se torna em carne qualquer deusa,
                    E até um ganso em deusa; é idolatria.
70   Deus nos perdoe, pois 'stá tudo errado.

        LONGAVILLE
                    Como enviá-lo? Vem alguém; cuidado! *(Afasta-se.)*

        BEROWNE
                    Como crianças, todos escondidos.
                    E eu, semideus, do alto destes ares
                    Controlo os tolos todos com olhares.
75   Mais grãos para o moinho! É o que eu sonhava!

                        (Entra DUMAIN, com um papel.)

                    São quatro tolos; só Dumain faltava!

        DUMAIN
                    Oh diviníssima Kate!

        BEROWNE
                    Oh profaníssimo idiota!

        DUMAIN
                    Maravilha maior pr'olhos mortais!

        BEROWNE
80   Corpórea, não! É mentira demais!

        DUMAIN
                    Seus cabelos o âmbar superaram!

        BEROWNE
                    Com corvo âmbar todos se espantaram.

        DUMAIN
                    Esguia como um cedro.

        BEROWNE
                                    Entorte um pouco;
                    O ombro está prenhe.

DUMAIN

Um dia belo é pouco.

BEROWNE

85   Alguns, vá lá; ela é dia nublado.

DUMAIN

Quisera eu tê-la.

LONGAVILLE

E eu, o desejado.

REI

E eu também a minha, meu Senhor.

BEROWNE

Amém, e eu a minha; com ardor.

DUMAIN

90   Quero esquecê-la, mas a febre estala,
Queimando no meu sangue, pra lembrá-la.

BEROWNE

Febre em seu sangue! Então uma sangria
Jorrando, aos copos, a apagaria!

DUMAIN

Releio o que o espírito ditou:

BEROWNE

95   E eu escuto o que o amor causou.

DUMAIN

(Lê seu poema.)
"Um dia, ai, ai, quase desmaio,
O amor, que tem seu mês em maio,
Viu uma flor, bela sem par
Que alegre estava a balançar:
100 Através da folhagem do vento
Não há para nada impedimento;
E o apaixonado, quase à morte.
Do ar celeste deseja o porte;
Quer que seu rosto infle o ar,
105 Pra que assim possa triunfar!
Mas, ai, jurei por esta mão
Jamais colhê-la desse chão;

         Jura pra jovem um flagelo,
         Pois quer colher tudo o que é belo.
110   Não diga que em mim é pecado
         Por teu amor ter perjurado;
         Tu, por quem Zeus ousa dizer
         Juno uma negra parecer;
         E a divindade recusar
115   Só para a ti poder amar.
         Se isso não mando, mando algo pior,
         Para expressar meu amor a dor.
         Se ao menos Longaville, Berowne e o rei
         Também amassem. Com seu erro, eu sei,
120   Atenuavam meus erros passados;
         Nenhum erra, se todos são culpados."

LONGAVILLE
         (Avançando.)
         Faltou ao seu amor a caridade;
         Já que no erro quer sociedade.
         'Stá pálido, mas juro que enrubesço
125   Só pensando em cair em tal tropeço.

REI
         (Avaçando.)
         Pois enrubesça; os casos são iguais;
         O repreende e peca ainda mais:
         Sequer ama Maria! Longaville
         Não fez pra ela um soneto viril,
130   Jamais cruzou os braços desse jeito
         Pra controlar o coração no peito.
         Dos dois, oculto, ouvi confissões tais,
         Que não sei qual deve corar mais.
         Ouvi rimas culpadas, reflexões,
135   Vi suspirarem por suas paixões:
         Ai, ai, diz um; ai Zeus, o outro exclama;
         São olhos vivos, cabelos de chama:

         (Para LONGAVILLE.)

         Se um pelo paraíso se perjura,

         (Para DUMAIN.)

         O outro acha justo o amor quebrar a jura.
140   O que dirá Berowne, ao ouvir tudo isso,
         De quem com zelo assumiu compromisso?

Como vai debochar, e fazer pouco!
Vai triunfar, e vai rir como um louco!
Por mais riqueza que isso me trouxesse
145　　De mim eu não queria que o soubesse.

BEROWNE
Eu, com dois passos, surro a hipocrisia. *(Avançando.)*
Meu bom amo, perdão, por cortesia:
Querido, com que base assim reclama
Se os vermes amam, sendo o que mais ama?
150　　Seu olhar não faz carros, nem seu pranto
Fazem nascer princesa por encanto;
Não é perjuro, sendo tão discreto,
Só menestréis é que fazem soneto.
Porém não têm vergonha? Não, não têm,
155　　Nenhum dos três, por perjurar tão bem?
Acertaram na mosca; até o rei;
E eu um caminho em todos encontrei.
Que cenas caricatas me exibiram,
De suspiros, gemidos, que exprimiram.
160　　Que paciência eu tive, em meu cantinho,
Vendo o rei transformado em insetinho;
Vendo Hércules, exausto, no pião,
Numa dancinha o grande Salomão,
Vendo Nestor a dobrar alfinetes,
165　　E o sério Timon rir com tais joguetes!
Onde a tristeza, meu Dumain prezado,
E Longaville, o sofrer 'stá acabado?
E o do meu rei? O peito está curado?
Um quentão, já!

REI
　　　　　　　É cruel debochar;
170　　Nos traímos a você, escondido?

BEROWNE
Não se traíram; eu, sim, fui traído!
Eu, tão honesto, que julgo pecado
Quebrar a jura que havíamos dado;
Eu fui traído, ao ter, por companhia,
175　　Lunáticos, em quem ninguém se fia.
Alguém me viu compor versos de amor?
Gemer? Gastar um minuto que for
Pra me enfeitar? A mim jamais verão
Louvando face, olho, pé ou mão,
180　　Andar ou postura, cintura ou braço,
Ou fronte ou perna?

REI
>
> Onde vai nesse passo?
> Será honesto quem galopa assim?

BEROWNE
> Fujo do amor; deixe-me, amante, sim?

(Entram Jaquenetta e Melão.)

JAQUENETTA
> Deus salve o rei!

REI
> É presente que traz?

MELÃO
185
> É mais traição.

REI
> Por que traição, rapaz?

MELÃO
> Por nada, não.

REI
> E nem faz mal, então,
> Podem ir indo, você e a traição.

JAQUENETTA
> Por favor, eu quero a carta lida
> Diz o cura que é traição garantida.

REI
190
> Leia a carta, Berowne.

(Berowne a lê.)

> De quem a recebeu?

JAQUENETTA
> De Melão.

REI
> E a você, quem deu?

MELÃO
> Foi Dão Adramadio, Dão Adramadio.

REI

195 O que isso? Rasgar por que razão?

BEROWNE

É tolice; não vale sua atenção.

DUMAIN

(Juntando os pedaços.)
É de Berowne; essa é a letra do infame.

BEROWNE

(Para MELÃO.)
Filho da mãe, me faz passar vexame.
Culpado, senhor; culpado, confesso.

REI

200 De quê?

BEROWNE

De ser tolo também, nesse processo;
Ele, ele, o senhor, e eu, agora;
Para o perjuro, a morte não demora.
Dispense os outros, que eu conto tudinho.

DUMAIN

205 Temos número par.

BEROWNE

Um quadradinho.
São cágados! Não vão sair, senhores?

MELÃO

Quem é honesto sai; ficam traidores.

(Saem MELÃO e JAQUENETTA.)

BEROWNE

Abracemo-nos, meus doces amantes,
Pois somos todos bem de carne e osso:
210 Mar tem maré, céu estrelas brilhantes:
Nosso sangue recusa o edito insosso:
Não podemos ir contra o que é inato,
E o perjúrio era certo, nesse trato.

REI

O que rasgou algum amor revela?

BEROWNE

215   Quem pode olhar pra Rosaline, a bela,
        Sem, como um rude e selvagem indiano,
        Logo ao primeiro luzir do oriente,
        Quase cego, e curvado ao soberano,
        Beijar o chão com penhor obediente?
220   Que olhar de águia, marca de acuidade,
        Ousa olhar sua fronte celestial
        Sem ser cegado por sua majestade?

REI

        Que zelo o inspira com uma fúria tal?
        O meu amor é generoso luar,
225   O seu, sua serva, é estrela menor.

BEROWNE

        Não sou Berowne, nem é meu olhar:
        O dia é noite, sem o meu amor.
        O triunfo de todas as feições
        Como em feira, juntou-se em sua face;
230   Onde estão juntas várias perfeições,
        E nada falta que se imaginasse.
        Deem-me a nata de todo o falar –
        Dispenso a ti, retórica pintada!
        Só o que se vende é preciso louvar:
235   A ela, o louvor deixa maculada.
        O ermitão que cem anos alcançasse
        Perderia cinquenta se os seus vê;
        Beleza cura a idade, que renasce,
        Apoia o velho e torna-o um bebê.
240   Ela é o sol que a tudo ilumina

REI

        É negra como ébano, garanto.

BEROWNE

        É negra assim? Oh, madeira divina!
        Esposa assim é alegria e encanto.
        Não há um livro, onde eu possa jurar?
245   Falta beleza ao belo, eu juro, então
        Se o seu aspecto não passa a imitar:
        Só tem beleza o rosto de carvão.

REI

        O que é isso? O negro vem do inferno,

                        Da escola da noite,[22] da masmorra
250   A auréola da beleza vem do céu.

        BEROWNE
                        Nada impede que o demo à luz recorra.
                        Se a minha amada tem fronte sombria
                        Está de luto por tintas e cabelo
                        Que com beleza falsa se atavia;
255   Ela nasceu para o negro ser belo.
                        Pelo seu gosto a moda se transforma,
                        A pele clara é tida por pintada;
                        E a ruiva, pra não escapar à norma,
                        Pinta na fronte a cor preta, imitada.

        DUMAIN
260   Para imitá-la, a chaminé é negra.

        LONGAVILLE
                        E os carvoeiros têm pele galante.

        REI
                        Os etíopes gabam-se, na regra.

        DUMAIN
                        Sem velas, o escuro está brilhante.

        BEROWNE
                        Suas amadas da chuva têm pavor,
265   Só por temor de suas tintas borradas.

        REI
                        Pois a sua devia, meu senhor,
                        Já vi melhor em caras não lavadas.

        BEROWNE
                        Até o Juízo Final direi que é bela.

        REI
                        Onde ela assusta mais que o excomungado.

        DUMAIN
270   É dar muito valor a uma esparrela.

---

22   "School of Night", segundo um bom número de estudiosos, refere-se a um grupo ateísta liderado por Sir Walter Raleigh; mas outro bom número discorda, e é pouco provável que esse problema, um dos maiores da peça, venha a ser realmente esclarecido. (N.T.)

LONGAVILLE
  Eis o seu rosto e o meu pé entranhado.

  (Mostra seu sapato a BEROWNE.)

BEROWNE
  Rua com esses seus olhos ladrilhada
  É um perigo pr'o seu pé delicado

DUMAIN
  Vergonha! Andando em cima, a sua amada
275 Deixava a rua ver o que é mostrado.

REI
  Que é isso? Não amamos todos nós?

BEROWNE
  Nada mais certo e, por isso, perjuros.

REI
  Silêncio! E Berowne prove, com a voz,
  Que nós somos, no amor, leais e puros!

DUMAIN
280 Pr'esse mal é preciso muito enfeite.

LONGAVILLE
  E autoridade pro processo vivo;
  Ganhar do demo vai ser um deleite.

DUMAIN
  Unguento pro perjúrio.

BEROWNE
      É imperativo.
  Ouçam então, soldados da afeição.
285 Considerem qual foi a sua jura,
  Jejuar, estudar, não ver mulher;
  Um crime contra a própria juventude.
  Jejuar, com estômagos tão jovens?
  A abstinência engendra moléstias.
290 E se juraram estudar, senhores,
  Mas todos repudiaram os seus livros,
  Como sonhar poder estudar neles?
  Onde teriam, Senhor, mais os dois,
  A base para a perfeição do estudo

	Senão num belo rosto de mulher?
295	
	Dos olhos delas tiro esta doutrina:
	Elas são fonte, livro, academia,
	De onde tirou o fogo Prometeu.
	Rotina universal só envenena
300	O espírito ágil das artérias,
	Como a ação contínua deixa exausto
	O vigor dos tendões do viajante.
	Sem olhar para um rosto de mulher,
	Abdicaram do uso de seus olhos,
305	E do estudo, a razão de sua jura;
	Pois onde há um autor, em todo o mundo,
	Que ensine uma beleza igual à delas?
	O estudo é um adjunto de nós mesmos;
	Onde estivermos também ele está:
310	Se nos vemos nos olhos das mulheres,
	Não vemos também lá o nosso estudo?
	Atentem para as juras que fizeram:[23]
	Jejuar e estudar sem ver mulher;
	É traição contra a sua juventude.
315	Passar fome? Com corpos assim jovens?
	Muita doença nasce da abstinência.
	Senhores, nós juramos estudar,
	Mas banimos, com as juras, nossos livros:
	Quando e onde, Senhor, e vocês dois,
320	Teriam descoberto, só nas letras,
	As métricas fogosas com que os olhos
	Dessas belas tutoras nos dotaram
	Artes mais lentas fixam-se no cérebro
	E, esbarrando com um trabalho estéril,
325	Muito labutam pra colheitas fracas;
	Mas o amor aprendido em belo olhar
	Não fica limitado só à mente
	Mas, agitando-se com os elementos,
	Com força corre como um pensamento,
330	E a toda força dá força dobrada,
	Para além da função do seu ofício.
	Ao olho empresta uma visão precisa:
	O olhar do amante cega o de uma águia;
	O ouvido amante ouve o menor som,
335	Se um fio de suspeita ergue a cabeça;

---

23   O mesmo argumento será apresentado a partir daqui uma segunda vez; julgam as maiores autoridades no assunto que a primeira versão é um rascunho que, por engano, ficou preservado na publicação. Na realidade a segunda versão é mais elegante do que a primeira. (N.T.)

	Sentimento de amor é mais sensível
	Que o chifrinho de um frágil caracol;
	Mais sutil do que Baco em paladar,
	Não tem o amor a bravura de Hércules
340	A colher pomos nos jardins de Hésperus?
	É sutil com a Esfinge, e musical
	Como os cabelos da lira de Apolo.
	E quando fala o amor, a voz dos deuses
	Embala em harmonia o próprio céu.
345	Nenhum poeta ousa usar da pena
	Sem a tinta dos ais de algum amor,
	E, então, seus versos domam os selvagens
	E ensinam aos tiranos a humildade.
	Isso aprendi dos olhos femininos;
350	Deles tirou sua chama Prometeu;
	Eles são livro, arte, academia,
	Em que o mundo se mostra e se alimenta;
	Sem eles, nada atinge a perfeição.
	Se em nada mais se encontra a excelência,
355	Abjurando as mulheres foram tolos,
	E serão tolos mantendo tal jura.
	Pela sabedoria, que amam todos,
	Ou pelo amor, que ama os homens todos,
	Pelos homens, autores das mulheres,
360	Pelas mulheres, que nos fazem homens,
	Perdemos nossa jura pra encontrar-nos,
	Ou nos perdemos respeitando a jura.
	É religioso ser perjuro assim;
	A caridade é que faz a lei;
365	E quem separa o amor da caridade?

Rei

Por São Cupido, às armas, meus soldados!

Berowne

Pela bandeira, avancem, meus senhores!
Vale tudo, é preciso derrotá-las;
Cuidado, só ataquem com vantagem.

Longaville

370 Falando claro, esquecendo essas glosas:
Vamos fazer a corte a essas francesas?

Rei

E conquistá-las; vamos inventar
Um entretenimento em suas tendas.

BEROWNE

Levemo-las do parque para as tendas;
375 Depois, que cada um conquiste a mão
De sua amada; ao longo da tarde
As distraímos com o divertimento
Que o pouco tempo possa imaginar;
Pois festas, danças e horas alegres
380 Abrem com flores a trilha do amor.

REI

Avante! Pra não ser desperdiçado
Qualquer tempo que possa ser usado.

BEROWNE

Allons! De grama não se colhe trigo;
E a justiça é sempre equilibrada:
385 Elas podem querer nos dar castigo,
E então a corte é mais dificultada.

ATO 5

CENA 1
(Entram Holofernes, Sir Nataniel e Tonto.)

HOLOFERNES
Satis quid suffit.[24]

NATANIEL
Louvo a Deus pelo senhor: seus raciocínios ao jantar foram afiados e sentenciosos; agradáveis sem obscenidade, espirituosos sem afetação, eruditos sem opinião, e estranhos sem heresia. Eu conversei um dia *quodam*[25] desses com um companheiro do rei, que é intitulado, nomeado, ou chamado Don Adriano de Armado.

HOLOFERNES
Novi hominem tanquam te:[26] seu humor é altaneiro, seu discurso peremptório, sua língua afiada, seu olhar ambicioso, seu andar majestoso, e seu comportamento geral vaidoso, ridículo e fanfarrão. Ele é limpo demais, arrumado demais, afetado demais, esquisito demais, por assim dizer, por demais viajor, poderíamos dizer.

NATANIEL
Um epíteto muito singular e bem selecionado.

(Tira do bolso seu bloco de anotações.)

HOLOFERNES
Ele estica mais o fio de sua verbosidade do que a fibra de seus argumentos. Abomino tais fantasista fanáticos, tais companheiros tão insociáveis e afetadamente precisos; tais torturadores da ortografia, que dizem pronto quando deveriam dizer prompto, p-r-o-m-p-t-o; chama nascer, nacer; calda, cauda; director, diretor. Tudo isso é abominável, que ele chamaria de ab-hominável, com isso insinuando a minha insânia: *ne intelligis domine?* Tornar frenético, lunático.

NATANIEL
Laus Deo, bone intelligo.

HOLIFERNES
Bone? Bon, fort, bon;[27] isso é Prisciano um pouco arranhado, mas serve.

---

24 Do latim, "Basta o que satisfaz" – apesar do erro no original, de trocar *quid* por *quod*. (N.T.)
25 Do latim, "Passado". (N.T.)
26 Do latim, "Conheço o homem tão bem quanto a ti". (N.T.)
27 Cheio de erros, o diálogo em latim diz "Não entende, senhor?"/ "Graças a Deus, entendo bem."/ "Bem? Bom, muito bom". (N.T.)

(Entram Armado, Mariposa *e* Melão.*)*

Nataniel
Videsne quis venit?

Holofernes
Video et gaudeo.[28]

Armado
Áulico!

Holofernes
Quare[29] áulico, não áulico?

Armado
Homens de paz, feliz encontro.

Holofernes
Militaríssima saudação, senhor.

Mariposa
Eles foram a um grande banquete de linguagem, e roubaram os restos.

Melão
Eles vivem à custa da cesta de esmolas das palavras. Me espanto que seu amo não o tenha comido por uma palavra; pois tem a cabeça menor do que *honorificabilitudinitatibus:* é mais fácil de engolir que passa flambada.

Mariposa
Quietos! Começou o carrilhão!

Armado
(Para Holofernes.*)*
Monsieur, não é letrado?

Mariposa
É, sim; ensina o bê-a-bá aos meninos, no livro de chifre.[30]
O que é a, b, de trás para diante, como o chifre na cabeça?

Holofernes
Ba, *pueritia,*[31] com o acréscimo de um chifre.

---

28 "Vês quem vem?"/ "Vejo e me regozijo". (N.T.)
29 "Por que." (N.T.)
30 Os meninos recebiam na escola uma espécie de caderno cuja capa era uma folha de chifre, onde estava escrito o alfabeto e, por vezes, os números de zero a nove. (N.T.)
31 "Criancice." (N.T.)

MARIPOSA
> Ba! Carneiro tolo, com chifre. Ouça este ensino.

HOLOFERNES
> *Quis, quis*, consoante?

MARIPOSA
> A última das cinco vogais, se o senhor a repetir; ou a quinta, se for eu.

HOLOFERNES
> Eu as repetirei; a, e, i...

ARMADO
> Não, pelas salgadas ondas do Meditarâneo, um toque doce, um rápido lampejo de espírito! Tiro e queda e pronto! Isso me deleita o intelecto; espírito verdadeiro!

MARIPOSA
> Oferecido por uma criança a um velho cornudo.

HOLOFERNES
> Qual é a imagem, qual é a imagem?

MARIPOSA
> Chifres.³²

HOLOFERNES
> Argumenta como um infante: vá rodar seu peão.

MARIPOSA
> Empreste-me seu chifre para fabricá-lo, e eu farei rodar sua infâmia *manu cita*.³³ Um peão de chifre de cornudo!

MELÃO
> Se eu tivesse ao menos um *penny* neste mundo, você o ganharia para comprar pão de mel. Espere. Aí está a própria remuneração que recebi de seu amo, seu saco de vinténs de espírito, seu ovo de pombo de discrição. Ai, se prouvesse aos céus que você fosse ao menos meu bastardo, que pai alegre você faria de mim. Vamos a isso, você acertou *ad fungus*, na ponta dos dedos, como dizem.

HOLOFERNES
> Estou sentido o cheiro de latim falso; *fungus* em lugar de *ungem*.³⁴

---
32 O trecho inteiro é incompreensível nos dias de hoje. E não há razão para supor que Holofernes seja cornudo. (N.T.)
33 Com mão ágil e forte. (N.T.)
34 "Na unha." (N.T.)

ARMADO
Grande intelectual, perambule: devemos dissociarmo-nos dos bárbaros. O senhor não educa a juventude na escola ao alto da montanha.

HOLOFERNES
Ou *mons*, colina.

ARMADO
Com a sua doce aquiescência, na montanha.

HOLOFERNES
Concordo, *sans question*.

ARMADO
Senhor, é do mais doce prazer e afeição do rei congratular a princesa em seu pavilhão, ao posterior deste dia de hoje, que a plebe ignara chama de tarde.

HOLOFERNES
O posterior do dia, senhor, é conveniente, congruente e comensurável para a tarde: a palavra foi bem colhida, escolhida; doce e adequada, eu lhe garanto, senhor, eu lhe garanto.

ARMADO
Senhor, o rei é um cavalheiro nobre, e meu familiar, eu lhe garanto, muito bom amigo. Quanto ao que há de interior entre nós dois, esqueça; (eu lhe imploro, lembre-se de sua cortesia – eu lhe imploro, equipe a sua cabeça), e em meio a outros desígnios inoportunos e sérios, e de grande relevância, também, mas pode esquecer isso; pois tenho de lhe dizer, que apraz a sua graça, juro pelo mundo, por vezes debruçar-se sobre meu pobre ombro, e com seu real dedo, assim, brincar com meu excremento facial, meu bigode: porém, querido, esqueça disso. Pelo mundo, não estou a contar histórias: algumas honras especiais apraz a sua grandeza conceder a Armado, um soldado, um homem viajado, que já viu o mundo: mas esqueça. O total de tudo é apenas, meu querido, que imploro segredo, que o rei deseja que eu mimoseie a princesa, doce franguinha, com alguma ostentação deleitável, ou espetáculo, ou quadro vivo, ou caricatura, ou fogos de artifício. Pois sabendo que o cura e a sua própria doçura são bons nesse tipo de erupção e explosão repentina de alegria, por assim dizer, eu o informei de tudo, com o objetivo de implorar sua assistência.

HOLOFERNES
Senhor, há de apresentar diante dela os Nove Valorosos.[35] Sir Nata-

---

35 A ideia dos "Nine Worthies" era bem difundida na época, e na grande maioria dos casos estes eram o Duque Joshua, Heitor, David, Alexandre, Judas Macabeus, Julio César, o Rei Artur, Carlos Magno e Sir Guy de Warwick (ou Godofredo de Bouillon). Na apresentação, é claro, está tudo alterado. (N.T.)

niel, no que concerne o entretenimento para algum tempo, algum espetáculo na parte posterior do dia, ao ser realizado com a nossa colaboração, por ordem do rei, e deste cavalheiro mui galante, ilustrado e erudito, diante da princesa; afirmo que ninguém é tão adequado às apresentação dos Nove Valorosos.

NATANIEL
Onde hão de encontrar bastantes homens valorosos para representá-los?

HOLOFERNES
Joshua, o senhor mesmo; eu e este galante cavalheiro, Judas Macabeu; o jovem pastor, aí, por ser grande de membros e juntas, passará por Pompeu o Grande; O pajem, Hércules...

ARMADO
Perdão. Senhor; um erro; ele não é quantitativamente o bastante para o dedão de tal Valoroso: nem tem sequer o tamanho da ponta de sua maça,

HOLOFERNES
Concedem-me uma audiência? Ele representará Hercules em sua minoridade: vai entrar e sair estrangulando uma cobra; e eu redigirei uma apologia para tal fim.

MARIPOSA
Um recurso excelente! De modo que se alguém na plateia vaiar, poderemos gritar "Muito bem, Hércules! Agora esmagaste a cobra!" É desse modo que se torna uma ofensa graciosa, mas poucos têm graça bastante para fazê-lo.

ARMADO
E o resto dos Valorosos?

HOLOFERNES
Três deles eu mesmo interpreto.

MARIPOSA
Trivaloroso cavalheiro!

ARMADO
Querem que lhes diga uma coisa?

HOLOFERNES
Somos todos atenção.

ARMADO
Nós teremos, se isso não funciona direito, uma palhaçada. Peço-lhes que continuem.

HOLOFERNES
Via, amigo Tonto! Não disse uma só palavra, esse tempo todo.

TONTO
E nem compreendi nenhuma, também, senhor.

HOLOFERNES
Allons! Haveremos de utilizá-lo.

TONTO
Eu tomo parte numa dança, ou coisa assim; ou toco tambor de mão para os Valorosos, para eles poderem dançar uma dança campestre.

HOLOFERNES
Isso é tontura, honesto Tonto. Vamos à nossa brincadeira!

(Saem.)

CENA 2
(Entram a PRINCESA, MARIA, KATHERINE e ROSALINE.)

PRINCESA
Queridas, vamos sair daqui ricas
Se chega tal fartura de presentes:
Uma dama cercada de brilhantes!
É o que ganhei do rei apaixonado.

ROSALINE
Senhora, não veio mais nada junto?

PRINCESA
Só isto! Vejam. Tanto amor rimado
Quanto cabe, apertado numa folha,
De um lado e outro, e até nas margens,
Que ele selou com o nome de Cupido.

ROSALINE
Foi o seu jeito de o fazer crescer,
Pois o deus é menino há muito séculos.

KATHERINE
E um pobre coitado bom pra forca.

Rosaline
        Amigo seu, jamais: matou-lhe a irmã.

Katherine
        Ele a tornou melancólica e triste;
        E assim morreu; fosse ela leviana,
        De espírito alegre e brincalhão,
        E poderia ter morrido avó;
        Como você, de vida clara e longa.

Rosaline
        Que quer dizer de obscuro com a clareza?

Katherine
        Digo que é clara essa beleza escura.

Rosaline
        Precisamos de luz para entendê-la.

Katherine
        Corta a luz quem a vê de olhar zangado;
        E com o escuro eu corto esta conversa.

Rosaline
        Cuidado com o que faz assim no escuro.

Katherine
        E você não, cuja leveza é clara.

Rosaline
        Leviana ou não, em você eu não peso.

Katherine
        Não pesa em mim por não me ter afeto.

Rosaline
        Boa razão pra quem não tem razão.

Princesa
        Gostei da troca; o *set* foi bem jogado.
        Mas Rosaline também ganhou um mimo:
        Quem mandou? O que é?

Rosaline
                'Spero que saiba:
        Tendo um rosto tão belo quanto o seu

                Teria mimo igual; mas vejam isto.
                Tenho versos também; graças, Berowne:
35   A rima é certa; se o que diz também,
                Sou a mais bela deusa neste mundo;
                Sou comparada a vinte mil belezas.
                Desenhou meu retrato nesta carta.

    PRINCESA
                E parecido?

    ROSALINE
40   Nas letras, sim; mas não nos elogios.

    PRINCESA
                Bela qual tinta; isso é que é final.

    KATHERINE
                Bela como um caderno de rascunho

    ROSALINE
                Não me deixem morrer devendo aos lápis
                O rubi do domingo, o ouro das letras:
45   Ah, que um rosto tivesse menos O's!

    PRINCESA
                Quanta tolice! São duas megeras!
                Mas, Katherine, o que lhe mandou Dumain?

    KATHERINE
                Esta luva, senhora.

    PRINCESA
                                Com seu par?

    KATHERINE
                Claro, senhora; e além do mais
50   Uns dez mil versos de amante fiel;
                Todo um retrato da hipocrisia
                Imitado com vil simplicidade.

    MARIA
                Isto, e pérolas, mandou Longaville:
                E, só na carta, meia milha a mais.

    PRINCESA
55   Parece; mas você preferiria
                Colar mais longo com carta mais breve?

MARIA
Senão, que estas mãos nunca se afastassem.

PRINCESA
Somos espertas, fazendo pouco deles.

ROSALINE
São tolos eles, por brincar assim;
Eu torturo Berowne antes do fim,
Tendo certeza de ele estar laçado,
Como o traria humilde e humilhado,
Esperando, obedecendo normas,
Fazendo versos de variadas formas,
Prendendo a meu serviço o seu amor,
Alegre por estar ao meu dispor!
Com tantos trunfos o derrotaria
Fazendo dele um bobo, eu, sua guia.

PRINCESA
Nenhuma presa fica tão segura
Quanto o esperto abobado. Tal loucura
Sabedoria e estudo ajudam, certo,
Para tornar mais tolo o tolo esperto.

ROSALINE
Nem sangue jovem tem tamanha fúria
Quanto o pudor que sonha com a luxúria.

MARIA
Tolo que é tolo não é tão notado
Quanto o esperto quando apaixonado;
Quando o poder do espírito procura
Usar espírito pra explicar loucura.

(Entra BOYET.)

PRINCESA
Lá vem Boyet, alegre, com certeza.

BOYET
Morro de rir! Onde está a princesa

PRINCESA
Quais as novas?

BOYET
Prepare-se, senhora!

Em armas, moças! Há planos, agora
Contra sua paz; o amor, disfarçado,
Planeja ataque repentino e armado;
85 Convoquem seus espíritos! Defendam-se!
Senão, por covardia, escafedam-se!

Princesa

Cupido! São Dênis! Que gente é essa,
Diga, espião, quem vem assim com pressa?

Boyet

Ao frescor de uma árvore frondosa,
90 Fechei os olhos à sombra gostosa,
Quando eis que mal me encosto, descansando,
Vejo o rei e os amigos avançando:
Em um arbusto eu logo me enfiei
E o que ouvi agora há de escutar:
95 Eles 'stão, disfarçados, pra chegar.
Seu arauto é um pajem, um menor,
Que sua mensagem aprendeu de cor:
Palavra e gestos eles lhe ensinaram;
"Deve falar assim", tudo explicaram.
100 Uma só dúvida aparecia:
Se a presença real o abalaria;
"Pois", disse o rei, "é um anjo o que há de ver;
Mas deve falar bem, e não temer."
Disse o menino: "Anjo não faz mal;
105 Só a temeria se fosse infernal".
Todos riram, e dando-lhe um abraço,
Matando-lhe, com loas, o embaraço.
Um afagou-lhe o braço e garantiu
Que fala assim bonita ninguém viu;
110 Outro, pegando-lhe a mão, gritou:
"Vamos fazer, gostou ou não gostou!".
Outro disse, pulando: "Vai dar certo!".
O quarto tropeçou, e caiu, perto.
Com isso foram todos pelo chão,
115 Com alegre riso de tal dimensão
Que em meio à palhaçada o baço vem
Pra cortar riso e lágrimas também.

Princesa

Mas o quê, eles vêm nos visitar?

Boyet

Vêm, sim; vestidos, para completar,

120 De moscovitas russos, pelo ar.
Querem parlamentar, fazendo a corte,
Todos mostrando seu amor, tão forte,
E cada um, à dama que escolheu,
Conhecerá pelo mimo que deu.

PRINCESA
125 É assim? Pois só terão trapalhadas,
Já que nós estaremos mascaradas,
E nenhum deles há de ter o gosto
De cortejar vendo da dama o rosto.
Rosaline, este mimo irá usar,
130 E o rei o seu amor a vai pensar:
Tome este, Rosaline, e dê-me o seu,
Fica comigo o que Berowne lhe deu.
Se trocam os presentes, seus amores
Pelas damas trocadas terão dores.

ROSALINE
135 Vamos, então; com as marcas bem à vista.

KATHERINE
Mas qual é seu intento com essa troca?

PRINCESA
O meu intento é atrapalhar o deles:
'Stão pensando em alegre brincadeira,
Mas vou deixá-los sem eira nem beira.
140 Vão revelar segredos de seus peitos
A amores trocados, sem direitos,
E em novo encontro havemos de gozar,
De rosto limpo, seus erros ao falar.

ROSALINE
Mas nós vamos dançar, se eles pedirem?

PRINCESA
145 Nunca! Jamais farão que os pés nos girem:
E nem de conversas terão o gosto;
Quando falarem, viramos o rosto.

BOYET
Tal desprezo lhes mata o coração,
E lhes estraga a representação.

PRINCESA
150 Por isso o faço; é tão certa a isca,

            Que se um erra, o resto não se arrisca.
            É divertido estragar diversão,
            Rir com a nossa, e a deles ter na mão:
            Aqui ficamos, só pra debochar.
155   E eles, tontos, vão se envergonhar.

                                    (Soam trompas.)

BOYET

   As trompas! Ponham máscaras! Já chegam!

   (Entram BLACAMOORS, com música; MARIPOSA com uma fala; o REI e os outros nobres disfarçados de russos, todos mascarados.)

MARIPOSA

   Salve as mais ricas belezas da terra!

BOYET

   Mais belas do que o rico tafetá.

MARIPOSA

   O mais santo pacote de belezas,

   (As moças dão as costas a ele.)

160   Que jamais, aos mortais... deram costas!

BEROWNE

   "Olhar", cretino, "olhar"!

MARIPOSA

   Que jamais aos mortais deram olhar!
   Sem...

BOYET

   Verdade, ficaram sem, de verdade.

MARIPOSA

165   Sem seus favores, entes celestiais...
   Nunca observem...

BEROWNE

   "Hoje observem", idiota.

MARIPOSA

   Hoje observem, com seus olhos solares
   – com seus olhos solares...

BOYET
170   A isso elas não correspondem;
Melhor dizer olhos filiais.³⁶

MARIPOSA
Não me dão atenção, e eu me perco.

BEROWNE
Isso é que é perfeição. Sai, moleque!

(Sai MARIPOSA.)

ROSALINE
O que desejam? Indague, Boyet.
175   Se falam nossa língua, desejamos
Que digam, claro, por que estão aqui.

BOYET
Por que desejam falar com a princesa?

BEROWNE
Apenas paz, e uma visita amável.

ROSALINE
O que ele diz que querem?

BOYET
180   Nada, se não paz e visita amável.

ROSALINE
Isso já tiveram, e podem ir.

REI
Diga-lhes que andamos muitas milhas
Pra com elas pisar neste pedaço.

BOYET
Afirmam que cobriram muitas milhas
185   Pra conseguir pisar neste pedaço.

ROSALINE
Mentira. Indague quantas polegadas
Há numa milha: se mediram muitas
É por ser fácil medir o coberto.

---

36   Mais uma vez o triste trocadilho entre "sun", sol, e "son", filho, a ser contrastado com filha. (N.T.)

BOYET

    Se até chegar aqui mediram milhas,
190   E muitas milhas, a princesa indaga
    As polegadas que uma milha fazem.

BEROWNE

    Nossa medida, diga, é o cansaço.

BOYET

    Ela o ouve.

ROSALINE

    E quantos passos cansados
195   Das cansativas milhas que cobriram,
    Se contam, caminhando uma só milha?

BEROWNE

    O que é feito por si não é contado:
    Nosso dever tão rico e infinito
    Que jamais é contado ao ser cumprido.
200   Conceda-nos o sol desses seus rostos,
    Pra que estes selvagens os adorem.

ROSALINE

    O meu rosto é só lua, e até nublado.

REI

    Benditas nuvens, que têm tal tarefa!
    Conceda, lua, com as suas estrelas,
205   Brilhar sobre estes olhos tão molhados.

ROSALINE

    Pedinte vão, peça algo de mais monta,
    Em lugar de querer luar na água.

REI

    Conceda-nos mudar só de medida.
    Mandou pedir; já foi obedecida.

ROSALINE

210   Toquem música, então! Têm de tocar.
    Não há dança sem mudança lunar.

REI

    Não dançam? E por que mudar assim?

Rosaline

A lua cheia já chegou ao fim.

Rei

Mas vejo a lua, e sou o homem nela.
Co'a música, concedam movimento.

Rosaline

Concedemos ouvidos.

Rei

                    Pernas, não?

Rosaline

Sendo estranhos, chegados por acaso,
Aceitem mãos: dançar, não dançaremos.

Rei

Pra quê as mãos, então?

Rosaline

                    Por despedida.
Por cortesia, amigos, na medida.

Rei

Não é boa a medida; assim não meço.

Rosline

É o máximo que obtém, por esse preço.

Rei

Que preço compra a sua companhia?

Rosaline

A sua ausência.

Rei

Mas isso é ironia.

Rosalina

Não podemos ser compradas: adeus;
Dois pro visor e quase um pros seus![37]

Rei

Se negam dança, vamos conversar.

---

37 Uma explicação para a fala é: "Dois beijos para a máscara, quase um para seus lábios"; mas é duvidosa. (N.T.)

ROSALINE

    Mas separados.

REI

                      Dá pra consolar.
(Eles conversam em pares separados.)

BEROWNE

    Senhora de mão nívea, uma palavra.

PRINCESA

    Mel, leite e açúcar; já tem três da lavra.

BEROWNE

    Se quiser, duas vezes; já são seis,
    Hidromel, cerveja, vinho: de vez
    Tem doce meia dúzia.

PRINCESA

                         Sete: adeus.
    'Stá roubando; não quero jogos seus.

BEROWNE

    Uma, em segredo.

PRINCESA

                      Porém não doçura.

BEROWNE

    Com fel acerto.

PRINCESA

                      É amargo.

BEROWNE

                      É agrura.

(Afastam-se para conversar à parte.)

DUMAIN

    Não troca uma palavra, por favor?

MARIA

    Qual?

DUMAIN
　　　　　　　Bela senhora...

MARIA
　　　　　　　　Belo senhor...
240　　Troquei uma por outro.

DUMAIN
　　　　　　　　　Eu lhe peço,
　　Sendo em segredo, depois me despeço.

(Os dois se afastam para conversar.)

KATHERINE
　　E não tem língua, essa sua viseira?

LONGAVILLE
　　Eu sei por que razão quer perguntar.

KATHERINE
　　E a sua? Por saber sinto coceira.

LONGAVILLE
245　　É dupla a língua que está a ocultar,
　　E só concede uma metade a mim.

KATHERINE
　　Longo demais; não está bom assim?

LONGAVILLE
　　Metade, bela?

KATHERINE
　　　　　　Metade, cavalheiro.

LONGAVILLE
　　Não é terno.

KATHERINE
　　　　　　Não quero ser terneiro:
250　　Qualquer bezerro pode virar touro.

LONGAVILLE
　　Cabeça assim pode trazer desdouro,
　　Virgem dá chifres? Não parece certo.

KATHERINE
    Morra bezerro, sem chifres por perto.

LONGAVILLE
    Antes da morte, uma palavra a sós.

KATHERINE
255   Cuidado, que o açougueiro ouve os seus "oh's".

(Eles se afastam, para conversar.)

BOYET
    Essas línguas de virgens cortam tanto
    Quanto o fio invisível da navalha,
    Talham um só cabelo, para o espanto
    Dos mais sensatos; e ninguém vê falha.
260   O acordo entre elas; mais que o vento,
    Ou que a flecha, voa o seu pensamento.

ROSALINE
    Nem mais uma palavra, moças; chega!

BEROWNE
    Saímos humilhados da refrega!

REI
    Adeus, louquinhas: Têm risos malvados.

PRINCESA
265   Adeus, adeus, moscovitas gelados.

(Saem o REI, os NOBRES e os BLACKAMOORS.)

    Tais espíritos são de admirar?

BOYET
    Eles são velas, que um sopro apaga.

ROSALINE
    Tal grossura só serve pra engordar.

PRINCESA
    Não é espírito real; é praga.
270   Não devem, esta noite, se enforcar?
    Ou vir aqui somente mascarados?
    Eu fiz o tal Berowne cambalear.

ROSALINE
Eles saíram todos arrasados!
O rei quase chorou, me bajulando.

PRINCESA
Berowne me disse estar perdido em tudo.

MARIA
Dumain pôs sua espada ao meu comando:
Não quero, eu disse; e ele ficou mudo.

KATHERINE
De Longaville feri o coração;
E do que me chamou?

PRINCESA
              De doença.

KATHERINE
Isso mesmo.

PRINCESA
            Passa fora, infecção!

KATHERINE
Gente melhor já passou por acaso.
Mas, saibam bem: o rei jurou-me amor.

PRINCESA
Berowne fez suas juras para mim.

KATHERINE
E Longaville amou-me com fervor.

MARIA
Dumain é meu, qual terra pra capim.

BOYET
Escutem, a senhora e as amigas:
Daqui a pouquinho eles voltam cá,
Sem disfarces; não pensem que sem brigas
Digerir isso algum deles vá.

PRINCESA
Mas vão voltar?

BOYET
> Ora se vão, por Deus;
> E muito alegres, mesmo machucados.
> Troquem os mimos; e, usando os seus,
> Soprem tão doces quais botões fechados!

PRINCESA
> Soprem? Que é isso? É melhor se explicar.

BPYET
295 > Como exala uma rosa adamascada,
> Antes de um anjo a ver desabrochar.

PRINCESA
> Que confusão! Agora, o que fazer
> Se voltam, rosto limpo, pra conquista?

ROSALINE
> Senhora, é só seguir meu parecer:
300 > Vamos gozá-los, mesmo 'stando à vista.
> Queixemo-nos a eles da visita
> De uns falsos russos, de roupa esquisita;
> E nem sabemos qual foi o pretexto,
> Pois foram péssimos prólogo e texto,
305 > E suas pobres maneiras tão horrendas
> Que nunca foram dignas destas tendas.

BOYET
> Senhoras, fujam; eles vão chegar.

PRINCESA
> E nós, bem ágeis, vamos escapar.

(Saem PRINCESA, RIOSALINE, KATHERINE e MARIA.)

(Voltam o REI, BEROWNE, LONGAVILL e DUMAIN, em seus trajes normais.)

REI
> Salve, senhor! Onde está a princesa?

BOYET
310 > Foi pra a tenda. Deseja, majestade,
> Que lhe preste serviço junto a ela?

REI
> Uma breve audiência, por favor.

BOYET

    Pois não. E ela há de concordar, senhor.

(Sai.)

BEROWNE

    O homem cata espírito, qual pombo,
315   Que expele, quando pode, com ribombo.
    Como o mascate, ele solta o que pode
    Solta na feira, casa, ou no pagode;
    Mas nós, que somos espirituosos,
    Nunca, com ele, somos vitoriosos.
320   Tem essas moças na palma da mão,
    Podia tentar Eva, sendo Adão.
    Ele gira, saltita, até cicia,
    Beija todas as mãos, com cortesia;
    Macaco da etiqueta, tão cortês,
325   Que xinga os dados, quando é sua vez,
    Em termos nobres; sua voz cordial,
    É sempre média; e em cerimonial
    Ninguém o bate; as damas o abraçam;
    Degraus beijam-lhe os pés, quando eles passam.
330   Seu sorriso que a todos presenteia,
    É brando como o osso da baleia;
    E quem não quer morrer co'alma danada
    Reconhece em Boyet língua melada.

REI

    Quero-lhe a língua queimando com fel,
335   Que fez Armado errar o seu papel!

(Voltam a PRINCESA, escoltada por BOYET; ROSALINE, MARIA, KATHERINE e SÉQUITO.)

BEROWNE

    Lá vêm elas, por onde andava o porte
    Até tal louco o ter, com tanta sorte?

REI

    Bom dia! Muitos bons ventos a tragam!

PRINCESA

    Com muito vento não se tem bom dia.

REI
340   Tais brincadeiras meu sentido estragam.

PRINCESA
Pode saudar-me com mais cortesia.

REI
Viemos visitá-la com o intento
De levá-la pra corte, se aceitar.

PRINCESA
Eu fico neste campo, neste vento;
345 A Deus perjúrio não pode agradar.

REI
Não me condene pelo que causou
Sua virtude quebrou minha jura.

PRINCESA
Minha virtude, assim, caluniou,
Não leva ao vício uma palavra pura.
350 Por minha honra casta e virginal
Como o mais puro lírio, eu reconheço,
Que proferia tormento infernal
Que pisar onde mora, a qualquer preço;
Tanto eu odeio venha a ser quebrada,
355 Se foi bem séria, a palavra dada.

REI
Mas ficaram aqui, assim, sozinhas –
Vexame nosso – assim, sem companhia...

PRINCESA
Essas não são, senhor, palavras minhas:
Tivemos passatempos e alegria.
360 Ainda agora uns russos nos deixaram.

REI
O que, senhora! Russos!

PRINCESA
                    Sim, alteza;
De cortesia até exageraram.

ROSALINE
A verdade é bem outra, com certeza:
A princesa, por sempre polida,
365 Por tato canta glória imerecida.
Nós quatro uns outros quatro confrontamos,

E, uma hora, os russos aturamos.
Falaram, sem parar, o tempo inteiro,
Sem um momento brilhante ou brejeiro.
370 Não vou chamá-los tolos, porém penso
Que a bebida já lhes tirara o senso.

BEROWNE
Parece bem seco o chiste, senhora;
Faz tolo o senso; saudando-as nesta hora,
Olhando o olho fogoso do céu,
375 A luz nos cega; e o talento que é seu
Leva o tesouro de sua natureza
Levar ao rico espírito a pobreza.

ROSALINE
O que o faz sábio e rico ao meu olhar...

BEROWNE
Eu não passo de um tolo a mendigar.

ROSALINE
380 Se só toma o que era do mendigo,
Erra ao roubar palavras do que eu digo.

BEROWNE
Mas somos seus, eu e meus bens terrenos.

ROSALINE
O tolo é meu?

BEROWNE
            Não posso lhe dar menos.

ROSALINE
Diga qual foi a máscara que usou.

BEROWNE
385 Onde e quando? Por que pergunta isso?

ROSALINE
Quando aqui esteve com inútil visor,
Cobrindo o feio com rosto melhor.

REI
Elas já sabem; 'stão a nos debicar.

DUMAIN
　　Melhor dizer que estávamos brincando.

PRINCESA
　　Que foi, Alteza? Por que está tão triste?

ROSALINE
　　Ele vai desmaiar! Por que tão pálido?
　　Enjoou muito, vindo de Moscou.

BEROWNE
　　É a nossa pena por ter perjurado.
　　Quem inda terá cara pra fingir?
　　Senhora, sou seu alvo a ser flechado.
　　Pode magoar-me, pra se divertir;
　　Corte com espírito minha ignorância;
　　Pode picar-me com brilho afiado;
　　Por chamá-la a dançar não tenho ânsia,
　　E nem de russo andar fantasiado.
　　Eu nunca mais confio em fala escrita,
　　Nem no que faz a língua de menino,
　　Jamais de máscara farei visita,
　　Nem cortejar com serenata ou hino,
　　Frase pomposa, exagero bravio,
　　Hipérbole afetada, gongorismos,
　　Imagens falsas; insetos de estio,
　　Fizeram-me ostentar vãos organismos:
　　Eu os abjuro; e digo, tão apenas,
　　Por branca luva (e menos branca mão),
　　Que doravante farei corte apenas
　　Com sim de estopa e de lã o meu não:
　　Pra começar, menina: por meu peito,
　　O meu amor se oferta sem defeito.

ROSALINE
　　"Se oferta"? Por favor!...

BEROWNE
　　　　　　　　É escorregão
　　Que vem de longe; tal perturbação
　　Se cura aos poucos. Ouça, uma vez:
　　"Que Deus tenha piedade" destes três;
　　No coração é que estão infectados;
　　Na *peste de seus* olhos apanhados:
　　A senhora também está cativa:
　　A prenda do senhor 'stou vendo, viva.

Princesa
    'Stão livres os que nos deram as prendas.

Berowne
    Não brinque assim; perdemos nossas rendas.

Rosaline
425   Isso não. Como estaria sem sorte
    Quem vem aqui pra nos fazer a corte?

Berowne
    Chega! Não quero mais nada consigo.

Rosaline
    E nem terá, se for como ora penso.

Berowne
    O meu espírito já ficou denso.

Rei
430   Encontre, bela, pr'esta transgressão,
    Alguma escusa.

Princesa
              Só a confissão.
    Não veio aqui me ver, fantasiado?

Rei
    Senhora, sim.

Princesa
              E achou bem pensado?
    Que segredou, no ouvido da dama?

Rei
435   Que neste mundo ninguém tanto a ama.

Princesa
    E se ela o contestar, vai rejeitá-la?

Rei
    Por minha honra, não.

Princesa
    Cuide da fala,

REI

Despreze-me se quebro o juramento.

PRINCESA

440   Atenção; Rosaline, dê-me um momento.
O que lhe disse o russo, ali no canto?

ROSALINE

Que neste mundo ninguém me ama tanto.
E acrescentando mais, logo adiante,
Que desejava só ser meu amante.

PRINCESA

445   Sejam felizes! Pois ele jurou
Levar a sério tudo o que falou.

REI

Que quer dizer, senhora? Isso é loucura;
Jamais fiz a essa dama tal jura.

ROSALINE

Fez, sim; e à guisa de confirmação
450   Deu-me este mimo, que eu não quero, não.

REI

Jura e presente à princesa eu dei;
Deu-me certeza a joia que notei.

PRINCESA

Perdão, senhor; foi ela que a usou;
E a mim foi Berowne quem cortejou.
455   Quer a mim, ou a pérola de volta?

BEROWNE

Uma nem outra; eu desisto de ambas.
Já percebi; foi tudo combinado;
E informadas da nossa brincadeira,
Fizeram dela farsa de Natal.
460   Algum novidadeiro agradador,
Boateiro faminto, enganador,
Que ri à toa e conhece o caminho,
Pra fazer rir a ama, foi ao ninho
E contou nosso intento. Revelado,
465   Elas ostentam o sinal trocado,
E nós, seguindo certos essas sendas,
Em lugar delas, cortejamos prendas.

Ao perjúrio juntamos mais pecados,
Traindo os juramentos ora dados.
470 É sempre assim: não podia impedir
A farsa, pra não nos fazer trair?
Não sabe até detalhe de seus pés?
Não tem intimidade com seus olhos?
Não fica sempre entre ela e a lareira
475 Armado com um facão, sempre brincando?
Achou perder o pajem engraçado
Porém terá mortalha de babado.
Me olha de soslaio? Um tal olhar
Só corta como chumbo.

BOYET
                                          Devo louvar
480 O jeito com que tudo se explicou.

BEROWNE
E continua? Pra mim já acabou.

(Entra MELÃO.)

Salve! Parou a briga, sem querer.

MELÃO
Senhor, eles me mandam perguntar,
Se é pra fazer os três heróis entrar.

BEROWNE
485 Mas são só três?

MELÃO
                          São só, mas desta vez
Cada um vale três.

BEROWNE
                        São nove em três.

MELÃO
Com licença, senhor, acho que não.
Ninguém é bobo; está pronta a lição:
Três vezes três, então...

BEROWNE
                        Não fazem nove.

MELÃO

490 Com licença, senhor, sei quanto dá.

BEROWNE

Três vezes três, que eu saiba, é sempre nove.

MELÃO

Ai meu senhor! Ia ser duro o senhor ganhar a vida fazendo contas.

BEROWNE

Então, quanto dá?

MELÃO

Ai, meu senhor! Os próprios atuantes, os atores, senhor, irão demons-
495 trar qual é o total; quanto ao meu papel, eu devo, como dizem eles,
aperfeiçoar apenas um homem, num pobre homem. Pompeu, o Grande, meu senhor.

BEROWNE

E você é um dos Heróis?

MELÃO

Agradou a eles me achar digno de Pompeu, o Grande: de minha parte,
500 não conheço o grau de grandeza do Herói, mas tenho de ficar no lugar dele.

BEROWNE

Vá então pedir-lhes que se preparem.

MELÃO

Vamos ficar finíssimos, senhor. Tomamos muito cuidado.

(Sai.)

REI

Vão nos envergonhar; melhor não virem.

BEROWNE

505 Nada mais nos afeta; e até direi
Que é muito bom serem pior que o rei.

REI

Pois digo pra não virem.

PRINCESA

Meu bom senhor, melhor ter paciência

O que mais nos diverte é a incompetência,
Quando há empenho pra agradar e, à história,
O próprio empenho dá morte sem glória.
Forma confusa é bem mais divertida
Se o parto acaba co'a recém-nascida.

BEROWNE
Um bom retrato dessa brincadeira.

(Entra ARMADO.)

ARMADO
Ungido, imploro o tanto de despendio de seu doce hálito real que emita uma parelha de palavras.

(Conversa, à parte, com o rei, e entrega-lhe um papel.)

PRINCESA
Esse homem foi fabricado por Deus?

BEROWNE
Por que pergunta?

PRINCESA
Porque não fala como homem criado por Deus.

ARMADO
Nada disso importa, meu belo, doce rei de mel; pois afirmo que o mestre-escola é excessivamente fantástico; muito, muito vaidoso; muito, muito vaidoso: mas deixemos isso, como se costuma dizer, à *fortuna de la guerra*. Desejo-lhes paz de espírito, mais que reais acasalados!

(Sai.)

REI
Esse será uma boa presença nos Heróis. Ele será Heitor de Troia; o camponês, Pompeu, o Grande; o cura da aldeia, Alexandre; o pajem de Armado, Hércules; o pedante, Judas Macabeu.
Se os quatro fazem quatro sem errar,
Se trocam e vêm cinco completar.

BEROWNE
Porém há cinco na primeira parte.

REI
Está enganado, não há, não.

BEROWNE
O pedante, o fanfarrão, o cura, o tolo e o menino:
Neste mundo não há fera ou inseto
Que possa ser pior que esse quinteto.

REI
A nau zarpou, e navega pro porto.

(Entra MELÃO, como POMPEU.)

MELÃO
535 Eu sou Pompeu...

BEROWNE
Mentira, não é, não.

MELÃO
Eu sou Pompeu...

BOYET
Com tigre no brasão.

BEROWNE
Bem dito; precisamos ser amigos.

MELÃO
Eu sou Pompeu e, por tamanho, grande.

DUMAIN
O Grande.

MELÃO
540 Sou grande, sim. Assim eu sou chamado,
Deixei, no campo, o inimigo suado:
E por acaso, nesta minha andança
Chego aos pés da princesa da França.
Se sua alteza diz "Graças, Pompeu",
545 Eu já acabei.

PRINCESA
Muitas graças, Pompeu.

MELÃO
Isso é demais, mas fiz tudo perfeito.
Só tropecei no grande do tamanho.

BOYET

    Aposto um contra dez que ele é o melhor.

(Entra Sir Nataniel, como Alexandre.)

NATANIEL

550   No mundo inteiro eu mandei, quando era vivo;
    Conquistei tudo, e o meu escudo diz
    Que me chamo Alexandre, muito altivo.

BOYET

    Não; tem o nariz torto pra direita.[38]

BEROWNE

    E isso cheira mal, e não enfeita.

PRINCESA

555   Tremeu o herói. Grande Alexandre, avante!

MELÃO

    Quando do mundo eu era o comandante..

BOYET

    Isso é verdade; era mesmo, Alexandre.

BEROWNE

    Pompeu, o Grande...

MELÃO

    Melão, às suas ordens.

BEROWNE

560   Leve Alexandre, o comandante, embora.

MELÃO

    (Para Nataniel.)
    Que pena, o senhor derrubou Alexandre, o Conquistador. Vai ser apagado do cenário por isso: seu leão, que segura o machado sentado em um banquinho, nós damos a Ajax: ele será o nono Herói. Um conquistador com medo de falar! É melhor fugir de vergonha, Alexandre.
565   *(Sai Nataniel.)* Pronto, está cumprido o seu desejo: é um homem honesto, saiba, mas desanima logo! Vizinho maravilhoso, saiba, e ótimo no boliche, mas não à altura do papel. Porém os Heróis que vêm aí sabem dizer o que pensam de um outro modo.

---

38   Segundo Plutarco, Alexandre tinha o nariz um pouco virado para a esquerda. (N.T.)

PRINCESA
    Afaste-se um pouco, bom Pompeu.

(Entram HOLOFERNES, como JUDAS, e MARIPOSA, como HÉRCULES.)

HOLOFERNES
570   Esse mosquito representa Hércules,
    Cuja maça matou o triplo cão,[39]
    E quando era bebê, uma tripinha,
    A cobra estrangulou com sua mão,
    Tinha esse aspecto na minoridade
575   E por isso eu aqui mostro a verdade.

(Sai MARIPOSA.)

    Judas eu sou...

DUMAIN
    Um Judas!

HOLOFERNES
    Não o Iscariote, meu senhor.
    Sou Judas, chamado Macabeu.

DUMAIN
580   Mas Judas Macabeu é sempre Judas.

BEROWNE
    Que beija e trai. Então, é Judas, mesmo?

HOLOFERNES
    Judas eu sou...

DUMAIN
    E devia ter vergonha, Judas.

HOLOFERNES
    O que quer dizer, senhor?

DUMAIN
585   Que Judas deve se enforcar numa figueira velha.

HOLOFERNES
    Pode começar, senhor; é mais velho do que eu.

---

39 Cérbero, o cão que guardava a entrada do inferno, tinha três cabeças. (N.T.)

HOLOFERNES
    Ninguém me faz perder a face.

BEWROWNE
    Porque não tem face para perder.

HOLOFERNES
    E o que é isto?

BOYET
    Uma cara de rabeca.

DUMAIN
    Cara de facão.

BEROWNE
    Caveira de anel

LONGAVILLE
    Perfil de moeda romana, que ninguém vê.

BOYET
    Punho do espadão de César.

DUMAIN
    Caveira talhada em frasco.

BEROWNE
    Perfil de São Jorge em broche.

DUMAIN
    Broche de chumbo.

BEROWNE
    Usado em boné de dentista.
    E agora continue, pois já o fizemos perder a face.

HOLOFERNES
    Os senhores me fizeram perder a face.

BEROWNE
    Falso: nós lhe demos umas três.

HOLOFERNES
    Mas acabaram com todas.

BEROWNE
    E se fosse um leão, faríamos o mesmo.

BOYET
605   E portanto, como é só um asno, deixem-no ir-se.
    Adeus, doce Judas! Por que ainda está aí?

DUMAIN
    Porque faltou o fim do nome.

BEROWNE
    Faltou "no" a Judas? Eu o completo: Jud-asno, fora!

HOLOFERNES
    Não são gentis, bondosos ou corteses.

BOYET
    Uma luz para *Monsieur* Judas! Está ficando escuro e ele pode tropeçar.

(HOLOFERNES sai.)

PRINCESA
610   Coitado! Atormentaram o pobre Macabeu.

(Entra ARMADO, como HEITOR.)

BEROWNE
    Fuja, Aquiles; chegou Heitor, armado.

DUMAIN
    Mesmo que o deboche recaia sobre mim, não resisto à brincadeira.

REI
    Comparado a isso Heitor era só um troiano.[40]

BOYET
    Mas isso é Heitor?

REI
615   Não creio que Heitor fosse tão bem desenvolvido.

LONGAVILLE
    A perna é grande demais para Heitor.

---

40   O termo "troiano", que é usado também em *Rei Lear*, tinha um significado específico, aparentemente desabonador, na época elisabetana, que até hoje não foi realmente esclarecido por ninguém. (N.T.)

DUMAIN
    Está mais para pernil.

BOYET
    Está bem dotado de chispes.

BEROWNE
    Não pode ser Heitor.

DUMAIN
620   Ou é um deus ou um pintor; fica mudando de cara.

ARMADO
    O onipotente Marte, deus das lanças,
    A Heitor deu um dom...

DUMAIN
    Uma noz-moscada dourada.

BEROWNE
    Um limão.

LONGAVILLE
625   Fincado de cravos.

DUMAIN
    Não, rachado.

ARMADO
    Silêncio!
    O onipotente Marte, deus das lanças,
    Deu a Heitor de Tróia grande prenda:
630   Fôlego tal que podia lutar
    Dia e noite, em frente à sua tenda.
    Sou essa flor...

DUMAIN
                É menta...

LONGAVILLE
                           É columbina.

ARMADO
    Senhor Longaville, rédea nessa língua.

LONGAVILLE
    Seria mais o caso de soltá-la, já que corro contra Heitor.

Dumain

635 E Heitor é um galgo.

Armado

O doce guerreiro está morto e apodrecido; meus pintainhos, não batam nos ossos dos enterrados; enquanto viveu, foi um homem. Mas eu avanço aqui com meu lema. Doce realeza, conceda-me seu sentido do ouvido.

(Berowne avança.)

Princesa

640 Fala, bravo Heitor; estamos encantadas.

Armado

E eu adoro o sapatinho de sua doce graça.

Boyet

Mede seu amor a ela por pés.

Dumain

Porque não alcança a jarda.

Armado

Heitor superou muito Aníbal,
645 Está adiantado...

Melão

Adiantada está ela, amigo Heitor; ela já está com uns dois meses a caminho.

Armado

O que quer dizer?

Melão

Falar a verdade, a não ser que resolva ser um bom troiano, a rapariga
650 está perdida; ela está cheia de vida; a criança já grita em sua barriga; é sua.

Armado

Procuras infaminizar-me diante de potentados?
Vais morrer.

Melão

E Heitor será chicoteado por causa de Jaquenetta, que está prenha
655 dele, e enforcado porque foi à custa dele que Pompeu morreu.

DUMAIN

Raro Pompeu!

BOYET

Renomado Pompeu!

BEROWNE

Maior que o grande, grande, grande Pompeu! Pompeu, o Imenso!

BOYET

Heitor estremece.

BEROWNE

660 Pompeu está comovido. Mais Ates, mais Ates![41] Instiguem-nos! Instiguem-nos!

DUMAIN

Heitor vai desafiá-lo.

BEROWNE

Sei, se ele não tiver mais sangue de homem em sua barriga do que servirá de sopa para uma pulga.

ARMADO

665 Pelo Polo Norte, eu te desafio.

MELÃO

Eu não luto com polo ou vara, como os homens do norte; Eu rasgo; e com espada. Faça o favor de me deixar pedir emprestadas minhas armas de volta.

DUMAIN

Abram espaço para os Heróis enfurecidos!

MELÃO

670 Eu vou de camisa, mesmo.

DUMAIN

Resoluto Pompeu!

MARIPOSA

Meu mestre, deixe que eu o desabotoe; não vê que Pompeu está se descascando para o combate? Que vai fazer? Vai perder sua reputação.

---

41 Ates eram espírito de discórdia e luta. (N.T.)

ARMADO

Cavalheiros e guerreiros, perdoem-me; eu não me baterei de camisa.

DUMAIN

675 Mas não pode recusar-se; Pompeu já desafiou.

ARMADO

Meus queridos; eu posso e não me bato.

BEROWNE

E que razão oferece para isso?

ARMADO

A verdade nua e crua é que não tenho camisa. É só lã direto na pele, por penitência.

BOYET

680 É verdade; foi determinado em Roma por escassez de linho; e desde então dou minha palavra que ele só vem usando um pano de prato de Jaquenetta, que usa junto ao peito, em reverência a ela.

(Entra MONSIEUR MARCADE, um mensageiro.)

MARCADE

Deus a salve, senhora.

PRINCESA

Bem-vindo, Marcade,
685 Embora interrompa a brincadeira.

MARCADE

Sinto muito, mas as novas que trago
Pesam-me a língua, pois o rei seu pai..

PRINCESA

Por minha vida, morto!

MARDACE

Isso mesmo; está dada a mensagem.

BEROWVE

690 Saiam, Heróis. A cena sombreou-se.

ARMADO

De minha parte, respiro melhor; vi os erros do dia pelo buraquinho *da discrição,* e hei de comportar-me como um soldado.

(Saem os HERÓIS.)

REI
Como está sua majestade?

PRINCESA
Boyet, prepare-se. Partimos esta noite.

REI
695   Senhora, não; eu lhe imploro que fique.

PRINCESA
Preparem tudo. Obrigada, senhores,
Por tudo o que fizeram; e lhes peço,
Com alma recém-triste, que concedam
Em seus espíritos fique ocultada
700   A farta oposição de nosso espírito,
Se acaso nos mostramos muito ousadas
Ao conversarmos; é a sua gentileza
Que tem a culpa. Adeus, bravo rei!
Peito doído não faz cortesias.
705   Perdoe se agradeço assim, tão pouco,
A gentileza com que me atendeu.

REI
Necessidade de solução rápida
E as causas do objetivo de uma pressa,
Resolvem, muitas vezes, sem problemas,
710   O que o arbítrio faria demorar-se;
E embora a fronte enlutada da filha
Proíba a corte e o sorriso do amor
Com que na certa obteria o pedido,
Mas já que o amor foi o tom do começo,
715   Não permita que as nuvens escureçam
O antes proposto, pois chorar amigos
Não é tão proveitoso e nem saudável
Quanto o gáudio de se fazer amigos.

PRINCESA
Não compreendo; tenho dupla dor.

BEROWNE
720   O mais simples entra no ouvido da dor;
E nesses termos compreenda o rei.
Pelas senhoras nós perdemos tempo,
E até quebramos juras. Suas belezas
Nos deformaram, mudaram os humores
725   Para o oposto dos alvos que sonhamos;

E o que antes julgávamos ridículo,
Como o amor cantado com loucura,
Igual a estrepolias de criança,
Criado pelo olhar e, como o olhar,
730 Cheio de estranhas formas e costumes,
Formas que mudam, quando o olhar varre
Em um instante infinitas formas:
Por isso um falso amor, fantasiado,
Nós envergamos, ante os seus olhares,
735 Deixando-nos sem honra ou seriedade,
O que fere os seus olhos, que vazaram
As falhas que inventamos. Sendo assim,
E seus nossos amores, nossos erros
De amor também são seus. A nós traímos
740 Só essa vez, pra ser pra sempre fiéis
Àquelas que, a trairmos, nos levaram:
Essa traição, que é pecado em si,
Assim se purifica e vira graça.

PRINCESA
Suas cartas de amor nós recebemos,
745 Como os presentes e os embaixadores;
E em conselho virginal julgamos
A corte brincadeira e cortesia,
Recheio pra fazer passar o tempo.
Porém, sob tal aspecto, mais devotas
750 Não fomos nós; e só retribuímos
Os seus amores como um jogo alegre.

DUMAIN
As cartas foram mais que brincadeira.

LONGAVILLE
Os olhares também.

ROSALINE
Não para nós.

REI
Concedam-nos, no entanto, os seus amores
755 Nesta última hora.

PRINCESA
É pouco tempo
Pra se fazer acordos permanentes.
Não, meu senhor; já perjurou-se muito,

Com culpas muito altas; e, portanto,
Se pelo meu amor, e não o creio,
760 Quer fazer algo, eis o que lhe ordeno:
Não creio em jura sua; mas procure
Com toda pressa uma ermida remota,
Bem longe dos prazeres deste mundo;
E fique lá até que os doze signos
765 Completem o seu círculo anual
Em vida austera e antissocial.
Não mude a oferta feita em sangue quente;
Se jejum, frio, chão duro e andrajos
Não murcharem a flor de seu amor,
770 Passando a prova de um amor perene,
Então, quando chegar o fim de um ano,
Venha pedir-me, mostre-me tais méritos,
E, pela mão virginal que beija a sua,
Eu serei sua; e até esse momento
775 Hei de fechar-me em abrigo de luto,
Chovendo as lágrimas do meu lamento,
Em lembrança da morte de meu pai.
Se não, que se separem mão e mão;
Pois perde, cada uma, um coração.

REI
780 Se isso, ou mais que isso, eu recusar,
Só pra gozar de descanso ou lazer,
Que a morte venha meus olhos fechar!
O amor deste eremita seu vai ser.

BEROWNE
E pra mim, meu amor, o que reserva?

ROSALINE
785 Purgará seus pecados na tortura:
'Stá acusado de erro e de perjúrio;
Por isso, se aspira ao meu favor,
Por doze meses não terá descanso,
Buscando sempre os leitos dos doentes.

DUMAIN
790 E eu, amor? Não me cabe uma esposa?

KATHERINE
Uma barba, saúde e honestidade;
Eu lhe desejo as três com triplo amor.

DUMAIN
    E eu, amor; o que ganho? Uma esposa?

KATHERINE
    Não; por um ano e um dia de demora
795   Não hei de ouvir o imberbe que chora;
    Mas quando aqui voltar o seu senhor,
    Então poderei dar-lhe algum amor.

DUMAIN
    Serei fiel todo esse tempo, eu juro.

KATHERINE
    Nada de juras, pra não ser perjuro.

LONGAVILLE
800   Que diz Maria?

MARIA
    Ao fim de doze meses,
    Eu troco o luto por votos corteses.

LONGAVILLE
    Todo esse tempo espero, com ternura.

MARIA
    Faz bem. É muito jovem pr'essa altura.

BEROWNE
    Olhe pra mim, amada; 'stá a pensar?
805   Mire a janela do meu peito, o olhar,
    Veja que, humilde, ele espera a pena
    Que me é imposta pelo seu amor.

ROSALINE
    Já ouvira falar muito do senhor
    Antes de o ver; e a língua deste mundo
810   Falava de seu gosto por zombar;
    Magoa, às vezes, com comparações,
    Que miram para todo tipo e classe
    Dentro do alcance desse seu espírito;
    Livre-se do amargor desse seu cérebro,
815   E assim então me ganha, se quiser,
    Pois sem isso eu jamais posso ser ganha.
    Terá o ano inteiro, mês por mês,
    De visitar os mudos, e assim mesmo

		Conversar com os gemidos; tal tarefa
820		Há de cumprir com apaixonado empenho,
		E há de fazer sorrir a pior dor.

BEROWNE

Mas fazer rir quem 'stá perto da morte?
Não pode ser assim; é impossível:
A graça não atinge o que agoniza.

ROSALINE

825   Assim se engasga o espírito que zomba,
      Que foi gerado pela graça fácil
      Com que o bobo faz rir o ouvinte fútil.
      O sucesso do chiste vem do ouvido
      De quem o ouve, e nunca da palavra
830   De quem fala; se o ouvido doente,
      Que ensurdeceu o grito dos gemidos,
      Ouvir suas zombarias, continue,
      E eu o aceitarei com seus defeitos;
      Porém se não, esqueça desse espírito,
835   E eu o verei privado dessa falha,
      Muito contente com sua reforma.

BEROWNE

Por doze meses! Bem, por bem ou mal,
Hei de zombar um ano no hospital.

PRINCESA

  (Para o REI.)
Doce senhor; assim eu me despeço.

REI

840   Um pouco iremos com as caras amigas.

BEROWNE

O fim não é o das peças antigas;
Ninguém casou; tivessem mais bondade,
Teríamos comédia de verdade.

REI

Vamos, senhor: um ano e um dia é essa
845   A pena.

BEROWNE

      Muito longa pr'uma peça.
(Volta ARMADO.)

ARMADO

    Conceda-me, doce majestade...

PRINCESA

    Esse não era Heitor?

DUMAIN

    O valoroso cavaleiro troiano.

ARMADO

    Beijarei seu dedo real e me despeço. Sou um devoto; jurei a Jaquenetta, por seu doce amor, manejar por três anos o arado. Mas, estimadíssima grandeza, será que pode ouvir o diálogo que dois homens eruditos compuseram em honra da coruja e do cuco? Era para ter sido apresentado no final do nosso espetáculo.

REI

    Chame-os logo; nós ouviremos.

ARMADO

    Olá! Aproximem-se.

(Voltam HOLOFERNES, NATANIEL, MARIPOSA, MELÃO e outros.)

Deste lado fica *Hiems*, o inverno, do outro *Ver*, a primavera; este é sustentado pela coruja, aquela pelo cuco. Comece, *Ver*.

PRIMAVERA

    (Canta.)
    Quando prímula e a violeta azul,
    E a mimosa, branca como a neve,
    O miosótis e a rosa taful
    Enchem o prado de alegria leve,
    É quando o cuco, por toda a galhada
    Do homem casado zomba e faz piada
    "Cuco,
    Cuco, cuco" – esse é o canto mais temido
    E ofensivo pr'ouvido de marido,
    Quando se ouve a flauta do pastor
    E a cotovia é que desperta o arado,
    Casam-se pomba, gralha e beija-flor,
    E as moças vestem vestido alvejado,
    É quando o cuco, por toda a galhada,
    Do homem casado zomba e faz piada:
    "Cuco,
    Cuco, cuco", esse é o canto mais temido

875   E ofensivo pr'ouvido de marido.

Inverno

Quando o gelo faz franja no telhado,
E o pastor, com seu sopro, esquenta a mão,
E enche a casa de lenho rachado,
880 E o leite até congela no latão,
E gela o sangue, e se imunda o caminho,
Quem canta à noite é a coruja no ninho.
"Tu-uit,
Tu-uú" é a canção mais bela
885 Enquanto Joana mexe sua panela
Quando assovia o barulho do vento,
E a tosse encobre o canário do cura,
E para o pássaro a neve é um tormento,
E o nariz rubro é cereja madura,
890 Com o siri frito no pote a chiar,
Canta a coruja à noite sem parar:
"Tu-uit,
Tu'úit", é a canção mais bela
Enquanto Joana mexe sua panela.
895 As palavras de Mercúrio são duras, depois da canção de Apolo. Vocês, pra lá; nós, pra cá.

(Saem todos.)

Sonho de uma noite de verão

Introdução
Barbara Heliodora

Esta comédia lírica e fantasiosa, misto de romance, mágica e ingênuo humor popular, tem sido grande favorita do público desde que Shakespeare a escreveu, por volta de 1595-96. A primeira edição, no popular e pequeno formato do *in-quarto*, publicada em 1600, está entre as que apresentam melhor qualidade editorial e menos erros tipográficos, e já na página de rosto proclama: "Como tem sido por várias vezes apresentada publicamente pelos servos do Mui Honorável Lord Camerlengo". Tanto a frequência da encenação quanto a publicação em relativamente pouco tempo após a estreia são testemunho de um sucesso que só tem crescido nos últimos quatrocentos anos. Durante o governo puritano da *Commonwealth* de Oliver Cromwell depois de 1642, quando todos os espetáculos foram proibidos e os teatros fechados e destruídos, por serem obra do diabo, os atores ingleses ficaram reduzidos à apresentação de pequenos esquetes, chamados *drolls*, em casa de nobres dispostos a exercer — às escondidas — essa forma de protesto contra os exageros da ditadura religiosa; Robert Cox foi o ator que criou a forma, e uma de suas primeiras apresentações foi a de *Os alegres conceitos de Zé Bobina, o tecelão*, que ele engendrou a partir de *Sonho de uma noite de verão*.

A constante popularidade, no entanto, nem sempre encontrou eco na crítica: o famoso *Diário* de Samuel Pepys, que registra uma infinidade de espetáculos montados logo após a Restauração (da monarquia inglesa) em 1660, anota em 29 de setembro de 1662: "Ao Teatro do Rei, onde vimos *Sonho de uma noite de verão*, que eu jamais havia visto, nem verei de novo, pois é a peça mais insípida e ridícula que vi em toda a minha vida". Montada então em um pequeno palco italiano, e com o texto mutilado recheado de bailados inúteis, não é de espantar que Pepys não tenha gostado desse *Sonho*. As apreciações negativas têm sido sempre resultado de excesso de ênfase dos encenadores sobre os aspectos visuais, ou da cegueira de eruditos em captar a visão nascida do fantástico entrelaçamento de três tramas em um enredo (já de si uma prova do cuidado na construção dramática) ou o elaborado conteúdo que esse jogo tão trabalhosamente refinado abriga. Felizmente para nós, do século XX, o despojamento cênico, nascido da redescoberta do palco elisabetano, tem caminhado ao lado da preocupação com a transmissão da temática do *Sonho*. E as opiniões desde há muito deixaram de ter qualquer coisa a ver com a ostentada por Pepys...

A respeito de determinados aspectos do *Sonho* há total consenso: uma das mais curtas obras de Shakespeare, ela foi escrita para as comemorações de um casamento realizado em alguma grande mansão particular, e a versão que conhecemos é o resultado de ligeiras alterações feitas pelo poeta para sua peça poder ser apresentada ao grande público do teatro profissional. Uma dessas é a substituição da *masque* final, que seria muito pessoal, pela bênção dos noivos e da casa, totalmente coerente com a ação, porém de significado mais abrangente. Bem menos consenso, no entanto, existe em torno de qual teria sido o casamento que motivou a composição da comédia; depois de uns quatro ou cinco candidatos andarem no páreo, hoje restam apenas dois: o de Elizabeth Vere com William, conde de Derby, realizado em Greenwich a 26 de janeiro de 1595, e o de Elizabeth Carey com Thomas, filho de Henry, Lord Berkeley, realizado a 19 de fevereiro de 1596. Para a identificação das bodas em questão é indispensável a presença da rainha Elizabeth I na festa, motivo para os óbvios elogios do poeta (normalmente pouco dado a isso) à monarca. No primeiro caso, a presença real é documentada; no segundo, não há documentação, porém a noiva era filha de Sir George Carey, primo da rainha pelo lado de sua mãe, Ana Bolena. Tanto George Carey quanto seu pai Henry ostentaram o título de Lord Hunsdon, ambos ocuparam o cargo de Lord Camerlengo, e ambos foram patronos da companhia (Lord Chamberlain's Men) para a qual Shakespeare escreveu durante toda a sua carreira profissional documentada. É mais do que provável que Elizabeth I comparecesse ao casamento da filha de um primo a quem sempre mostrou afeto, e a quem sempre distinguiu; mais provável ainda é que seu patrono requisitasse o talento da companhia teatral que usava seu nome para participar desses festejos.

Só o talento de um Shakespeare escolheria para comemorar um casamento, tema que englobasse não só a realização de uma cerimônia igual à que estava sendo celebrada, como também todas as incoerências, caprichos e descaminhos do amor, com todos os tropeços e agruras por que este passa até chegar a se realizar em um casamento harmônico e permanente. Um dos mitos criados a respeito de Shakespeare diz que ele não criava enredos originais; mas o *Sonho* não tem fontes conhecidas a não ser algumas sugestões para nomes ou detalhes de situações: Teseu e Hipólita, cujo casamento é o motivo ostensivo da ação, não têm absolutamente nada a ver com seus homônimos da lenda grega; e se Teseu tampouco tem qualquer conexão com o retratado em Plutarco, talvez pudesse reconhecer-se ao menos como parente distante do Teseu do "Conto do Cavaleiro" dos *Contos de Cantuária*, de Chaucer. Quem aparece na comédia com esse nome, na verdade — e apesar de tudo se passar nominalmente na Grécia —, é um nobre inglês, que planeja a festa de seu casamento exatamente como o faria qualquer compatriota seu no mesmo nível social e econômico, ao tempo de Elizabeth I.

Mais misteriosa ainda é a origem dos habitantes do reino das fadas: Oberon havia aparecido na peça *James IV* de Robert Greene com função semelhante, mas não com o mesmo tipo de personalidade; e Shakespeare pode ter encontrado seu nome no romance francês *Houn de Bordeaux*. Já Titânia parece ter sido batizada com um dos nomes de Circe em Ovídio, mas também sem a mais remota ligação com a personalidade desta. As fadas que a servem, como pode ser visto por seus nomes, não saíram das tradicionais matrizes do lendário medieval, mas sim do folclore campestre de Stratford-upon-Avon: Semente de Mostarda, Ervilha de Cheiro, Teia de Aranha e Mariposa não têm nada a ver com as fontes remotas dos Grimm ou de Perrault, mas ficariam perfeitamente à vontade na "grega" floresta de Arden, bem vizinha à cidade natal do poeta, onde seria encontrado igualmente Puck, tão moleque e folclórico quanto o nosso Saci.

Não há dúvida de que em sua Stratford natal e seus arredores, Shakespeare deve ter encontrado mais de uma vez grupos de teatro amador tão incompetentes e tão comoventes quanto o formado pelos respeitáveis artesãos que, como faziam os colonos das grandes propriedades de nobres ingleses, apresentavam seus espetáculos em ocasiões festivas daquele em torno de quem suas vidas giravam: só a riquíssima tradição teatral inglesa produziria a *Mui lamentável comédia de Píramo e Tisbe*. E, para completar o quadro do elenco, restam ainda os dois casais de namorados, de certo modo uma nova e sofisticada concepção das incríveis confusões entre aparência e realidade que deram vida à *Comédia dos erros*.

Como diz John Russell Brown em seu notável *Shakespeare and his comedies*, em *Sonho* Shakespeare ilustra irretocavelmente "a verdade do amor"; e não há dúvida de que essa verdade é caprichosa e mutável até que quem ama amadureça e compreenda o amor como algo mais do que aquela primeira impressão que entra pelos olhos. A verdade de quem ama não tem nada a ver com "a verdade" absoluta, se é que esta realmente existe; muito propositadamente, Shakespeare cria Lisandro e Demétrio virtualmente indistinguíveis: ambos são bem-apessoados, bem-nascidos, ricos, nobres e mais ou menos igualmente tolos; mas, mesmo assim, a verdade do amor de Hérmia faz com que ela *adore* Lisandro e *odeie* Demétrio. Aliás, Shakespeare, já por vezes acusado de machista, mostra suas duas heroínas bem mais fiéis, dedicadas e conscientes de seu amor do que os dois rapazes, que a par de sua natural inconstância têm a perturbá-los as estripulias de Puck e o suco do amor-perfeito pingado nos olhos, que provoca paixão tão cega e arbitrária, pelo primeiro ser vivo visto, quanto a que nasce espontaneamente nos quatro jovens amantes da peça.

O amor, então, entra pelos olhos, mesmo que no momento em que isso acontece, o recém-apaixonado acredite firmemente que o que os olhos veem seja exclusivamente determinado pela mente — e na verdade é esta a realmente afetada. Shakespeare sublinha magistralmente essa conflituada convicção de verdade mostrando Titânia achar normal sua repentina paixão por Bobina transformado em asno, e os rapazes argumentarem que são sensatos seus confusos amores, enquanto Hérmia defende a verdade de seu amor desejando que Egeu, seu pai, visse Lisandro com os olhos dela...

O casamento de Teseu e Hipólita, a realizar-se dentro de quatro dias quando começa a peça, não constitui a principal ação da trama do *Sonho*, mas estabelece o esquema dentro do qual todos os conflitos terão de ser solucionados. Não há dúvida de que se pode até certo ponto afirmar que o casal não é essencial, e que o casamento de qualquer outro par poderia cumprir essa tarefa de "moldura" da trama principal; mas dentro do quadro de desencontros e conflitos amorosos afinal resolvidos com sucesso, que escolha poderia ser melhor do que a deste casal que se enfrentou em termos de guerra para só depois descobrir um amor suficientemente estável para levá-los ao casamento? Só esse casal, no entanto, poderia atrair Oberon e Titânia para o mesmo momento. Na corte, na serena convicção dos sentimentos desses dois amantes antes inimigos, nem tudo é propício ao amor: Egeu não quer que a filha se case com quem ama, mas sim com quem ele escolhe — e as leis de "Atenas" confirmam seu poder de vida e morte sobre a filha; Hérmia e Lisandro resolvem fugir, são perseguidos por Helena e Demétrio, e os quatro se perdem na floresta, assim como estão perdidos para a harmonia das relações humanas, em função de suas emoções. Na floresta, ficam a salvo das pressões familiares e legais, mas continuam conflituados em suas imaturas emoções, o que logo vemos que não é privilégio dos humanos: Oberon e Titânia, apesar de sua total liberdade de reis do mundo das fadas, têm desavenças matrimoniais tão corriqueiras quanto as dos pressionados pelos vários tipos de autoridade do grupo social constituído. E na floresta estão também, ensaiando, os artesãos que vão apresentar sua tragédia sobre o amor contrariado — em cuja interpretação fracassam por serem prisioneiros de sua ingênua incapacidade de expressar corretamente sentimentos que não sejam realmente os seus; em sua tentativa de criar "arte", mostram-se tão incapazes quanto os apaixonados de distinguir entre aparência e realidade, entre o real e o imaginativo.

Todos tropeçam em seus caminhos, mas mesmo que Puck — que não tem sentimentos — possa dizer "Senhor, que tolos são esses mortais!", não há qualquer tipo de moralização, de conselhos, de conclusões de almanaque: a natureza assim fez os humanos e eles têm de aprender com sua própria experiência a encontrar o caminho do equilíbrio na vida interior. Extraordinário é que nas sequências da floresta, mantendo o lirismo e a brincadeira em equilíbrio suficientemente instável para assustar qualquer malabarista, Shakespeare consiga transmitir, muito claramente, que seus jovens e seus artesãos passam por uma forte e enriquecedora experiência que transformará suas vidas de modo permanente — e, implicitamente, que nós devemos compreender melhor os que passam por tais crises.

Sonho de uma noite de verão pertence à mesma fase intensamente lírica de *Romeu e Julieta* e *Ricardo II*, e para a criação de seu universo múltiplo, três grupos distintos de personagens — as fadas, os artesãos e os nobres — se entrelaçam para retratar os acertos, desacertos, arbitrariedades, conflitos, altruísmos, egoísmos, agruras e ternuras pelos quais passam os que amam, até ficarem prontos para o equilíbrio e a realização do casamento. Shakespeare opta por um caminho complexo; com menos de 20% de seu texto em prosa, mesmo sem contar as canções, Shakespeare usa rima em ligeiramente mais do que 56,5% dos versos, que evocam os mais variados climas e emoções. Só os artesãos usam a prosa como veículo normal de expressão, e suas incursões pelos mistérios do verso da comédia que representam são tão perturbadas quanto as dos dois jovens casais de namorados pelos perigos da floresta e do amor. Em todas as tramas, como em todos os caminhos, é perene a preocupação Shakespeare com a aparência e a realidade, talvez o tema mais constante de toda a sua obra.

Sonho de uma noite de verão, enfim, é uma prova viva de que o leve e o divertido não precisam ser sinônimos do vazio ou do gratuito; a mais fantasiosa e delicada das comédias pode nos fazer compreender um pouco mais, e aceitar um pouco mais a condição humana.

LISTA DE PERSONAGENS

Teseu, Duque de Atenas
Hipólita, Rainha das Amazonas, noiva de Teseu

Lisandro ⎫
Demétrio ⎬ jovens cortesãos apaixonados por Hérmia

Hérmia, apaixonada por Lisandro
Helena, apaixonada por Demétrio
Egeu, pai de Hérmia
Filostrato, mestre dos festejos de Teseu
Oberon, Rei das Fadas
Titânia, Rainha das Fadas
Uma fada, a serviço de Titânia
Puck, ou Robin Goodfellow, bobo e servidor de Teseu

Ervilha de Cheiro ⎫
Teia de Aranha   ⎬ Fadas a serviço de Titânia
Mariposa   ⎥
Semente de Mostarda⎭

Quina, o carpinteiro — Prólogo no Interlúdio
Bobina, o tecelão — Píramo no Interlúdio
Sanfona, o remendão de foles — Tisbe no Interlúdio
Justinho, o marceneiro — Leão no Interlúdio
Bicudo, o funileiro — Parede no Interlúdio
Fominha, o alfaiate — Luar no Interlúdio
Outras fadas no séquito de Oberon e Titânia, nobres e criados dos séquitos de Teseu e Hipólita

ATO 1

CENA 1
(Entram Teseu, Hipólita, Filostrato e séquito.)

Teseu

Aproxima-se a hora, bela Hipólita,
De nossas núpcias. Quatro alegres dias
Trarão a lua nova; mas, pra mim,
Como é lento o minguante! Ao meu desejo
Ele lembra a madrasta ou tia velha
Que custa a dar ao jovem sua herança.

Hipólita

Quatro dias em breve serão noites;
Quatro noites do tempo farão sonhos:
E então a lua nova, arco de prata
Retesado no céu, verá a noite
De nossas bodas.

Teseu

Filostrato, vai!
Conclama a Atenas jovem pra a alegria;
Desperta o espírito do riso leve;
Melancolia é bom pra funerais:
Não quero gente triste em nossa festa.

(Sai Filostrato.)

Querida, fiz-lhe a corte com uma espada,
E conquistei-lhe o amor com rudes golpes;
Mas vamos nos casar num outro tom,
Com pompas, com triunfos e com festas.

(Entram Egeu, sua filha Hérmia, Lisandro e Demétrio.)

Egeu

Salve Teseu, nosso afamado Duque!

Teseu

Bom Egeu, obrigado. O que há de novo?

Egeu

Aqui venho vexado, pra queixar-me,

E acusar a Hérmia, minha filha.
Demétrio, vem aqui. Nobre Senhor,
Este homem teve a minha permissão
Pra casar-se com ela. Aqui, Lisandro.
Mas este, meu senhor, com encantamentos,
Prendeu-me a filha. Tu lhe deste versos,
Trocaste juras com a minha Hérmia,
Fizeste-lhe serestas ao luar,
Fingindo amor com voz esganiçada,
Captando toda a sua fantasia,
Com fios de cabelo, anéis, bobagens,
Berloques, florezinhas e até doces
(Que falam forte à fraca juventude).
Com mil ardis roubaste o coração
De minha filha, e sua obediência
(Que era minha) agora é teimosia.
Bom Duque, se ele aqui, aos vossos olhos,
Não aceitar casar-se com Demétrio,
Invoco a antiga lei ateniense:
Sendo minha, posso eu dela dispor;
Ou ela vai para este cavalheiro,
Ou pra morte, segundo a nossa lei,
Que abrange todo caso igual a este.

TESEU

O que diz, Hérmia? E pense bem, mocinha:
Seu dever é ter seu pai como um deus,
Aquele que compôs sua beleza,
Pra quem você não passou de uma cera
Que ele mesmo moldou, com seu poder
De dar-lhe forma ou de a desfigurar.
Demétrio é um rapaz de grande mérito...

HÉRMIA

E Lisandro também.

TESEU

               Como pessoa.
Porém não tendo o voto de seu pai.
Temos de achar que o outro mais merece.

HÉRMIA

Se ao menos meu pai visse com os meus olhos.

TESEU

Antes os seus devem julgar com os dele.

HÉRMIA

    Eu rogo a Vossa Alteza que perdoe;
    Não sei que força encontro para ousar,
60   Nem como ofendo, assim, o meu pudor,
    Por proclamar aqui meus pensamentos.
    Mas rogo a Vossa Graça que me informe
    Qual o pior castigo a que me arrisco,
    Se eu me recuso a desposar Demétrio.

TESEU

65   Ou a pena de morte ou o repúdio
    Eterno da presença masculina.
    Portanto, bela Hérmia, questione
    Seus desejos de jovem e o seu sangue,
    Pra saber se, negando a voz paterna,
70   Vai suportar o hábito de freira,
    Presa pra sempre em obscuro claustro,
    Vivendo irmã estéril toda a vida,
    Cantando, à lua fria, frias loas.
    Benditas as que o sangue assim dominam
75   E fazem casta peregrinação;
    Porém é mais feliz, aqui na Terra,
    A rosa destilada do que aquela
    Que, murchando no espinho, virgem cresce,
    Vive e morre em solidão abençoada.

HÉRMIA

80   Senhor, que assim eu cresça, viva e morra,
    Antes que eu ceda a minha virgindade
    À opressão de um amo indesejado,
    Que minh'alma não quer por soberano.

TESEU

    Reflita até chegar a lua nova,
85   Data que une a mim o meu amor
    E faz-nos companheiros para sempre.
    Esteja pronta, então, para morrer
    Por não querer obedecer seu pai.
    Ou obedece e casa com Demétrio,
90   Ou no altar de Diana vai jurar
    Viver pra todo o sempre casta e austera.

DEMÉTRIO

    Concorde, Hérmia; e Lisandro, ceda
    Sua posse louca ao meu direito certo.

LISANDRO

Demétrio, você tem o amor do pai,
Eu o de Hérmia; case-se com ele.

EGEU

Desdenhoso Lisandro, é bem verdade:
Ele tem meu amor; e o que é meu
O meu amor dará a ele; e ela
É minha e meus direitos sobre ela
Eu concedo a Demétrio.

LISANDRO

Senhor, eu sou igual a ele em berço
E dotes; meu amor inda é maior;
Minha fortuna em tudo é semelhante,
Senão mais rica do que a de Demétrio.
E, mais que tudo que ele possa ter,
Eu sou amado pela bela Hérmia.
Não devo então buscar o meu direito?
Demétrio, e eu lhe digo isso na cara,
Antes de Hérmia namorou Helena;
Ganhou-lhe a alma e a pobre adora
Com devoção, e até com idolatria,
Esse homem infiel e inconstante.

TESEU

Confesso que já tive tal notícia
E pensei em falar disso a Demétrio;
Ocupado, porém, com assuntos meus,
Acabei esquecendo. Mas, Demétrio,
Venha comigo; e Egeu também. A ambos
Quero dar instruções particulares.
Hérmia, você precisa preparar-se
Pra submeter seus sonhos a seu pai;
Senão a lei de Atenas a entrega
(E não podemos nunca atenuá-la)
À morte ou ao voto de celibatária.
Vamos, Hipólita. O que foi, amor?
Demétrio e Egeu, venham comigo agora;
Quero dar-lhes tarefa que é ligada
Às nossas núpcias, e falar um pouco
De um outro assunto, que lhes diz respeito.

EGEU

Nós o seguimos, por dever e amor.

(Saem todos, menos LISANDRO e HÉRMIA.)

Lisandro

130   Então, amor? Por que ficou tão branca?
      Por que já feneceram essas rosas?

Hérmia

      Talvez falta de chuva; mas eu posso
      Regá-las com a torrente dos meus olhos.

Lisandro

      Em tudo aquilo que até hoje eu li,
135   Ou em lendas e estórias que eu ouvi,
      O amor nunca trilhou caminhos fáceis:
      Seja por desavenças de família —

Hérmia

      Ó cruz, grande demais para ser leve —

Lisandro

      Ou por um desacerto nas idades —

Hérmia

140   Ó ódio, que separa velho e jovem —

Lisandro

      Ou por interferência dos amigos —

Hérmia

      Ó inferno, ver o amor com olhos de outros —

Lisandro

      Ou, quando existe acordo na escolha,
      A guerra, a morte ou a doença atacam
145   E o transformam em som que mal se ouve,
      Em sobra célere, em sonho rápido,
      Em breve raio no negror da noite
      Que em um momento mostra o céu e a terra,
      Mas antes que alguém possa dizer "Veja!"
150   É devorado pela escuridão:
      O que brilha, num instante se confunde.

Hérmia

      Se o verdadeiro amor sempre sofreu,
      Deve ser uma regra do destino.
      Ensinemos então às nossas dores
155   A paciência, cruz que é costumeira,
      Tão devida ao amor quanto lembrança,

Sonhos, suspiros, lágrimas, desejos,
Que são o séquito da fantasia.

LISANDRO
É bem lembrado, mas agora escute:
Tenho uma tia, de há muito viúva,
De grandes posses, mas que não tem filhos —
Que mora a sete léguas de Atenas
E que me tem como seu filho único,
Hérmia, lá nós podemos nos casar
E lá não pode a rude lei de Atenas
Nos perseguir. Se, então, você me ama,
Foge amanhã da casa de seu pai
E à noite, já bem fora da cidade,
Na floresta (onde a encontrei um dia
Junto com Helena nos festins de maio)
Espero por você.

HÉRMIA
                    Meu bom Lisandro,
Eu juro pelo arco de Cupido,
Pela ponta de ouro de sua flecha,
Pela pureza das pombas de Vênus,
Pelo que as almas une e o amor fomenta,
Pelo fogo que a Dido consumiu
Quanto partiu o pérfido troiano,
Por toda jura por homem quebrada
(E são bem mais que a por mulher partida)
No local que você determinar,
Com você amanhã hei de encontrar.

LISANDRO
Não falte, meu amor. Lá vem Helena.

(Entra HELENA.)

HÉRMIA
Bela Helena, mas de onde vem correndo?

HELENA
Disse bela? Pode ir se desdizendo.
Bela é você, que Demétrio aprecia:
Seus olhos são o norte, e a melodia
De sua língua é o canto do pastor
Quando o trigo está verde e o campo em flor.
Doença pega; por que não a face?

190 Quem me dera que a sua me pegasse!
O meu ouvido ia captar seu tom,
Meu olho o seu, a minha voz seu som.
Se o mundo fosse meu, eu só tirava
Pra mim Demétrio; o resto eu lhe entregava.
195 Diga que olhar... que foi... que jeito deu,
Que o coração de Demétrio prendeu?

HÉRMIA

Fico emburrada e o amor dele cresce!

HELENA

Se o meu sorriso esse efeito tivesse!

HÉRMIA

É só xingar que ele fala de amor.

HELENA

200 Mas nem rezando eu consigo esse ardor.

HÉRMIA

Mais o odeio, mais ele me rodeia.

HELENA

Mais o rodeio, mais ele a mim odeia.

HÉRMIA

Se ele está louco, a culpa não é minha.

HELENA

Mas é bela, e a beleza não é minha.

HÉRMIA

205 Alegre-se: o meu rosto vai sumir;
Lisandro e eu daqui vamos partir.
Até o dia em que o conheci,
Atenas era um céu que eu tinha aqui;
Não sei por que, mas este amor tão terno
210 Transformou o meu céu em um inferno.

LISANDRO

Nosso plano a você vou revelar:
Amanhã, quando a lua for olhar
No reflexo das águas seu semblante,
Para orvalhar a folha tremulante,

(Hora que esconde o amante foragido.)

215   Nós dois de Atenas vamos ter fugido.

Hérmia

E na floresta onde nós, unidas,
Deitávamos nas amplidões floridas,
Contando o que trazíamos no peito,
Lisandro e eu temos encontro feito;
220   Depois, Atenas nós não mais veremos.
Adeus, amiga. E se por nós orar,
A sorte o seu Demétrio há de lhe dar.
O nosso amor, Lisandro, vai jejuar
Até amanhã do alimento do olhar.

(Sai.)

Lisandro

225   Sei disso, Hérmia. Helena, agora adeus;
Que os sonhos de Demétrio sejam seus.

(Sai.)

Helena

Que bom alguém por outro ser feliz!
Eu também sou bonita; é o que se diz;
Mas Demétrio não acha. O que fazer?
230   Só ele ignora o que não quer saber.
Se ele é tolo ao amar o olhar dela,
Ao amá-lo, eu caí num esparrela.
Às coisas vis, que não têm qualidade,
O amor empresta forma e dignidade:
235   Porque não vê com os olhos, mas com a mente,
Cupido é alado e cego, à nossa frente:
Amor não tem nem gosto nem razão;
Asas sem olhos dão sofreguidão.
Se Cupido é criança, a causa é certa:
240   Sua escolha muitas vezes é incerta.
Como o menino rouba em brincadeira,
Também Cupido trai, a vida inteira.
Antes de pôr em Hérmia o seu olhar,
Ele chovia juras de me amar;
245   Mas quando Hérmia um vago alento deu,
Parou a chuva e ele derreteu.
Eu vou contar que Hérmia vai fugir,
E amanhã pra floresta ele há de ir

Atrás dela; e por essa informação,
Hei de ter, de Demétrio, gratidão.
Com isso a minha dor eu só aumento,
Mas terei seu olhar por um momento.

CENA 2

(Entram Quina, o carpinteiro; Justinho, o marceneiro; Bobina, o tecelão; Sanfona, o remendão de foles; Bicudo, o funileiro; e Fominha, o alfaiate.)

QUINA

A companhia está toda aqui?

BOBINA

É melhor chamar todos em conjunto, de um em um, como está nos papéis.

QUINA

Esta é a lista do nome de todos os homens que Atenas inteira achou capazes de representar nosso drama, na frente do duque e da duquesa, no dia do casamento dele, de noite.

BOBINA

Primeiro, meu bom Quina, diga do que trata o drama, depois leia o nome dos atores, e no final faz ponto e pronto!

QUINA

Muito bem; o nosso drama é *A mui lamentável comédia e crudelíssima morte de Píramo e Tisbe*.

BOBINA

Palavra que é uma obra muito notável e muito alegre. E agora, Pedro Quina, chame os atores pela lista.

QUINA

Respondam quando eu chamar. Zé Bobina, o tecelão?

BOBINA

Pronto! Diga qual é o meu papel, e vá em frente.

QUINA

Você, Zé Bobina, está marcado pra ser Píramo.

BOBINA

E o que é o Píramo? Amante ou tirano?

Quina

Um amante que se mata muito galantemente por amor.

Bobina

Isso vai exigir muita lágrima para ser bem representado. Se for eu, que a plateia cuide muito bem de seus olhos: vou abalar as tempestades e apresentar algumas condolências. Mas, mesmo assim, meu talento maior é pra tirano. Eu podia fazer muito bem de Hércules; e em papéis de rachar os peitos eu faço eles arrebentarem:

A pedra dura,
Da terra a tremura,
Quebram a fechadura
Do portão da prisão.
E de Fibo a corrida
Lá longe acendida,
Constróis ou liquida
O fado bobão.

Quina

Juca Sanfona, consertador de foles!

Sanfona

Tou aqui, Pedro Quina.

Quina

Sanfona, você tem de enfrentar Tisbe.

Sanfona

E Tisbe é o quê? Um cavaleiro andante?

Quina

É a dama pela qual Píramo se apaixona.

Sanfona

Nada disso; de mulher eu não faço. Já está nascendo barba aqui nos queixos.

Quina

Não faz diferença; você vai usar a máscara. E pode falar com a voz mais magrinha que arranjar.

Bobina

Se pode esconder a cara, deixa eu fazer a Tisbe também. Eu sei falar com a voz monstruosamente fina. "Tisbe! Tisbe! Tisbe!" "Ai, Píramo, meu amante adorado! Sou tua Tisbe querida, tua dama adorada!"

Quina

Não; você faz o Píramo; e você, Sanfona, a Tisbe.

Bobina

Então, continua.

Quina

Beto Fominha, o alfaiate!

Fominha

Presente, Pedro Quina.

Quina

Fominha, você tem de fazer a mãe de Tisbe. Toninho Bicudo, o funileiro!

Bicudo

Tou aqui, Pedro Quina.

Quina

Você é o pai de Píramo, eu, o da Tisbe. Justinho, o marceneiro, faz o papel do leão. E acho que com isso o drama está inteiro.

Justinho

Você já tem aí escrito o papel do leão? Se tiver, me dá logo, que eu sou lento de estudo.

Quina

Pode fazer de improviso; é só ficar rugindo.

Bobina

Deixa eu fazer o leão também. Meu rugido é tão bom que alegra o coração de qualquer um. Vou rugir tanto que o duque vai gritar: "Ruge mais! Ruge de novo!".

Quina

E se rugir assim de jeito tão terrível, vai assustar a duquesa e as outras senhoras, elas começam a gritar e nós acabamos na forca.

Todos

Nós todos, até o último filho da mãe.

Bobina

Eu sei muito bem, meus amigos, que se vocês deixarem aquelas senhoras todas malucas de medo, a melhor discrição que elas podem fazer é nos enforcar. Mas eu posso agravar minha voz de tal modo que vou rugir delicado, igual a uma pombinha; rugir que nem fosse um rouxinol.

QUINA

Você não pode fazer papel nenhum a não ser Píramo, porque o Píramo era um moço de cara boa, um moço às direitas, um moço da mais fina finura: é por isso que você tem de fazer o papel de Píramo.

BOBINA

Pois então eu faço. Qual é a melhor barba para eu usar?

QUINA

Ora essa, a que quiser.

BOBINA

Eu vou representar meu desempenho com uma barba bem vermelha; ou cor de ouro; ou então com uma barba de cabelo de milho.

QUINA

Cabelo de milho cai e você acaba careca da barba. Mas, seus mestres, aqui estão seus papéis e eu vou pedir a vocês, implorar a vocês, e solicitar a vocês que decorem tudo até amanhã; e me encontrem na floresta do palácio, um quilômetro pra fora da cidade, ao luar. Lá é que nós vamos ensaiar, porque se nos reunirmos na cidade vamos ser aperreados por um bando de gente, e nossos golpes de teatro acabam descobertos. Nesse meio tempo eu vou fazer a lista de todo o material de cena de que o espetáculo precisa. Por favor, não deixem de aparecer.

BOBINA

Vamos nos reunir todos juntos, e lá vamos poder ensaiar com obscenidade e coragem. Façam muita força pra ficarem perfeitos. Adeus!

QUINA

O encontro é no carvalho do duque.

BOBINA

Combinado. Chova ou faça sol.

ATO 2

CENA 1
(Entram uma Fada, por um lado, e Puck, pelo outro.)

Puck

Salve, espírito! Aonde vai?

Fada

Por morros e por colinas,
Por arbustos e floradas,
Por parques e cercas finas,
Inundações e queimadas,
5 Eu vou por todo lugar,
Mais rápido que o luar.
Sirvo à rainha das fadas,
Deixo as flores orvalhadas;
10 Sua guarda de soldados,
São buquês todos dourados,
E os que merecem louvor
Ela perfuma de cor.
Agora eu vou buscar gotas de orvalho
15 Pra jogar pérolas sobre este galho.
Adeus, espírito, que eu vou embora;
A rainha e as fadas vêm, agora.

Puck

Hoje de noite o rei vem festejar;
Melhor ela fugir deste lugar.
20 Pois Oberon ficou muito zangado
Depois que ela arranjou como criado
Um menino roubado do Oriente.
Nunca se viu tão lindo adolescente:
E por ciúmes Oberon deseja
25 Que ele em seu séquito bem logo esteja.
Ela o retém consigo na floresta,
Coroado de flores, sempre em festa.
Quando se encontram em floresta ou prado,
Em fonte clara ou campo enluarado,
30 Brigam tanto que a fada e o duende
Escondem-se por toda flor que pende.

Fada

Será que eu me enganei completamente
Ou estou vendo aquele saliente

           Que chamam Robin? Não é o canalha
35   Que espanta as moças e que o leite coalha,
           Mete-se no pilão e na moenda,
           Põe ranço na manteiga da fazenda,
           Acaba com o fermento e com o levedo,
           Ri-se de quem se perde e sente medo?
40   Só quem o chama Puck, o bem-amado,
           É que tem sorte e ainda é ajudado.
           Não é você?

   PUCK

                     Minha resposta é esta:
           Sou eu que alegro as noites da floresta.
           Meu trabalho é fazer rir Oberon;
45   Sei enganar cavalo só com o som
           De relincho de égua; e eu sei também
           Me esconder em panela muito bem,
           E parecer uma maçã assada;
           E quando a cozinheira, esfomeada,
50   Me leva à boca, eu faço ela babar.
           A velha, que tristezas vai contar,
           Pensa que eu sou um banco de madeira —
           Eu escapo, ela bate com a traseira!
           É tanto grito que acaba tossindo;
55   E todo o mundo, então, começa rindo,
           Com um riso muito forte, de alegria,
           Achando que é a melhor hora do dia.
           Saia, fada; meu rei já vem chegando.

   FADA

           Também Titânia; vê se vai andando.

               (*Entra* OBERON, *o rei das fadas, por uma porta, com seu* SÉQUITO, *e*
               TITÂNIA, *pela outra, com o dela.*)

   OBERON

60   Desdenhosa Titânia, que infeliz
           É este nosso encontro à luz da lua.

   TITÂNIA

           Mas isso são ciúmes? Vamos, fadas:
           Repudiei seu leito e companhia.

   OBERON

           Um momento, mulher; não sou seu amo?

TITÂNIA

65   Então eu devo ser sua senhora;
        Mas eu o vi fugir de nossa terra
        Vestido de pastor, e o dia inteiro
        Tocar canções de amor em sua flauta
        A Fílida amorosa. E por que vir
70   Lá dos confins da Índia se não fosse
        Só porque a Amazona sedutora,
        Sua amante querida e toda armada,
        Vai casar com Teseu, e o seu desejo
        É abençoar seu leito com bons votos.

OBERON

75   É incrível, Titânia, que você
        Ouse falar comigo sobre Hipólita,
        Quando eu sei que você ama Teseu.
        Não foi você que o fez fugir, à noite,
        De Perigona, que ele violou?
80   Ou que o ajudou a trair Aglaé
        Com Ariadne e até com Antíopa?

TITÂNIA

        Isso tudo é mentira de ciúme:
        E nunca, desde o meio do verão,
        Nós nos juntamos em floresta ou campo,
85   Em fonte límpida, n'água de um rio,
        Ou em praia de areia junto ao mar,
        Para dançar em roda, ao som do vento,
        Sem que seus gritos, brigas e arruaças
        Viessem perturbar nossos folguedos.
90   Por isso os ventos, que em vão cantavam,
        Por vingança assopraram, lá dos mares,
        Miasma doentio que, na terra,
        Inchou de orgulho todos os riachos
        E os transbordou pra fora de seus leitos.
95   Por isso os bois em vão fizeram força,
        E só perda alcançou o lavrador
        Quando suou no arado; e o milho verde
        Apodreceu sem ver crescida a barba;
        O aprisco sob as águas 'stá vazio
100   E os gaviões comem ovelhas mortas;
        As sementeiras 'stão cheias de lama
        E os labirintos, que eram riscos verdes,
        Sem ter cuidados, nem se enxerga mais;
        As gentes têm inverno sem ter festas,
105   As noites não têm música nem bênçãos.

Por isso a lua, que governa as águas,
Branca de fúria, inundou os ares
Com enxurradas de catarro enfermo;
E desse destempero as estações
Se alteram, e a geada toda branca
Pinga o vermelho do botão da rosa,
Enquanto que nos cumes mais gelados,
A ironia coloca uma guirlanda
De flores perfumadas. Primavera,
Verão, o morno outono e o triste inverno
Trocam-se as roupas, e um mundo atônito
Não os distingue, nessa confusão.
Toda essa geração de malefícios
Nasce de nossa briga e desacordo:
Nós somos os seus pais e a sua origem.

OBERON

Conserte tudo, então. É com você.
Por que Titânia briga com Oberon?
Eu só pedi que me desse o menino
Pra ser meu pajem.

TITÂNIA

                   Pode estar tranquilo:
Essa criança nem seu reino compra.
Sua mãe sempre foi vestal das minhas;
Nas perfumadas noites indianas
Quantas vezes falamos, descansando
Nas areias douradas de Netuno,
Olhando as naus singrando pelos mares.
Como rimos ao ver velas redondas,
Engravidadas pelos livres ventos,
Que ela, flutuando, já pesada,
(Pois tinha então no ventre esse meu pajem)
Copiava e velejava sobre a terra
Para trazer-me presentinhos lindos
Como se fossem carga de valor.
Mas como era mortal, morreu de parto,
E é por ela que eu crio esse seu filho
E não desejo separar-me dele.

OBERON

Por quanto tempo fica na floresta?

TITÂNIA

Até depois das bodas de Teseu.

                    Se quiser, com respeito, ver as danças
                    E nossas outras festas ao luar,
145   Venha comigo; mas, se assim não for,
                    Evite-me, como eu hei de evitá-lo.

   OBERON

                    Dê-me o menino que eu a acompanho.

   TITÂNIA

                    Nem por todo o seu reino. Vamos, fadas;
                    Ficando mais, temos brigas armadas.

                                        (Saem TITÂNIA e seu SÉQUITO.)

   OBERON
150   Vá, mas não pense que deixa a floresta
                    Sem ser punida por tamanha injúria.
                    Meu bom Puck, venha cá. Você se lembra
                    Da vez em que eu sentei num promontório
                    E ouvi uma sereia, num golfinho,
155   Cantar em tons tão doces da harmonia
                    Que domou o mar rude com seu canto
                    E as estrelas saltaram das esferas,
                    Pr'ouvir o canto da sereia?

   PUCK
                                        Eu lembro.

   OBERON
                    Naquele dia eu vi (mas você não),
160   Flutuando entre a terra e a lua fria,
                    Cupido todo armado: ele mirou
                    Numa vestal que vive no Ocidente,
                    E disparou a flecha de seu arco
                    Com amor para matar cem corações.
165   Porém a seta em fogo de Cupido
                    Apagou-se nas águas do luar
                    E a imperial donzela prosseguiu,
                    Meditando com livre fantasia.
                    Eu reparei onde caiu a flecha:
170   Numa pequena flor, outrora branca,
                    Que as feridas do amor fizeram roxa —
                    As moças chamam-na de amor-perfeito.
                    Busque-me uma flor dessas, cujo suco,
                    Pingado em pálpebras adormecidas,
175   Faz aquele que dorme apaixonar-se

Pelo primeiro ser vivo que vir.
Apanhe-me essa planta e volte aqui,
Mais rápido que o monstro do oceano.

PUCK

Eu dou a volta neste globo inteiro
180 Em quarenta minutos.

(Sai.)

OBERON

Tendo o suco,
Espero ver Titânia adormecida
E derramo o licor sobre seus olhos.
Seja o que for que veja, ao acordar
(Seja um leão, um touro, lobo ou urso,
185 Seja um macaco ou seja até um mico),
Ela o perseguirá apaixonada.
E antes que de seus olhos tire o encanto
(O que eu posso fazer com uma outra erva)
Farei com que ela a mim entregue o pajem.
190 Mas quem vem lá? Como eu 'stou invisível,
Vou escutar o assunto em discussão.

(Entra DEMÉTRIO, seguido por HELENA.)

DEMÉTRIO

Eu não a amo; pare de seguir-me.
Onde estão Lisandro e a linda Hérmia?
A ele eu mato, e ela me faz morrer.
195 Você disse que os dois vinham para cá
E eu, perdido e louco na floresta,
Não consigo encontrar a minha Hérmia.
Saia, vá embora, e não me siga mais.

HELENA

Você é ímã pro meu coração,
200 Que não é ferro; é aço verdadeiro.
Quando você deixar de me atrair,
Eu não terei mais forças pra segui-lo.

DEMÉTRIO

Eu a procuro? Ou eu tento agradá-la?
Ou vai negar que, usando de franqueza,
Digo em alto e bom som que não a amo?

Helena

    É só por isso eu inda o amo mais.
    Demétrio, eu sou igual a um cachorrinho
    Que faz mais festas quando é espancado.
    Pois pode me tratar como um cachorro,
210   Me bater, me ignorar; mas só me deixe
    Seguir você, mesmo que eu não mereça:
    Não posso pedir menos a você
    — Mas para mim só isso já é muito —
    Que ser tratada como seu cachorro.

Demétrio

215   Não fique provocando assim meu ódio;
    Fico doente só de ver você.

Helena

    E eu doente quando não o vejo.

Demétrio

    Você já compromete a sua honra
    Ao sair da cidade e se entregando
220   Nas mãos de alguém que não lhe tem amor,
    Ao confiar, à noite que é propícia,
    Ou ao convite de um local deserto,
    A riqueza da sua virgindade.

Helena

    É o seu próprio valor que me protege:
225   Nunca é noite quando eu lhe vejo o rosto,
    Por isso, para mim, não é de noite;
    E nem me falta muita companhia,
    Já que você, pra mim, é o mundo inteiro.
    Como posso dizer que estou sozinha
230   Se o mundo inteiro está aqui comigo?

Demétrio

    Eu vou embora, me esconder no mato,
    E você que se arranje aqui com as feras.

Helena

    Seu coração é bem pior que o delas.
    Pode ir; eu só vou mudar a lenda:
235   Apolo foge, e Dafne corre atrás.
    A pomba segue o grifo, e a pobre corça
    Persegue o tigre — louca é a corrida
    Em que o covarde sai caçando o bravo!

DEMÉTRIO

240
Chega de discussão, eu vou embora;
Se você me seguir, pode estar certa
Que na floresta eu lhe farei mal.

HELENA

Ora, no templo, na cidade ou campo
Você só me faz mal. Sabe, Demétrio,
Você me faz envergonhar meu sexo;
245
A regra, pra mulher, no amor é dada:
Não cortejar, mas só ser cortejada.

(Sai DEMÉTRIO.)

O inferno dele eu corro pra fazer,
Mesmo que seja só para eu morrer.

(Sai.)

OBERON

Ninfa, antes de sair deste lugar,
250
Você há de fugir e ele de amar.

(Entra PUCK.)

Já tem aí a flor? Bem-vindo, amigo.

PUCK

Aqui está ela.

OBERON

Então, pode me dar.
Conheço um campo onde dança a cravina,
Onde crescem violeta e bonina,
255
Que a madressilva cobre com seu manto,
Junto à rosa-moscada e o agapanto.
Titânia dorme ali, de vez em quando,
Com o acalanto de flores dançando,
Recoberta com a pele envernizada
260
Da cobra que protege a fada.
Com este suco seus olhos vou pintar,
E com mostrengos ela irá sonhar.
Leve um pouco; e procure, na galhada,
Uma moça de Atenas, maltratada
265
Por um rapaz vaidoso. É só pingar,
E garantir que o seu primeiro olhar

Seja pra moça! Por seu traje belo
De ateniense irá reconhecê-lo:
Eu quero... veja lá! Tome cuidado!
270 Que ele ame mais do que é hoje amado.
Esteja aqui de volta antes da aurora.

Puck

Então, pra obedecer-lhe, eu vou embora.

(Saem.)

CENA 2
(Entra Titânia, rainha das fadas, com seu séquito.)

Titânia

Fadas, eu quero uma dança de roda;
E ao fim de um terço de minuto, saiam:
Algumas pra matar vermes nas rosas,
Ou bem arrancar asas de morcegos,
5 Pra fazer casaquinhos pros duendes.
Outras façam que calem as corujas
Que nos assustam. Cantem pr'eu dormir!
Andem logo, que eu quero descansar.

(As Fadas cantam.)

1ª Fada

Cobra de língua dobrada
10 *Deve sumir, com a doninha;*
Batráquios, não façam nada,
Fiquem longe da rainha.

Coro

O rouxinol vai cantar
Sua canção de ninar
15 *Nana, nana, ninou; nana, nana, ninar*
Nem feitiço, nem encanto,
Por aqui podem passar:
A noite é pra descansar.

1ª Fada

Larga a teia e vai-se embora
20 *A aranha de perna torta;*
O besouro dá o fora
E o verme se comporta.

CORO

    O rouxinol etc., etc.

2ª FADA

    Vão que tudo está aquietado.
    Fique um só guarda postado.

(TITÂNIA dorme. Entra OBERON e faz cair o suco nos olhos de TITÂNIA.)

OBERON

    O que vir ao acordar
    Por amor tem de tomar,
    E por ele suspirar.
    Seja onça, urso ou gado,
    Tenha pelo arrepiado,
    Aos seus olhos há de ser
    Quando acordar, seu prazer.
    Acorde, pr'um monstro ver.

(Sai.)

(Entram LISANDRO e HÉRMIA)

LISANDRO

    Amor, você está quase sem sentidos,
    E eu confesso que nós 'stamos perdidos.
    Vamos deitar aqui, pra descansar,
    E esperemos o dia recomeçar.

HÉRMIA

    Está bem, Lisandro; encontre onde deitar
    Que eu, neste canto, vou me recostar.

LISANDRO

    Vamos ambos usar a mesma grama;
    Será um leito só pra quem se ama.

HÉRMIA

    Não, bom Lisandro; por mim faça o certo:
    Deite mais longe, não assim tão perto.

LISANDRO

    Não interprete mal minha inocência;
    Meu coração falou por conveniência.
    Eu quis dizer que os nossos corações
    São como um só nas minhas intenções.

O nosso peito e o nosso pensamento
'Stão ligados por nosso juramento.
50 Não me negue ficar hoje a seu lado;
Não serei falso por estar deitado.

HÉRMIA

Lisandro fala bem.
Maldito seja o meu comportamento
Se o julguei falso por um só momento.
55 Mas, meu amigo, o amor, como o respeito,
Pedem que seja mais pra lá seu leito.
Essa distância — e negue, se é capaz —
Convém a uma donzela e um rapaz.
Tenha, lá longe, noite bem dormida,
60 E amor que não se altere pela vida!

LISANDRO

Eu digo amém a essa doce prece;
Que, co'a traição, a minha vida cesse!
Aqui eu vou dormir. Repouse bem!

HÉRMIA

É o meu desejo pra você também.

(Eles dormem. Entra PUCK.)

PUCK

65 Pela floresta eu corri
E ateniense eu não vi
Em cujos olhos pingar
Meu licor que faz amor.
Mas, silêncio! Quem 'stá aqui?
70 Roupa de Atenas eu vi:
É ele que o meu patrão
Diz que não tem coração.
E ali a repudiada
Dorme na terra encharcada.
75 Nem pôde fazer a cama
Perto de quem não a ama.
Em seu olho indiferente
Jogo este suco potente:
Que o amor, em seu olhar
80 Não o deixe descansar
Desperte quando eu partir.
Volto pr'Oberon servir.

(Sai.)

(Entram Demétrio e Helena, correndo.)

HELENA
   Demétrio, pare! Isto é morte pra mim!

DEMÉTRIO
   Pois fique, ou vá, mas não me siga a mim!

HELENA
85 Você vai-me deixar aqui, no escuro?

DEMÉTRIO
   Não sei, mas que eu só vou sozinho eu juro!

HELENA
   Eu estou sem ar, correndo atrás da caça,
   Mais eu rezo, menos alcanço a graça.
   Feliz é Hérmia, por aí, fugindo,
90 Que tem a bênção de um olhar tão lindo.
   Por que seus olhos sempre brilham tanto?
   Pois os meus brilham mais, se valer pranto.
   Eu devo parecer um monstro horrendo:
   Até fera, me olhando, sai correndo;
95 Não é surpresa que Demétrio fuja
   De mim como uma fera feia e suja.
   Mas que espelho lembrou de comparar
   Com os olhos de Hérmia o meu olhar?
   Mas o que é isso? Lisandro, no chão?
100 Morto ou dormindo? Não há sangue, não.
   Lisandro! Amigo! Acorde, por favor!

LISANDRO
   (Acordando.)
   E até ao inferno eu vou, por seu amor!
   A natureza, Helena, no seu peito
   A mim revela um coração perfeito.
105 Demétrio, onde está? Eu juro agora
   Que a minha espada o mata, a qualquer hora!

HELENA
   Mas nem pensar, Lisandro, em coisa assim!
   Que importa ele amar Hérmia, e não a mim?
   Hérmia ama a você! Eu compreendo!

LISANDRO
110 Hérmia me ama? Como eu me arrependo

Do tempo que atrás dela andei correndo.
Não é Hérmia que eu amo, e sim Helena:
Trocar corvo por pomba vale a pena!
Nossa vontade é a razão quem guia
115 E ela diz que você tem mais valia.
Nada fica maduro antes da hora
E eu, também, só fiquei maduro agora;
Pra chegar a agir com correção
Minha vontade ouviu minha razão;
120 E eu leio nos seus olhos, com fervor,
Belas histórias do livro do amor.

HELENA

Mas eu nasci pra ser desrespeitada?
Que fiz pra merecer tal caçoada?
Já não basta pra mim, seu atrevido,
125 Eu nunca, nem jamais, ter conseguido
De Demétrio um olhar mais carinhoso,
E você ainda vem pra mim com gozo?
Palavra, é debochar da minha sorte
Você fingir que é a mim que faz a corte.
130 Vou embora! Mas eu vou dizer direto:
Sempre pensei que fosse mais correto.
É incrível que uma moça maltratada
Ainda leve, de outro, essa patada.

(Sai.)

LISANDRO

Nem viu Hérmia! Que durma muito assim!
135 E nunca mais se aproxime de mim.
Até de muito doce a gente enjoa,
E toma horror ao que era coisa boa,
Assim como heresia renegada
É por aquele que iludiu odiada;
140 Assim você de quem me empanturrei,
É a pior das coisas que odiei.
Vou dedicar o meu amor inteiro
A honrar Helena e ser seu cavaleiro.

(Sai.)

HÉRMIA

(Acordando assustada.)
Socorro, meu Lisandro! Sou tão fraca!
145 Salva-me da serpente que me ataca!

Que pavor! Foi um horrível pesadelo!
'Stou tremendo de medo de não vê-lo.
Sonhei que me atacava uma serpente
E que você sorria de contente.
Lisandro! Foi-se? Onde está, querido?
Não ouve? E eu não escuto um só ruído!
Onde está? Diga, se está escutando;
Fale, amor! Eu 'stou quase desmaiando.
Silêncio! Ele então não está por perto;
Vou buscá-lo — ou à morte — no deserto.

ATO 3

CENA 1

(Entram Quina, Bobina, Justinho, Sanfona, Bicudo e Fominha.)

Bobina

Já estamos todos ajuntados?

Quina

Na horinha, mesmo; este lugar é maravilhosamente conveniente para o nosso ensaio. O gramado, aqui, vai ser nosso palco, esse arbusto de espinhos, nossa coxia, e vamos poder fazer tudo com ação, mesmo como vamos fazer na frente do duque.

Bobina

Pedro Quina!

Quina

O que foi, meu Bobinão?

Bobina

Tem umas coisas nessa comédia de Píramo e Tisbe que nunca vão conseguir agradar. Primeiro, Píramo tem de puxar da espada para se matar, coisa que as madames não suportam. O que é que você me diz disso?

Bicudo

E palavra que vão ter um medo muito perigoso.

Fominha

Eu acho que, pensando bem, temos que deixar as matanças de fora.

Bobina

Nada disso; eu tenho uma ideia para dar jeito em tudo. É só me escreverem um prólogo, e no prólogo avisamos todo mundo que não vamos fazer mal a ninguém com nossas espadas e que Píramo não é matado de verdade; e, para maior garantia, fica dito a eles, também, que eu, Píramo, não sou Píramo, mas sim Zé Bobina, o tecelão. Isso tira todo o medo deles.

Quina

Muito bom; vamos arranjar um prólogo desses; tudo em versos com os pés muito bem contados.

Bobina

Tudo igualzinho. Nada de um maior que o outro.

BICUDO

Será que as donas vão ficar com medo do leão?

FOMINHA

Palavra que eu tenho medo que vão.

BOBINA

Meus senhores, vocês precisam pensar com seus botões. Fazer um leão (que Deus nos proteja) entrar perto das madames é uma coisa apavorantíssima, pois não existe dragão grifo mais amedrontante que um leão vivo; e nós temos de ficar de olho.

BICUDO

Então um outro prólogo tem de dizer que ele não é leão.

BOBINA

Não; você tem de dizer o nome dele, e metade da cara dele tem de ser vista através do pescoço do leão; e ele mesmo tem de falar pelo buraco, se contradizendo assim: "Senhoras" ou "Lindas senhoras, eu as desejaria" ou "eu as requereria" ou "eu as imploraria que não se amedrontassem, que não tremessem: dou minha vida para garantir a sua. Se pensassem que eu vim aqui como leão, minha vida não valia nada. Mas não sou nada disso, eu sou homem, igual a qualquer outro homem". E aí, então, ele que diga o nome dele, falando com todas as letras que ele é Justinho, o marceneiro.

QUINA

Pois vamos fazer assim. Mas tem duas coisas muito difíceis; estou falando de trazer o luar para dentro de uma sala, já que vocês todos sabem que Píramo e Tisbe se encontravam no luar.

BICUDO

E vai ter lua de luar na noite em que a gente representa a nossa peça?

BOBINA

Uma folhinha! Uma folhinha! Procurem em almanaque, descubram o luar! Descubram o luar!

QUINA

É. A lua brilha nessa noite, sim.

BOBINA

Nesse caso, é só deixar uma janela do salão em que a gente vai representar aberta, e a lua brilha pela janela.

QUINA

Isso; eu então alguém tem de entrar com uma rodela de gravetos e uma lanterna, dizendo que veio para representar a pessoa desfigurada da lua. E ainda tem mais: vamos precisar de um muro no salão, porque o que a história diz é que por uma brecha do muro que Píramo e Tisbe conversavam.[1]

BICUDO

Ah, mas muro não dá pra ninguém levar lá pra dentro. O que é que você acha, Bobina?

BOBINA

Um sujeito qualquer tem de ser o muro, e ele tem de ter um pouco de gesso, um pouco de barro e um pouco de argamassa, o que vai querer dizer muro, e ele tem de ficar com os dedos abertos, assim, para parecer a racha onde Píramo e Tisbe vão cochichar.

QUINA

Se conseguirmos fazer assim fica tudo bem. E agora, todos que forem filhos de mãe sentam aqui e começam a ensaiar seus papéis. Píramo, começa você: depois que você disser sua fala, vai para trás daquele arbusto. E todos vão fazer assim, de acordo com as deixas de cada um.

(Entra PUCK ao fundo.)

PUCK

Que fazem esses trapos barulhentos
Tão próximos do leito da rainha?
O que é isso? Uma peça? Eu vou ouvir
E, se achar que é preciso, viro ator.

QUINA

Fala, Píramo. Tisbe, chega para a frente.

BOBINA

"Tisbe, são doces as odiosas flores..."

QUINA

Olorosas! Olorosas!

BOBINA

"Olorosas flores
Como o hálito seu, Tisbe querida.
Ouço um ruído! Aguarde sem tremores
Que eu vou e volto já, numa corrida!"

(Sai.)

---

[1] Essa era uma versão tradicional do que era chamado o "homem da lua". (N.T.)

Puck
Píramo mais estranho eu nunca vi!

(Sai.)

Sanfona
É agora que eu falo?

Quina
Claro que fala. Vê se compreende que ele só saiu para ir ver um barulho que ele ouviu, e volta já.

Sanfona
"Radioso Píramo, do tom do lírio,
Cor da rosa vermelha ou da bonina,
Juvenoso judeu em seu delírio,
Qual um corcel que nunca desanima.
Vou encontrar-vos na tumba da Nina."

Quina
Tumba de Ninius, homem! Mas você não pode dizer isso ainda; isso é a resposta que você dá a Píramo. Você está dizendo todo o seu papel de uma vez só, deixas e tudo. Píramo, entra! Sua deixa é "nunca desanima".

Sanfona
"Qual um corcel que nunca desanima."

(Entram Puck e Bobina, este com cabeça de burro.)

Bobina
"Se eu fosse lindo, Tisbe, eu era vosso."

Quina
Que monstro! Que horror! É assombração! Todo o mundo reza e dá no pé! Fujam! Socorro!

(Saem Quina, Justinho, Sanfona, Bicudo e Fominha.)

Puck
Isso! Venham comigo passear!
Por bosque, pântano, ou por selva espessa;
Por cão ou por cavalo eu vou passar,
Ou fogo-fátuo, ou mula sem cabeça;
Com latido e grunhido, ou relinchando,
Em cão, urso ou corcel eu vou mudando.

(Sai.)

BOBINA

Por que fugiram? Isso é uma safadeza deles, para me assustar.

(Entra BICUDO.)

BICUDO

Bobina, você está diferente! O que é isso que eu estou vendo em você?

BOBINA

O que é que você está vendo? Só podia ser a sua cabeça de burro, ora essa.

(Sai BICUDO. Entra QUINA.)

QUINA

100 Deus que o abençoe, Bobina! Você está transmudado!

BOBINA

Estou vendo essa sujeira: vocês estão vendo se conseguem me fazer de burro, pra me assustar. Pois eu vou ficar aqui mesmo andando de um lado para o outro, e cantando, para eles ouvirem que eu não estou com medo. (Canta.)
105 *O melro, negro no peito,*
Tem o bico alaranjado;
O tordo canta direito,
O pintassilgo é pintado.

(Seu canto acorda TITÂNIA.)

TITÂNIA

Que anjo me tira do florido leito?

BOBINA

(Cantando.)
110 *O pardal e a cambaxirra,*
O cuco que mal emposta,
Com quem todo o mundo embirra
Mas que ninguém dá resposta.
E, fora de brincadeira, quem haveria de querer se meter com um pás-
115 saro bobo daqueles? Quem é que vai poder saber se ele está dizendo a verdade ou não?

TITÂNIA

Gentil mortal, canta de novo, eu peço:
O meu ouvido adora o teu cantar
E o meu olhar adora a tua forma;

120 São as tuas virtudes que me impelem
A sentir, desde logo, que eu te amo.

BOBINA

Minha madame, acho que a senhora não tem muita razão para isso. Mas, para falar a verdade, hoje em dia a razão e o amor não costumam andar muito juntos. É uma pena que algum amigo não obrigue os dois a serem amigos. Bem que de vez em quando minhas piadinhas são profundas.

TITÂNIA

Tu és tão sábio quanto deslumbrante.

BOBINA

Nem tanto assim. Se eu fosse esperto o bastante para sair desta floresta, já era o suficiente para mim.

TITÂNIA

130 Não desejes partir deste meu bosque:
Aqui hás de ficar, queiras ou não.
Eu não sou um espírito qualquer;
O verão inda é meu servidor
E eu te amo; vem comigo, então.
135 Fadas eu te darei para servir-te;
Elas te buscarão joias no mar,
E hão de cantar junto ao teu leito em flor.
O teu corpo mortal eu purgarei,
Pra que cruzes os ares co'os espíritos.
140 Mostarda, Mariposa, Ervilha, Teia!

(Entram as quatro fadas, SEMENTE DE MOSTARDA, MARIPOSA, ERVILHA DE CHEIRO e TEIA DE ARANHA.)

ERVILHA

Aqui!

TEIA

Aqui!

MARIPOSA

Aqui!

MOSTARDA

Aqui!

TODAS

                    O que quer?

TITÂNIA

        Sejam gentis com este cavalheiro;
        Saltem e dancem para que ele veja:
        Deem-lhe abricós e framboesas,
145   Uvas vermelhas, figos e morangos;
        Vão roubar bagos de mel nas colmeias
        E cera, pra fazer tochas pras noites:
        Acendam-nas co'a luz dos vaga-lumes,
        Pro meu amor deitar e levantar.
150   De asas de borboletas façam leques
        Para abanar seus olhos com luar,
        Tudo com reverências e mesuras.

ERVILHA

        Salve, mortal!

TEIA

        Salve!

MARIPOSA

155   Salve!

BOBINA

        Muito obrigado a Vossas Senhorias, de coração. Como é o nome da Vossa Senhoria?

TEIA

        Teia de Aranha.

BOBINA

        Vou desejar mais de vosso conhecimento, senhora Teia: quando cor-
160   tar o dedo, hei de vos aproveitar. E o seu nome, honrada Senhoria?

ERVILHA

        Ervilha de Cheiro.

BOBINA

        Peço que me recomende à Senhora Vagem, sua mãe, e ao Senhor Chei-
ro, seu pai. Senhoria Ervilha de Cheiro, também vou desejar mais do
vosso conhecimento. E o vosso nome, Senhoria?

MOSTARDA

165   Semente de Mostarda.

BOBINA

    Senhoria Semente de Mostarda, conheço bem a fama de vossa paciência. E sei que bois e vacas enormes têm devorado muitos integrantes honrados de vossa família: e confesso que muitos de seus parentes já me trouxeram lágrimas aos olhos. E vou desejar também mais de vosso conhecimento, minha boa mestria Semente de Mostarda.

TITÂNIA

    Levem-no agora para o meu recanto.
    A lua em seu olhar está orvalhada
    E, quando chora, as flores dão seu pranto,
    Lamentando a pureza violada.
    Que ele venha em silêncio, a língua atada.

CENA 2
(Entra OBERON, rei das fadas.)

OBERON

    Quero saber se Titânia acordou
    E o que bateu primeiro em seu olhar,
    Pra ser objeto de paixão sem fim.

(Entra PUCK.)

    Meu mensageiro! O que há, meu louco?
    Que trouxe a noite à floresta encantada?

PUCK

    Um monstro traz Titânia apaixonada.
    No bosque onde agora faz seu lar,
    Na hora em que dormiu pra repousar,
    Alguns artífices, sem condição,
    Que nas lojas de Atenas ganham pão,
    Ensaiavam um drama desastrado,
    Pra ser no casamento apresentado.
    O mais boçal de toda a triste escória,
    Que fazia de Píramo da estória,
    Saiu de cena e entrou por um arbusto,
    E eu, aproveitando, dei-lhe um susto:
    Um focinho de burro para usar
    E, como ele com Tisbe ia falar,
    Voltou logo — e quando os outros viram,
    Igual aos gansos que pavor sentiram,
    Como um bando de gralhas assanhadas
    Que, assustadas por armas disparadas,
    Saem voando e sobem para o céu,

Com os outros, só de vê-lo, é o que se deu.
Com o meu pé eu alguns fiz tropeçar,
E todos começaram a gritar.
Assim perdidos, tão amedrontados,
Sentiam-se por tudo ameaçados.
Suas roupas nos galhos agarraram,
E o que estava jogado eles pegaram.
Levei embora o grupo apavorado,
Mas deixei lá o amante transformado.
Titânia despertou nesse momento
E está louca de amor pelo juramento.

OBERON

Isso saiu melhor do que eu sonhei.
Mas já botou o sumo que eu lhe dei
Nos olhos do rapaz, como eu pedi?

PUCK

Está feito. Ele dormia e eu agi.
E a moça estava logo ali ao lado.
Quando acordou, só pode ter olhado.

(Entram DEMÉTRIO e HÉRMIA.)

OBERON

Lá vem o ateniense; fique esperto.

PUCK

É ela, sim; mas ele não está certo.

(Os dois afastam-se para um lado.)

DEMÉTRIO

Por que condena quem lhe tem amor?
Reserve pro inimigo esse furor.

HÉRMIA

Condeno agora, só pra começar:
Se foi você, dá pr'amaldiçoar.
Se assassinou Lisandro adormecido,
Se num banho de sangue está metido,
Mate-me a mim também:
O sol nunca foi tão fiel ao dia
Quanto ele a mim. Será que fugiria
De Hérmia adormecida? É mais provável
A terra ficar sendo permeável

E a lua atravessá-la, lado a lado,
Para brilhar no que era ensolarado.
Só posso acreditar que o assassinou:
Só fica com essa cara quem matou.

DEMÉTRIO
Ou quem morreu. A sua ingratidão
Cortou e destruiu meu coração.
E no entanto você, que é assassina,
É bela como a Vênus que a ilumina.

HÉRMIA
E daí? Onde está Lisandro, enfim?
Meu bom Demétrio, não quer dá-lo a mim?

DEMÉTRIO
Prefiro dar seus ossos pro meu cão!

HÉRMIA
Fora, cachorro! Nem educação
Me serve agora. Então o assassinou?
Pois sua vida, então, já terminou!
Diga a verdade, se quer meu agrado:
Você o enfrentaria, se acordado?
Mas o matou dormindo; que beleza!
Só mesmo cobra é que faz tal baixeza:
Como uma cobra, agindo falsamente,
Você o feriu, com língua de serpente.

DEMÉTRIO
Você usa paixão em caso errado;
Se Lisandro morreu, não sou culpado.
E nem que esteja morto prova eu tive.

HÉRMIA
Então garanta, eu peço, que ele vive.

DEMÉTRIO
E pela garantia o que vou ter?

HÉRMIA
A certeza de nunca mais me ver.
Eu odeio você e vou sumir:
Com ele vivo ou morto, eu vou fugir.

(Sai.)

DEMÉTRIO

Não adianta seguir quem grita tanto;
Vou ficar aqui mesmo, por enquanto.
O peso da tristeza vai crescendo
Porque o sono, na dor, fica devendo.
Vou ver se acerto um pouco o pagamento,
Deitando aqui ao menos um momento.

(Deita-se e dorme. OBERON e PUCK avançam.)

OBERON

Que foi fazer? Você fez tudo errado;
Pingou no olhar de algum apaixonado,
E o resultado dessa confusão
Já não vai ser amor e, sim, traição.

PUCK

Foi o destino; e lá, se um é honesto,
Quebra palavra e juras todo o resto.

OBERON

Vá como o vento pelo bosque afora,
Para encontrar Helena sem demora;
Ela anda pálida e desanimada,
Que é marca de que está apaixonada.
Quero que a traga para aqui depressa:
Preparo tudo e espero que apareça.

PUCK

Eu vou, eu vou, vou pela brecha
Eu vou mais rápido que a flecha.

(Sai.)

OBERON

(Pingando o sumo nos olhos de DEMÉTRIO.)
Flor de roxo colorida
Já por Cupido ferida,
No olho fique metida.
Quando ela for pressentida,
Que ela brilhe como a vida,
Ou Vênus resplandecida.
Quando acordar, em seguida,
Há de implorar-lhe guarida.

(Entra PUCK.)

PUCK

110 Capitão de nosso bando,
Helena está aqui chegando,
Junto com o rapaz trocado
Que se diz apaixonado.
Vamos ver que fazem mais?
115 Que tolos esses mortais!

OBERON

Quieto! Esses dois vão gritar
Até Demétrio acordar.

PUCK

Os dois cortejando Helena
Não é diversão pequena;
120 Pra mim o mais engraçado
É aquilo que sai errado.

(Ambos afastam-se para um lado. Entram LISANDRO e HELENA.)

LISANDRO

Por que estaria eu só caçoando?
Desdém se cobre em pranto desde quando?
Veja que eu choro, e a jura em pranto dada
125 É verdade que nasce confirmada.
Como pode pensar que é brincadeira
Uma paixão assim tão verdadeira?

HELENA

Você para mentir tem tal talento
Que o céu e o inferno vão se confundir.
130 E Hérmia? É esquecida, num momento?
Toda jura, em você, tende a sumir:
Suas juras, a nós, numa balança
Não merecem — nem dela — confiança.

LISANDRO

Amei Hérmia quando eu não estava em mim.

HELENA

135 E agora está pior, traindo assim.
É só a ela que Demétrio adora!

DEMÉTRIO

(Despertando.)
Helena! Deusa! Beleza sem-par!

A que seus olhos hei de comparar?
Cristal é opaco. E cerejas sem-par
140 São os seus lábios, feitos pra beijar!
A alvura da colina mais gelada
É negra como um corvo, comparada
Com a sua mão. Princesa da brancura!
Deixe eu selar com um beijo a minha jura!

HELENA

145 Mas que inferno! Agora os dois vão fingir,
E à minha custa vão se divertir!
Se a sua educação 'stivesse inteira,
Não ia me ofender dessa maneira.
Por que não se contenta em me odiar?
150 Será que inda é preciso caçoar?
Se vocês fossem homens de verdade
Não iam me tratar com essa maldade:
Me fazem juras, só ouço elogio,
Mas ambos só me têm um ódio frio.
155 Ambos rivais pro coração de Hérmia,
Ambos rivais pra caçoar de Helena.
Mas, pra dois homens, que façanha bela!
Fazer chorar assim uma donzela
Com caçoadas. Não vejo nobreza
160 Em ofender uma moça indefesa:
E divertir-se em tê-la como presa.

LISANDRO

Demétrio, você 'stá agindo errado,
Pois seu amor por Hérmia é proclamado.
Neste instante, e de todo o coração,
165 Do amor de Hérmia lhe dou meu quinhão.
Se o de Helena a mim você legar,
A ela, até morrer, eu hei de amar.

HELENA

Como os dois falam, só pra caçoar!

DEMÉTRIO

Pode ficar com Hérmia pra você;
170 Se eu gostei dela, eu nem sei mais por quê.
Meu coração com ela se hospedou,
Mas com Helena, um lar ele encontrou
Onde morar.

LISANDRO

Isso não é verdade.

DEMÉTRIO

Você não sabe o que é fidelidade
E, se metendo, arrisca a sua vida.
Aí vem seu amor, sua querida.

(Entra HÉRMIA.)

HÉRMIA

A escuridão tira a força do olhar,
Mas sempre faz o ouvido melhorar;
Se o olho fica assim prejudicado,
O ouvido fica mais que compensado.
Não pude achar Lisandro com o olhar,
Sou grata à sua voz por me guiar.
Por que me abandonou tão cruelmente...

LISANDRO

Por que ficar? O amor apressa a gente.

HÉRMIA

Que amor pode tirá-lo do meu lado?

LISANDRO

O de Lisandro, que o fez apressado:
A bela Helena, que ilumina o céu
Mais do que os fogos com que ele nasceu.
Por que me procurou? Devia ver
Que foi o ódio que me fez correr.

HÉRMIA

Você não pensa assim. Não é possível!

HELENA

Ela também 'stá nessa trama horrível!
Já percebi que os três se reuniram
Pra ver de mim que gargalhada tiram.
Hérmia maldosa! Mas que moça ingrata!
Será que urdiu, que conspirou com eles
Pra me irritar com todo esse deboche?
Será que tudo que nós conversamos,
Nossas juras de irmãs, as horas juntas,
Chorando todo o tempo que corria
Pra separar-nos — tudo está esquecido?
Nós duas, Hérmia, parecendo deusas,
Fizemos, em bordado, a mesma flor,
De um mesmo risco e sobre a mesma tela;

205 Cantamos num só tom uma canção,
Como se nossas mãos, vozes e mentes
Se entrelaçassem. Juntas nós crescemos.
Qual frutas gêmeas, meio separadas
Mas sempre unidas na separação.
210 Duas cerejas de uma mesma haste,
Nós com dois corpos e um só coração,
Como um par de brasões num mesmo escudo
Que são unidos por uma coroa.
E você vai matar todo esse amor
215 Ajudando esses dois a me humilhar?
Não é coisa que alguma amiga faça:
Eu e o nosso sexo a condenamos,
Embora só eu sofra toda a injúria.

HÉRMIA

Eu me espanto de ouvir toda essa grita;
220 Se há caçoada aqui, ela é só sua.

HELENA

Foi você que mandou Lisandro aqui,
Pra caçoar de mim com elogios;
E ainda fez seu outro amor, Demétrio,
Que há pouco me tratava a pontapés,
225 Me apelidar de deusa e ninfa rara,
Celestial e preciosa. Que razão
Ia levá-lo a falar dessa maneira
A quem odeia? E por que Lisandro
Renega o seu amor, tão raro outrora,
230 Para ofertar a mim sua afeição,
Se você não deixasse e não mandasse?
O que tem que eu não seja abençoada
Como você, tão coberta de amor,
Mas tenha o azar de amar sem ser amada?
235 Eu devo inspirar pena, e não chacota.

HÉRMIA

Eu não sei o que quer dizer com isso.

HELENA

Continuem fingindo que estão tristes,
Pra depois rir de mim nas minhas costas,
Piscando, e sustentando a brincadeira,
240 Pra mais tarde contar a história toda.
Com um pouco de piedade ou cortesia
Nunca teriam feito isso comigo.

Pois passem bem. Eu sei que a culpa é minha,
E, pra pagar, desapareço ou morro.

LISANDRO

245 Helena, fique, e escute as minhas preces.
Meu amor, minha vida, Helena bela!

HELENA

Bonito!

HÉRMIA

Meu amor, não ria dela!

DEMÉTRIO

Ela pediu, mas eu 'stou ordenando.

LISANDRO

Nem ordem nem pedido escutarei:
250 Ameaças nem preces têm valor.
Por minha vida, Helena, eu a amo;
Eu juro, e a minha vida arriscarei
Contra aquele que nega o meu amor.

DEMÉTRIO

Eu digo que eu a amo mais que ele.

LISANDRO

255 Pois, então, prove o que disse com a espada.

DEMÉTRIO

Vamos, depressa!

HÉRMIA

O que é isso, Lisandro?

LISANDRO

Saia, etíope!

DEMÉTRIO

Não, não, ele...
Vai parecer lutar. *(Para LISANDRO.)* Grita que ataca,
Mas não ataca! Você é um covarde!

LISANDRO

260 Pra fora, gata, lixo! Larga, droga!
Ou eu torço você como uma cobra.

HÉRMIA

        Por que tal grosseria? O que mudou,
        Meu amor?

LISANDRO

                Seu amor? Fora, encardida!
        Remédio ruim, veneno amargo, fora!

HÉRMIA

265   Está brincando?

HELENA

                    Assim como você.

LISANDRO

        Demétrio, eu lhe dou minha palavra.

DEMÉTRIO

        Eu preferia um contrato escrito:
        A palavra que dá não vale nada.

LISANDRO

        Você quer que a espanque, ou que a mate?
270   Isso eu não faço, mesmo que a odeie.

HÉRMIA

        E existe mal maior do que o seu ódio?
        Odiar-me? Por quê? Que é isso, amor?
        Eu não sou Hérmia, nem você Lisandro?
        Em tudo eu sou tão bela quanto era.
275   Ontem você me amava — e me deixou.
        Mas, então, me deixou — Deus me proteja —
        A sério, mesmo?

LISANDRO

                    Sim, por minha vida!
        E não desejo vê-la nunca mais.
        Não tenha dúvidas, nem esperanças:
280   Pode estar certa que não 'stou brincando;
        Eu odeio você e amo Helena.

HÉRMIA

        Ai de mim! *(Para HELENA.)* Saltimbanca! Erva daninha!
        Ladra de amor! Você veio, de noite,
        Roubar o coração do meu amor!

HELENA

285 É o cúmulo! Você não tem vergonha?
Nem traço de pudor? Quer provocar
Minha língua a dizer respostas feias?
Arremedo de gente! Sua anã!

HÉRMIA

Anã? Ah, é? Então o jogo é esse?
290 'Stou vendo que ela faz comparação
Com a minha altura! E que usou seu tamanho,
E que foi com a estampa, o tamanhão,
Foi com a altura que ela o conquistou!
E ele? Só a tem em alta conta
295 Porque eu sou baixa como uma anãzinha?
Eu sou tão baixa, varapau pintado?
Sou baixa? Fale! Baixa, mas não tanto
Que não dê para unhar a sua cara!

HELENA

Embora vocês dois riam de mim,
300 Não deixem que me bata. Eu não sou má;
Nunca tive talento para megera;
A minha covardia é feminina.
Não deixem que me bata. É bem possível
Que pensem, que por ela ser baixinha,
305 Eu seja igual a ela.

HÉRMIA

Viu? "Baixinha!"

HELENA

Hérmia, não fique amarga assim comigo.
Toda a vida a amei, Hérmia querida.
Guardei os seus segredos, fui fiel,
A não ser quando, por amar Demétrio,
310 Contei-lhe a sua fuga pra floresta.
Ele a seguiu e eu, por amor, a ele;
Mas ele me enxotou, me ameaçou
De me bater e até de me matar.
Se agora você deixa eu ir embora,
315 Minha loucura eu levo para Atenas
E não a sigo mais. Deixe-me ir:
Verá que eu sou tão dócil quanto boba.

HÉRMIA

Ora essa, pois vá! Quem a impede?

HELENA
Meu tolo coração que aqui eu deixo.

HÉRMIA
320 Ah, deixa? Com Lisandro?

HELENA
Com Demétrio.

LISANDRO
Não tema, que ela não lhe fará mal.

DEMÉTRIO
Não fará mesmo; nem com a sua ajuda.

HELENA
Ela, zangada, fica que nem fera;
No tempo do colégio era uma peste
325 E, embora pequenina, é violenta.

HÉRMIA
De novo? É só "pequena", é só "baixinha"?
Como deixa que ela me ofenda assim?
Se nela eu ponho a mão...

LISANDRO
Sai fora, anã;
Sua coisinha, grama emaranhada,
330 Seu caroço!

DEMÉTRIO
Você está muito afoito
Pra defender aquela que o despreza.
Deixe-a em paz! E não fale de Helena,
Não a defenda, pois se tem vontade
De lhe mostrar qualquer sinal de amor,
335 Pagará caro.

LISANDRO
Ela não me segura.
E agora siga-me, se quer lutar,
Pra saber quem tem mais direito a Helena.

DEMÉTRIO
Segui-lo? Vamos juntos, lado a lado.

(Saem LISANDRO e DEMÉTRIO.)

HÉRMIA

A culpa disso tudo é da senhora.
340   Não fuja, não.

HELENA

                    Não confio em você,
Nem quero sua maldita companhia.
Suas mãos gostam muito de bater,
Mas minhas pernas são para correr.

                                                            (Sai.)

HÉRMIA

Estou tonta e não sei o que dizer.

                                                            (Sai.)

(OBERON e PUCK avançam.)

OBERON

345   Mas isso é negligência. Foi descaso,
Ou quis fazer das suas, de propósito?

PUCK

Rei das sombras, eu juro, foi engano.
O senhor não mandou que eu procurasse
Um tal rapaz com roupa ateniense?
350   Pois pra provar que eu não trapaceei,
Foi num ateniense que eu pinguei.
Mas gostei muito do que aconteceu
E achei gozada a confusão que deu

OBERON

Os dois rapazes vão querer brigar;
355   Pois veja se escurece esse luar;
Cubra a luz das estrelas com fumaça,
E negro como inferno esse céu faça;
Os dois rivais confunda sem cessar
E impeça que eles possam se encontrar.
360   Use a voz de Lisandro pra falar,
Provocando Demétrio sem parar;
Fale como Demétrio em outro canto
E assim a cada um confunda um tanto,
Até que um sono calmo como a morte
365   Envolva a ambos num abraço forte.
Nos olhos de Lisandro passe, então,

Esta planta, cujas virtudes são
As de apagar os erros desta hora
E o fazer ver com o mesmo olhar de outrora.
370 Quando os dois acordarem pensarão
Que esta loucura foi uma ilusão;
E para Atenas todos vão voltar
Com o compromisso eterno de se amar.
Enquanto você põe tudo na linha
375 Eu vou pedir o pajem à rainha;
Depois, do encanto eu livro o seu olhar
E, sem o monstro, a paz há de reinar.

Puck

Meu senhor, é preciso andar depressa;
Pelas nuvens a noite já se apressa.
380 Lá longe já cintila a madrugada,
Que obriga o espírito e alma penada
A voltar para a tumba. O condenado,
Que no mar ou na estrada é enterrado,
Já foi de volta pro seu leito imundo,
385 Pra não mostrar sua vergonha ao mundo;
Ele mesmo abandona a luz diurna
Para viver na escuridão noturna.

Oberon

Mas nós somos de classe diferente,
Que com a manhã brinca frequentemente,
390 E pode pelos bosques passear
Quando o portão do leste, a flamejar,
Lança sobre Netuno suas rajadas
Tornando as águas verdes em douradas.
Mas mesmo assim não quero mais demora;
395 Quero acabar com tudo antes da aurora.

Puck

Pra lá, pra cá, pra lá, pra cá,
Eu vou guiar pra lá, pra cá;
O mundo já com medo está
Duende, vai pra lá, pra cá.
400 Lá vem um.

(Entra Lisandro.)

Lisandro
Para onde foi, Demétrio presunçoso?

PUCK
    Pr'aqui, vilão. Armado e ansioso.

LISANDRO
    Eu vou pegá-lo.

PUCK
          É só seguir atrás
    Até o campo.

                  (Sai LISANDRO, seguindo a voz. Entra DEMÉTRIO.)

DEMÉTRIO
          Lisandro, fale mais.
405   Fujão, covarde, onde está metido?
    Fale mais, em que arbusto está escondido?

PUCK
    Covardão, é você que grita e berra
    Que está maluco por entrar em guerra,
    Mas nega fogo! Venha aqui, pamonha!
410   Eu vou dar-lhe uma surra, que é vergonha
    Usar arma com você.

DEMÉTRIO
          Os sons já somem?

PUCK
    Venha logo, saber quem é mais homem.

                  (Saem os dois. Entra LISANDRO.)

LISANDRO
    Ele me desafia e sai correndo,
    Eu só o vejo desaparecendo.
415   Ele tem pé mais rápido que o meu:
    Mais eu corria, mais ele correu.
    Neste caminho escuro estou caindo,
    Aqui vou descansar.

      (Deita-se.)

    Vem, dia lindo:
420   Se um fiapo de luz eu encontrar,
    Vejo Demétrio e hei de me vingar. *(Dorme.)*

(Entram Puck e Demétrio.)

Puck

Como é, covarde; então, não aparece?

(Os dois se perseguem correndo pelo palco.)

Demétrio

Espere, se tem peito. A mim parece
Que você corre pra mudar de posto,
425 Porque não ousa me encarar no rosto.
Onde está?

Puck

Mas por que não chega perto?

Demétrio

Pode brincar, mas vai pagar bem caro
Se eu enxergar seu rosto em dia claro.
Vá embora; eu, por fraqueza, sou forçado
430 A me estender neste leito gelado. *(Deita e dorme.)*

(Entra Helena.)

Helena

Oh noite de cansaço e longas penas,
Acaba logo! E brilha amigo, oh dia,
Para eu poder, com a luz, voltar a Atenas;
Aqui não querem minha companhia.
435 Que o sono feche um pouco o meu olhar;
Preciso de mim mesma me afastar. *(Deita e dorme.)*

(Entra Hérmia.)

Hérmia

Morrendo de tristeza e de cansaço,
Pingando orvalho e toda machucada,
Eu não consigo dar mais nem um passo:
440 Minha perna não anda, nem mandada.
Até o amanhecer vou me deitar *(Deita.)*
E Deus guarde Lisandro, se lutar. *(Dorme.)*

Puck

No chão duro
Dorme puro;

445 No olhar
Vou pingar,
Amante, sua cura agora.

(Pinga nos olhos de Lisandro.)

Hoje acorda
E recorda
450 O prazer
De rever
A sua amada de outrora.
É costume de dizer
Todo ser quer outro ser;
455 Quando acordarem, vão ver:
Maria vai ter João
Acabou-se a confusão.
Toda corda vai ter sua caçamba, e tudo vai dar muito certo.

ATO 4

CENA 1

(Lisandro, Demétrio, Hérmia e Helena continuam deitados, dormindo. Entram Titânia, Rainha das fadas, com Bobina, Ervilha de Cheiro, Teia de Aranha, Mariposa, Semente de Mostarda e outras fadas. Oberon, ao fundo, sem ser visto.)

Titânia

Senta-te aqui, neste leito florido,
Enquanto afago as tuas lindas faces,
Prendo rosas no teu crânio polido
Beijando-te as orelhas, se o deixasses.

Bobina

Onde está Ervilha de Cheiro?

Ervilha

Pronto!

Bobina

Coce minha cabeça, Ervilha. Onde anda a madame Teia de Aranha?

Teia

Aqui!

Bobina

Madame Teia, boa senhora, pegue as suas armas e mate-me uma abelha vermelha que esteja pousada em uma flor; e, senhora *monsieur*, traga um bago de mel. Não mexa muito na hora, senhora *monsieur*, para o senhora *monsieur* tomar cuidado para o bago não se quebrar; eu não gostaria nada de vê-lo todo derramado com mel. Onde está o senhorio Semente de Mostarda?

Mostarda

Presente!

Bobina

Dê-me aqui a sua pata, senhoria Mostarda. Por favor, nada de cerimônias, senhora madame.

Mostarda

O que deseja?

BOBINA

Nada, madaminha, a não ser que queira ajudar a cavalheira Teia a coçar. Eu preciso ir ao barbeiro, porque parece que fiquei muito derrepentemente cabeludo pelas faces. Mas eu sou uma besta tão delicada que mal um cabelinho faz cócegas, preciso logo me coçar.

TITÂNIA

Não quer ouvir um pouco de música, meu amor?

BOBINA

Eu tenho o ouvido muito bom pra música. Podem tocar com ferro e osso.

TITÂNIA

Diz, meu doce amor, o que desejas comer?

BOBINA

Para dizer a verdade, um tantinho de forragem; e bem que eu mastigava uma boa aveia seca. Mas o que ia gostar, mesmo, era de um amarrado de feno; não há quitute que se compare a um feninho doce.

TITÂNIA

As minhas fadas buscarão, velozes,
As nozes dos tesouros dos esquilos.

BOBINA

Eu prefiro um ou dois punhados de ervilhas partidas. Mas o que peço é que não deixe a sua gente me perturbar. Estou com exposição para dormir.

TITÂNIA

Dorme, que eu te aconchego nos meus braços;
Fadas, saiam, e fiquem bem para longe.

(Saem as FADAS.)

Assim se abraçam duas madressilvas
Com suavidade; e a hera, feminina,
Enlaça os dedos fortes do carvalho.
Como eu te amo, oh! Como eu te adoro!

(Eles dormem. Entra PUCK.)

OBERON

(Avançando.)
Meu Robin, já viu quadro mais bonito?

Mas desse amor começo a ter piedade;
Pois acabo de vê-la, na floresta,
Mendigando o amor desse idiota;
45 Eu reclamei, e nos desentendemos:
Pois ela, essa cabeça assim peluda,
Vinha de coroar com lindas flores;
E aquele orvalho que, por vez, nas rosas
Repousa como pérola oriental,
50 Nos olhos dessas flores parecia
Lágrimas pra chorar sua vergonha.
Quando eu, ao meu prazer, a atormentei
E ela implorou, tão doce, paciência,
Eu lhe pedi o jovem pajenzinho,
55 Que ela, sem hesitar, me deu na hora,
Mandando-o pro meu reino com uma fada,
Agora que ele é meu, vou apagar
A imperfeição terrível de seus olhos.
E, doce Puck, arranque esse focinho
60 Do escalpo desse pobre ateniense,
Para que ele e os outros, acordando,
Já possam todos retornar a Atenas,
Sem se lembrar dos feitos desta noite
A não ser como um sonho um tanto estranho.
Porém, devo acordar minha rainha!

(Pinga o sumo nos olhos dela.)

Sê como costumas ser,
Vê como costumas ver;
O amor-perfeito aqui prensado
É com essa força abençoado.
70 Minha rainha acorda, está na hora.

TITÂNIA

(Despertando.)
Meu rei, mas que visões eu tive agora!
Pensei que o meu amor era um jumento.

OBERON

Eis seu amor.

TITÂNIA

Como houve um tal evento?
Como ele enoja agora o meu olhar!

OBERON

75 Silêncio. Robin, tire essa cabeça.

Titânia, ordene música que mate
Mais que o sono os sentidos dessa gente.

TITÂNIA

Quero criar um sono musical!

PUCK

(Tirando a cabeça de burro de BOBINA.)
Acorde como burro ao natural.

OBERON

80 Toquem!

(Começa uma música de dança.)

Minha rainha, dê-me a mão,
Para embalar os que dormem no chão.

(OBERON e TITÂNIA dançam.)

Somos agora amigos novamente
E à noite de amanhã, solenemente,
Nas bodas dançaremos triunfantes,
85 Levando bênçãos e prosperidade.
E, junto com Teseu, os namorados
Com muita festa se verão casados.

PUCK

Meu rei, atenção agora:
É a cotovia, da aurora.

OBERON

90 Então, rainha, é melhor
Corrermos, antes do albor.
O globo vamos cruzar,
Mais depressa que o luar.

TITÂNIA

Enquanto vamos voando
95 À noite vá explicando.
Conte-me qual a razão
Daqueles mortais no chão.

(Saem. Os namorados e BOBINA CONTINUAM dormindo. Ao som de trompas — nos bastidores — entram TESEU, HIPÓLITA, EGEU e séquito.)

TESEU

Alguém procure o guarda-florestal
Pois nosso ritual já foi cumprido;
E como o dia ainda mal começa
Meus cães irão cantar pro meu amor.
Podem soltar a matilha do oeste!
Vão logo ver o guarda-florestal.

(Sai um SERVO.)

E nós, rainha, do alto da montanha
Vamos ouvir a confusão sonora
Dos latidos e ecos desta hora.

HIPÓLITA

Eu fui com Hércules e Cadmo um dia,
Para a caça de um grande urso de Creta,
Com cães de Esparta; e eu jamais ouvi
Uivar tão lindo; pois, além dos bosques,
Os céus e as fontes, como tudo em volta,
Eram um grito só; nunca escutei
Discórdia e trovoada tão melódicas.

TESEU

Meus cães também têm raça de espartanos;
Na queixada, na cor, e na cabeça;
Têm imensas orelhas orvalhadas
E barbelas de touros da Tessália.
São lentas; mas na voz têm campainhas
De todo tom; mais bela melodia
Jamais soou, em voz ou em trombeta,
Em Esparta ou em Creta ou na Tessália.
Julgue ao ouvi-los. Mas, o quê, são ninfas?

EGEU

Senhor, eis minha filha adormecida,
E aqui Lisandro, e aqui, também, Demétrio;
E esta é Helena, a filha de Nedar.
É uma surpresa vê-los aqui juntos,

TESEU

Na certa madrugaram pra cumprir
Os festejos de maio; e, à nossa espera,
Vieram pr'ajudar o nosso rito.
Mas diga, Egeu, não era neste dia
Em que Hérmia daria sua resposta?

EGEU

    Era, senhor.

TESEU

    Que a trompa da caçada soe, então.

    (Gritos e toques de trompas nos bastidores. Os namorados acordam e levantam-se assustados.)

    Bom dia; já não é São Valentim;
135   'Stão atrasados pra acasalar-se.

LISANDRO

    Perdão, senhor.

    (Os namorados ajoelham-se.)

TESEU

    Todos de pé, eu peço.
    Eu sei que os dois são rivais inimigos;
    Como se explica, então, essa harmonia,
    Que tanto apaga o ódio do ciúme
140   Que dorme, junto a ele, sem temê-lo?

LISANDRO

    Senhor, vou responder meio espantado,
    Inda meio dormindo, mas eu juro
    Que não sei bem como eu cheguei aqui.
    Pra falar a verdade, eu acredito
145   Que vim com Hérmia e que nossa intenção
    Era fugir de Atenas pra um lugar
    Onde escapar à lei ateniense.

EGEU

    Chega, senhor! Isso já é o bastante!
    Quero o peso da lei sobre esse homem!
150   Os dois iam fugir, não vês, Demétrio,
    Para poder roubar a mim e a ti:
    A tua esposa e a minha autoridade,
    Autoridade que te dava a esposa.

DEMÉTRIO

    Senhor, a bela Helena me contou
155   Que os dois iam fugir para a floresta;
    Eu, furioso, vim atrás dos dois,
    E a bela Helena, por amor, comigo.

Mas, meu senhor, não sei por que poder —
Mas poder foi — o meu amor por Hérmia
Derreteu como a neve e hoje parece
A lembrança de alguma brincadeira
Que eu tivesse adorado em minha infância.
Toda a fé que hoje tem meu coração.
O objeto e a atração do meu olhar,
São só Helena. Dela, meu senhor,
Estive noivo antes de amar Hérmia;
Doente, eu recusei este alimento
Mas, com saúde, o gosto já voltou
E agora a quero, a amo e a desejo,
E ao meu gosto eu serei sempre fiel.

TESEU

Amantes, este encontro foi feliz
E disso falaremos brevemente.
Egeu, vou suplantar sua vontade:
No templo, daqui a pouco, junto a nós,
Os dois casais serão pra sempre unidos.
Como a manhã 'stá quase terminando,
Vamos juntos pr'Atenas; três e três
Farão a sua festa de uma vez.
Vamos, Hipólita.

(Saem TESEU, HIPÓLITA, EGEU e séquito.)

DEMÉTRIO

Tudo parece vago e pequenino,
Como os altos dos cumes entre as nuvens.

HÉRMIA

Eu vejo tudo só com meio olhar;
Vejo tudo dobrado.

HELENA

É o que parece.
E a Demétrio eu vejo como joia
Que é minha e não é minha.

DEMÉTRIO

Têm certeza
De que estamos despertos? Me parece
Que ainda dormimos e sonhamos.
O duque esteve aqui? Nos convidou?

HÉRMIA

    Esteve, sim; com o meu pai.

HELENA

                        E com Hipólita.

LISANDRO

190   Ele nos disse pra segui-lo ao templo.

DEMÉTRIO

    Então 'stamos despertos; vamos logo,
E a caminho contemos nossos sonhos.

(Saem.)

BOBINA

    (Acordando.)
Quando for a minha deixa, é só chamar que eu respondo. A próxima é "Meu belo Píramo". Olá! Pedro Quina? Sanfona, o consertador de foles? Bicudo, o funileiro? Fominha? Meu Deus, que vida! Fugiram e me deixaram dormindo! Eu tive uma visão de grande raridade. Tive um sonho que foge à capacidade dos homens dizer que sonho foi. Mas qualquer homem é burro se sair por aí exposicionando um sonho desses. Me parece que estava... ninguém sabe dizer o quê! Me parece que eu era, me parece que eu tinha... mas qualquer homem não passa de um bobo rematado se se oferecer para dizer que me parece que eu tinha. O olho do homem não ouviu, o ouvido do homem não viu, a mão do homem não provou, sua língua não concebeu, nem seu coração relatou o que foi o meu sonho. Eu vou pedir a Pedro Quina para escrever uma balada com o meu sonho: e ela vai se chamar "Sonho de Bobina", porque foi uma bobinada; e eu canto ela no final do drama, na festa do duque. É até capaz de, para tornar as coisas mais bonitas, eu a cantar na hora da morte dela.

(Sai.)

CENA 2

(Entram QUINA, SANFONA, BICUDO e FOMINHA.)

QUINA

    Mandaram ver na casa do Bobina? Ele já chegou em casa?

FOMINHA

    Ninguém teve nenhuma notícia dele. Não há dúvida de que ele foi transportado.

SANFONA

Se ele não aparecer, o drama empaca e não vai mais para adiante, não é?

QUINA

É impossível. Não há homem em Atenas capaz de se desencarregar de Píramo, a não ser ele.

SANFONA

Não, mesmo. Ele é simplesmente o mais esperto de todos os artesãos de Atenas.

QUINA

Isso; e a melhor pessoa, também; e ele é o parabelo das vozes doces.

SANFONA

Você quer dizer paradigma. Parabelo, que Deus me abençoe, é uma bobagem muito ligeira.

(Entra JUSTINHO, o marceneiro.)

JUSTINHO

Mestres, o duque está vindo do templo e vão ter mais dois ou três nobres e nobrezas se casando. Se nossa festa tivesse ido adiante, estávamos todos feitos.

SANFONA

Ah, Bobina querido! Deu jeito de perder seis moedas por dia pro resto da vida; menos de seis, nem pensar. Quero que me enforquem se o duque não tivesse dado seis moedas diárias de pensão pelo modo dele representar Píramo. E merecido: para um Píramo daqueles, ou seis moedas ou nada.

(Entra BOBINA.)

BOBINA

Onde está a rapaziada? Onde estão, meus corações?

QUINA

Bobina! Que dia corajoso! Que momento feliz!

BOBINA

Mestres, vou discursar maravilhas: mas não me perguntem quais, pois que se eu contar não sou ateniense de verdade. Eu vou dizer tudo, tudo, direitinho como foi acontecendo.

QUINA

Conte logo, Bobina querido.

BOBINA De mim, nem uma só palavra. O que digo a vocês é que o duque já ceou. Preparem seus trajes, com barbantes fortes para as barbas, laços novos nos sapatos. Vão depressa pro palácio; e todo o mundo torna a passar muito bem seu papel; pois, pra falar a verdade, o que tenho a dizer é que o nosso drama foi promovido. De qualquer modo, Tisbe que esteja com a roupa bem limpa; e não deixem quem faz o leão cortar as unhas, porque elas têm de ficar para fora, feito garra de leão. E, meus atores queridos, ninguém pode comer alho, porque é preciso ficar de hálito doce; e eu tenho a certeza de que eles vão dizer que é uma comédia deliciosa. Chega de falar! Vamos! Vamos logo!

ATO 5

CENA 1

(Entram Teseu, Hipólita, nobres e servos, entre eles Filostrato.)

Hipólita
    É estranho, meu Teseu, o que eles contam.

Teseu
    Bem mais que verdadeiro; eu nunca fui
    De crer em fadas ou em fantasias.
    Loucos e amantes têm mentes que fervem
5   Com ideias tão fantásticas, que abrangem
    Mais que a razão é capaz de apreender.
    O poeta, o lunático e o amante
    São todos feitos de imaginação;
    Um vê mais demos do que há no inferno:
10   É o louco; o amante, alucinado,
    Pensa encontrar Helena em uma egípcia;
    O olho do poeta, revirando,
    Olha da terra ao céu, do céu à terra,
    E enquanto o seu imaginar concebe
15   Formas desconhecidas, sua pena
    Dá-lhes corpo e, ao ar inconsistente,
    Dá local de morada e até um nome.
    Tal é a força da imaginação.

Hipólita
    Mas, toda a história dessa longa noite
20   E das mudanças conjuntas de suas mentes
    Testemunha algo mais que fantasia
    E transformou-se em algo mais constante
    Mas, mesmo assim, estranho e admirável.

(Entram os amantes, Lisandro, Demétrio, Hérmia e Helena.)

Teseu
    Ei-los cá, estourando de contentes:
25   Amigos, alegria e muito amor
    Cerquem seus corações.

Lisandro
                      E, mais que os nossos,
    Os caminhos reais, sua mesa e leito!

TESEU
Vamos! Que danças e que mascaradas
Teremos pra gastar as longas horas
Depois da ceia e antes de deitar?
Onde está nosso mestre de festas?
Quais os festejos? Há alguma peça
Pra afastar as tristezas uma hora?
Onde está Filostrato?

FILOSTRATO
               Aqui, meu duque.

TESEU
O que temos para encantar a noite,
Teatro ou música? Como encurtar
Esta demora senão com prazeres?

FILOSTRATO
Aqui temos a lista dos festejos;
Qual deles meu senhor quer ver primeiro?

(Entrega-lhe um papel.)

TESEU
   (Lendo.)
"Balada do Centauro, a ser cantada,
Com harpa, pelo eunuco ateniense"?
Nem pensar; já contei à minha amada
Essa aventura de meu primo Hércules.
(Lendo.) "O Desvario das Bacantes Bêbadas,
Quando matam Orfeu em sua fúria"?
É tragédia já velha e apresentada
Quando voltei de Tebas, vencedor.

HIPÓLITA
   (Lendo.)
"As Nove Musas, lamentando a morte
Do Saber, falecido de pobreza"?
Parece sátira, aguda e crítica,
Nada adequada à festa nupcial.
(Lendo.) "Breve Cena de Tédio Sobre Píramo
E Tisbe, Seu Amor; Tragédia Alegre"?
Alegre e trágica, tediosa e breve?
Isso é gelo queimando, neve estranha!
Como haverá acordo em tal discórdia?

FILOSTRATO

 É uma peça, senhor, de dez palavras,
 Sendo a peça mais curta que eu já vi.
 Pois essas dez, no entanto, são demais
 E causam tédio, pois na peça inteira
 Não há palavra e nem ator correto.
 É bem certo, senhor, que seja trágica,
 Pois, nela, Píramo se suicida,
 Fato que, no ensaio, eu lhe confesso,
 Trouxe-me lágrimas — de riso — aos olhos,
 Pois nunca vi paixão tão engraçada.

TESEU

 Mas quem são os atores?

FILOSTRATO

 Atenienses de mãos calejadas
 Que estreiam hoje no trabalho o cérebro,
 Aplicando memórias destreinadas
 Nesse espetáculo pras suas bodas.

TESEU

 É o que veremos.

FILOSTRATO

     Não, meu bom senhor;
 Não é para os senhores; eu a vi,
 E não é nada, não é nada, mesmo,
 A não ser que divirta a intenção —
 Toda troncha, e de parto doloroso —
 Que foi honrá-lo.

TESEU

     Eu quero ver a peça;
 Pois nunca pode haver nada de errado
 No que é criado por dever singelo.
 Faça-os entrar; senhoras, seus lugares.

(Sai FILOSTRATO.)

HIPÓLITA

 Não gosto que se abuse de quem sofre,
 Nem que se fira o que o respeito faz.

TESEU

 Ora, querida, aqui não verá disso.

HIPÓLITA
Mas já foi dito que eles não são bons.

TESEU
85 Maior nossa bondade em agradecer-lhes:
Tomemos por encanto os seus enganos;
O que o respeito tenta e não consegue,
No olhar do nobre é mérito.
Por onde andei, quantos sábios tentaram
90 Saudar-me com discursos preparados,
Quando eu os vi tremer, ficando pálidos,
Fazer parágrafos em meio a frases,
Só de medo engrolar sua dicção,
Ficando, às vezes, mudos no caminho,
95 Sem dar as boas-vindas. Pois, amor,
Em tais silêncios sei que fui bem-vindo,
E na modéstia do respeito tímido
Eu já li tanto quanto em língua ativa,
Em eloquência audaz ou atrevida.
100 O amor e a singeleza que sufocam,
Justo por falar menos mais me tocam.

(Entra FILOSTRATO.)

FILOSTRATO
Senhor, o prólogo já se prepara.

TESEU
Que ele entre.

(Clarinada. Entra QUINA como prólogo.)

PRÓLOGO
Se ofendemos, é de todo coração;
105 *Não pensem que viemos ofender,*
Mas contentes; pois mostrar nosso talento
Esse é o princípio desse nosso fim.
Creiam, pois, que aqui estamos por desprezo.
Não pensem que viemos pra agradá-los,
110 *Pois é o que queremos. Pro seu prazer*
Não estamos aqui. Pra entristecê-los
Eis os atores. Pelo que farão
Saberão tudo o que há para saber.

TESEU
Ele não é muito de pontuação.

Lisandro

115 Cavalgou seu prólogo como um potro bravio, sem saber onde ia parar. Uma boa moral para a história, senhor: não basta falar, é preciso falar certo.

Hipólita

Na verdade ele fez com o prólogo o que uma criança faz com uma flauta: emite sons, porém desgovernados.

Teseu

120 Ele fala como uma corrente emaranhada: não está estragada, mas está confusa. E agora?

(Entram, precedidos por um trombeteiro, Bobina como Píramo, Sanfona como Tisbe, Bicudo como o muro, Fominha como o Luar e Justinho como o Leão.)

Prólogo

Talvez a peça vos confunda, ó nobres;
Tudo é confuso, até que fique claro.
Se vós queirais saber, aquele é Píramo
125 E aquela ali é a bela dama Tisbe.
Esse homem de argamassa representa
O cruel muro que separa os dois;
Os dois, pelo buraco aqui do muro,
Contentam-se em falar; o que é incrível.
130 Aquele ali, com cão, lanterna e espinhos,
Representa o luar, pois sabereis
Que era ao luar que os dois se rebaixavam
A se ver e se amar no cemitério.
Esse monstro, que chamam de leão,
135 Assustou certa noite a pobre Tisbe,
Que chegou antes, mas saiu correndo,
Perdendo na corrida a sua manta,
Que o leão deixou toda ensanguentada.
Chega depois o belo e jovem Píramo
140 E encontra, assassinada, a manta dela;
E então, com horrenda e cabulosa espada
Ele varou seu peito efervescente;
E Tisbe, escondida atrás da moita,
Morreu da própria faca. Quanto ao resto,
145 Leão, luar, o muro e os dois amantes
Dirão, com palavrório, à vossa frente.

(Saem Prólogo, Píramo, Teseu, Leão e Luar.)

Teseu

Será que o leão vai falar?

Demétrio

Não será de espantar, senhor, quando os burros já falam.

Muro

Neste interlúdio acontece, aqui juro,
Que eu, Bicudo, represento o muro.
E esse muro que eu sou, fiquem sabendo,
Tinha uma fresta ou buraquinho horrendo
Por onde Píramo e Tisbe, amantes,
Vinham sempre falar por uns instantes.
A pedra e a argamassa que eu aperto
São provas de que eu sou um muro certo;
E esta frestinha aqui é o lugar
Onde os mortais amantes vão falar.

Teseu

Quem poderia esperar que pedra e cal falassem melhor?

Demétrio

É o muro mais espirituoso que já ouvi discursar, senhor.

(Entra Píramo.)

Teseu

Píramo já chega ao muro; quietos!

Píramo

Oh noite horrível, preta de tão negra!
Noite que sempre vem se não é dia!
Ó noite, ó noite, ó noite, ai, ai, ai!
Tisbe esqueceu-se, eu temo, deste encontro!
E tu, ó muro, ó doce e lindo muro,
Tu separas as terras do meu pai
Das do pai dela, doce muro lindo.
Quero espiar por esse buraquinho
(O muro estica os dedos, separados.)
Muito obrigado, muro: Zeus te guarde!
Mas o que vejo? Tisbe é que não vejo. Muro mau, que não mostra o paraíso. Maldigo as tuas pedras, que me enganam!

Teseu

Parece-me que o muro, tão sensível, devia, por sua vez, maldizê-lo também.

PÍRAMO

Não, senhor, não devia não. "Que me enganam" é a deixa de Tisbe: agora ela tem de entrar e eu tenho de espiar pelo muro. Vão ver como vai sair tudo como eu disse: lá vem ela.

(Entra Tisbe.)

TISBE

Muro, que tanto escutas meus gemidos,
Por que separas meu Píramo de mim?
Meus lábios rubros beijam tuas pedras,
Pedras que a argamassa é que grudou.

PÍRAMO

Vejo uma voz! Já vou para o buraco
Para escutar o rosto da Tisbinha.
Tisbe!

TISBE

Tu és o meu amor querido!

PÍRAMO

Seja o que for, eu sou a tua graça;
Como Lendro eu mereço confiança.

TISBE

E como Ilena eu juro sem fiança.

PÍRAMO

Nem Romão e Julita amaram tanto.

TISBE

Mais que Julinha e que Romão, garanto.

PÍRAMO

Beija-me aqui, por esse buraquinho.

TISBE

Porém é o muro quem ganha o beijinho.

PÍRAMO

Vamos à tumba de Nina depressa.

TISBE

Ou vida, ou morte, eu vou com toda a pressa.

(Saem por direções diversas.)

Muro

E assim eu, muro, fiz a minha parte;
Vou-me embora, que acabou minha arte.

Teseu

Caiu o muro entre os dois vizinhos.

Demétrio

Não é de espantar que muros tão caprichosos assim caiam sem avisar.

Hipólita

Isso tudo é a maior tolice que eu já vi.

Teseu

Os melhores nesse ofício são apenas sombras; e os piores não são piores, se a imaginação os emendar.

Hipólita

Terá de ser então a sua imaginação, não a deles.

Teseu

Se não imaginarmos, deles, nada pior do que eles imaginaram de si mesmos, passarão por atores excelentes. Aí vêm duas bestas soberbas, um homem e um leão.

(Entram o Leão e o Luar.)

Leão

Senhoras, cujos corações têm medo
De um monstro de um ratinho pelo chão,
É possível que tremam e sacudam
Quando rugir este leão selvagem.
Mas eu sou só Justinho, o marceneiro,
Nem leão, nem leoa, a sua mãe.
Se eu fosse um leão mesmo, fera brava,
Vivo deste lugar não escapava.

Teseu

Uma fera muito delicada e conscienciosa.

Demétrio

Pelo menos a melhor fera a que eu já assisti.

Lisandro

O leão é uma raposa de bravura.

TESEU

Sem dúvida; e o discernimento de um ganso.

DEMÉTRIO

Não, meu senhor, pois sua bravura não dá para ganhar de seu discernimento, mas a raposa sempre ganha do ganso.

TESEU

Seu discernimento, estou certo, não tem condições de ganhar de sua bravura, pois não há ganso que ganhe de raposa. Tudo está bem: ele que fique com seu discernimento; vamos ouvir a lua.

LUA

Esta lanterna são os cornos da lua...

DEMÉTRIO

Ele devia ter posto os cornos na própria cabeça.

TESEU

Como ele não é crescente, os cornos desaparecem na circunferência.

LUA

Esta lanterna são os cornos da lua,
E eu 'stou parecendo o homem dela.

TESEU

Este é o maior erro de todos; o homem tinha de ficar dentro da lua, senão como poderá ser o homem que vive nela?

DEMÉTRIO

Ele não entra por causa da vela; parece que já está meio queimado.

HIPÓLITA

Estou cansada dessa lua. Ela bem podia mudar de fase!

TESEU

Parece, pela modéstia de sua luz, que está no minguante; portanto, por questão de cortesia, temos de ficar.

LISANDRO

Continue, lua.

LUA

Só o que tenho que dizer é que a lanterna é a lua, que eu sou o homem da lua, que estes gravetos são meus gravetos e que este cachorro é o meu cachorro.

DEMÉTRIO

Deveriam todos ficar na lanterna para formar a lua, ao que parece.
Quietos! Lá vem Tisbe!

(Entra Tisbe.)

TISBE

Esta é a tumba; onde estás, amor?

LEÃO

Oh...

(O Leão ruge. Tisbe, deixando cair o xale, sai correndo.)

DEMÉTRIO

Bem rugido, leão!

TESEU

Bem corrido, Tisbe!

HIPÓLITA

Bem brilhado, lua! Realmente a lua brilha muito bem.

(O Leão fuça várias vezes o xale, depois sai.)

TESEU

Bem fuçado, leão!

DEMÉTRIO

E então chegou Píramo...

LISANDRO

E o leão desapareceu.

(Entra Píramo.)

PÍRAMO

Lua, obrigado pelo sol que trazes;
Muito obrigado porque brilhas tanto.
Só teus raios dourados, tão vivazes
Me mostram do rosto de Tisbe o encanto.
Oh, que desgraça!
O que se passa?
Que tragédia espantada!
Não quero ver
Não posso crer.

260 *Ai, querida, ai, amada!*
O xale achei;
Sangue encontrei?
Fúria, vem me matar!
Venha fado
Excomungado
Me bater e amassar!

TESEU
265 Um tal paixão, aliada à morte de um ente querido, já quase que dá para deixar qualquer um entristecido.

HIPÓLITA
Pobre coitado; o homem merece piedade.

PÍRAMO
Por que a Natureza fez leões?
Um leão deflorou a minha amada
270 *Que é — não, era — a dama mais bonita*
Bela, boa, brilhante e abençoada.
O pranto adere,
A espada fere
Deste Píramo o peito.
275 *Na bateção*
No coração
Essa morte eu aceito.
Agora morri,
Agora eu parti,
280 *A minh'alma ao céu corre*
Me calo agora
Lua, vai embora

(A lua sai.)

E aqui jaz e morre. (Morre.)

DEMÉTRIO
O rapaz que jaz é um ás da morte.

LISANDRO
285 Ás que jaz é incapaz. Está morto; é um zero à esquerda.

TESEU
Com a ajuda de um médico é capaz de se recuperar e voltar a ser um asno.

HIPÓLITA
Como é que o luar foi embora antes de Tisbe voltar e encontrar seu amante?

TESEU
Ela encontrará pela luz das estrelas.

(Entra TISBE.)

Aí vem ela, e com sua paixão a peça acaba.

HIPÓLITA
A mim parece que por um Píramo desses a paixão não deve prolongar-se muito. Espero que seja breve.

DEMÉTRIO
Um fio de cabelo desfaz o equilíbrio da balança se pusermos Píramo em um prato e Tisbe no outro para saber, que Deus nos livre, qual o melhor: se ele como homem, ela como mulher.

LISANDRO
Ela já o viu, com aqueles seus doces olhos.

DEMÉTRIO
E assim começa ela a gemer, se lhe permitem...

TISBE
Dormiu, amado?
Meu bem, matado?
Meu Píramo, desperta!
Mudo, sem fala?
Morto, na vala?
Lábios de lírio
Nariz vermelho,
Face de flor de ouro.
Tudo vai embora
O amante chora,
Tinh'olhos verde-louro.
Trio do fado,
Vem pro meu lado,
Com mãos brancas de leite,
Sangue a molhou,
Já que cortou
Sua vida com um estilete.
Língua, calada!
Vem, cara espada,

Entra nos peitos meus

(*Enfiando a faca no peito.*)

Vejam! Já vou!
Tisbe acabou!
Adeus, adeus, adeus! (*Morre.*)

TESEU

Restam o luar e o leão para enterrar os mortos.

DEMÉTRIO

É; e o muro, também.

BOBINA

(*Levantando-se repentinamente.*)
Isso é que não; o muro que separava os dois caiu. (SANFONA *se levanta.*)
Preferem ver o epílogo ou ouvir dois ou três dos nossos atores dançando uma bergamasca?

TESEU

Epílogo não, por favor; pois sua peça não necessita de escusas. Nunca de escusas, pois quando os atores estão mortos, ninguém precisa ser culpado. Para falar a verdade, se quem escreveu a peça tivesse feito o papel de Píramo, e se enforcado com a cinta de Tisbe, teria sido uma ótima tragédia — como aliás foi, mesmo; e muito notavelmente executada. Mas, vamos! A sua bergamasca! Deixe o seu epílogo em paz.

(*Entram* QUINA, JUSTINHO, BICUDO *e* FOMINHA, *dois dos quais dançam uma bergamasca, depois saem os artesãos, inclusive* BOBINA *e* SANFONA.)

A meia-noite já cantou as doze:
Ao leito, amantes, que é hora das fadas.
Temo que não veremos a manhã,
Como hoje já tardamos pela noite.
Essa peça grosseira fez passar
A lentidão da noite; ao leito, amigos.
Por quinze dias nós teremos festas;
Toda noite alegrias como estas.

(*Saem*).

(*Entra* PUCK.)

PUCK

Agora ruge o leão,
O lobo uiva ao luar;
O roceiro ronca, são,
Exausto de trabalhar.
345 Mal brilha no fogo a lenha,
Enquanto a coruja grita
E assusta o que culpas tenha,
Que sua mortalha fita.
Esta é a hora sem lua
350 Em que os túmulos abertos
Põem espíritos na rua
Em cemitérios despertos.
Nós, duendes, que corremos
Com o trio da maldição,
355 E o que do sol esquecemos
No sonho da escuridão,
Vamos brincar. Nem ratinho
Vai perturbar este ninho.
Minha vassoura, ligeira,
360 Vai limpar toda a poeira.

(Entram OBERON e TITÂNIA, rei e rainha das fadas, com todo seu séquito.)

OBERON

Encham de luz toda esta casa,
Façam queimar de novo o fogo;
Todo elfo e fada que tem asa
Entre, qual pássaro, no jogo;
365 E esta canção cantem comigo,
Com dança alegre e som amigo.

(OBERON, liderando, as fadas dançam e cantam.)

Agora, até de madrugada
Aqui teremos cada fada.
O próprio leito do noivado
370 Será por nós abençoado:
E quem dali vier ao dia
Terá fortuna e alegria.
E assim os três casais de amantes
Sempre serão no amor constantes;
375 E os erros vis da natureza
Não mancharão sua beleza;
Nenhum defeito ou cicatriz

                Lhes virá dar prole infeliz,
                Ou desprezada por nascer —
380   Como acontece a tanto ser.
                Com este orvalho consagrado,
                Fadas, fazei o ordenado!
                E — abençoado em cada sala —
                Neste palácio a paz se instala:
385   Todos terão doce repouso
                E o seu senhor será ditoso.
                Parti agora,
                E sem demora,
                Vinde encontrar-me à luz da aurora.

(Saem todos menos Puck.)

                Puck
390   Se nós, sombras, ofendemos,
                Acertar tudo podemos:
                É só pensar que dormiam
                Se visões apareciam.
                E que esse tema bisonho
395   Apenas criou um sonho.
                Plateia, não repreenda;
                Com perdão, tudo se emenda.
                Puck afirma, sem mentir:
                Se conseguirmos sair
400   Daqui sem ninguém vaiar,
                Prometemos melhorar:
                Juro que não 'stou mentindo;
                Boa noite, eu vou saindo
                Se aplaudirem, como amigos,
405   Puck os salva de perigos.

A MEGERA DOMADA

Introdução
Barbara Heliodora

No início de sua carreira, William Shakespeare experimentou escrever uma comédia de estrutura romana, ou seja, uma comédia na qual, com o riso, uma situação é criticada e acaba por ter conserto, a *Comédia dos erros*, modelada em Plauto, mas com alguns elementos românticos; logo adiante, ele experimentou a nova forma da comédia romântica, na qual o esquema é o de uma série de tropeços a fim de se alcançar um objetivo final um tanto idealizado, *Os dois cavalheiros de Verona* (que, aliás, não chegou a ser um sucesso completo). Foi provavelmente por volta de 1593 (não se sabe a data certa) que pela primeira vez Shakespeare misturou, com maior segurança, uma sólida estrutura de comédia clássica com os encantos da comédia romântica, em *A megera domada*, uma das obras do Bardo de mais constante popularidade, muito embora ela seja compreendida de forma diversa, em momentos diversos.

Sendo Shakespeare autor de pouquíssimos enredos novos, e de incontáveis enredos originais, não se sabe nada a respeito da fonte principal da trama da megera a ser domada, a não ser a existência de uma peça desaparecida intitulada *The Taming of a Shrew*" (e não *The Taming of the Shrew*, como é a de Shakespeare) – assim, não é possível determinar a relação entre as duas, pois essa seria supostamente a única fonte para a história de Kate e Petrucchio. Já a história de Bianca é tirada de *I Suppositi* de Ariosto, por intermédio da adaptação inglesa de George Gascoine, *Supposes*, que inclui toda a história da troca de identidade entre patrão e criado.

Não há nada na obra de Shakespeare que o caracterize como um autor machista (várias de suas protagonistas de comédia são antepassadas das famosas "caçadoras" de Bernard Shaw, que caçam os machos com os quais desejam fundar dinastias...), e é indispensável salientar que os piores excessos de violência no processo de domação de Kate têm sido sempre produtos de encenações e não do texto: a única agressão física que está em Shakespeare é o tapa que Kate dá em Petrucchio, e ele ameaça bater nela se ela repetir o gesto. Mas, por outro lado, não podemos nunca esquecer que ele escreveu no final do século xvi e no princípio do xvii, e que, portanto, sua visão do mundo não pode ser a de nosso tempo.

A situação que Shakespeare descreve é, como deve ser toda situação cômica, um quadro de confusão que, para seu "final feliz", se transforma em um quadro harmônico, de equilíbrio e consciência. No pensamento elisabetano, um conceito básico era o do "encadeamento dos seres", que era válido para tudo o que havia neste mundo, a que eles chamavam de "universo sublunar": nesse encadeamento tudo e todos tinham seus lugares certos a ocupar, tudo era melhor do que alguma coisa pior do que alguma coisa: entre os animais, vamos do leão ao mais humilde verme, entre os metais do ouro à poeira, e o mesmo é válido para os seres humanos, que ficam acima dos animais e abaixo dos anjos. Na estrutura familiar elisabetana, então, o marido era o chefe da família, e logo abaixo dele ficava a mulher; mas havia um outro aspecto *nessa história: a mulher, tanto quanto o marido, tinha direitos e atributos que lhe eram privativos*, e Kate teria de ser domada, principalmente, para ocupar devidamente o seu lugar, merecedor de direitos e obrigações que só a ela caberiam.

É uma pena que se pense sempre em violência entre o mais que temperamental casal protagonista da comédia, mas poucos se deem ao trabalho de notar que Shakespeare (que jamais inclui material inútil em suas peças) deixa bem claro que a revolta e a violência de Kate são produtos da disparidade do tratamento que recebem de Batista, seu pai, as duas irmãs, sendo a caçula, que o sabe adular, a favorita clamorosa do velho: o que faltou a Kate foi carinho, foi ser tratada como, de acordo com o já falado encadeamento dos seres, deveria ser tratada a primogênita da casa.

Também não é do século XXI a franqueza de Petrucchio, ao afirmar que veio a Pádua para procurar uma noiva rica; segundo as regras da Antiguidade, essa seria a primeira obrigação de qualquer rapaz; é só em função da visão romântica que apareceu no século XII e deu lugar ao nascimento de todos os romances de cavalaria e cantigas de amor que inundaram a Europa desde então que a ideia da necessidade de amor no casamento apareceu. O interesse que ele tem pela megera que os amigos lhe pintam será, pelo menos, de curiosidade; mas a mim sempre pareceu que, no momento em que Kate e Petrucchio se viram pela primeira vez, cada um deles sentiu que ali estava seu parceiro ideal — em Shakespeare o amor sempre entra pelos olhos — e todo o processo no qual Kate é domada pode e deve ser interpretado como um glorioso jogo entre os dois, durante o qual se medem um ao outro e, uma vez que se conhecem, entram em perfeito acordo, seja quanto à vida que levarão, seja quanto ao quadro que apresentarão aos outros.

Shakespeare jamais gastaria tanto tempo com a história de Bianca e Lucentio, se não fosse seu intento mostrar, também, o quanto pode ser precário o casamento que se deve apenas ao olhar, ao amor romântico, sem conhecimento mútuo: habituada a conquistar o pai com uma sonsa docilidade, ela faz o mesmo com Lucentio, que acredita na aparência e — sem conhecê-la — só vai descobrir seu verdadeiro temperamento depois de casado. E também no caso de Hortênsio, que se casa com a viúva também sem saber nada a seu respeito, a não ser o fato de ela estar ansiosa por se casar de novo, e o resultado não parece ser muito encorajador.

Seria falso afirmar que na harmonia final da comédia não fica estabelecida a supremacia do marido na estrutura do casal, porém se Petrucchio doma Kate, é preciso não esquecer que quando ela diz que a mão dela está pronta para que ele a pise, o que ela faz é apenas pedir-lhe um beijo...

A megera domada ainda tem muita influência da comédia romana; no futuro, as grandes obras-primas serão mais puramente românticas, mas aqui já temos um Shakespeare mestre de seu ofício, que sabe dosar personagens e situações a fim de criar uma fábula alegre e inteligente.

LISTA DE PERSONAGENS

Christopher Sly, um funileiro
A Taverneira
Um Lorde
Pajem, caçadores e criados que servem o Lorde
Uma companhia de atores
Batista Minola, rico cidadão de Pádua
Katherina, a Megera, filha mais velha de Batista
Petrucchio, um cavalheiro de Verona, que corteja Katerina
Grumio, criado particular de Petrucchio
Curtis, chefe da criadagem de Petrucchio no campo
Um Alfaiate
Um Mascate
Cinco outros criados de Petrucchio
Bianca, filha mais moça de Batista
Grêmio, rico e velho cidadão de Pádua que corteja Bianca
Hortênsio, um cavalheiro de Pádua que corteja Bianca
Lucentio, um cavalheiro de Pisa que corteja Bianca
Trânio, criado particular de Lucentio
Biondello, criado de Lucentio
Vincentio, rico cidadão de Pisa, pai de Lucentio
Um Pedante de Mântua
Uma Viúva
Criados de Batista

PRÓLOGO

CENA 1
Uma rua.

(Entram Sly e a Taverneira.)

SLY
Eu lhe dou uns sopapos.

TAVERNEIRA
Você vai pro cepo, canalha.

SLY
A senhora é um lixo, os Sly não são canalhas. Procura só nas Crônicas; nós viemos com Ricardo, o Conquistador. Portanto, *paucas pallabris*, e o mundo que se dane. *Cessa!*

TAVERNEIRA
O senhor vai pagar os copos que quebrou?

SLY
Não, nem um tostão. Vá embora. Vá, por são Jeroninho, vá para sua cama fria e se esquente.

TAVERNEIRA
Eu sei o que te cura. Vou chamar o meirinho.

(Sai.)

SLY
Meirinho, comecinho ou finalzinho, eu respondo com a lei. Ele que venha, e com muita bondade. *(Dorme.)*

(Clarins. Entra, da caça, um Lorde, com seu séquito.)

LORDE
Caçador, cuide bem dos meus cachorros,
Faça a cadela exausta respirar,
E cruze o Crowder com a cadela grande.
Menino, viu como andou bem o Silver,
Quando secou a pista dos coelhos?
Esse eu não troco nem por vinte libras.

1º Caçador

    Milord, o Belman é páreo pra ele;
    Quando a pista secou ele latiu,
20   E duas vezes farejou um nada.
    Acredite, senhor, ele é melhor.

Lorde

    Não seja tolo; se ele fosse rápido,
    O Eco valia uma dúzia dele.
    Mas dê ração e cuidados a todos.
25   Quero caçar outra vez amanhã.

1º Caçador

    Muito bem, meu senhor.

Lorde

    O que é isso? Morto ou bêbado? Vejam se ainda respira.

2º Caçador

    Inda; mas sem o calor da cerveja
    Não dormiria em cama tão gelada.

Lorde

30   Mas que monstro! Ele dorme como um porco!
    Morte, como é asquerosa a tua imagem!
    Senhores, vou brincar com este ébrio.
    Acham que sendo levado pr'um leito,
    Com roupas limpas e joias nos dedos,
35   Um banquete supimpa junto à cama,
    Criados pr'atendê-lo ao acordar,
    Que esse mendigo esquecia quem é?

1º Caçador

    E nem teria outra escolha, milord.

2º Caçador

    Ao acordar veria em si um estranho.

Lorde

40   Qual fantasia tonta ou sonho bobo.
    Pois peguem-no e cuidem bem da farsa:
    Carreguem-no pro meu mais belo quarto,
    Pendurem nele meus quadros eróticos,
    Lavem com ervas o cabelo imundo,
45   Queimem perfume pr'adoçar o cômodo.
    Pro momento em que acorde quero música

	Que só produza sons celestiais.
	Se acaso ele falar, 'stejam alertas,
	E com mesura profunda e submissa
50	Digam "Que nos ordena Vossa Honra?".
	Que alguém lhe traga a bacia de prata
	Co'água de rosas e cheia de flores;
	Um outro o jarro e outro uma toalha
	Dizendo "Quer milord lavar as mãos?"
55	Estejam prontos com um traje bem caro,
	E perguntem o que quer vestir hoje.
	Falem também de seus cães e cavalos,
	Digam que a esposa chora a sua doença,
	Convençam-no que esteve enlouquecido,
60	E se disser que está digam que sonha,
	Pois ele sempre foi um grande lord.
	Façam tudo com jeito e com bondade:
	Será um excelente passatempo
	Se todos brincam dentro de limites...

1º CAÇADOR

65	Milord, faremos os nossos papéis
	De modo tal que ele há de acreditar
	Não ser menos que aquilo que dizemos.

LORDE

Tomem cuidado e levem-no pra cama.
E estejam prontos quando ele acordar.

(SLY é carregado para fora. Clarinada.)

70 Moço, vá ver quem é que toca assim.

(Sai um CRIADO.)

Talvez um senhor nobre que aqui busque
Lugar pra repousar por esta noite.

(Entra o CRIADO.)

Então? Quem é?

CRIADO

| | São atores, senhor, |
| 75 | Que querem trabalhar para milord. |

LORDE

Mandem entrar.

(Entram os Atores.)

Amigos, são bem-vindos.

Atores

Obrigado, senhor.

Lorde

Pretendem se hospedar comigo hoje?

1º Ator

Se milord aceitar nosso serviço.

Lorde

De coração. Me lembro de um ator
Desde que fez o filho de um campônio,
Fazendo bela corte a uma nobre.
O seu nome esqueci, mas o papel
Foi bem feito em aspecto e atuação.

2º Ator

Eu creio que o senhor fala de Soto.

Lorde

Isso mesmo, e trabalhou muito bem.
Deram aqui numa hora propícia,
Pois nos metemos numa brincadeira
Em que me ajuda muito o seu talento.
Um lorde vai assistir a peça logo,
E eu só temo que seu autocontrole,
Ao vê-lo comportar-se estranhamente —
Pois o nobre jamais viu uma peça —
Desmande-se com chistes e com risos
E o ofenda; pois eu lhes garanto
Que o mínimo sorriso o desatina.

1º Ator

Não tema, meu senhor; ficamos sérios
Ante o mais louco dos loucos do mundo.

Lorde

Você, aí, leve a todos pra copa
E dê a todos muito boas-vindas:
Que tenham tudo do que há na casa.

(Sai um Criado com os Atores.)

          Vá procurar Bartolomeu, meu pajem,
          Para ele ser vestido como dama.
105   Leve-o depois ao quarto do mendigo,
          Chame-o "madame", trate-o com mesuras,
          Diga que se ele pensa em me agradar,
          Que se comporte de maneira honrada,
          Como tem observado as damas nobres
110   Fazerem ao tratar com seus maridos.
          Ele deve fazer o mesmo ao bêbado,
          Com fala doce e muita cortesia
          Dizer "O que me ordena, meu senhor?
          Em que pode sua dama e humilde esposa
115   Mostrar-lhe seu dever e o seu amor?".
          E depois, entre abraços e beijinhos,
          Que ele incline a cabeça no seu peito,
          E chore um pouco, como de alegria,
          Por ver o seu senhor assim curado
120   Depois de imaginar, por sete anos,
          Não ser melhor que um mendigo nojento.
          Se lhe falta o talento feminino
          De verter lágrimas por encomenda,
          Uma cebola ajuda nesse transe,
125   Pois sendo ela apertada em um lenço
          Sempre fabrica lágrimas nos olhos.
          Que isso seja feito a toda pressa;
          Daqui a pouco eu dou mais instruções.

(Sai um Criado.)

          Eu sei que o pajem vai dar bem a graça,
130   A voz, o andar e os gestos de uma dama.
          Quero ouvi-lo dizer "marido" ao bêbado,
          E ver meus homens tentando não rir
          Ao fazer tanta festa a um camponês
          Vou instruí-los, pois minha presença
135   Talvez consiga evitar brincadeiras
          Que podem acabar sendo excessivas.

(Saem todos.)

CENA 2
(Entram, ao alto, Sly com criadagem; alguns trazem roupas, bacia e gomil, como outros complementos; e o Lorde.)

Sly
          Uma cervejinha, pelo amor de Deus.

1º Criado
    Sua Senhoria não prefere vinho?

2º Criado
    Milord não quer uns doces confeitados?

3º Criado
    E que traje prefere vestir hoje?

Sly
    Eu sou Christopher Sly, e parem de me chamar de senhorias e lordices. Eu nunca bebi vinho em minha vida. Não quero doces confeitados, e sim carne temperada. E não perguntem que trajes prefiro, porque não tenho mais coletes do que costas, mais meias do que pernas, nem mais sapatos que pés — não, às vezes tenho mais pés do que sapatos, ou sapatos que deixam os dedos ficar espiando pela tampa.

Lorde
    Que os céus curem milord de tais humores!
    É triste que um varão de tal linhagem,
    De poses tais, e tal reputação,
    Fosse tomado por tão mal espírito!

Sly
    O que é isso? Quer me fazer de maluco? Então eu não sou Christopher Sly, filho do velho Sly de Burton Heath, mascate de nascença, treinado para fazer cardar, transformado em pastor de ursos, e hoje em dia funi-lei-ro de profissão? Pergunte a Marian Hacket, a cervejeira de Wincot, se ela não me conhece. Se não disser que estou devendo catorze *pence* só de cerveja, pode me pendurar como o maior mentiroso da cristandade. *(Um Criado lhe traz uma caneca de cerveja.)* O quê! Não estou louco coisa nenhuma. À saúde de... *(Bebe.)*

3º Criado
    Isso é o que faz chorar sua senhora.

2º Criado
    Isso é o que deixa tristes os criados.

Lorde
    Por isso seus parentes não vêm cá,
    Afastados por sua insanidade.
    Senhor, pense em quão nobre foi seu berço,
    Traga de volta a sensatez banida,
    E bane esse abjetos sonhos vis.
    Veja só como o servem seus criados,

Todos prontos a servi-lo em tudo.
Quer música? Escute, Apolo toca, *(Música.)*
E nas gaiolas cantam rouxinóis
Quer dormir? Pois terá de nós um leito
Mais doce do que a cama de luxúria
Encomendada por Semiramides.
Prefere andar? Há de ser sobre flores.
Cavalgar? Os cavalos 'stão selados,
Ajaezados com muito ouro e pérolas.
Ama as caçadas? Pois seus falcões voam
Mais alto que na aurora a cotovia;
Seus cães fazem troar o próprio céu,
E dos cantos da terra tiram ecos.

1º Criado

Irá correr? Pois tem galgos mais rápidos
Que corças, mais ágeis do que cabritos.

2º Criado

Gosta de quadros? Posso trazer logo
Junto ao riacho um Apolo pintado,
E Citereia escondida nas sebes,
Que parecem dançar com seu alento,
Como balança a folhagem ao vento.

Lorde

Há de ver Io quando inda donzela,
Como foi enganada e surpreendida,
Tudo tão vivo quanto foi o ato.

3º Criado

Ou Dafne passeando pelo bosque,
Parecendo sangrar quando se coça,
E Apolo chorar com essa visão,
Tão bem feitos estão o sangue e as lágrimas.

Lorde

O senhor é um lorde, sempre foi lorde;
Tem uma esposa muito mais bonita
Que qualquer dama destes tempos tristes.

1º Criado

E até o pranto que verteu por si
Marcar como dilúvio as suas faces,
Não havia mais bela em todo o mundo;
E inda hoje não há melhor que ela.

Sly

Então sou lord, e tenho uma tal lady?
Será que sonho? Ou sonhava antes?
Não 'stou dormindo. Vejo, ouço, falo,
Cheiro o que é doce, apalpo o que é suave.
Pois vai que eu sou nobre de verdade,
Não Christopher Sly, o funileiro.
Pois tragam nossa dama aos nossos olhos,
E mais um copo dessa cervejinha.

2º Criado

Sua imponência quer lavar as mãos?
Que bom, vê-lo com a ideia no lugar!
Se soubesse de novo quem já foi!
O senhor vem sonhando há quinze anos,
E acordado, pior do que dormindo.

Sly

Quinze anos! É um cochilo e tanto.
E nesse tempo todo eu não falei?

1º Criado

Falou, milord; mas só palavras tolas,
Pois mesmo aqui, deitado no seu quarto,
Afirmava que fora escorraçado,
E inda xingava a anfitriã da casa,
Dizendo que a mandava pra justiça
Porque vendia garrafões sem selo.
E mandava chamar Cicely Hacket.

Sly

Eu sei; ela é criada lá na adega.

3º Criado

Mas, milord, que adega e que criada;
Não as conhece, nem os outros nomes
Um Stephen Sly, um tal John Naps da Grécia,
Ou Peter Turph, ou Henry Pimpernell,
Ou mais uns vinte homens dessa espécie,
Que não existem, nunca foram vistos.

Sly

Graças a Deus por esta minha cura.

Todos

Amém.

(Entra o P<small>AJEM</small> como uma dama, com criadagem. Um C<small>RIADO</small> dá uma caneca de cerveja a S<small>LY</small>.)

S<small>LY</small>
Obrigado. Não perderá com isso.

P<small>AJEM</small>
Como passa o meu nobre lord?

S<small>LY</small>
Pela Virgem, aqui 'stá tudo alegre.
Onde está minha esposa?

P<small>AJEM</small>
100 Aqui, milord; o que deseja dela?

S<small>LY</small>
Esposa, e não me chama de marido?
Milord é pra criado; sou esposo.

P<small>AJEM</small>
É meu esposo e meu senhor, milord;
E eu sua esposa, sempre obediente.

S<small>LY</small>
105 Disso eu já sei. Como é que eu chamo ela?

L<small>ORDE</small>
Madame.

S<small>LY</small>
Madame Alice ou madame Joana?

L<small>ORDE</small>
Só madame, que assim fazem os lords.

S<small>LY</small>
Madame esposa, dizem que eu sonhei,
110 E andei dormindo mais de quinze anos.

P<small>AJEM</small>
Que para mim parecem trinta ou mais,
Por ter ficado longe do seu leito.

S<small>LY</small>
Tanto assim. Criados, saiam todos.

(Saem os C<small>RIADOS</small>.)

Madame, tire a roupa e já pra cama.

PAJEM

115 Meu nobre amo, peço por favor
Que me desculpe uma noite ou duas;
Ou pelo menos até logo à noite.
Pois os seus médicos deixaram claro,
Que por perigo de uma recaída
120 Devo ausentar-me ainda do seu leito.
Essa razão na certa me desculpa.

SLY

É, desse jeito vou ter de demorar ainda um pouco. Mas não quero começar a sonhar tudo de novo. De modo que vou esperar um pouco mais, apesar da carne e do sangue.

(Entra um MENSAGEIRO.)

MENSAGEIRO

125 Seus atores, sabendo de sua cura,
Querem montar uma comédia alegre;
O que os doutores acham muito bom,
Já que a tristeza regelou seu sangue,
E o frenesi vem da melancolia.
130 Portanto acharam bom que ouvisse a peça,
Voltando o pensamento pra a alegria,
Que corta os males e prolonga a vida.

SLY

Muito bem. Quero ver. Mas não bobagem,
Festinha de Natal ou cambalhotas?

PAJEM

135 Não, milord; isto é coisa bem melhor.

SLY

Coisa de casa?

PAJEM

Uma espécie de história.

SLY

Vamos ver. Madame esposa, sente aqui;
Vai-se o tempo, e ninguém fica mais moço.

ATO 1

CENA 1

(Clarinada. Entram Lucentio e seu criado Trânio.)

LUCENTIO

Como foi sempre o meu desejo, Trânio,
Conhecer Pádua, esse berço das artes,
Aqui cheguei à fértil Lombardia,
Doce jardim da nossa grande Itália;
5 E armado com o carinho de meu pai,
As bênçãos dele e a sua companhia,
Meu criado querido e confiável,
Aqui vivamos e talvez eu siga
A trilha do saber com bons estudos.
10 Pisa, famosa por seus cidadãos,
Deu vida a mim e, antes, a meu pai —
Mercador conhecido pelo mundo —
Vincentio, da linhagem Bentivolii.
A mim, seu filho, educado em Florença,
15 Fica bem, pra servir tais esperanças,
Cobrir a sorte com ações virtuosas.
Por isso, Trânio, de momento estudo
A virtude e, na filosofia, a parte
Que é conquistada só pela virtude.
20 Diga o que pensa, pois saí de Pisa
E estou em Pádua, como o que abandona
Um lago raso pra pular no fundo
Só por querer saciar a sua sede.

TRÂNIO

Mi perdonato, meu patrão gentil;
25 Em tudo o meu afeto é igual ao seu,
E alegro-me por vê-lo resolvido
A sugar da filosofia o mel.
Mas, meu amo, mesmo enquanto admiramos
A virtude e a disciplina moral,
30 Não sejamos estoicos ou estúpidos,
E nem tão presos às leis de Aristóteles
A ponto de abjurar de todo Ovídio.
Fala de lógica com seus amigos,
Na conversa comum use a retórica;
35 A música e a poesia sempre animam,
E quanto aos números e à metafísica,

Procure-os quando o estômago pedir.
Não há proveito onde não há prazer:
Estude, enfim, aquilo de que gosta.

LUCENTIO

40 Obrigado por seu conselho, Trânio.
E se Biondello tivesse aportado
Já poderíamos nos aprontar,
Alugando um lugar pra receber
Os amigos que Pádua vai nos dar.
45 Mas, um momento; quem é essa gente?

TRÂNIO

Gente que veio pra nos receber.

(LUCENTIO e TRÂNIO se afastam para um lado. Entram BATISTA com suas duas filhas, KATHERINA e BIANCA, GRÊMIO, um pantalão, e HORTÊNSIO, cortejador de Bianca.)

BATISTA

Cavalheiros, não me importunem mais,
Pois estou firmemente resolvido:
Não hei de conceder minha caçula
50 Antes de eu ter marido pra mais velha.
Se algum dos dois amar a Katherina,
Já que os conheço e a ambos quero bem,
Terá licença para a cortejar.

GRÊMIO

Pr'a aturar. Ela é muito grosseira.
55 Como é, Hortênsio; não quer uma esposa?

KATHERINA

Senhor meu pai, será do seu desejo
Me fazer égua pr'uma tal parelha?

HORTÊNSIO

Não haverá parelha pra senhora,
Enquanto não tiver modos mais calmos.

KATHERINA

60 Quanto ao senhor, não precisa ter medo:
Não faz o tipo do coração dela;
Se fizesse, ela logo ia querer
Encher sua cabeça de pancada
E maquiá-lo, para o usar de bobo.

HORTÊNSIO

65   De um demônio como esse, Deus nos livre!

GRÊMIO

            Meu bom Deus, a mim também!

TRÂNIO

            Veja, patrão, que bom divertimento!
            A moça é louca, ou é muito abusada.

LUCENTIO

            Mas no silêncio da outra eu só vejo
70   Bons modos e o pudor de uma donzela.
            Silêncio, Trânio.

TRÂNIO

            Bem dito, amo. Quieto, e olhe bem.

BATISTA

            Senhores, tenho o intento de cumprir
            O que já disse — Bianca, vá para dentro.
75   Eu não quero magoá-la, boa Bianca,
            E nem por isso a amo menos, filha.

KATHERINA

            Tão bonitinha! Se arranjasse desculpa, já chorava.

BIANCA

            Irmã, fique contente: eu já estou triste.
            Senhor, ao seu prazer eu me submeto.
80   Ficam comigo a música e os livros;
            Com eles eu me ocupo, mesmo só.

LUCENTIO

            Escutou, Trânio? É Minerva falando.

HORTÊNSIO

            Senhor Batista, por que ser tão duro?
            Lamento que esta corte só provoque
85   Tristeza para Bianca,

GRÊMIO

                              Vai perdê-la,
            Senhor Batista, por essa demônia,
            Penando a outra pela língua desta?

Batista

    Senhores, já 'stá certo; agora, aceitem.
    Pra dentro, Bianca.
    E como sei que o que lhe dá prazer
    São música, instrumentos, poesia,
    Hei de manter em casa professores
    Que calhem pr'uma jovem. Se conhecem,
    Hortênsio e senhor Grêmio, um que sirva,
    Mandem-no aqui; pois sendo competente
    Há de me ver bondoso e liberal
    Pra com quem educar minhas meninas.
    Adeus. A Katherina fica aqui;
    Eu preciso ver Bianca mais um pouco.

(Sai.)

Katherina

    Bom, então acredito que também possa ir, não é? Ou será que vão marcar as horas para mim, como se não soubesse o que posso e o que não posso?

(Sai.)

Grêmio

    Pode ir pro diabo que a carregue, pois ninguém aqui a prende. Amor de mulher não é tão duradouro, Hortênsio, que não dê para esperar soprando os dedos pra esquentar, ou fazendo jejum. Nosso bolo solou todo. Adeus. Mas pelo amor da doce Bianca, se por acaso encontrar um homem que lhe ensine aquilo em que tem prazer, despacho-o para seu pai.

Hortênsio

    Eu também, senhor Grêmio. Mas uma palavra, por favor. Embora a natureza de nossa luta não admita diálogo, fique sabendo que pensando bem, nos cabe a ambos — para que voltemos a ter acesso à nossa bela amada, e a ser rivais felizes pelo amor de Bianca — trabalhar para realizar uma empreitada especial.

Grêmio

    Que seria qual?

Hortênsio

    Ora, senhor, arranjar um marido para a irmã.

Grêmio

    Um marido? Um demônio.

HORTÊNSIO
    E eu digo um marido.

GRÊMIO
    E eu digo um demônio. Acaso pensas, Hortênsio, que mesmo o pai sendo rico, há um homem bastante tolo para se casar com o inferno?

HORTÊNSIO
    Ora, Grêmio. Talvez fique além da sua paciência e da minha aturar a gritaria dela, mas fique sabendo que há muito homem no mundo — e podemos encontrar um deles — que a aceitaria com todos os seus defeitos, desde que viesse com dinheiro suficiente.

GRÊMIO
    Isso eu não sei. Mas para mim era o mesmo que dizer que com o dote eu teria de ser espancado no pelourinho todo dia de manhã.

HORTÊNSIO
    Tem razão. Seria escolher entre duas maçãs podres. Mas, vamos; já que a proibição nos deixa amigos, esta amizade terá de ser mantida até que, arranjando um marido para a filha mais velha de Batista, libertarmos a mais moça para ter um marido, e nos atracarmos de novo. Doce Bianca! Boa sorte para ele! Quem correr mais ganha a noiva. O que diz, senhor Grêmio?

GRÊMIO
    Concordo. E daria a ele o melhor cavalo de Pádua para que começasse sua corte, a namorasse inteira, casasse, a levasse para a cama e livrasse a casa dela. Vamos.

(Saem Hortênsio e Grêmio.)

TRÂNIO
    Mas diga, amo: será que é possível
    Um amor nos pegar tão de repente?

LUCENTIO
    Ah, Trânio, até sentir como é verdade
    Jamais pensei possível ou provável.
    Mas quando assim, à toa, eu só olhava,
    Eu descobri que existe o amor perfeito,
    E com franqueza eu o digo a você,
    Em quem confio e sabe os meus segredos,
    Como Ana os da rainha de Cartago.
    Meu Trânio, eu queimo, eu choro, eu vou morrer,
    Se não conquisto essa moça tão doce.

Dê-me um conselho, Trânio; eu sei que pode.
Me ajude, Trânio; eu sei que há de querer.

TRÂNIO

Meu amo, não é hora pra censuras;
Ninguém destrói amor passando pito.
150 Se o amor o tocou, mudou pra sempre:
Redime te captum quam queas minimum.[1]

LUCENTIO

Obrigado. Gostei. Pode falar.
'Stou confortado. O seu conselho é bom.

TRÂNIO

Olhou pra ela de olhos tão compridos,
155 Que eu acho que nem viu o principal.

LUCENTIO

Mas vi. Vi como é bela a sua face,
Tanto quanto a da filha de Agenor,[2]
Que fez Zeus humilhar-se à sua mão,
Beijando ajoelhado a praia em Creta.

TRÂNIO

160 Não viu mais nada, não viu quando a irmã
Começou a gritar e a trovejar,
Quase estourando os ouvidos mortais?

LUCENTIO

Vi-a mover seus lábios de coral
E perfumar os ares com seu hálito.
165 Tudo o que vi era doce e sagrado.

TRÂNIO

É hora, então de livrar-se do transe.
Acorde, por favor. Se ama a moça
Pense em como atingi-la. O caso é este:
A irmã é maldita e indomável,
170 E enquanto o pai não 'stiver livre dela,
A sua, amo, vai ficar solteira...
E o pai mandou trancá-la, bem guardada,
Pra não ser perturbada com namoros.

---

1 Em latim, no original: "Resgata-te pelo mínimo possível". (N.T.)
2 Ou seja, a Europa. (N.T.)

LUCENTIO
    Ah, Trânio, que cruel é esse pai!
175   Mas não notou que ele tomou cuidado
    De procurar bons mestres para ela?

TRÂNIO
    Notei, senhor — e está tudo arranjado.

LUCENTIO
    Eu já sei, Trânio.

TRÂNIO
                Amo, até aposto
    Que as nossas invenções são uma só.

LUCENTIO
180   Diga a sua.

TRÂNIO
              Meu amo vai ser mestre,
    Dedicado a educar essa donzela.
    É a sua ideia?

LUCENTIO
    É. Será que posso?

TRÂNIO
    Impossível. Quem faz o seu papel
185   E banca o filho de seu pai em Pádua,
    Recebe em casa, estuda, vê amigos,
    Faz visita aos patrícios, dá banquetes?

LUCENTIO
    Basta! Já chega, pois já resolvi.
    Nós não entramos, inda, em casa alguma,
190   E ninguém sabe, só de olhar os rostos,
    Quem é amo ou criado. E assim sendo,
    No meu lugar você é o amo, Trânio:
    Como eu, cuide casa e criadagem.
    Eu serei outro, acaso um florentino,
195   Napolitano ou pobretão de Pisa.
    'Stá pronto; é isso. Trânio, agora mude
    De roupas. Vista meu chapéu e capa.
    Quando chegar, Biondello irá servi-lo,
    E eu o convenço de ficar calado.

(Trocam casacos, chapéus, adereços.)

TRÂNIO

200 Não vai ser fácil.
Enfim, como é do seu desejo,
E eu estando aqui pra obedecer —
Pois seu pai me falou, quando partimos,
"Sirva sempre meu filho", disse ele,
205 Embora com intenção bem diferente —
Eu me resigno então a ser Lucentio,
Pelo muito que eu gosto de Lucentio.

LUCENTIO

Pois seja, Trânio, de quem também gosto.
E eu seja escravo, pra chegar à moça
210 Cuja visão tanto feriu meus olhos.

(Entra BIONDELO.)

Lá vem a peste. Aonde é que esteve?

BIONDELLO

Aonde estive? Mas são vosmecês?
Amo, o Trânio roubou a sua roupa,
O senhor a dele, os dois, ou o quê?

LUCENTIO

215 Venha cá. Não é hora pra bobagens;
Portanto, se comporte como deve.
Pra me salvar a vida, aqui o Trânio
Assume a minha roupa e posição,
Como eu, pra escapar, assumo as dele.
220 Pois em briga que tive após chegar
Matei um homem, e fui visto, eu acho.
Deve servi-lo como serve a mim
Enquanto eu fujo, pra salvar a vida.
Me compreendeu?

BIONDELLO

Não, senhor; nada, mesmo.

LUCENTIO

225 E nada de dizer o nome Trânio;
O Trânio agora chama-se Lucentio.

BIONDELLO

Melhor pra ele. Pena não ser eu.

TRÂNIO

Também acho. Mas o que quero mesmo
É que o amo se case com a caçula.
230 Por ele, não por mim, o aconselho
A ver como se porta se há estranhos.
Quando estamos sozinhos eu sou Trânio,
Mas, fora isso, sou Lucentio, o amo.

LUCENTIO

Vamos, Trânio.
235 Mais uma coisa vai ter de fazer:
Ser um dos pretendentes. Não pergunte
Por quê, mas tenho ótimas razões.

(Saem.)

(Falam, no palco superior, os apresentadores do PRÓLOGO.)

1º CRIADO

Milord cochila; não 'stá vendo a peça.

SLY

(Acordando, assustado.)
Por Sant'Ana que estou. É um
240 assunto muito interessante. Inda tem mais?

PAJEM

Milord, mal começou.

SLY

É uma obra muito excelente, minha madame lady.
Tomara que acabe logo!

(Eles sentam e olham.)

CENA 2

(Entram PETRUCCHIO e seu criado GRUMIO.)

PETRUCCHIO

Verona, por uns tempos me despeço
Pra visitar meus amigos em Pádua,
O mais querido entre todos eles,

Hortênsio; e esta aqui é a casa dele.
Vamos, Grumio, bata logo aqui.

GRUMIO
Bater eu, senhor? Bater em quem? Será que alguém ofendeu Sua Senhoria?

PETRUCCHIO
Moleque, eu disse pra bater-me aqui.

GRUMIO
Bater no senhor, senhor? Ora, senhor, quem sou eu para bater no senhor, senhor.

PETRUCCHIO
Vilão, bata-me já nesse portão,
E bata bem, senão bato em você.

GRUMIO
Que amo briguento. Se eu bato primeiro, só quero ver quem leva a pior.

PETRUCCHIO
Não é mesmo?
Se não bater, eu puxo a campainha
E vamos ver se você canta bem.

(Puxa-lhe a orelha.)

GRUMIO
Socorro, senhores! Meu amo está louco!

PETRUCCHIO
Me bata quando eu mandar, seu canalha.

(Entra HORTÊNSIO.)

HORTÊNSIO
O que aconteceu? Meu velho amigo Grumio, e meu velho amigo Petrucchio! Como estão todos em Verona?

PETRUCCHIO
Veio apartar a briga, amigo Hortênsio?
Con tuto il cuore ben trovato, digo.

HORTÊNSIO
Alla nostra casa ben venuto, molto honorato signor mio Petrucchio. Levante, Grumio; vamos resolver essa briga.

GRUMIO

25 O que ele diz em latim, senhor, não tem importância. Mas se isto não é causa legal para eu deixar o seu serviço, escute só, senhor. Ele me pediu que batesse nele, com toda a força, senhor. Muito bem, seria certo um criado fazer isso com o amo que, no que eu pudesse ver, já podia ter tomado umas e outras?
30 Deus sabe que se eu bato de saída,
Não é ele quem perde nesta vida.

PETRUCCHIO

Canalha e louco. Meu querido Hortênsio,
Eu pedi que batesse em seu portão,
Sem conseguir, por nada, que o fizesse.

GRUMIO

35 Bater no portão? Santo Deus! O senhor não disse, direitinho, "Bata logo aqui", "Bata-me já, e com força?" E agora vem com essa história de que mandou bater no portão?

PETRUCCHIO

Moleque, suma logo ou cale a boca.

HORTÊNSIO

Paciência, amigo. Eu respondo por Grumio;
40 É muito triste esse mal entendido
Entre você e o seu fiel criado.
Mas diga-me, querido, que bons ventos
O sopraram pra Pádua, de Verona?

PETRUCCHIO

Os que espalham os jovens pelo mundo
45 Pra buscar sorte bem longe da casa
Onde pouco acontece. Resumindo,
Senhor Hortênsio, o meu caso é este:
Meu velho pai, Antônio, faleceu,
E eu me atirei então nesta aventura
50 Pra vencer e casar como puder.
A bolsa tenho cheia, bens em casa,
E então parti, pra conhecer o mundo.

HORTÊNSIO

Petrucchio, vou falar-lhe francamente:
Aceita esposa feia e diabólica?
55 Não há de agradecer-me pela oferta,
Porém prometo que ela há de ser rica,

                    E muito rica. Mas é meu amigo,
                    Não me dá gosto impingi-la a você.

         PETRUCCHIO
                    Mas entre amigos tais que nós, Hortênsio,
60   Poucas palavras bastam. Se conhece
                    Noiva rica o bastante pra ser minha —
                    Pois com ouro é que soa a minha corte —
                    Seja ela a mais horrenda das amadas,
                    Mais velha que Sibila, mais maldita
65   Que a Xantipa de Sócrates — pior —
                    Pouco me importa, e nem tampouco altera
                    A afeição que há em mim, nem que ela tenha
                    Mais fúria do que as ondas do Adriático.
                    Eu vim por boda rica aqui em Pádua,
70   Se rica então feliz aqui em Pádua.

         GRUMIO
                    Então viu, senhor; ao senhor ele diz claro o que tem em mente. Assim,
                    se lhe der ouro bastante, casa com uma boneca engonçada ou uma
                    caveirinha, ou com uma bruxa velha sem um só dente na cara, mesmo que tenha doenças para cinquenta e dois cavalos. Enfim, nada é
75   ruim quando o dinheiro é bom.

         HORTÊNSIO
                    Petrucchio, já que entrou assim no assunto,
                    Da brincadeira eu passo a falar sério.
                    Eu posso conseguir-lhe uma mulher
                    Rica o bastante, jovem e bonita,
80   Criada como cabe a uma fidalga.
                    O seu defeito — e desse um só já basta —
                    É ser malditamente insuportável,
                    Desmedida em grossura e teimosia...
                    Com ela, se eu 'stivesse sem tostão,
85   Nem por minas de ouro me casava.

         PETRUCCHIO
                    Calma, Hortênsio; não sabe o que ouro faz.
                    Basta me dar o nome do pai dela
                    Que eu a conquisto nem que urre tanto
                    Quanto o trovão nos temporais de outono.

         HORTÊNSIO
90   Seu pai é Batista Minola,
                    Um cavalheiro afável e cortês,

Seu nome é Katherina Minola,
Famosa em Pádua por sua língua vil.

PETRUCCHIO
Eu conheço seu pai, mas não a ela;
Era amigo de meu pai falecido.
Não dormirei, Hortênsio, até que a veja.
Portanto, me perdoe se o deixo
Neste encontro primeiro que aqui temos,
A não ser que deseje vir comigo.

GRUMIO
Eu lhe peço, senhor, deixe-o ir enquanto dura a vontade. Palavra que se ela o conhecesse tão bem quanto eu, ia saber que desaforo com ele não adianta. Digamos que o chame de canalha umas seis vezes. Nem faz mossa; mas quando ele começa, é uma fieira que não tem mais fim. Eu lhe digo, senhor, que se ela resistir a ele um pouquinho que seja, ele atira uma tal descompostura na cara dela que ela fica cega de tão descomposta. O senhor não o conhece.

HORTÊNSIO
Petrucchio, espere; eu irei com você,
Pois meu tesouro quem guarda é Batista.
É dele a joia pela qual eu vivo,
Sua filha caçula, a linda Bianca,
Que ele esconde de mim e de outros mais,
Todos eles rivais do meu amor,
Sempre supondo que seja impossível,
Por causa dos defeitos que eu contei,
Jamais ver Katherina cortejada.
Por isso deu Batista ordem estrita
Que ninguém mais tivesse acesso a Bianca
Até a irmã maldita ter marido.

GRUMIO
Maldita Katherina,
É um belo título pr'uma mocinha.

HORTÊNSIO
Petrucchio amigo, agora por favor
Ofereça-me, com roupas sóbrias,
A Batista, como se eu fosse mestre
Capaz de ensinar música a Bianca,
Para eu poder ao menos, com esse truque,
Ter calma pra falar do meu amor —
E ao menos escondido namorá-la.

Grumio

Não é por safadeza! Mas vemos como para enganar os velhos, os jovens sempre juntam suas cabeças.

(Entram Grêmio e Lucentio, disfarçado de Cambio, um Mestre-escola.)

130 Meu amo, olhe só! Quem é aquele?

Hortênsio

Calma, Grumio. É meu rival no amor.
Petrucchio, afaste-se um pouco.

Grumio

Um rapagão, e bem apaixonado!

(Afastam-se.)

Grêmio

'Stá muito bem — já li a lista toda.
135 Ouça; eu quero os livros bem atados —
E só livros de amor; tome atenção —
Não dê outra lição nenhuma a ela.
Ouça-me com atenção. Afora e além
Do que o senhor Batista lhe pagar,
140 Dou mais um pouco. Não esqueça da lista.
Veja que os livros 'stejam perfumados,
Já que é mais doce que perfume aquela
Pra quem vão eles. Qual vai ler pra ela?

Lucentio

Leia o que ler, será pelo senhor,
145 Que é meu patrão; disso esteja tão certo,
Quanto estaria estando em meu lugar;
E até talvez obtendo mais sucesso
Do que teria, já que não é sábio.

Grêmio

Ah, esse saber, que coisa é ele!

Grumio

(À parte.)
150 Esse pateta, que jumento é ele!

Petrucchio

(À parte.)
Silêncio, moleque!

HORTÊNSIO

    (À parte.)
Grumio, silêncio! *(Avançando.)* Salve, senhor Grêmio.

GRÊMIO

Mas que prazer, senhor Hortênsio!
Sabe onde vou? A Batista Minola.
Eu prometi procurar com cuidado
Um mestre-escola para a bela Bianca,
E tive a sorte de acaso encontrar
Este rapaz, erudito e correto,
Bom para ela, sábio em poesia
E em outros livros — todos bons, garanto.

HORTÊNSIO

Que bom. E eu encontrei um cavalheiro
Que prometeu levar-me até um outro
Pra ensinar música à nossa amada.
Não fico atrás em nada no que devo
À bela Bianca, a quem eu amo tanto.

GRÊMIO

Eu é que amo, e provo com meus atos.

GRUMIO

Prova com as suas sacolas.

HORTÊNSIO

Não é hora de gritar nosso amor.
Ouça, Grêmio; e se falar direito
Dou-lhe notícias boas pra nós dois.
Eis um fidalgo, que acaso encontrei,
Que por acordo que ele aceita e aprova
Vai cortejar Katherina, a maldita,
E até casar, se o dote for de gosto.

GRÊMIO

Se é assim, dito e feito, que bom!
Mas, Hortênsio, contou-lhe os seus defeitos?

PETRUCCHIO

Já sei que é irritante e barulhenta;
Se é só isso, amigos, tudo bem.

GRÊMIO

Falar é fácil. De onde vem, amigo?

Petrucchio

De Verona, filho do velho Antônio
Morto meu pai, vivo eu em sua fortuna.
Quero ver dias longos e felizes.

Grêmio

Vai ser difícil, com mulher assim.
Mas se quer mesmo, que Deus o proteja;
E eu o ajudarei no que puder.
Mas vai cortejar a fera?

Petrucchio

       Estou vivo?

Grumio

E se não conquistar eu a enforco.

Petrucchio

E por que 'stou aqui, senão pra isso?
Um barulhinho me afeta os ouvidos?
Será que nunca ouvi leão rugir?
Ou o mar, perturbado pelos ventos,
Dar guinchos como um javali ferido?
Já não ouvi troar canhões no campo.
E nem a artilharia dos trovões?
Já não ouvi, na hora da batalha,
Bater de armas, trompas e relinchos?
E falam de uma língua de mulher,
Que não faz a metade do barulho
De uma fogueira para assar castanhas?
Vão assustar meninos com mosquitos!

Grumio

Não tem medo de nada...

Grêmio

Hortênsio, escute:
Esse rapaz chegou bem a propósito,
Para o bem dele mesmo e de nós dois.

Hortênsio

Eu prometi que nós ajudaríamos,
Arcando com as despesas do namoro.

Grêmio

Concordo, mas contanto que a conquiste.

GRUMIO
É mais certo que um bom jantar pra mim.

(Entram TRÂNIO, bem vestido, e BIONDELLO.)

TRÂNIO
Que Deus os salve, amigos. Se permitem,
Podem dizer qual o melhor caminho
Pr'onde reside Batista Minola?

BIONDELLO
Fala do pai das duas filhas lindas?

TRÂNIO
Desse mesmo, Biondello.

GRÊMIO
Escute aqui; fala delas também?

TRÂNIO
Dele e delas senhor, o que lhe importa?

PETRUCCHIO
Só peço que não mexa com a que grita.

TRÂNIO
Não gosto de malucas; vem, Biondello.

LUCENTIO
Foi bem, Trânio.

HORTÊNSIO
Senhor, uma palavra.
Pretende a mão da moça de que fala?

TRÂNIO
E é ofensa pretender, senhor?

GRÊMIO
Não se calar a boca e for embora.

TRÂNIO
Ora, senhor; a rua não é livre
Também pra mim?

GRÊMIO
Porém ela não é.

TRÂNIO
225   Por que razão?

GRÊMIO
            Porque, quero que saiba,
            Porque a elegeu o senhor Grêmio.

HORTÊNSIO
            E é a eleita do senhor Hortênsio.

TRÂNIO
            Calma, senhores; se são cavalheiros
230   Façam-me a cortesia de me ouvir.
            Batista é um notável cavalheiro
            De quem meu pai não é desconhecido;
            E fosse sua filha inda mais bela
            Poderia ter mais um candidato.
235   Por uns mil foi Helena cortejada:
            A bela Bianca pode ter mais um.
            E terá; pois Lucentio está na lista,
            Mesmo que Páris entre na conquista.

GRÊMIO
            O moço bate todos na palavra.

LUCENTIO
240   Podem dar rédeas; ele é pangaré.

PETRUCCHIO
            Hortênsio, mas para que tanta palavra?

HORTÊNSIO
            Já viu, acaso, a filha de Batista?

TRÂNIO
            Não, senhor; mas me dizem que tem duas:
            Uma famosa pela língua solta,
245   E a outra por beleza e bons costumes.

PETRUCCHIO
            Nem pense na primeira: essa é minha.

GRÊMIO
            *Deixe pro Hércules um tal trabalho,
            Que vai ser bem pior que os outros doze.*

PETRUCCHIO

        Senhor, ouça o que eu digo com cuidado:
250   Essa filha menor, à qual aspira,
        O pai esconde dos que a cortejam.
        Sem prometê-la a quem quer que seja
        Depois que a irmã mais velha se casar,
        A caçula 'stá livre; mas não antes.

TRÂNIO

255   Se for assim, e se o senhor é o homem
        Que vai dar chance a todos — e a mim —
        Se quebra o gelo e realiza o feito,
        Prende a mais velha e liberta a caçula
        Para nós, que então veremos quem a ganha.
260   Fidalgos, não podemos ser-lhe ingratos.

HORTÊNSIO

        Disse bem, e pensou da forma certa.
        E já que diz ser um dos candidatos,
        Como nós vai pingar pro cavalheiro
        A quem nós somos todos devedores.

TRÂNIO

265   Não faltarei. E pra dar uma amostra
        Terei prazer em recebê-los hoje
        Para beber à saúde de Bianca:
        Como fazem, nas leis, os adversários,
        Que são amigos sempre que há banquete.

GRUMIO, BIONDELLO

270   Boa proposta! Amigos, vamos lá!

HORTÊNSIO

        É boa ideia, sim; 'stá aprovada.
        Petrucchio, eu lhe darei boas-vindas.

(Saem.)

ATO 2

CENA 1
(Entram Katherina e Bianca.)

Bianca
Não me maltrate, irmã, nem se condene
Querendo me fazer criada e escrava.
Não gosto disso. Mas quanto aos enfeites,
Se me soltar as mãos eu mesma tiro
5 Os trajes novos e até as anáguas;
Eu farei tudo aquilo que mandar
Pois sei dos meus deveres com os mais velhos.

Katherina
De todos que a cortejam diga, então,
Qual é o seu preferido. E não me minta.

Bianca
10 Creia, irmã, que entre os homens que hoje vivem
Eu nunca vi o rosto especial
Que me atraísse mais que qualquer outro.

Katherina
'Stá mentindo, menina. É Hortênsio?

Bianca
Se quer a ele, irmã, eu juro agora
15 Que luto eu mesma pra dá-lo a você.

Katherina
Vai ver, então, que o que quer é dinheiro,
E então quer Grêmio para sustentá-la.

Bianca
Por causa dele, então, é que me inveja?
Está brincando, e agora eu compreendo
20 Que o tempo todo só brincou comigo.
Por favor, Kate, liberte as minhas mãos.

Katherina
Como vê, tudo é só de brincadeira. *(Bate nela.)*

(Entra Batista.)

BATISTA
Vamos, moça; pra que tanta insolência?
Venha cá, Bianca; a coitadinha chora.
Vá costurar; não se meta com ela.
Mas que vergonha, bruxa dos diabos;
Por que maltrata quem não lhe fez mal?
Acaso ela lhe disse alguma ofensa?

KATHERINA
Seu silêncio me ofende; eu vou vingar-me.

(Parte para cima de BIANCA.)

BATISTA
Na minha frente? Bianca, vá pra dentro.

(Sai BIANCA.)

KATHERINA
O quê? A mim não quer? Eu já vi tudo:
Querida é ela; marido é para ela,
Danço eu descalça na festa das bodas.
No que lhe importa, eu posso ir para o inferno;
Não fale mais comigo; eu vou chorar
Até encontrar uma vingança boa.

(Sai.)

BATISTA
Que homem já sofreu mais do que eu?
Mas quem vem lá?

(Entram GRÊMIO, LUCENTIO, com traje pobre, disfarçado de Cambio; PETRUCCHIO, com HORTÊNSIO, disfarçado de Litio; e TRÂNIO, disfarçado de Lucentio, com seu criado BIONDELLO carregando livros e um alaúde.)

GRÊMIO
Bom dia, vizinho Batista.

BATISTA
Bom dia, vizinho Grêmio. Deus os salve, cavalheiros.

PETRUCCHIO
E ao senhor. O senhor tem uma filha
Katherina, que é bela e virtuosa?

BATISTA
    Tenho uma filha Katherina, sim.

GRÊMIO
    Assim é muito; vá mais devagar.

PETRUCCHIO
45   Não é verdade; por favor, me deixe.
    Senhor, sou um fidalgo de Verona;
    Sabendo que é bonita e tem espírito,
    Que é muito afável, tímida e modesta,
    Que é dotada, e suave em seu trato,
50   Ouso mostrar-me hóspede abusado
    Da sua casa, pr'os meus olhos verem
    A verdade de tudo que me é dito.
    E como entrada, pra ser recebido,
    Desejo apresentar-lhe um homem meu,

(Apresenta HORTÊNSIO.)

55   Sabido em músicas e matemática,
    Pronto pra instruí-la em tais ciências,
    Das quais sei que ela não é ignorante.
    Aceite-o, pois se não me faz desfeita.
    Seu nome é Litio, e é nascido em Mântua.

BATISTA
60   O senhor e seu homem são bem-vindos;
    Mas sei que a minha filha Katherina
    Não lhe serve, por mais que eu o lamente.

PETRUCCHIO
    Já vi que não se quer separar dela,
    Ou então não gostou deste meu jeito.

BATISTA
65   Não me interprete mal. Digo o que penso.
    De onde vem, senhor? Qual o seu nome?

PETRUCCHIO
    Eu sou Petrucchio, e sou filho de Antônio,
    Um homem conhecido em toda a Itália.

BATISTA
    E por mim. Seja bem-vindo, em seu nome.

GRÊMIO

Sem contê-lo, Petrucchio, agora eu peço
Deixe falar os outros candidatos.
Esperare! É demais oferecido.

PETRUCCHIO

Senhor Grêmio! Perdão, 'stou excitado.

GRÊMIO

Não duvido, senhor; mas é capaz de atrapalhar sua corte. Vizinho, sei que este é um presente bem-vindo. Para mostrar que minhas intenções também são boas eu — que mais lhe devo em bondade do que qualquer outro, dou-lhe de coração este jovem sábio *(Apresenta LUCENTIO.)*, que estudou em Reims, tão sábio em grego, latim e outras línguas quanto é o outro em música e matemática. Seu nome é Cambio. Por favor aceite os seus serviços.

BATISTA

Mil vezes obrigado, senhor Grêmio. Bem-vindo, bom Cambio. *(Para TRÂNIO.)* Mas, caro senhor, parece ser um estranho aqui. Permite-me a ousadia de indagar a razão de sua visita?

TRÂNIO

Perdão, senhor; a ousadia é minha,
Por, mesmo sendo estranho na cidade,
Dizer-me candidato à sua filha,
À mão de Bianca, virtuosa e bela.
Não ignoro sequer o seu intento
De querer dar primeiro a irmã mais velha.
O único favor que aqui lhe peço
É que, sabendo de quem sou nascido,
Seja eu bem-vindo entre os que a cortejam,
Tendo o acesso e o favor que têm os outros.
E para a educação de suas filhas
Eu trouxe aqui este instrumento simples,
E estes livros em grego e em latim.
Se os aceitar, aumenta o seu valor.

BATISTA

O seu nome é Lucentio? De onde vem?

TRÂNIO

Sou de Pisa, sou filho de Vincentio.

BATISTA

Muito importante em Pisa. Pelo nome

Conheço muito bem. Seja bem-vindo.
(Para Hortênsio.) Leve o alaúde *(Para Lucentio.)* e você leve os livros.
Vão logo procurar suas pupilas.
Olá!

(Entra um Criado.)

105   Menino, leve os cavalheiros
Às minhas filhas; diga ainda às duas
Que são tutores e que os tratem bem.

(Saem Criado, Hortênsio, Lucentio, Biondello.)

Vamos dar uma volta no pomar
E, depois, para a ceia. São bem-vindos
110   E assim espero que todos se sintam.

PETRUCCHIO
Senhor Batista, o meu caso tem pressa,
E lazer pra namoro eu tenho pouco.
Conheceu o meu pai, e hoje sou ele,
Único herdeiro de seus bens e terras
115   Que, ao invés de gastar, eu aumentei.
Se eu conquistar o amor de sua filha,
Diga: que dote me virá com a noiva?

BATISTA
Quando eu morrer, a metade das terras;
E já, de posse, vinte mil coroas.

PETRUCCHIO
120   Contra esse dote eu garanto a ela
Na viuvez, se a mim sobreviver,
Tudo o que tenho, seja em terra ou posse.
Vamos pois redigir contratos claros
Pra que ambos saibam o que estão jurando.

BATISTA
125   Sim, depois que obtiver o principal,
Ou seja, o seu amor, que é o crucial.

PETRUCCHIO
Isso é bobagem. Pois lhe digo, pai,
Sou tão firme quanto ela é orgulhosa;
E quando se confrontam duas chamas
130   A fúria que as sustenta logo queima.

          Qualquer foguinho cresce com uma brisa;
          Mas vento forte apaga fogo e tudo.
          Eu faço o mesmo, e o fogo cede a mim —
          Sou duro, não namoro como infante.

BATISTA

135   Faça como quiser, e boa sorte.
          Melhor armar-se pra palavras duras.

PETRUCCHIO
          Como as montanhas se armam pros ventos,
          Que sopram sempre mas não as abalam.

       (Entra HORTÊNSIO, com a cabeça quebrada.)

BATISTA
          O que é, amigo; por que está tão pálido?

HORTÊNSIO
140   Garanto que é de medo, se 'stou pálido.

BATISTA
          A minha filha vai ser boa música?

HORTÊNSIO
          Eu acho que dá mais pra ser soldado.

BATISTA
          Ela então não se deu com o alaúde?

HORTÊNSIO
          Senhor, ela me deu com o alaúde.
145   Só disse que ela confundira os trastos,
          E tentei consertar seu dedilhado,
          Quando ela, parecendo mais diabo,
          Disse "São trastes? Pois vou trasteá-lo"
          E, falando, ela bateu-me na cabeça,
150   E furou a viola com o meu coco.
          Por um tempo eu fiquei apatetado,
          Preso num cepo feito de alaúde;
          E ela a me chamar de rabequeiro,
          Zeca das cordas e outros termos vis.
155   Parecendo ter planejado tudo.

PETRUCCHIO
          Palavra que ela é moça decidida,

E já a amo umas dez vezes mais.
'Stou louco para conversar com ela.

BATISTA
Pois não se preocupe; venha logo.
Continue a dar aulas à caçula;
Vai aprender e ainda agradecer-lhe.
Senhor Petrucchio, prefere ir comigo,
Ou que eu mande pr'aqui a minha Kate?

PETRUCCHIO
Peço que a mande. Eu espero aqui.

(Saem todos menos PETRUCCHIO.)

Pr'um namoro animado quando vier.
Se gritar, eu lhe digo simplesmente
Que ela canta melhor que um rouxinol;
Se franze a testa eu digo que parece
Mais clara e linda que a rosa orvalhada;
Se ficar muda, sem dizer palavra;
Eu elogio a sua falastrice,
Digo que fala com eloquência rara;
Se me mandar embora, eu agradeço
Por insistir que eu fique aqui mais tempo;
Se disser que não casa, eu marco o dia
Pra correrem os banhos e pras bodas.
Lá vem ela. Petrucchio, fale agora.

(Entra KATHERINA.)

Bom dia, Kate; ouvi que esse é o seu nome.

KATHERINA
Pois se ouviu, é que é surdo das orelhas;
Pra quem fala de mim sou Katharina.

PETRUCCHIO
Isso é mentira; todos dizem Kate;
Kate boa, ou então é Kate maldita,
A mais linda das Kates da cristandade,
Kate a morgada, Kate a delicada.
Fique sabendo, Kate do meu consolo,
Que depois de escutar tantos louvores
À sua doçura, virtude e beleza,
Sempre menores do que os que merece,
Fui levado a querê-la por esposa.

KATHERINA

190   Levado? Pois o que o levou pra cá
            O leve embora. Vi desde o princípio
            Que era móvel.

PETRUCCHIO

                      Que era móvel como?

KATHERINA
            Um banquinho.

PETRUCCHIO

                      Acertou. Sente-se em mim.

KATHERINA
            Burro e você são feitos para carga.

PETRUCCHIO
195   Bela carga é a que é feita de mulheres.

KATHERINA
            Eu não sou pangaré como você.

PETRUCCHIO
            Querida Kate, eu não lhe pesarei!
            Pois sabendo como é jovem e leve...

KATHERINA
            Leve demais pra que você me pegue,
200   Mas tendo todo o peso que me cabe.

PETRUCCHIO
            Só de carne?

KATHERINA
                      Falou como urubu.

PETRUCCHIO
            E urubu, doce pomba, não a pega?

KATHERINA
            Mas pra pomba, isso tudo é comer sapo.

PETRUCCHIO
            Vamos, vespa; não 'stá com tanta raiva...

KATHERINA
Se sou vespa, cuidado com o ferrão.

PETRUCCHIO
O remédio que tenho é arrancá-lo.

KATHERINA
Um tolo assim não sabe onde ele fica.

PETRUCCHIO
Quem não sabe onde 'stá o ferrão da abelha?
No rabo.

KATHERINA
Na língua.

PETRUCCHIO
Língua de quem?

KATHERINA
Se é por grossura, na sua; e adeus.

PETRUCCHIO
Que é isso? A minha língua no seu rabo?
Ora, Kate; sou cavalheiro.

KATHERINA
Eu vou ver. *(Bate nele.)*

PETRUCCHIO
Eu te arrebento, se bater de novo.

KATHERINA
Mas perde na moral.
Se me bater, cavalheiro não é;
Não sendo, não tem mão pr'oferecer.

PETRUCCHIO
Ora Kate, é você quem dá nobreza?

KATHERINA
E o seu brasão, é uma crista de bobo?

PETRUCCHIO
Galo sem crista, com você galinha.

KATHERINA
220   Não quero galo com voz de capão.

PETRUCCHIO
E pra quê essa cara tão franzida?

KATHERINA
Fica assim quando vejo maçã podre.

PETRUCCHIO
Se aqui não há, não fique aborrecida.

KATHERINA
Se há, se há.

PETRUCCHIO
225   Então me mostre.

KATHERINA
            Só tendo um espelho.

PETRUCCHIO
A minha cara?

KATHERINA
            Mirou bem, prum jovem.

PETRUCCHIO
Jovem forte demais para você.

KATHERINA
Com rugas.

PETRUCCHIO
            De cuidados.

KATHERINA
            O que me importa?

PETRUCCHIO
Escute, Kate. Não pense que me escapa.

KATHERINA
230   Eu só o irrito; deixe-me ir embora.

Petrucchio
Nem pensar. Eu a acho tão gentil...
Diziam que era grossa e emburrada,
Mas agora 'stou vendo que mentiram;
Que é agradável, alegre e cortês,
Lenta de fala, doce como as flores;
Não se zanga, não olha atravessado,
Não morde o lábio como dona brava;
Nem tem prazer em fala malcriada;
Recebe bem quem vem fazer a corte,
Com conversinha doce e delicada.
Por que dizem que Kate puxa da perna?
Que calúnia! É reta como um tronco;
Como a avelã é toda marronzinha,
E inda mais doce. Ande aí para eu ver.

Katherina
Idiota! Dê ordens a quem pode.

Petrucchio
Terá Diana embelezado o campo
Co'a graça que tem Kate em sua casa?
Seja Diana, então, e ela Kate —
E seja casta Kate, livre Diana.

Katherina
Onde foi que estudou toda essa fala?

Petrucchio
É dom materno. 'Stou improvisando.

Katherina
A mãe é sábia, o filho nem sabido.

Petrucchio
Não sou sábio.

Katherina
Nem sabe se esquentar.

Petrucchio
Mas vou saber, e bem, na sua cama.
E portanto, deixando de conversa,
Falemos claro: o seu pai consentiu
Que nos casemos; já tratei do dote;
Queira ou não queira, eu caso com você.

Marido bom pra você, Kate, sou eu;
Pois pela luz que me faz ver que é bela,
Co'essa beleza que atraiu meu gosto,
Você casa comigo ou com ninguém.

(Entram Batista, Grêmio e Trânio.)

Lá vem seu pai. Não ouse negar nada;
Quero ter e vou tê-la por esposa.

BATISTA
Senhor, como se deu com minha filha?

PETRUCCHIO
Como podia ser, senhor? Fui bem.

BATISTA
Oh filha Katherina, está tristonha?

KATHERINA
Me chama filha? Pois vou lhe contar
Que demonstrou grande zelo paterno
Desejando que eu case com um maluco,
Cafajeste brigão e desbocado,
Que quer resolver tudo só no grito.

PETRUCCHIO
Meu pai, escute: o senhor e o mundo
Estão errados do que dizem dela.
Se ela é megera, é de caso pensado —
Ela é tão tímida quanto uma pomba;
Não se esquenta, é morninha como a aurora;
Em paciência ela ganha de Griselda,
E em castidade ganha de Lucrécia.
Pra concluir, nós nos demos tão bem
Que o casamento sai neste domingo.

KATHERINA
Domingo é bom pra você ir pra forca.

GRÊMIO
Petrucchio, ela quer vê-lo na forca.

TRÂNIO
Isso é que é bem? Lá se foi nossa aposta.

PETRUCCHIO

285 Calma, senhores. Ela é a minha escolha;
Se está bom pra nós dois, que têm com isso?
Quando sozinhos nós dois combinamos
Que na frente dos outros ela grita.
Eu lhes digo, não dá pra acreditar
290 O quanto ela me ama. Doce Kate!
Pendurando-se em mim me beijou tanto,
Com tal vontade e fazendo tais juras,
Que eu lhe entreguei o meu amor na hora.
São muito ingênuos; precisavam ver,
295 Quando ficam sozinhos macho e fêmea,
A pombinha que vira a grande peste.
Kate, dê-me a sua mão; vou a Veneza
Comprar meus trajes para o casamento;
E, pai, fazer convites para a festa.
300 'Stá tudo bem com a minha Katherina.

BATISTA

Dê aqui a mão; não sei o que dizer;
Felicidades, filha; 'stá tratado.

GRÊMIO E TRÂNIO

Amém, amém, nós somos testemunhas.

PETRUCCHIO

Pai e mulher, senhores, até breve;
305 Vou a Veneza. O domingo está perto.
Vamos ter coisas, anéis, muito enfeite.
Um beijo, Kate; o casório é domingo.

(Saem PETRUCCHIO e KATHERINA.)

GRÊMIO

Que boda foi armada tão depressa?

BATISTA

Senhores, eu pareço mercador
310 Me aventurando em mercado de risco.

TRÂNIO

E o seu estoque que andava encalhado
Agora vai dar lucro ou afundar.

BATISTA

O lucro que procuro é que dê certo.

GRÊMIO

O fato é que ele deu um golpe certo.
315 Mas agora, Batista; e a caçula?
Este é o dia que todos esperavam.
Sou vizinho, e o primeiro a cortejá-la.

TRÂNIO

E eu aquele que ama Bianca mais
Do que possa dizer — e até pensar.

GRÊMIO

320 Jovem não ama tanto quanto eu.

TRÂNIO

Amor de velho gela.

GRÊMIO

E o seu frita.
Desista, tolo; a idade é que alimenta.

TRÂNIO

Mas é com um jovem que uma moça esquenta.

BATISTA

Calma, senhores, que eu resolvo a briga.
325 Pro prêmio falam fatos; e, dos dois,
O que garanta mais à minha filha
Terá o amor de Bianca.
Diga então, senhor Grêmio, o que oferece.

GRÊMIO

Primeiro, a minha casa — como sabe —
330 É bem fornida de ouro, de prataria,
Jarro e bacia pra lavar as mãos.
Minhas tapeçarias são de Tiro,
Em cofres de marfim guardo moedas,
Em baús de cipreste, ricas colchas.
335 Cobertas caras, tendas e dosséis.
Linho e coxins são bordados de pérolas.
E as rendas de Veneza são com ouro.
Tenho estanho, latão, e tudo o mais
Que uma casa precisa. Na fazenda,
340 Tenho cem vacas só pra leite e queijo;
Estabulados, cento e vinte bois;
E tudo o mais que complete um tal dote.
Confesso que já sou entrado em anos,

E se morro amanhã é tudo dela,
345 Des'que seja só minha enquanto vivo.

TRÂNIO

Bem aplicado o "só". Senhor, escute:
Eu de meu pai sou o único herdeiro.
Se eu tiver sua filha como esposa,
Lhe deixo, em Pisa, três ou quatro casas
350 Tão boas quanto o amigo senhor Grêmio
Tiver aqui em Pádua. E além disso,
Dois mil ducados em renda, por ano,
De terra fértil que é parte do dote.
O que foi, senhor Grêmio; essa doeu?

GRÊMIO

355 Dois mil ducados anuais em terras!
(À parte.) Nem toda a minha terra chega a isso...
Tudo isso ela terá, além de um barco
Que faz agora a rota de Marselha.
O quê; eu o engasguei com o meu veleiro?

TRÂNIO

360 Grêmio, é sabido que meu pai possui
Três caravelas, mais dois galeões,
E doze barcos leves. Tudo é dela,
E mais o dobro de sua nova oferta.

GRÊMIO

Já fiz a minha; não tenho mais nada;
365 Não posso dar a ela mais que tenho.
Se me escolher, tem a mim e o que é meu.

TRÂNIO

Então, diante do mundo a moça é minha,
Pelo que prometeu. Grêmio perdeu.

BATISTA

Confesso que sua oferta é a melhor.
370 E se seu pai der sua garantia,
Ela é sua: porém, se acontecer
De morrer antes dele, qual o dote?

TRÂNIO

'Stá cavilando. Ele é velho, eu sou jovem.

GRÊMIO

Jovem não é mortal, igual a velho?

Batista

Pois muito bem, senhores.
Já resolvi: domingo, como sabem,
Vai casar minha filha Katherina;
No domingo seguinte caso a Bianca
Com o senhor, se me der a garantia.
Se não, com o senhor Grêmio.
Agora me retiro. E obrigado.

Grêmio

Adeus, vizinho.

(Sai Batista.)

Agora não o temo.
Moleque à toa, o seu pai será tolo
Se lhe der tudo pra, depois de velho,
Comer à sua mesa. Está brincando!
Raposa velha não faz caridade.

(Sai.)

Trânio

Raios o partam, seu safado esperto.
Mas enfrentei os trunfos na mão dele.
Na cuca eu tenho o bem do meu patrão,
Porém já vi que este falso Lucentio
Tem de arranjar um bom falso Vincentio.
Vai ser milagre. Em geral são os pais
Que arranjam filhos; mas neste namoro
Se eu não for tolo um filho gera um pai.

(Sai.)

ATO 3

CENA 1
(Entram Lucentio, Hortênsio e Bianca.)

LUCENTIO
Já chega, rabequeiro; isso é abuso.
Será que se esqueceu assim depressa
Da lição que levou de Katherina?

HORTÊNSIO
Mas, pedante metido, esta é
5 A padroeira dos sons celestiais.
Por isso devo eu ter prerrogativas:
Quando acabar nossa hora de música
Sua lição terá o mesmo tempo.

LUCENTIO
Seu bestalhão, que nunca sequer leu
10 Que o motivo pra ser criada a música
Foi o do homem refrescar a mente
Após seus estudos e cansaços!
Enquanto eu ensinar filosofia,
Durante as pausas você harmoniza.

HORTÊNSIO
15 Moleque, não aturo os seus abusos...

BIANCA
Senhores, não me ofendam duplamente
Brigando pelo que é da minha escolha.
Não sou criança para ser mandada;
Eu me recuso a ficar presa a horário;
20 Só aprendo as lições que me agradarem.
Vamos sentar, para acabar com a briga.
Pegue o seu instrumento e vá tocando;
Enquanto afina, a lição dele acaba.

HORTÊNSIO
Larga a lição tão logo eu afinar?

LUCENTIO
25 Só em São Nunca. Pegue o instrumento.

BIANCA

    Onde paramos?

LUCENTIO

    Aqui, madame:
    Hic ibat Simois, hic est Sigeia tellus
    Hic steterat Priami regia celsa senis.[3]

BIANCA

    Pode analisar.

LUCENTIO

    Hic ibat, como disse antes — *Simois,* eu sou Lucentio — *hic est,* filho de Vincentio de Pisa — *Sigeia tellus,* disfarçado para conseguir seu amor — *Hic steterat,* e o Lucentio que lhe faz a corte — *Priami,* é meu homem Trânio — *regia,* ostentando meu aspecto — *celsa senis,* para podermos enganar o velho pantalão.

HORTÊNSIO

    Madame, o instrumento está afinado.

BIANCA

    Deixe-me ouvir. Que horror! O baixo guincha.

LUCENTIO

    Cuspa lá dentro, homem; e afine de novo.

BIANCA

    Agora vou tentar analisar: *Hic ibat Simois,* não o conheço — *hic est Sigeia tellus,* não me merece confiança — *Hic steterat Priami,* cuidado para não nos ouvirem — *regia,* não presuma — *celsa senis,* nem desespere.

HORTÊNSIO

    Madame, 'stá afinado.

LUCENTIO

    Falta o baixo.

HORTÊNSIO

    Também o baixo. O resto é baixaria.
    (À parte.) Como é fogoso e metido o pedante!
    Juro que está de olho em minha amada.
    Pedantinho, inda acabo com você.

---

[3] "Aqui corria o Simois. aqui era terra de Sigéria./ Aqui ficava o imponente palácio de Príamo." (N.T.)

BIANCA
    Talvez confie um dia; agora, não.

LUCENTIO
    Não desconfie, pois o próprio Ecides
50   Era Ajax mesmo, com o nome do avô.

BIANCA
    Devo crer em meu mestre. De outro modo,
    Continuaria a insistir na dúvida.
    Deixe pra lá. Litio, agora é o senhor.
    Não quero que se ofenda, meu bom mestre,
55   Só porque brinco assim com todos dois.

HORTÊNSIO
    (Para LUCENTIO.)
    Vá passear; nos dê licença um pouco.
    Minha lição não tem nada pra trio.

LUCENTIO
    É tão formal? Está bem, eu espero.
    (À parte.) Mas de olho, pois se não me engano
60   O nosso músico 'stá apaixonado.

HORTÊNSIO
    Senhora, antes que toque no instrumento,
    Pr'aprender como eu faço o dedilhado,
    Vou começar com os princípios da arte.
    Pra ensinar-lhe a escala mais depressa,
65   De modo mais feliz e eficaz
    Que os que usam outros do meu ramo,
    Ei-lo aqui todo escrito e desenhado.

BIANCA
    Eu passei das escalas já faz tempo.

HORTÊNSIO
    Mas tem de ler essa escala de Hortênsio.

BIANCA
    (Lê.)
70   "Sou a Escala, a base da harmonia —
    A ré, para cantar o amor de Hortênsio —
    B mi, Bianca o aceita por marido —

                    C fá, dó, ele a ama com paixão —
                    D sol, ré, duas notas numa clave —
75   E lá, mi, tenha pena, senão morro."
                    Chama isso de escala? Eu não gostei!
                    Gosto mais da forma antiga. Eu não quero
                    Trocar as regras por invencionices.

                            (Entra um Criado.)

        CRIADO
                    Ama, seu pai mandou que deixe os livros
80   Para enfeitar o quarto de sua irmã.
                    Amanhã, como sabe, é o casamento.
        BIANCA
                    Adeus, meus doces mestres; já vou indo.

                                                    (Saem Bianca e o Criado.)

        LUCENTIO
                    Não tenho então mais razão pra ficar.

                                                                    (Sai.)

        HORTÊNSIO
                    Tenho eu para espiar esse pedante;
85   A mim parece quase apaixonado.
                    Mas Bianca, se você pousa tão baixo
                    Que olhe pra qualquer coisa que passe,
                    Que vá com um deles. Se a pegar infiel,
                    Hortênsio a larga e muda de quartel.

                                                                    (Sai.)

                                    CENA 2
                (Entram Batista, Grêmio, Trânio, Katherina, Bianca, Lucentio e séquito.)

        BATISTA
                    Senhor Lucentio, é hoje o dia marcado
                    Pra Katherina casar com Petrucchio;
                    Mas não tenho notícias de meu genro.
                    O que dirão? Como vão debochar
5   De faltar noivo quando o padre espera
                    Pra realizar o ritual da boda!
                    Que diz Lucentio do nosso vexame?

KATHERINA

    A vergonha é só minha. Fui forçada
    A dar a mão, contra meus sentimentos,
10   A um cafajeste louco e caprichoso,
    Com pressa pra noivar, mas não pra boda.
    Eu disse a todos que ele era maluco,
    Que faz piadas pra esconder que é grosso,
    Para ser tido como brincalhão.
15   Ele namora mil, marca o casório,
    Planeja a festa, faz correr os banhos,
    Mas nunca casa com quem namorou.
    O mundo vai se rir de Katherina
    Dizendo: "É a mulher daquele louco".
20   Isso se ele aparece pra casar.

TRÂNIO

    Paciência, Katherina e bom Batista;
    Eu juro que Petrucchio age por bem,
    Seja o que for que o impede de aqui estar.
    Embora sem requinte, é muito sério,
25   E embora seja alegre, ele é honesto

KATHERINA

    Quem dera eu o jamais tivesse visto.

(Sai chorando, seguida por BIANCA e CRIADOS.)

BATISTA

    Pois vá; e eu não a culpo por chorar.
    Injúria como essa irrita um santo,
    Que dirá uma megera impaciente.

(Entra BIONDELLO.)

BIONDELLO

30   Patrão, patrão, novidades! Tão velhas que nem dá para escutar.

BATISTA

    São novidades velhas? Como é isso?

BIONDELLO

    Não é novidade saber que Petrucchio vem aí?

BATISTA

    Ele chegou?

Biondello
Ora, não, senhor.

Batista
E então?

Biondello
Ele vai chegar.

Batista
Quando estará aqui?

Biondello
Quando pisar onde estou e olhar para o senhor aí.

Trânio
Mas, afinal, quais são as novidades velhas?

Biondello
Ora, que Petrucchio vem aí de chapéu novo e colete velho; a calça é de terceira encarnação; as botas já serviram pra candeias, sendo uma de fivela e uma de laçada; a espada enferrujada vem do arsenal público, com o punho quebrado e a bainha furada; o cavalo tem a espinhela caída, a sela será mofada e os estribos são diferentes — e além disso é perebento e todo sapecado, com febre de cavalo, furúnculos e bolhas infectadas, com as juntas inchadas, com amarelão, sem cura pras maleitas, mancando das patas, o ombro caído, a mão direita torta, o freio e o bridão mal colocados, e uma rédea de couro de carneiro, que de tanto ser puxada para ele não tropeçar já arrebentou e foi remendada muitas vezes; a barrigueira está em seis pedaços; um rabicho de mulher, todo de veludo com as iniciais dela marcadas em tachas, tudo preso com alfinetes.

Batista
Quem vem com ele?

Biondello
Ah, senhor, seu lacaio, ajaezado igualzinho ao cavalo; com uma meia de linho em uma perna e uma bota de malha na outra; com uma tira vermelha e branca para liga; um chapéu velho e quarenta restos fantásticos enfiados nele como pluma; um monstro, um monstrengo de roupa, que não parece nem moleque cristão e nem lacaio de cavalheiro.

Trânio
Alguma coisa o leva a tudo isso.
Às vezes ele anda muito simples.

Batista
De um modo ou outro, ainda bem que vem.

Biondello
Mas ele não vem, senhor.

Batista
Mas você não disse que ele vem?

Biondello
O quê? Que Petrucchio veio?

Batista
Isso, que Petrucchio veio.

Biondello
Não, senhor. Digo que seu cavalo está vindo, com ele nas costas.

Batista
Ora, isso é a mesma coisa.

Biondello
Não, por São Janjão,
Eu lhe dou um tostão.
Um homem e um totó
São juntos mais que um só,
Mas não uma porção.

(Entram Petrucchio e Grumio.)

Petrucchio
Cadê a moçada? Quem está em casa?

Batista
Bem-vindo, senhor.

Petrucchio
Mesmo sem vir bem.

Batista
No entanto, sem parar.

Trânio
Gostaria de o ver mais elegante.

PETRUCCHIO
Não é melhor ter pressa e vir assim?
Onde está Kate, a minha noiva linda?
E meu pai? Por que todos com ar zangado?
Por que razão essa gente simpática
Parece olhar pr'alguma coisa estranha,
Algum cometa, algum prodígio raro?

BATISTA
Senhor, sabe que é hoje que se casa.
Primeiro o susto foi que não viesse;
Susto maior é o chegar com esse aspecto.
Vamos, tire essa roupa vergonhosa,
Um olho roxo na cara da festa!

TRÂNIO
E diga-nos que foi tão importante
Que o atrasou pra ver sua mulher
E o fez apresentar-se assim mudado.

PETRUCCHIO
É um tédio pra contar e para ouvir;
Importa é que aqui cumpra o que tratei,
Apesar de uns desvios no caminho
Que com tempo esclareço de tal forma
Que todos se darão por satisfeitos.
Mas que é de Kate? Não quero esperar tanto.
'Stá tarde. Já é hora de ir pra igreja.

TRÂNIO
Não vá ver sua noiva nesses trapos;
Venha comigo, eu lhe empresto umas roupas.

PETRUCCHIO
Nem pense nisso. Assim é que irei vê-la.

BATISTA
Mas espero que não se case assim.

PETRUCCHIO
Assim mesmo. Já chega de conversa;
Ela casa comigo, não com as roupas.
Pudesse o que ela vai gastar em mim
Ser de fácil remendo como as roupas,
Seria bom pra Kate e pra mim ótimo.

Mas pra que perder tempo conversando,
Quando eu quero saudar a minha noiva
E selar tudo com um gostoso beijo.

(Saem Petrucchio e Grumio.)

TRÂNIO
Alguma ele pretende com essa roupa.
Mas se possível vamos convencê-lo
De vestir-se melhor para a igreja.

BATISTA
Vou segui-lo, pra ver no que dá isso.

(Saem Batista, Grêmio, Biondello e criados.)

TRÂNIO
Patrão, o que nós 'stamos precisando
É agradar o pai dela — e para isso,
Como já disse antes pro senhor,
Vou conseguir um homem — qualquer um
Pode servir, nós damos jeito nele —
Para o papel de Vincentio de Pisa,
Que dará garantias, cá em Pádua,
De soma inda maior que a prometida.
Você goza seu sonho sem problemas
Tendo licença pra casar com Bianca.

LUCENTIO
Pois se o meu companheiro mestre-escola
Não vigiasse a Bianca o tempo inteiro,
Nós podíamos fugir pra casar.
Uma vez feito, nem a gritaria
Do mundo inteiro tira ela de mim.

TRÂNIO
Eu vou ver, de mansinho, se é possível,
E de que jeito, fazer o que ele quer:
Derrotamos pra isso o velho Grêmio,
O olho de lince do velho Minola,
E o músico amoroso, o tal de Litio.
Tudo isso só por meu amo Lucentio.

(Entra Grêmio.)

Já está vindo da igreja, senhor Grêmio?

GRÊMIO

    E nem da escola saí tão contente.

TRÂNIO

    A noiva e o noivo 'stão vindo pra casa?

GRÊMIO

    O noivo, disse? É mais cavalariço,
140   E a moça inda vai ver que dos piores.

TRÂNIO

    Mais maldito que ela? É impossível.

GRÊMIO

    Ele é um diabo, é um demo, um demônio.

TRÂNIO

    E ela diaba; ela é a mãe do cão.

GRÊMIO

    O quê? Com ele é pomba, é cordeirinho.
145   Eu lhe digo, Lucentio: quando o padre
    Disse "Quer Katherina como esposa?"
    "Raios o partam se não quero", disse
    Aos gritos; e o padre — só de susto —
    Deixou cair o livro e, no apanhá-lo,
150   O noivo louco deu-lhe um bofetão
    Que caiu livro, padre, padre e livro.
    E inda gritou "Quem quiser que os levante".

TRÂNIO

    Que disse a noiva, enquanto o levantavam?

GRÊMIO

    Só tremia, enquanto ele xingava,
155   Como se o padre o quisesse enganar.
    E quando as cerimônias terminaram,
    Pediu vinho. "Saúde!" disse, aos gritos,
    Qual se estivesse a bordo, com marujos,
    Depois da chuva. Entornou vinho doce,
160   Jogando a borra bem no sacristão,
    Sem ter qualquer motivo.
    Senão o de ter ele barba rala
    E parecer, ao beber, 'star faminto.
    Depois pegou a noiva pela nuca

         E sapecou-lhe um beijo tão sonoro
165
         Que chegou a dar eco em toda a igreja.
         Ao vê-lo, vim de lá, envergonhado
         E atrás de mim, eu sei, vem toda a gente.
         Nunca vi casamento tão maluco.
170   Atenção, 'stão tocando os menestréis.

                (Tocam música. Entram Petrucchio, Katherina, Bianca, Batista, Hortênsio, Grumio *e criadagem.)*

    Petrucchio
         Amigos, cavalheiros, obrigado.
         Sei que esperam cear comigo hoje,
         E o banquete da boda é mais que farto.
         No entanto, eu tenho pressa de partir
175   E por isso eu agora me despeço.

    Batista
         Mas esta noite mesmo vai partir?

    Petrucchio
         Vou hoje e antes do cair da noite.
         Não se espantem. Se soubessem por que,
         Pediriam que eu fosse, não ficasse.
180   Bons amigos, a todos agradeço
         Que aqui me vissem doar a mim mesmo
         A essa esposa doce e virtuosa.
         Jantem aqui, bebam minha saúde;
         Mas eu tenho de ir; adeus a todos.

    Trânio
185   Eu lhe peço que fique até a ceia.

    Petrucchio
         Impossível.

    Grêmio
                      Eu lhe estou pedindo

    Petrucchio
         Não pode ser.

    Katherina
         Permita que eu lhe peça.

    Petrucchio
         Eu permito.

KATHERINA
                    Permite que fiquemos?

PETRUCCHIO
190   Permito que me peça pra eu ficar.
                Ficar, não; mas pedir pode à vontade.

KATHERINA
                Se me ama, fique.

PETRUCCHIO
                            Grumio, meus cavalos.

GRUMIO
                Sim, senhor; estão prontos. Já comeram
                A aveia todos eles.

KATHERINA
                            Muito bem.
195   Faça como quiser. Eu não vou hoje.
                Nem amanhã; só vou quando quiser.
                'Stá ali a porta; é aquele o seu caminho.
                Vá trotando, enquanto a bota está nova.
                Mas eu só vou quando tiver vontade.
200   Pelo visto vai ser noivo trombudo,
                Pra ser mandão assim, já de saída.

PETRUCCHIO
                Com calma, Kate. Peço que não se zangue.

KATHERINA
                Me zango, sim, Que tem você com isso?
                Quieto, pai; ele tem de me esperar.

GRÊMIO
205   Agora vamos ver como é que fica.

KATHERINA
                Cavalheiros, entremos pro banquete.
                Mulher acaba com papel de boba
                Se não mostrar vigor pra resistir.

PETRUCCHIO
                Por ordem sua, Kate, todos irão;
210   Obedeçam à noiva, convidados.

            Vão à festa beber, comemorar,
            Brindar bem alto a sua virgindade.
            Podem festejar bem, ou se enforcar,
            Mas minha linda Kate tem de ir comigo.
215   Não gritem, sapateiem ou se agitem;
            Do que a mim pertence eu sou senhor.
            Ela é meus móveis, utensílios, casa,
            Meus pertences, meu campo, meu celeiro,
            Meu cavalo, meu boi, meu asno, tudo.
220   E aqui está ela. Que a toque quem ousar!
            Darei o que fazer ao mais garboso
            Que tentar me impedir de ir pra Pádua.
            Puxe da espada, Grumio; estou cercado.
            Se é homem, salve agora a sua ama.
225   Não tenha medo, Kate; ninguém a pega.
            Pra defendê-la eu enfrento um milhão.

(Saem Petrucchio, Katherina e Grumio.)

BATISTA

Pois que se vá esse casal tranquilo.

GRÊMIO

Eu morria de rir, se não saíssem.

TRÂNIO

Nunca vi par tão louco da cabeça.

LUCENTIO

230 E o que pensa a senhora de sua mana?

BIANCA

Que, louca, tem o louco que merece.

GRÊMIO

Petrucchio está Kateado, ao que parece.

BATISTA

Vizinhos, muito embora faltem noivos
Pra completar os lugares na mesa,
235 Saibam que não há falta de quitutes.
Lucentio, fique com o lugar do noivo,
Enquanto Bianca ocupa o da irmã.

Trânio
: A doce Bianca ensaia ser a noiva?

Batista
: Isso mesmo, Lucentio; agora, vamos!

(Saem.)

ATO 4

CENA 1

(Entra Grumio.)

GRUMIO

Raios partam todos os pangarés exaustos, todos os amos loucos e todas as estradas ruins! Haverá homem que tenha apanhado tanto? Será que alguém já ficou tão sujo? Será que alguém já ficou tão cansado? Me mandam na frente pra acender o fogo, e eles vêm depois, pra se esquentar. Mas se eu não fosse pequenino e esquentado, meus lábios congelavam nos dentes, minha língua no céu da boca, meu coração na minha barriga, antes que eu arranjasse um fogo pra me derreter. Mas eu vou me esquentar de tanto assoprar o fogo, e pensar que em tempo como este, um cara mais alto se resfriava. Olá! Ei! Curtis!

(Entra Curtis.)

CURTIS

De quem é esse chamado frio?

GRUMIO

De uma pedra de gelo. Se duvida, pode deslizar do meu ombro até o pé, só pulando a cabeça e o pescoço. Um fogo, bom Curtis.

CURTIS

Meu amo e a mulher estão vindo, Grumio?

GRUMIO

Isso mesmo, Curtis. Portanto faça fogo, muito fogo, e sem molhar!

CURTIS

E ela é megera tão quente quanto dizem?

GRUMIO

Era, bom Curtis; antes dessa geada. Mas você sabe que o inverno doma homem, mulher e bicho, e já domou meu velho amo, minha nova ama, e a mim.

CURTIS

Sai dessa, amostra de idiota! Eu não sou bicho.

GRUMIO

E eu sou amostra? Pois seu chifre é bem grande, e com esse tamanho eu tenho a ver. Mas acenda logo o fogo, senão eu dou queixa à nossa patroa, cuja mão, agora que ela está à mão, você vai logo sentir esquentando o seu frio, por não ter preparado o calor.

CURTIS

Mas diga, Grumio, como anda o mundo?

GRUMIO

Frio pra todos, pra todo trabalho menos o seu; portanto, taca um fogo aí. Faça o que deve para ter quem te deva, pois o patrão e a patroa estão quase mortos congelados.

CURTIS

Olha aí o fogo, Grumio; conta as novidades.

GRUMIO

Pois então aumenta o fogo, já que eu fiquei no maior frio. Cadê o cozinheiro? Quero saber se o jantar está pronto, a casa arrumada, as teias de aranha varridas, os criados de fatiota nova, de meias brancas, e todos os administradores com as roupas do casamento? Os copeiros de copos cheios cá dentro, as copeiras sem eiras lá fora, os tapetes esticados e tudo em ordem.

CURTIS

Está tudo pronto; de modo que pode dar as novidades.

GRUMIO

Em primeiro lugar, meu cavalo está cansado, e o meu amo e a minha ama já se esborracharam.

CURTIS

Como?

GRUMIO

Caindo da sela na lama; quero dizer, subindo feito rabo!

CURTIS

Como é que é, Grumio?

GRUMIO

Na orelhinha de lá.

CURTIS

A de cá.

GRUMIO

A de lá. *(Bate nele.)*

CURTIS

Eu queria ouvir, não sentir, as novidades.

GRUMIO

Pois assim elas têm sentido; o bofetão foi para bater na porta da orelha e pedir audiência. Vou começar. *Primeiribus,* descemos uma porcaria de um morro, meu amo cavalgando atrás da minha ama.

CURTIS

Os dois em um cavalo?

GRUMIO

E que diferença faz isso?

CURTIS

A diferença de um cavalo.

GRUMIO

Ora, conta você. Se não tivesse me amolado ia saber como o cavalo dela se esparramou, e ela debaixo dele; ia saber como ela se emporcalhou toda em um lamaçal e como ele deixou ela lá, debaixo do cavalo, e ainda me bateu porque o cavalo da ama tropeçou; como ela ainda teve de sair chapinhando na lama para tirar ele de mim, e ele esbravejou, e ela que nunca tinha implorado implorou, e eu gritei, e os cavalos fugiram, o bridão do dela quebrou, eu perdi meu chicote, e uma porção de coisas que merecem ser lembradas e agora vão morrer esquecidas, com você na sepultura sem saber de nada.

CURTIS

Mas pelo que diz, ele é mais megera do que ela.

GRUMIO

É; o que você e qualquer outro espertalhão vão perceber quando ele chegar em casa. Mas pra que é que eu fico aqui falando? Chamem Nathaniel, Joseph, Nicholas, Philip, Walter, o Papa de Açúcar e todo o resto. Quero todos penteados, os casacos azuis escovados e as ligas combinando. Têm de fazer reverência com a perna esquerda, e coitado de quem puser um dedo em um cavalo antes de beijar as mãos dos patrões. Estão todos prontos?

CURTIS

Estão.

GRUMIO

Mande vir tudo aqui.

CURTIS
70 Estão ouvindo? Têm todos de enfrentar o patrão para dar as caras com a patroa.

GRUMIO
Ela tem a própria cara.

CURTIS
E quem não sabe disso?

GRUMIO
Você, que está dizendo que vai dar cara para a patroa.

CURTIS
75 Eu só disse para eles que têm de dar crédito a ela como patroa.

GRUMIO
Ora, ela não vai querer empréstimo nenhum deles.

(Entram quatro ou cinco CRIADOS.)

NATHANIEL
Bem-vindo de volta, Grumio.

PHILIP
Oba, Grumio.

JOSEPH
Oi, Grumio.

NATHANIEL
80 Como é, velho?

GRUMIO
Bom ver vocês. Que tal, pessoal? Como é, caras? Chega de saudações. Então, companheiros, está tudo pronto, as coisas todas em ordem?

NATHANIEL
As coisas estão todas prontas. A que distância está o amo?

GRUMIO
Está bem perto, já quase desmontando, agora.
85 Portanto, não... Deus que me ajude, silêncio!
Estou ouvindo o patrão.

(Entram PETRUCCHIO e KATHERINA.)

Petrucchio
Cadê a corja? Eu não tenho ninguém
Pra me apear e levar meu cavalo?
Cadê Nathaniel, Gregory, Philip?

Todos
90 Aqui, senhor; senhor, olha eu aqui!

Petrucchio
Aqui, senhor; senhor olha eu aqui!
Cabeças ocas, criados boçais!
Ninguém me serve? Respeita? Obedece?
Cadê o tolo que mandei na frente?

Grumio
95 Aqui, senhor; tão tolo quanto antes.

Petrucchio
Bronco burro! Filho da mãe inútil!
Eu não disse pra m'encontrar no parque,
Levando com você toda essa corja?

Grumio
Nathaniel estava sem casaco;
100 A bota de Gabriel perdeu o salto;
Faltou carvão pra pintar os chapéus;
E uma bainha pra faca do Walter.
Prontos só 'stavam Adam, Rafe e Gregory;
O resto estava roto, esbandongado,
105 'Stá tudo aqui, no estado, pra saudá-lo.

Petrucchio
Safados, vão buscar a minha ceia.

(Saem alguns CRIADOS.*)*

(Canta.) Cadê a vida que eu levava?
Onde estão as...
Bem-vinda, Kate; pode sentar. Comida!

(Entram CRIADOS *com a ceia.)*

110 Então, como é? Boa Kate, fique alegre.
Tirem-me as botas! Como é, calhordas?
(Canta.) Um frade todo cinzentinho
Partiu e foi no seu caminho...

     Fora, safado! Me torceu o pé.
115 Tome, para tratar melhor o outro. *(Bate nele.)*
     Kate, fique alegre! Tragam água! Andem!

     (Entra um Criado trazendo água.)

     E o meu cachorro Troilus? Sai, bandido.
     E vá chamar meu primo Ferdinand.
     Quero que o beije e que o trate bem.
120 Os meus chinelos! Vão trazer-me a água?
     Venha lavar-se, Kate; muito bem-vinda.
     Filho da mãe, por que deixou cair? *(Bate no criado.)*

KATHERINA
     Tenha paciência, não foi por querer.

PETRUCCHIO
     Mosquito filho da mãe e safado!
125 Sente-se, Kate; eu sei que está com fome.
     Quem reza, doce Kate; eu ou você?
     Isso é carneiro?

1º CRIADO
                    É.

PETRUCCHIO
                E quem mandou?

PETER
                         Fui eu.

PETRUCCHIO
     Está queimado, como a carne.
     Mas que cachorros! Que é do cozinheiro?
130 Como ousam, vilões, trazer pra mesa
     Coisas feitas de um jeito que eu não gosto?
     Levem tudo: as bandejas, copos, tudo.

     (Atira neles pratos e comida.)

     Seus cabeças de mula, seus grosseiros!
     'Stão reclamando? Eu curo vocês todos.

                                    (Saem os criados.)

KATHERINA
Marido, por favor, não se apoquente.
Com boa vontade, a carne estava boa.

PETRUCCHIO
Eu disse, Kate, 'stava queimada e seca,
E eu fico proibido de tocá-la
Porque provoca cólera e enraivece;
Melhor ficarmos ambos em jejum,
Sendo que somos todos dois coléricos,
Do que comer essa carne tostada.
Paciência; amanhã tudo se ajeita;
Mas esta noite jejuamos juntos.
E agora venha ao leito nupcial.

(Saem.)

(Entram NATHANIEL e PETER, CRIADOS, vindos de pontos separados.)

NATHANIEL
Peter, você já viu uma coisa assim?

PETER
Vai sufocá-la com seu próprio humor.

(Entra CURTIS.)

GRUMIO
Onde está ele?

CURTIS
No quarto dela.
Depois de pregar muito a continência,
Grita e pragueja até que a pobre alma
Nem sabe para onde se virar:
Parece que acordou apatetada.
Tudo pra fora, que ele vem aí.

(Saem.)

(Entra PETRUCCHIO.)

PETRUCCHIO
Com muita astúcia comecei meu reino,
E espero terminá-lo com sucesso.

	Meu falcão já está oco de faminto,
	E até baixar o voo ela não come,
	Pois como está ela nem vê a isca.
	Hei de encontrar caminho pra moldar
160	Minh'ave-fera até que reconheça
	O chamado que a traz para o seu dono;
	Ou seja, vou ficar de olho nela
	Como em ave que custa a obedecer.
	Não comeu e nem come carne hoje,
165	Não dormiu ontem e nem dorme hoje.
	Como na carne, um defeito inventado
	Eu encontro na cama ou no enxergão,
	Jogo longe o colchão e os travesseiros,
	Pra cá a colcha e pra lá os lençóis,
170	Sempre insistindo, em meio à baderna,
	Que tudo é feito por respeito a ela.
	Vai ficar toda a noite de vigília;
	Se cochilar, eu grito e esbravejo,
	Pra mantê-la acordada com o barulho.
175	Assim se mata a esposa com bondade,
	E assim acabo com o mau gênio dela.
	E quem domar melhor uma megera,
	Por favor fale logo, sem espera.

(Sai.)

CENA 2
(Entram Trânio e Hortênsio.)

Trânio
Será possível, Litio, que a Bianca
Se engrace por alguém que não Lucentio?
Ela me trata muito bem, garanto.

Hortênsio
Pois se quer prova do que eu disse há pouco,
5 Fique aqui, pr'observar os tais estudos.

(Entram Bianca e Lucentio.)

Lucentio
Senhora, tem lucrado com o que lê?

Bianca
'Stá lendo, mestre? Explique o que está aí.

Lucentio
Leio o que sinto; é *A arte de amar*.

Bianca
'Spero que seja mestre em sua arte.

Lucentio
10 Só se for mestre de meu coração.

Hortênsio
Estudam muito! E agora diga, eu peço,
Se ousa jurar que sua amada Bianca
Ama Lucentio mais que o mundo inteiro.

Trânio
Amor traído, oh mulher inconstante!
15 Litio, eu lhe digo, isso é um assombro!

Hortênsio
Já chega de enganá-lo; eu não sou Litio,
E nem um músico, como aparento,
Mas alguém que despreza este disfarce
Por alguém que abandona um cavalheiro
20 Pra endeusar um calhorda igual a esse.
Saiba, senhor, que o meu nome é Hortênsio.

Trânio
Senhor Hortênsio, muito ouvi falar
Da profunda afeição que tem por Bianca,
E com os meus olhos vendo o quanto é fútil,
25 Eu e o senhor, se concorda, juramos
Repudiar pra sempre o amor de Bianca.

Hortênsio
Veja esses beijos, a corte, Lucentio.
Eis minha mão, e nesta hora eu juro
Jamais buscá-la, e ignorá-la para sempre
30 Como indigna de meu passado afeto,
Dado com tal largueza e cortesia.

Trânio
E agora faço eu jura sincera:
Co'ela não caso nem que o mundo o peça.
É o fim! Ela é que avança em cima dele.

Hortênsio
35 Tomara que só sobre ele pra ela!

     Quanto a mim, pra cumprir meu juramento,
     Vou me casar com uma viúva rica,
     Nestes três dias. Me amou todo o tempo
     Que eu dediquei a essa bruxa falsa.
40   Portanto, adeus, senhor Lucentio.
     Não a beleza, a bondade, agora,
     Conquista o meu amor; eu já vou indo,
     Resolvido a fazer o que jurei.

                                                         (Sai.)

TRÂNIO

     Dona Bianca, bendita a sua graça,
45   Que cabe bem no abraço de um amante!
     Ao pegá-la em flagrante, doce amada,
     Abri mão da senhora, como Hortênsio!

BIANCA

     É sério, Trânio? Os dois me abandonaram?

TRÂNIO

     Verdade, sim.

LUCENTIO

50   De Litio estamos livres.

TRÂNIO

     Ele arranjou u'a viúva garbosa
     Que ele corteja e casa em um só dia.

BIANCA

     Boa sorte pra ele.

TRÂNIO

     Pois é. E vai domá-la.

BIANCA

55   É o que diz.

TRÂNIO

     Entrou num curso para domadores.

BIANCA

     De domadores? Isso existe, mesmo?

TRÂNIO

    Sim, senhora; e Petrucchio é o mestre-escola.
    Que ensina todo truque direitinho
60   Pra domar a megera — e com carinho.

(Entra BIONDELLO.)

BIONDELLO

    Patrão, 'stou de vigia há tanto tempo,
    'Stou de língua de fora, mas achei
    Um anjo velho descendo a colina
    Que acho que serve.

TRÂNIO

65   Mas quem é, Biondello?

BIONDELLO

    Patrão, um mercador, ou um pedante.
    Não sei bem, mas 'stá muito bem vestido,
    E o andar e o jeito são de pai.

LUCENTIO

    Que acha, Trânio?

TRÂNIO

70   Se for tolo e embarcar na minha história,
    Vai gostar bem de parecer Vincentio,
    Dando a Batista toda a garantia
    Que daria o Vincentio de verdade.
    Entre com ela, e me deixe sozinho.

(Saem LUCENTIO e BIANCA.)

(Entra um PEDANTE.)

PEDANTE

75   Senhor, bons dias.

TRÂNIO

    Bom dia e bem-vindo.
    Ainda vai longe, ou aqui já chegou?

PEDANTE

    Uma semana ou duas fico aqui,
    Mas depois sigo, pois quero ir pra Roma
80   E até Tripoli, se Deus permite.

TRÂNIO
Em que lugar nasceu, senhor?

PEDANTE
Em Mântua.

TRÂNIO
Mântua, senhor? Por Deus, não diga isso!
Pra vir a Pádua deve odiar a vida.

PEDANTE
85 A vida? Como? Isso é coisa séria.

TRÂNIO
Pra mantuano é sentença de morte
Entrar em Pádua. Não sabe da história?
Prendem seus barcos em Veneza, e o Doge
Por brigas, lá entre o seu duque e ele,
90 Faz a proclamação, falada e escrita.
Se não 'stivesse assim, recém-chegado,
Já o teria escutado por aí.

PEDANTE
Ai de mim, no meu caso é bem pior!
Pois trago promissórias de Florença
95 Que aqui em Pádua é que eu receberia.

TRÂNIO
Pois bem, senhor, por cortesia
Isso eu resolvo, e ainda o aconselho:
Mas diga antes — já conhece Pisa?

PEDANTE
Sim, senhor; já lá estive muitas vezes;
100 Pisa, famosa por seus homens sérios.

TRÂNIO
E dentre esses, conheceu Vincentio?

PEDANTE
Não em pessoa; só de ouvir falar,
Um mercador de indizível riqueza.

TRÂNIO
Ele é meu pai; e falando a verdade,
105 Lembra muito o senhor, em seu aspecto.

BIONDELLO

(À parte.)
Um ovo com um espeto, mais ou menos.

TRÂNIO

Pra salvar sua vida, neste aperto,
Pensando nele eu lhe faço um favor:
Portanto, nunca julgue pouca sorte
Ser parecido com o senhor Vincentio;
Assuma agora o seu nome e seu crédito,
E sinta-se bem-vindo em minha casa.
Compreendeu? Pois assim pode ficar
Até a conclusão dos seus negócios.
Se achar que é bom, aceite a cortesia.

PEDANTE

Acho, senhor, e o direi para sempre
Meu patrono de vida e liberdade.

TRÂNIO

Venha comigo, então, p'ra acertar tudo.
Por falar nisso, eu preciso informá-lo,
Meu pai é esperado a qualquer dia
Pra avalizar o dote e o casamento
Entre mim e a caçula de Batista.
Hei de instruí-lo sobre as circunstâncias;
Na minha casa terá trajes certos.

CENA 3
(Entram Katherina e Grumio.)

GRUMIO

Palavra que esse risco é que eu não corro.

KATHERINA

Quanto mais me maltrata mais se irrita.
Casou pra me fazer morrer de fome?
Os mendigos, à porta de meu pai,
Quando pedem, recebem logo esmola;
Se não, têm caridade em outro canto.
Mas eu, que nunca soube mendigar,
Nem, na verdade, precisei pedir,
Morro de fome e de falta de sono,
Sempre acordada por pragas e gritos,
E alimentada só pela zoeira.
E o que me irrita mais do que essas faltas

É ele dizer que tudo é por amor,
Dando a entender que alimento ou sono
15 Fossem pra mim moléstia — e até fatal.
Eu lhe peço: me arranje uma comida;
Sendo saudável serve qualquer coisa.

GRUMIO

O que me diz de uns chispes?

KATHERINA

Muito bom; pode trazer, por favor.

GRUMIO

20 Eu acho que é colérico demais;
Mas que tal umas tripas bem grelhadas?

KATHERINA

Gosto muito. Bom Grumio, vá buscar.

GRUMIO

Não sei; talvez também seja colérico.
O que diz de um bom bife com mostarda?

KATHERINA

25 Sempre foi um dos pratos que mais gosto.

GRUMIO

Sei. Mas mostarda é um pouco quente.

KATHERINA

Então o bife; esqueça da mostarda.

GRUMIO

De jeito algum. Tem de ser com mostarda.
De outro jeito Grumio não traz carne.

KATHERINA

30 Então os dois, ou um, como quiser.

GRUMIO

'Stá bem, Então mostarda sem a carne.

KATHERINA

Saia daqui, escravo enganador, *(Bate nele.)*
Que me alimenta com o nome de carne.
Maldito seja você, mais a tropa

35 Que se diverte com o meu sofrimento!
Ande, eu já disse, saia logo!

(Entram PETRUCCHIO e HORTÊNSIO, trazendo carne.)

PETRUCCHIO
Como está, minha Kate; abatidinha?

HORTÊNSIO
Senhora, como está?

KATHERINA
Estou gelada.

PETRUCCHIO
40 Anime-se! Me encare com alegria!
Veja, amor, como fui eficiente:
Preparei eu a carne pra você.
Bondade assim merece um "obrigada".
Não diz nada? Já vi que não gostou.
45 E afinal foi em vão o meu esforço.
Levem o prato.

KATHERINA
Por favor, que fique.

PETRUCCHIO
Diz-se obrigado ao menor dos favores,
E sem agradecer não toca a carne.

KATHERINA
50 Obrigada, senhor.

HORTÊNSIO
Que vergonha, Petrucchio! A culpa é sua!
Far-lhe-ei companhia, dona Kate.

PETRUCCHIO
(À parte.)
Engula tudo, Hortênsio, se me ama.
Há de fazer-lhe bem ao coração.
55 Coma depressa, Kate. E agora, doce,
Vamos voltar à casa de seu pai,
Pra festejar como reis da elegância:
Toda a roupa de seda, anéis de ouro,
Golas, punhos, corpetes, saia armada,

60　　　　　Lenços, leques, vários trajes novos,
　　　　　　Pulseiras de âmbar, contas enfeitadas.
　　　　　　Já almoçou? O alfaiate a espera
　　　　　　Pra cobrir o seu corpo de tesouros.

　　　　　　　　(Entra o Alfaiate.)

　　　　　　Vamos ver as belezas, alfaiate.
65　　　　　Abra o vestido.

　　　　　　　　(Entra o Mascate.)

　　　　　　O que nos traz de novo?

Mascate
　　　　　　Eis o toucado que me encomendou.

Petrucchio
　　　　　　Mas foi panela que usou pra forma?
　　　　　　É veludo cozido! Feio e sujo!
70　　　　　É um caramujo, uma casca de noz;
　　　　　　É um brinquedo, uma touca de bebê?
　　　　　　Leve embora! Quero ver coisa maior.

Katherina
　　　　　　Eu não quero maior. Está na moda;
　　　　　　É o toucado das damas requintadas.

Petrucchio
75　　　　　Pois terá um quando for requintada;
　　　　　　Mas antes não.

Hortênsio
　　　　　　　　(À parte.)
　　　　　　O que não será logo.

Katherina
　　　　　　Espero ter licença pra falar.
　　　　　　E hei de falar. Não uso mais cueiros,
80　　　　　Melhores que você já me escutaram;
　　　　　　Se não quiser, que tampe os seus ouvidos.
　　　　　　Eu vou falar da raiva no meu peito,
　　　　　　Senão meu coração, que a sente, estoura.
　　　　　　E antes que isso se dê, eu vou ser livre
85　　　　　No que me der vontade de dizer.

PETRUCCHIO
    E com razão. O toucado é chinfrim,
    Parece um doce, uma torta de seda,
    Mais eu te amo por não gostar dele.

KATHERINA
    Ame ou não ame, eu gosto do toucado.
90   E ou fico com ele ou sem nenhum.

PETRUCCHIO
    Sem vestido? Alfaiate, traga aqui.

(Sai o MASCATE.)

    Ora, meu Deus! Que fantasia é essa?
    Que é isso? Manga? Parece um canhão!
    Toda cortada; é torta de maçã?
95   É picada, talhada, furadinha,
    Parece fumegador de barbeiro.
    Que raios; como chama isso, alfaiate?

HORTÊNSIO
    (À parte.)
    Não vai ganhar vestido nem toucado.

ALFAIATE
    Senhor, pediu que fosse um bom trabalho,
100   Segundo a moda dos tempos de agora.

PETRUCCHIO
    E pedi mesmo. Mas, se bem me lembro,
    Não foi de modo a desmandar a moda.
    Vá cair da sarjeta por aí;
    Minha encomenda é que não pega aqui.
105   Não quero nada. Arranje-se com outro.

KATHERINA
    Eu jamais vi vestido tão bem feito,
    Original, bonito e atraente.
    Vai ver que quer que eu fique uma palhaça.

PETRUCCHIO
    Foi isso que ele a fez: uma palhaça.

ALFAIATE
110   Diz ela que o senhor deseja isso.

Petrucchio

    Seu fiapo abusado, seu dedal,
    Seu meio metro, seu ponta de unha,
    Pulga, cocô de mosca, grilo magro!
    Me desafia, em casa, com um retrós?
115   Fora trapo, pedaço, nesga, resto,
    Senão o meço tanto com seu metro
    Que nunca mais esquece em sua vida.
    Já disse que o vestido errou na moda.

Alfaiate

    Erra Vossa Excelência; ele foi feito
120   Justo como o meu amo o encomendou.
    Grumio explicou o que era pra ser feito.

Grumio

    Expliquei nada; eu só dei o tecido.

Alfaiate

    E como desejava fosse feito?

Grumio

    Ora, senhor, usando agulha e linha.

Alfaiate

125   Mas não pediu que ele fosse cortado?

Grumio

    Mas não tanto bordado e desfiado.

Alfaiate

    Desfiei, sim.

Grumio

    Mas não me desafie. Sei que olha muita gente de viés, mas não sou
    de desaforos enviesados. Disse a seu amo para cortar o vestido, mas
130   não para retalhá-lo. *Ergo*, está mentindo.

Alfaiate

    Está aqui na nota com o feitio para provar.

Petrucchio

    Leia.

Grumio

    A nota mente desavergonhadamente se disser que eu mandei.

ALFAIATE

(Lendo.)
"*Primeiribus*, um vestido bem solto."

GRUMIO

Patrão, se algum dia eu disse vestido solto, que me cosam dentro da saia, e me surrem até morrer com um carretel de linha marrom.

PETRUCCHIO

Continue.

ALFAIATE

"Com uma pequena capa redonda."

GRUMIO

A capa eu confesso.

ALFAIATE

"Com mangas de balão."

GRUMIO

Confesso até duas.

ALFAIATE

"As mangas terão corte curioso."

PETRUCCHIO

Aí é que começa a pouca vergonha.

GRUMIO

Erro na nota, senhor; erro na nota! Pedi que as mangas fossem cortadas e cosidas; e para provar que estou certo, eu o desafio nem que fique todo armado com dedais.

ALFAIATE

Eu estou dizendo a verdade; se o pego em lugar adequado, você ia só ver.

GRUMIO

É quando quiser. Pegue o bastão, me dê seu metro, e vamos ver quem sai mais curto.

HORTÊNSIO

Pelo amor de Deus, Grumio, aí é que ele mede tudo errado.

PETRUCCHIO

Em poucas palavras, não quero o vestido.

GRUMIO
    Faz muito bem; ele é para a patroa.

PETRUCCHIO
    Seu amo faça co'ele o que quiser.

GRUMIO
    Não leva, não, canalha!
155   Levar o vestido da patroa para o seu amo usar!

PETRUCCHIO
    Mas o que é que o senhor está pensando?

GRUMIO
    Meu pensamento é mais profundo do que imagina! O vestido da patroa para o amo dele usar. Que vergonha!

PETRUCCHIO
    (À parte.)
    Hortênsio, diga que garanto que o alfaiate será pago. — Vá-se embora!
160   Ande! Leve isso aí, e mais nem uma só palavra.

HORTÊNSIO
    (À parte.)
    Alfaiate, amanhã pago o vestido.
    Não se ofenda com o dito assim na pressa.
    Vá logo, e recomende-me ao seu amo.

(Sai ALFAIATE.)

PETRUCCHIO
    E agora, Kate, à casa de seu pai,
165   Com nossas roupas simples e honestas.
    Com trajes pobres temos bolsas cheias,
    Pois é a mente que enriquece o corpo,
    E como o sol penetra um céu nublado
    Brilha a honra nos trajes mais humildes.
170   Vale menos que um gaio a cotovia
    Só por serem suas plumas mais bonitas?
    É a coral melhor do que a enguia
    Porque sua pele agrada mais aos olhos?
    Não, boa Kate; você não vale menos
175   Por estar pobre de trajes e enfeites.
    Se achar vergonha, atire a culpa em mim.
    Portanto alegre-se. Vamos partir
    Pra festejar, na casa de seu pai.

      (Para Grumio.*)* Chame meus homens; vamos partir logo.
180   Traga os cavalos pra porta da frente;
      Nós descemos a pé pra montar lá.
      Vejamos: creio que são sete horas;
      Podemos bem chegar para o almoço.

    Katherina
      Ouso afirmar que já são quase duas;
185   Só chegamos na hora do jantar.

    Petrucchio
      Só monto no cavalo às sete horas.
      Atente pro que eu digo, faço ou penso,
      Pois continua me contrariando.
      Esqueçam tudo; não viajo hoje;
190   Partida é só na hora que eu disser.

    Hortênsio
      O bonitão comanda até o sol.

                (Saem.)

CENA 4
(Entra Trânio *com o* Pedante *vestido como* Vincentio.*)*

    Trânio
      A casa é esta. O senhor quer que eu bata?

    Pedante
      Mas é claro que sim. Se não me engano,
      Talvez o dono lembre-se de mim
      De quando há mais ou menos vinte anos
5   Numa locanda em Gênova nos vimos.

    Trânio
      Tudo bem; só aguente o jeito e a pose
      De austeridade que vai bem a um pai.

    Pedante
      Isso eu garanto.

      (Entra Biondello.*)*

      Aí vem seu criado.
10   Melhor que ele esteja bem treinado.

TRÂNIO
　　Fique tranquilo. Moleque Biondello.
　　Agora cumpra o seu dever direito,
　　Finja que é o Vincentio de verdade.

BIONDELLO
　　Confie em mim.

TRÂNIO
15　　Já cumpriu sua tarefa com Batista?

BIONDELLO
　　Eu disse que seu pai 'stava em Veneza
　　E que o esperava qualquer dia em Pádua.

TRÂNIO
　　Bom rapaz. Tome aqui pr'uma cerveja.
　　Lá vem Batista; cuidado com a pose.

　　　　(Entram BATISTA e LUCENTIO.)

20　　Senhor Batista, que sorte encontrá-lo.
　　Foi deste cavalheiro que falamos.
　　Seja bom pai pra mim neste momento,
　　E dê-me Bianca pra meu patrimônio.

PEDANTE
　　Calma, filho.
25　　Senhor, se me permite, vindo a Pádua
　　Pra cobrar certas contas, meu Lucentio
　　Veio falar-me de um assunto sério:
　　O amor entre ele e a sua filha.
　　E pelo bem que a seu respeito ouvi,
30　　E o amor que ele tem por sua filha —
　　E ela por ele — não serei tropeço.
　　Eu concordo, com o zelo de um bom pai,
　　Que ele se case, e se isso lhe agrada
　　Não menos do que a mim, num bom acordo
35　　Há de achar-me contente e inclinado
　　A consentir que ela venha a ser dele.
　　Eu não posso inventar dificuldades
　　Quando o senhor Batista é tão louvado.

BATISTA
　　Senhor, perdão pelo que digo agora:
40　　Me aprazem a franqueza e a concisão.

Na realidade o seu filho Lucentio
Ama minha filha e é por ela amado,
A não ser que ambos sejam dois fingidos.
Se me disser, portanto, apenas isto,
45 Que como pai agirá bem por ele,
Dando um dote bastante à minha filha,
Ficam noivos, e tudo resolvido.
Consinto: a minha filha é do seu filho.

TRÂNIO
Obrigado, senhor. Onde prefere
50 Que assinemos o acordo e as garantias
Que serão dadas a uma parte e outra?

BATISTA
Na minha casa não. Lucentio sabe
Que sobram lá criados e ouvidos.
E, mais, o velho Grêmio ainda ronda.

TRÂNIO
55 Se preferir, então, na minha casa.
Lá hospedo meu pai e, logo à noite,
Podemos conversar com discrição.
Mande um criado chamar sua filha,
Que eu mando convocar o escrivão.
60 O único problema é que esta pressa
Faça que a ceia seja bem fraquinha.

BATISTA
Tudo bem. Cambio, corra até lá em casa
E diga a Bianca que se apronte logo.
Se quiser, conte a ela a novidade
65 Que o pai de Lucentio está em Pádua
E ela irá ser a esposa de Lucentio.

(Sai LUCENTIO.)

BIONDELLO
Eu espero que sim, de coração.

TRÂNIO
Não perca tempo à toa. Vá-se embora.

(Sai BIONDELLO.)

(Entra PETER, um criado.)

Senhor Batista, eu lhe mostro o caminho.
70 Bem-vindo, hoje a ceia é um prato só.
O passadio é bem melhor em Pisa.

Batista
Eu vou segui-lo.

(Saem.)

(Entram Lucentio e Biondello.)

Biondello
Cambio.

Lucentio
O que há, meu amigo Biondello?

Biondello
75 Viu meu amo piscar para o senhor?

Lucentio
Ora, e daí?

Biondello
Nada, palavra. Mas ele me deixou aqui, para trás, para eu discorrer sobre o significado ou moral de seus sinais e indícios.

Lucentio
Pois então eu peço que discorra.

Biondello
80 É o seguinte: Batista está seguro, conversando com o falso pai de um filho falso.

Lucentio
E o que faz ele?

Biondello
O senhor tem de levar a filha dele para cear.

Lucentio
E daí?

Biondello
85 O padre velho da igreja de São Lucas está à sua disposição a qualquer hora.

Lucentio

E por que tudo isso?

Biondello

Eu não sei, a não ser por estarem eles ocupados com um contrato fingido. Melhor é o senhor acertar seu contrato com ela *cum privilegium ad imprimendum solum*. Para a igreja! Leve o padre e o escrivão, e algumas testemunhas suficientemente honestas. Se não é o que queria, de mim nada mais arranca, Mas diga para sempre adeus a Bianca.

Lucentio

Escute aqui, Biondello.

Biondello

Não posso ficar. Eu conheci uma moça que se casou quando foi à horta buscar salsa para rechear um coelho. O senhor também pode, senhor; por isso, *adieu*, senhor. Meu amo ordenou que eu fosse até São Lucas para pedir ao padre que fique pronto para quando o senhor aparecer com seu apêndice.

Lucentio

E assim farei, se ela está confessada.
Se ela quer, por que hei de hesitar?
Hei de tê-la pro melhor ou pior —
Pior é Cambio não ter seu amor.

CENA 5
(Entram Petrucchio, Katherina, Hortênsio e criados.)

Petrucchio

Vamos! Avante! À casa de meu pai!
Senhor Deus, como brilha bela a lua!

Katherina

A lua? O sol! Não há luar agora.

Petrucchio

Eu digo que quem brilha forte é a lua.

Katherina

Mas eu sei que é o sol que brilha forte.

Petrucchio

Pelo filho de minha mãe, eu mesmo,
É lua, estrela, ou o que eu disser,

Antes que eu vá à casa de seu pai.
(Para os CRIADOS.) Podem trazer os cavalos de volta.
Só sabe discordar, contrariar.

HORTÊNSIO
Ou faz o que ele quer ou nós não vamos.

KATHERINA
Já que estamos aqui, vamos em frente.
Seja isso lua, sol, ou o que quiser.
E se disser que é só vela de sebo,
Doravante eu concordo inteiramente.

PETRUCCHIO
Disse que é lua.

KATHERINA
Pois eu sei que é lua.

PETRUCCHIO
'Stá mentindo: é o sol abençoado.

KATHERINA
Deus me abençoe, é o sol abençoado.
Mas não é sol, se você diz que não.
E a lua muda como a sua mente,
E se acaso quiser mudar o nome,
De hoje em diante eu só aceito o novo.

HORTÊNSIO
Vá lá, Petrucchio. Ganhou a batalha.

PETRUCCHIO
Avante! Assim deve correr a bola,
E não dando o azar de desviar.
Silêncio, que aí temos companhia.

(Entra VINCENTIO.)
(Para VINCENTIO.)

Bons dias, jovem dama; pr'onde vai? Doce Kate, diga agora — e com verdade —
Acaso já viu dama mais viçosa?
Vermelho e branco lutam por suas faces!
Que estrelas brilham tão belas no céu

                    Quanto seus olhos em rosto celeste?
                    Linda donzela, uma vez mais bom dia;
35   Doce Kate, beije e abrace essa donzela.

    HORTÊNSIO
                    O velho fica louco, de donzela.

    KATHERINA
                    Formosa, delicada, jovem virgem:
                    Pra onde vai, ou onde — acaso — mora?
                    Felizes são os pais de uma tal filha,
40   E mais feliz o homem cuja estrela
                    A faz de companheira de seu leito.

    PETRUCCHIO
                    Espero que não 'steja louca, Kate.
                    Este é um homem, fraco e enrugado,
                    Não uma moça, como você disse.

    KATHERINA
45   Perdoa, pai; o erro dos meus olhos,
                    Tão ofuscados pela luz do sol,
                    Que tudo pra que olhei parece verde.
                    Vejo agora que é um velho respeitável
                    Peço perdão pelo meu louco engano.

    PETRUCCHIO
50   Vovô perdoe e informe-nos, também,
                    Em que direção vai; se for na nossa,
                    Será prazer ter a sua companhia.

    VINCENTIO
                    Meu bom senhor, minha alegre senhora,
                    Cujo encontro me trouxe tanto espanto,
55   O meu nome é Vincentio e sou de Pisa,
                    Indo pra Pádua, a fim de visitar
                    Um filho que não vejo há muito tempo.

    PETRUCCHIO
                    Qual o seu nome?

    VINCENTIO
                    Lucentio, senhor.

    PETRUCCHIO
60   Prazer pra mim; e maior pro seu filho.

Pela lei, hoje, além de pela idade,
Posso eu, então, chamá-lo amado pai.
A irmã desta dama, minha esposa,
Casou-se, a esta altura, com seu filho.
65   Não se espante ou lamente. Ela tem nome,
Um rico dote e berço de alto nível;
E ela em si revela qualidades
Que a tornam noiva digna até de um nobre.
Velho Vincentio, deixe-me abraçá-lo,
70   E vamos encontrar seu filho honesto,
Que há de alegrar-se por vê-lo chegar.

VINCENTIO

Isso é verdade, ou acham divertido,
Viajantes alegres, fazer troça
Com viajantes que acaso encontrem?

HORTÊNSIO

75   Eu lhe garanto, pai. Isso é verdade.

PETRUCCHIO

Venha então constatar essa verdade;
Nosso riso o deixou desconfiado.

(Saem todos menos HORTÊNSIO.)

HORTÊNSIO

Petrucchio, suas novas me encorajam.
À viúva! E se ela for abusada,
80   Você mostrou a Hortênsio a estrada.

ATO 5

CENA 1
(Grêmio entra primeiro. Entram Biondello, Lucentio e Bianca.)

Biondello
Senhor, depressa; o padre está esperando.

Lucentio
Vou correndo, Biondello. Talvez precisem de você em casa; portanto, deixe-nos.
(Sai com Bianca.)

Biondello
Não; só quando ele já estiver saindo da igreja é que eu corro o mais rápido que puder para a casa do meu amo.
(Sai.)

Grêmio
Não sei por que Cambio ainda não veio.

(Entram Petrucchio, Katherina, Vincentio, Grumio e criadagem.)

Petrucchio
Essa é a porta da casa de Lucentio;
A de meu pai é mais para o mercado.
Tenho de ir pra lá, e o deixo aqui.

Vincentio
Tem de beber comigo antes de ir;
Creio poder saudá-lo nesta casa,
Onde é provável que tenhamos festa. *(Bate.)*

Grêmio
'Stão ocupados. Bata com mais força.

(O Pedante aparece à janela.)

Pedante
Quem é que está batendo aí embaixo?

Vincentio
O senhor Lucentio está em casa?

PEDANTE
> Está; mas não quer falar com ninguém.

VINCENTIO
> Nem com um homem que traz cem ou duzentas libras para festejar?

PEDANTE
> Guarde as suas libras. Ele não precisará delas enquanto eu viver.

PETRUCCHIO
> Eu lhe disse que seu filho era querido em Pádua. Está ouvindo, senhor? Deixando de lado as frivolidades, por favor diga ao Senhor Lucentio que seu pai chegou de Pisa e está aqui na porta querendo falar com ele.

PEDANTE
> Mentira. O pai dele chegou de Mântua e está debruçado aqui nesta janela.

VINCENTIO
> Você é o pai dele?

PEDANTE
> Sou, segundo diz sua mãe, se é que posso acreditar nela.

PETRUCCHIO
> *(Para Vincentio.)*
> Como é isso, cavalheiro! É muito pouca vergonha tomar para si o nome de outro homem.

PEDANTE
> Prendam o vilão. Creio que está querendo dar um golpe em alguém nesta cidade.

(Entra Biondello.)

BIONDELLO
> Já botei os dois juntos na igreja. Que Deus lhes traga muita coisa boa! Mas quem está aí? Meu velho amo Vincentio! Estamos descobertos e estrepados.

VINCENTIO
> *(Para Biondello.)*
> Venha cá, seu enforcado.

BIONDELLO
> Espero que só vá se eu quiser, senhor.

VINCENTIO
    Venha cá, moleque. O que, já me esqueceu?

BIONDELLO
    Esqueci? Não, senhor. E nem podia esquecer de quem nunca tinha visto na vida.

VINCENTIO
    O quê, grande canalha; nunca viu Vincentio, o pai do seu amo?

BIONDELLO
    O quê, o meu respeitadíssimo velho amo? Claro que sim. Ele está olhando da janela.

VINCENTIO
    É, mesmo? *(Bate em BIONDELLO.)*

BIONDELLO
    Socorro! Socorro! Tem um louco querendo me matar!

(Sai.)

PEDANTE
    Socorro, filho! Socorro, senhor Batista!

(Sai da janela.)

PETRUCCHIO
    Kate, por favor, venha aqui para um lado, para podermos ver o fim dessa confusão.

(Entram PEDANTE, BATISTA, TRÂNIO e CRIADOS.)

TRÂNIO
    Quem é o senhor para bater no meu criado?

VINCENTIO
    Quem sou eu? Não, quem é o senhor? Ah, deuses imortais! Vilão horrendo! Um colete de seda, pernas de veludo, capa escarlate, chapéu de copa alta! Estou perdido, estou perdido! Enquanto junto economias em casa, meu filho e meu criado gastam tudo na universidade.

TRÂNIO
    Ora essa, o que é que há?

BATISTA
    O que foi? Esse homem é louco?

TRÂNIO

Senhor, o senhor parece ser um cavalheiro já de idade, por seus trajes; mas por suas palavras é um louco. Ora, senhor, o que lhe importa que eu use pérolas ou ouro? Graças a meu bom pai, posso dar-me a esses luxos.

VINCENTIO

Seu pai? Vilão! Ele é um pobre fabricante de velas em Bérgamo!

BATISTA

O senhor se engana, se engana. Por favor, qual pensa que seja o nome dele?

VINCENTIO

Seu nome? Como se eu não soubesse o seu nome! Eu o criei desde os três anos de idade, e seu nome é Trânio.

PEDANTE

Fora, louco estúpido! O nome dele é Lucentio, único filho e herdeiro das terras que pertencem a mim, senhor Vincentio.

VINCENTIO

Lucentio? Ai, ele assassinou seu amo! Eu lhes peço que o prendam, em nome do duque. Ai, o meu filho! Diga, bandido, onde está meu filho Lucentio?

TRÂNIO

Chamem um oficial. *(Entra um OFICIAL.)* Levem esse louco cafajeste para a prisão. Pai Batista, encarrego-o de providenciar para que ele se apresente na hora certa.

VINCENTIO

Levar-me para a prisão?

GRÊMIO

Espere, oficial. Ele não irá para a prisão.

BATISTA

Não fale, senhor Grêmio. Eu digo que ele vai para a prisão.

GRÊMIO

Cuidado, senhor Batista, para não ser enganado nessa história. Ouso jurar que o Vincentio certo é este.

PEDANTE

Jure, se ousar.

GRÊMIO

    Não, não ouso jurá-lo.

TRÂNIO

    Seria o mesmo que dizer que eu não sou Lucentio.

GRÊMIO

    Sim, eu o conheço como o senhor Lucentio.

BATISTA

80   Levem o velho gagá para a cadeia!

VINCENTIO

    Assim são tratados e ofendidos os forasteiros! Vilão maldito!

(Entram BIONDELLO, LUCENTIO e BIANCA.)

BIONDELLO

    Estamos fritos; lá está ele. Negue tudo, não o conheça, senão estamos perdidos.

LUCENTIO

    (De joelhos.)
    Perdão, meu doce pai.

VINCENTIO

85   'Stá vivo, filho?

(Saem BIONDELLO, TRÂNIO e o PEDANTE, a toda pressa.)

BIANCA

    Perdão, meu pai.

BATISTA

    O que me fez de errado?
    Aonde está Lucentio?

LUCENTIO

    Estou aqui.
90   O filho certo do Vincentio certo
    Que, por casar, fiz minha a sua filha,
    Enganando os seus olhos com supostos.

GRÊMIO

    Enganou-nos a todos essa trama.

Vincentio

    Aonde foi o danado do Trânio
95   Que, descarado, me desafiou?

Batista

    Mas digam, esse aí não é meu Cambio?

Bianca

    O Cambio, agora, mudou para Lucentio.

Lucentio

    É milagre do amor. O amor de Bianca
    Fez-me trocar de posição com Trânio.
100   Enquanto na cidade ele era eu,
    Eu tive a sorte de poder chegar
    Ao céu sonhado da felicidade.
    Tudo o que Trânio fez, foi a meu mando;
    Peço, por isso, pai, perdão pra ele.

Vincentio

105   Vou cortar o nariz do vilão que queria me botar na cadeia.

Batista

    Mas então, senhor, casou com a minha filha sem pedir o meu consentimento?

Vincentio

    Não se aflija, Batista; nós o satisfaremos.
    Mas eu vou entrar, para me vingar desse desaforo.

(Sai.)

Batista

110   E eu também, pra entender a trama toda.

(Sai.)

Lucentio

    Calma, Bianca; o seu pai não vai zangar-se.

(Saem Lucentio e Bianca.)

Grêmio

    O meu bolo solou, mas eu vou lá;
    Sem esperanças, dá pra festejar.

(Sai.)

KATHERINA
    Marido, vamos ver o fim da história.

PETRUCCHIO
    Se me beijar primeiro, Kate, nós vamos.

KATHERINA
    O quê, no meio da rua?

PETRUCCHIO
    Por quê? Tem vergonha de mim?

KATHERINA
    Não, Deus me livre. Vergonha do beijo.

PETRUCCHIO
    Vamos pra casa, então. Moleque, em frente!

KATHERINA
    Eu beijo, pronto! Amor, vamos ficar.

PETRUCCHIO
    Não ficou bem assim, querida?
    Antes tarde que nunca, nesta vida.

(Saem.)

CENA 2
(Entram BATISTA, VINCENTIO, GRÊMIO, PEDANTE, LUCENTIO, BIANCA, PETRUCCHIO, KATHERINA, HORTÊNSIO e a VIÚVA. Atrás, os criados, com TRÂNIO, BIONDELLO e GRUMIO trazendo um banquete.)

LUCENTIO
    Estamos finalmente em sintonia;
    É hora de acabar a guerra fria
    E sorrir dos perigos superados.
    Minha Bianca, acolha bem meu pai,
    Enquanto acolho cortesmente o seu;
    Irmão Petrucchio e irmã Katherina,
    Você, Hortênsio, e sua meiga Viúva,
    Bem-vindos sejam ao meu lar em festa.
    Meu banquete é o fecho para o estômago,
    Depois das comemorações. Sentados,
    Poderemos conversar, não só comer.

PETRUCCHIO
    É só sentar, sentar, comer, comer!

BATISTA
>Nisso Pádua é gentil, filho Petrucchio.

PETRUCCHIO
>Já vi que Pádua é toda gentilezas.

HORTÊNSIO
>Pro nosso bem, tomara que assim fosse.

PETRUCCHIO
>Juro que Hortênsio já teme a viúva.

VIÚVA
>Pode estar certo que eu não temo nada.

PETRUCCHIO
>É bom senso, mas não o meu sentido;
>Eu disse apenas que Hortênsio a teme.

VIÚVA
>O tonto acha que quem gira é o mundo.

PETRUCCHIO
>Grande resposta.

KATHERINA
>O que quer dizer, dona?

VIÚVA
>É o que ele me levou a conceber.

PETRUCCHIO
>Eu a levei a...? O que diz Hortênsio?

HORTÊNSIO
>Fala da história que ela concebeu.

PETRUCCHIO
>Bom remendo. Dê-lhe um beijo, Viúva.

KATHERINA
>'O tonto acha que quem gira é o mundo';
>Peço que explique o que isso significa.

VIÚVA
>Casado com megera, o seu marido

30 Ao meu marido empresta as suas dores.
Agora entende o que diz minha imagem?

KATHERINA
Imagem de bobagem.

VIÚVA
É; a sua.

KATHERINA
Faço bobagem, sim, ao respeitá-la.

PETRUCCHIO
35 A ela, Kate!

HORTÊNSIO
A ela, Viúva!

PETRUCCHIO
Cem marcos como Kate vai derrubá-la.

HORTÊNSIO
Isso é tarefa minha.

PETRUCCHIO
A voz do dono! Isto é à sua saúde! *(Bebe a HORTÊNSIO.)*

BATISTA
40 Grêmio, o que acha dessa turma esperta?

GRÊMIO
Trocam marradas com muita elegância.

BIANCA
São coices e marradas. De relance,
Cabeça e rabo só me lembram chifres.

VINCENTIO
E isso foi que despertou a noiva?

BIANCA
45 Mas não deu susto; vou dormir de novo.

PETRUCCHIO
Isso é que não; pois já que começou,
Vamos ver se resiste a um chiste ou dois.

BIANCA
    Sou ave sua? Vou mudar de galho.
    Arme o seu arco pra ver se me pega.
50   São todos bem-vindos.

(Saem BIANCA, KATHERINA e a VIÚVA.)

PETRUCCHIO
    Essa fugiu. Vejamos, senhor Trânio,
    Que mirou bem mas não ficou com a ave,
    À saúde de quem erra no alvo.

TRÂNIO
    Senhor, fui cão mandado por Lucentio,
55   Desses que amarram para o amo caçar.

PETRUCCHIO
    Resposta boa prum cachorro magro.

TRÂNIO
    Inda bem que o senhor caçou sozinho;
    Dizem que a presa o mantém acuado.

BATISTA
    Petrucchio! Trânio foi direto ao alvo.

LUCENTIO
60   Grato por essa espetadela, Trânio.

HORTÊNSIO
    Confessa que ele o acertou, agora?

PETRUCCHIO
    Confesso que serviu pra me irritar,
    Porém se em mim só pegou de raspão,
    Dou dez por um que os acertou em cheio.

BATISTA
65   Filho Petrucchio, eu lamento dizê-lo,
    Mas creio que megera, mesmo, é a sua.

PETRUCCHIO
    Pois eu acho que não. E pra prová-lo,
    Vamos mandar chamar nossas mulheres —
    E o com a esposa mais obediente,
70   A que venha depressa, ao ser chamada,
    Ganha a aposta que aqui acertaremos.

HORTÊNSIO
        Concordo. Quanto é?

LUCENTIO
        Vinte coroas.

PETRUCCHIO
        Vinte coroas?
        Isso eu aposto por cão ou falcão;
        Minha Kate vale vinte vezes isso.

LUCENTIO
        Então cem.

HORTÊNSIO
        Eu concordo.

PETRUCCHIO
        Eu também. Feito!

HORTÊNSIO
        Quem começa?

LUCENTIO
        Começo eu.
        Biondello, vá dizer que eu 'stou chamando.

BATISTA
        Eu meio com você, se ela vier.

LUCENTIO
        Nada disso. Eu respondo pelo todo.

        (Entra BIONDELLO.)

        O que é que há?

BIONDELLO
        Meu amo, a ama disse
        Que 'stá ocupada e que não pode vir.

PETRUCCHIO
        O quê? Não vem? Está muito ocupada?
        Isso é resposta?

GRÊMIO
É; e delicada.
Reze pra sua não mandar pior.

PETRUCCHIO
Espero que melhor.

HORTÊNSIO
Senhor Biondello, peça à minha esposa
Que venha logo aqui.

(Sai BIONDELLO.)

PETRUCCHIO
Mas foi pedido!
Então terá de vir.

HORTÊNSIO
Temo, senhor,
Que a sua, não adiante nem pedir.

(Entra BIONDELLO.)

Onde está minha esposa?

BIONDELLO
Disse que o senhor está brincando,
Que não vem, não. Que, se quiser, vá lá.

PETRUCCHIO
Vai de mal a pior: "que não vem, não".
Isso é vergonha, mais que intolerável.
Moleque Grumio, diga à sua ama
Que eu ordeno que venha até aqui.

HORTÊNSIO
Sei a resposta.

PETRUCCHIO
Qual é?

HORTÊNSIO
Que não vem.

PETRUCCHIO
Então azar o meu, é assim e pronto!

(Entra Kate.)

Batista
110 Virgem Maria, lá vem Katherina!

Katherina
Mandou chamar, senhor? O que deseja?

Petrucchio
Onde estão sua irmã e a viúva?

Katherina
'Stão conversando, perto da lareira.

Petrucchio
Vá buscá-las. Se não quiserem vir,
115 Com uns tapas traga as duas pros maridos.
Vá depressa, já disse; e as traga logo.

(Sai Katherina.)

Lucentio
É o mais miraculoso dos milagres!

Hortênsio
Se é. Só quero ver no que é que dá.

Petrucchio
Por Deus, em paz, amor, vida tranquila,
120 Sempre macia, e o mando em mãos corretas.
Em resumo, o que é doce e feliz.

Batista
Que tenha boa sorte, bom Petrucchio!
À aposta que ganhou eu acrescento
Às perdas deles vinte mil coroas,
125 Um dote novo pr'uma filha nova.
'Stá mudada; não é mais como antes.

Petrucchio
Não quero — vou ganhar melhor aposta,
Mostrar melhor a sua obediência,
Sua nova virtude e paciência.

(Entram Katherina, Bianca e a Viúva.)

130   Lá vem ela, trazendo as más esposas;
  Prisioneiras da lábia de mulher.
  Kate, não lhe vai nada bem o seu toucado;
  Livre-se dele; arrebente-o com os pés. *(Ela obedece.)*

Viúva
  Senhor, que eu nunca venha a suspirar
135   Antes de me tornar assim tão tola.

Bianca
  Que vergonha! E inda diz que isso é dever?

Lucentio
  Quem dera fosse tola assim também.
  O seu dever tão sábio, cara Bianca,
  Já custou, nesta ceia, cem coroas.

Bianca
140   Pela tolice de me impor deveres.

Petrucchio
  Kate, diga a essas moças caprichosas
  Seu dever pra com o marido e senhor.

Viúva
  Chega de asneiras. Não me diga nada.

Petrucchio
  Diga logo, e comece com essa aí.

Viúva
145   Não vai dizer nada.

Petrucchio
  Digo que vai. E comece com esta.

Katherina
  Que vergonha! Não franza assim a testa,
  Nem lance assim olhares de desprezo
  Para ferir seu amo, rei, senhor.
150   Isso a enfeia como a neve os campos,
  Pisa-lhe o nome como o vento as flores,
  E não é nunca certo ou agradável.
  Mulher feroz é fonte perturbada
  Enlameada, grossa, sem beleza,
155   E enquanto assim não há secura ou sede

        Que lhe queiram beber uma só gota.
        Seu marido é senhor, é vida, é guarda;
        Seu chefe e soberano, ele é que a cuida.
        Ele a sustenta; seu corpo ele dedica
160   Ao mais árduo labor, em terra e mar,
        Na noite horrenda e no frio do dia,
        Pra deixá-la no lar segura e quente.
        E só pede a você, por recompensa,
        Amor, beleza, e doce obediência —
165   Pouca paga pra dívida tão grande.
        Dever como o do súdito ao monarca
        Deve a mulher também a seu marido;
        Quando é metida, amarga ou emburrada,
        O que é ela senão rebelde em luta,
170   Traidora vil de seu marido amante?
        É um vexame a mulher ser tão ingênua,
        Fazer guerra e não implorar a paz,
        Ou aspirar mando e supremacia
        E não amar, servir, obedecer.
175   Por que temos o corpo tão suave,
        Inapto pra problemas e trabalhos,
        Senão pra suavidade e coração
        Ficar de acordo com o aspecto externo?
        Vamos, vamos, seus vermes abusados,
180   Já tive pretensões iguais às suas,
        Coragem e razão inda maiores,
        Brigando com palavra e cara feias.
        Mas vejo que são palha nossas lanças,
        Com força fraca e uma fraqueza imensa,
185   Querendo aparentar o que não temos.
        Deixem, então, esse orgulho indevido,
        Pondo a mão sob o pé de seu marido,
        Como sinal do quê, se o quer a sorte,
        A mão 'stá pronta — que ela o reconforte.

Petrucchio
190   Mulher é isso! E agora um beijo, Kate!

Lucentio
        Já ganhou, velho; vai tudo no azeite.

Vincentio
        É bom o som de criança amansada.

Lucentio
        Mas dói no ouvido a mulher abusada.

Petrucchio
>Venha, Kate; vamos deitar;
>Três casaram, mas dois irão penar.
>*(Para Lucentio.)* Ganhei a aposta, mas você também;
>E o ganhador diz: "Durmam todos bem!"

(Saem Petrucchio e Katherina.)

Hortênsio
>Viva quem doma megera danada.

Lucentio
>Milagre, mesmo, é ver que foi domada.

(Saem todos.)

O MERCADOR DE VENEZA

Introdução
Barbara Heliodora

Nenhuma comédia de William Shakespeare tem passado por gama tão ampla e variada de interpretações quanto *O mercador de Veneza*, nem nenhum de seus personagens tem sido encarado de modos tão diversos e conflitantes quanto o judeu Shylock, a figura que parece dominar a peça inteira, apesar de só participar de cinco de suas vinte cenas. A comédia *O mercador de Veneza* foi publicada pela primeira vez em 1600, tendo sido devidamente registrada, para fins de publicação, na repartição adequada, que era o Stationer's Register, em julho de 1598. Torna-se óbvio, desde então, que é Shylock quem capta mais eficientemente a imaginação do público, já que no pequeno volume da primeira edição a obra aparece com o seguinte título: "A muito excelente História do Mercador de Veneza. Com a extrema crueldade de Shylock, o judeu, para com o dito Mercador, cortando uma justa libra de carne: e a obtenção de Pórcia pela escolha das três arcas. Como tem sido várias vezes representada pelos Servos do Lord Camerlengo. Escrita por William Shakespeare. Em Londres. Impressa por J.R. [James Roberts] para Thomas Heyes e para ser vendida no adro da igreja de São Paulo, no sinal do Dragão Verde. 1600." A área junto à catedral de São Paulo era um grande centro de vendas e trocas, sendo o principal ponto de venda de livros na época. Na falta de numeração nas ruas, as lojas eram conhecidas por suas tabuletas, nas quais eram pintados os "sinais" ou figuras que simbolizavam cada negociante. Em 1619, a comédia teve uma segunda edição, fraudulenta e sub-reptícia, inclusive falsamente datada também de 1600. Mas fraudulenta ou não, essa nova edição atesta a continuada popularidade da peça. O texto que aparece no *Folio* de 1623 é uma reprodução da primeira edição, um texto particularmente bom, muito provavelmente impresso a partir do manuscrito original de Shakespeare, ainda sem indicações de normatização para fins de encenação.

A trama de *O mercador de Veneza* é o resultado da mistura de duas outras de origens diversas, mas dotadas ambas de fortes características de narrativas tradicionais, como os contos de fadas ou os do folclore. Uma escolha a ser feita entre três opções, duas erradas e uma certa — e que podem ser tanto objetos quanto pessoas —, tem sido apresentada em incontáveis manifestações, com toda espécie de variantes, como em *O amor de três laranjas*, *Cinderela* ou as três irmãs do *Rei Lear*; mas a quase totalidade do enredo, tal como ele se apresenta nesta comédia, Shakespeare o encontrou na história de Gianetto, em uma coletânea de *novelle* italianas intitulada *Il Pecorone*, que foi escrita — ou talvez apenas organizada — por *Ser* Giovanni Fiorentino, escritor de quem não se conhece qualquer outra obra. Nessa fonte, no entanto, a prova pela qual o candidato tem que passar para a conquista da moça é aguentar uma noite inteira acordado, sendo que os dois primeiros são adormecidos com soníferos ministrados às escondidas; a variante com três arcas, por outro lado, o poeta pode ter tirado do poema "Confessio amantis", de John Gower, do *Decameron*, de Boccaccio, ou da veneranda *Gesta Romanorum*, que nasceu no século XIV, mas teve duas edições em inglês no século XVI.

A história do pagamento de uma dívida por meio de uma libra de carne também poderia ser encontrada em bom número de fontes, sendo que ao menos duas seriam de fácil acesso para Shakespeare: a popular *A balada da crueldade de Geruntus*, que data de antes de 1590, e *O orador*, uma coletânea de orações, dentre as quais se encontra a que leva o título de *De um judeu, que queria, por uma dívida, obter uma libra de carne de um cristão*. Existia uma terceira fonte, que muitos consideram como tendo sido provavelmente a mais imediata, mas que infelizmente desapareceu antes que fosse feito qualquer estudo comparativo com *O mercador*; trata-se de uma peça, *O judeu*, que é descrita por Stephen Gosson, em 1576, como "representando a avareza dos que optam pelo mundo e pela sanguinolência da mente dos usuários". Alguns estudiosos admitem que a frase pode fazer referência às arcas e à libra de carne, mas infelizmente não existe qualquer possibilidade de verificação.

A criação de *O mercador de Veneza*, por outro lado, parece refletir com bastante precisão a forte onda de antissemitismo que varreu Londres em 1593-94; Roderigo Lopez, um judeu português que havia atingido a elevada posição de médico pessoal da Rainha Elizabeth I, envolveu-se em uma complexa trama política (em torno de Portugal, não da Inglaterra) e acabou acusado de tomar parte em uma conspiração para assassinar a soberana. Hoje em dia há quase que total certeza de que a acusação feita a Lopez foi forjada, mas na época o clima ficou muito violento, e o médico judeu efetivamente foi enforcado em junho de 1594. Em função dos fanáticos sentimentos do momento, *O judeu de Malta*, de Christopher Marlowe, escrita em 1589 e dotada de um protagonista de inacreditável sordidez e ferocidade, foi remontada pela companhia dos Homens do Lorde Almirante, a mais famosa rival do grupo ao qual pertencia Shakespeare; e muito embora isso não pareça digno de um Shakespeare considerado sacrossanto por alguns adoradores de hoje, não é absolutamente improvável que a Chamberlain's Men tenha sugerido a seu principal autor que uma peça a respeito de um judeu poderia ser extraordinariamente saudável para a bilheteria do grupo. O judeu da peça de Marlowe, Barrabás, é um tal monstro de vilania que, em 1964 — ano de 4º centenário do nascimento de Shakespeare e também de seu colega — a peça *O judeu de Malta* foi montada na Inglaterra como uma grande comédia de humor negro, muito embora seu autor a tenha rotulado de tragédia. Mas Shakespeare, tanto como personalidade (pois era chamado de "*gentle master* Shakespeare") quanto como autor, era radicalmente diferente de Marlowe (que, ambicioso e aventureiro, morreu assassinado). Quando Shakespeare completou a peça, que poderia ser o resultado de sua tentativa de atender tal pedido, o clima é outro, e Shylock, muito embora ainda com fortes características condenáveis, é um ser humano que sofre e tem motivações compreensíveis. Tão complexo resultou o personagem que, principalmente durante o período da Segunda Guerra Mundial, Shylock foi interpretado como impressionante defensor da dignidade de sua raça, vítima de constantes perseguições de um cristianismo cruel.

A extraordinária eficiência teatral da figura de Shylock faz com que, volta e meia, alguém perca de vista o fato de que, em sua estrutura total, *O mercador de Veneza*, mesmo que diferente de todas as outras comédias, também seja uma comédia romântica centrada na ideia da conquista da felicidade. Como Shakespeare não é um autor realista, as duas tramas de conto de fadas servem para a apresentação não de um, mas de vários exemplos e caminhos do mesmo fenômeno; e nunca é demais lembrar que, como sempre em Shakespeare, o perigo e até a morte colorem os obstáculos a serem superados na trajetória a ser cumprida pelos que desejam a felicidade, um reflexo incontestável da convicção do autor de que ela não pode ser alcançada com facilidade. Na luta pela conquista de seus objetivos, todos se arriscam: Pórcia, apaixonada por Bassânio, prefere correr o risco de perdê-lo no cumprimento da escolha entre as três arcas do que desrespeitar os desejos de seu pai morto; Bassânio, que aos olhos do século xx pode parecer um mero caçador de dotes que se apresenta como candidato à mão de Pórcia coberto de riquezas emprestadas, cumpre esses rituais de lenda estando realmente apaixonado por ela, e corre conscientemente os riscos da escolha; Jéssica, ao fugir e roubar parte das riquezas do pai para buscar sua felicidade junto ao cristão Lorenzo, corre o risco da maldição paterna. Antônio, o mercador do título da peça, arrisca-se a ter uma libra de carne cortada de seu corpo para conseguir o dinheiro para financiar a corte de Bassânio a Pórcia; Lancelote Gobbo, o Bobo, arrisca seu emprego certo com o rico judeu Shylock para servir a Bassânio; e o próprio Shylock, é claro, arrisca seu dinheiro ao emprestá-lo a Antônio e arrisca-se ao tentar fazer valer a legislação de Veneza contra um cidadão cristão no tribunal. Aliás, para os que, ao lerem o texto, considerarem arbitrário e implausível o argumento legalista de Pórcia, informamos que era exatamente assim que as coisas se processavam, e que o argumento usado na defesa de Antônio tem base histórica.

Um pouco inevitavelmente é em *O mercador de Veneza* que com maior força se manifesta um dos aspectos básicos que John Russell Brown apresenta em seu livro *Shakespeare and his Comedies* (Methuen, 1957): o da riqueza do amor. O argumento do crítico é de que há julgamentos éticos implícitos na aparente superficialidade das comédias e, no desenvolvimento de sua tese, sustenta ele que tais julgamentos giram em torno de quatro conceitos muito bem definidos, que são a riqueza do amor, a verdade do amor, a ordem do amor e as provações do amor. O amor vê a verdade com seus próprios olhos, ele traz a ordem de seu próprio equilíbrio e enfrenta toda espécie de dificuldades com extraordinária coragem. O aspecto da riqueza é o mais original, pois Shakespeare — não só nesta peça — apresenta o amor como uma forma de comércio, que se distingue do comércio propriamente dito pelo fato de, no amor, lucrar mais não quem mais luta para ganhar mas, antes, o que é mais generoso, menos egoísta, menos empenhado em buscar seus interesses pessoais. No comércio do amor há também lucro que, no caso, são os filhos, o que constitui o *julgamento* (o termo é de Russell Brown) a respeito, digamos assim, da funcionalidade do amor na vida do indivíduo em seu grupo. Na belíssima cena em que Bassânio enfrenta o desafio das arcas, tanto quanto nas cenas no Rialto, nas quais o mundo dos negócios é crucial, os termos do comércio são usados para ressaltar a força das posições assumidas. Isso não significa, de modo algum, que os outros critérios de julgamento do amor não estejam também presentes em *O mercador de Veneza*.

Já tem sido argumentado que a força do personagem de Shylock é tamanha que, com seu desaparecimento no final do Ato iv, a peça não teria mais razão para continuar; mas é no último ato, na verdade, que se conclui que a trama principal da obra é a conquista da felicidade. Com a feliz reunião de Pórcia e Bassânio, Nerissa e Graziano, bem como de Jéssica e Lorenzo, vale a pena deixar para o leitor a reflexão a respeito da situação de Antônio, o mercador. Ao contrário de Shylock, ele é reunido com suas riquezas, mas da felicidade dos amantes ele acaba sendo tão alijado quanto Shylock, e não podemos escapar da ideia de que Shakespeare parece ver o mercador, tanto quanto o judeu, como um obstáculo a ser vencido no caminho da conquista da felicidade.

Em *O mercador de Veneza*, tanto os personagens quanto as situações são bem mais complexos e sutis do que em *A comédia dos erros*. A questão da justiça e da misericórdia tem aqui ênfase antes sequer sonhada, sendo o próprio tema não só da parte da trama relacionada com a libra de carne como também da mais famosa fala de Pórcia. A aparência e a realidade surgem também de forma bem menos óbvia do que o recurso dos gêmeos idênticos usado na outra peça; toda a comédia tem mais consistência e mais peso, e o próprio estilo do poeta já se modifica: aumentam os percentuais de prosa e de verso branco (não rimado), pois a rima cai de 21,5 para 5,1% dos versos. E, no entanto, o clima lírico é sustentado como em poucas outras obras, e sempre de forma absolutamente coerente com cada personagem. No momento em que compôs *O mercador de Veneza*, Shakespeare já atinge a fase das obras-primas, que iriam suceder-se com espantosa frequência por um período de cerca de dezessete anos.

LISTA DE PERSONAGENS

O Duque de Veneza

O Príncipe de Marrocos
O Príncipe de Aragão } candidatos à mão de Pórcia

Antônio, um mercador de Veneza
Bassânio, seu amigo, candidato à mão de Pórcia

Graziano
Salério } amigos de Antônio e de Bassânio
Solânio

Lorenzo, apaixonado por Jéssica
Shylock, um judeu
Tubal, um judeu, seu amigo
Lancelote Gobbo, um cômico, empregado de Shylock
O velho Gobbo, pai de Lancelote
Leonardo, empregado de Bassânio

Baltazar } empregados de Pórcia
Stefânio

Pórcia, uma herdeira de Belmonte
Nerissa, sua aia
Jéssica, filha de Shylock
Magníficos venezianos, oficiais do Tribunal de Justiça, um carcereiro, empregados e outros servidores

A cena: Veneza e a casa de Pórcia em Belmonte.

ATO 1

CENA 1
Veneza.

(Entram Antônio, Salério e Solânio.)

Antônio
Garanto que não sei por que estou triste;
A tristeza me cansa, como a vós;
Mas como a apanhei ou contraí,
Do que é feita, ou do que terá nascido,
Ainda não sei.
A tristeza me fez um tolo tal
Que é difícil até saber quem sou.

Salério
Sua mente é jogada pelo mar
Onde suas galeras, enfunadas
Como fidalgos ou burgueses ricos,
Estrelas do espetáculo do mar,
Passam os olhos nos barcos pequenos
Que as saúdam, humildes, quando passam
Voando, com suas asas bem tecidas.

Solânio
Se eu estivesse engajado em tais venturas,
A maior parte de minha afeição
Ficaria no mar, com os meus anseios:
Em cada folha eu só veria o vento,
Só pensaria em portos e roteiros;
E tudo onde pudesse ver perigo,
Pondo em risco o que é meu, deixar-me-ia
Por certo triste.

Salério
Só soprando a sopa
Teria logo um susto, ante a ideia
Do mal que um vento forte faz ao mar;
E bastaria olhar uma ampulheta
Para um banco de areia vir-me à mente
E eu ver meus barcos todos encalhados,
Adernados, com os cascos arranhados,
Beijando a morte; e quando fosse à igreja,
O templo santo, só por ser de pedra,

                    Me faria pensar em rochas rudes
                    Que, rasgando os costados delicados,
                    Espalhariam n'água suas cargas,
                    Vestindo as ondas com as minhas sedas;
35   Pensando, enfim, que o que valia muito
                    Pode não valer nada. E, se capaz
                    De pensar nisso, como não seria
                    Capaz de imaginar minha tristeza
                    Se algo como isso acontecesse?
40   Não peço explicações; eu sei que Antônio
                    Está triste porque pensa em seus negócios.

        ANTÔNIO
                    Não creiam nisso; pois, por sorte minha,
                    Meus riscos não estão todos num só casco
                    E nem num só lugar. Meu patrimônio
45   Não vive dos sucessos de um só ano:
                    Não são negócios que me fazem triste.

        SOLÂNIO
                    Então 'stá apaixonado!

        ANTÔNIO
                                    Nada disso!

        SOLÂNIO
                    Então não é paixão? Então 'stá triste
                    Porque não está alegre. De igual modo
50   Pode rir e pular, dizer-se alegre
                    Por não estar triste. Mas pelo deus Janus,
                    A Natureza faz gente esquisita!
                    Alguns têm olhos de sorriso eterno
                    E riem como papagaios loucos;
55   Há outros com aspecto tão azedo
                    Que não mostram os dentes num sorriso
                    Mesmo que os céus garantam que haja graça...

                    (Entram BASSÂNIO, LORENZO e GRAZIANO.)

                    Lá vem Bassânio, seu gentil parente,
                    Com Graziano e Lorenzo. Até mais ver;
60   Vamos deixá-lo em melhor companhia.

        SALÉRIO
                    Eu ficaria até torná-lo alegre
                    Se melhores amigos não chegassem.

ANTÔNIO

　　　Eu o julgo tão bom quanto os mais caros;
　　　Na certa algum negócio o chama agora
65　　　E usa desculpa pra partir.

SALÉRIO

　　　Bons dias, meus senhores.

BASSÂNIO

　　　　　(Para SALÉRIO e SOLÂNIO.)
　　　Senhores ambos, quando festejamos?
　　　Tornam-se estranhos; será necessário?

SALÉRIO

　　　Quando quiser-nos, o prazer é nosso.

　　　　　　　　　　　　(Saem SALÉRIO e SOLÂNIO.)

LORENZO

70　　　Senhor Bassânio, já encontrou Antônio:
　　　Nós os deixamos; mas de noite, à ceia,
　　　Devemos encontrar-nos, não se esqueça.

BASSÂNIO

　　　Não faltarei.

GRAZIANO

　　　Signior Antônio, não tem bom aspecto;
75　　　É por levar o mundo tão a sério:
　　　Ele não vale um preço assim tão caro.
　　　Mas creia-me: mudou de forma incrível.

ANTÔNIO

　　　O mundo é mundo para mim, Graziano:
　　　Um palco, com um papel pra cada um;
80　　　E o meu é triste.

GRAZIANO

　　　　　　　　Pois que eu seja o bobo!
　　　Que as rugas cheguem com alegria e riso,
　　　E que antes ferva o fígado com vinho
　　　Que gele o coração com penitência.
　　　Se um homem tem nas veias sangue quente,
85　　　Por que há de comportar-se como um velho,
　　　Sentado, qual estátua de alabastro?
　　　Dormir, se está acordado? Apodrecer,

Só de teimoso? Pois lhe digo, Antônio
(E por amá-lo é que lhe falo assim),
90 Há homens que têm rostos tão parados
Que mais parecem lagos espelhados;
E que cultivam a imobilidade
Apenas pra, com isso, serem tidos
Por sábios, graves e conceituosos,
95 Como a dizer "Eu sou o só Oráculo,
E, quando falo, não há cão que ladre".
Ó meu Antônio, sei também de outros
Que só são conhecidos como sábios
Por seu silêncio; pois estou seguro
100 Que, falando, choveriam maldições,
Contra tais tolos, de quem os ouvisse;
Hei de contar-lhe mais de uma vez.
Melancolia usada como isca
Traz pesca pobre; é o que lhe digo:
105 Vamos, Lorenzo, basta por agora;
Após a ceia faço o meu discurso.

LORENZO

Até a ceia, então; vamos deixá-los.
Eu tenho de ser sábio no silêncio:
Graziano não me deixa abrir a boca.

GRAZIANO

110 Com mais dois anos gastos ao meu lado,
Esquecerá o som da própria voz.

ANTÔNIO

Bom dia; depois disso até eu falo.

GRAZIANO

Obrigado. O silêncio só vai bem
A língua seca e moça de vergonha.

(Saem GRAZIANO e LORENZO.)

ANTÔNIO

115 Será sabedoria?

BASSÂNIO

Graziano fala uma imensidão por nada (mais do que qualquer outro em Veneza) e suas razões parecem sempre dois grãos de trigo perdidos em dois sacos de joio: é preciso procurar o dia inteiro para achá-las, e quando se as encontra, não valem a busca.

ANTÔNIO

120   E agora diga-me qual é a moça
    A quem jurou buscar qual peregrino,
    E de quem disse que me falaria.

BASSÂNIO

    Você bem sabe, meu querido Antônio,
    O quanto eu dissipei meu patrimônio
125   Por ostentar aspecto mais vistoso
    Do que podiam meus recursos parcos.
    E nem lamento ver-me rebaixado
    Daquele nobre nível; mas me importa
    Conseguir reparar as grandes dívidas
130   De que o passado (muitas vezes pródigo)
    Deixou-me presa: é a você, Antônio,
    A quem mais devo, em dinheiro e amor;
    E é desse amor que tenho agora estímulo
    Pra revelar os planos e objetivos
135   Que fiz pra me quitar do quanto devo.

ANTÔNIO

    Meu bom Bassânio, continue, eu peço;
    E se tudo estiver, como você,
    Dentro da honra, pode ter certeza
    Que minha bolsa, eu mesmo e os meus recursos
140   Estaremos como sempre ao seu dispor.

BASSÂNIO

    Quando menino, se eu errava o alvo,
    Atirava outra flecha, de igual voo,
    No mesmo alvo, mas com melhor mira;
    E, muitas vezes, nesse risco duplo,
145   A ambas encontrava: lembro a infância
    Porque o meu plano tem essa inocência.
    Devo-lhe muito e tudo o quanto devo
    Perdi com travessuras; mas se ousar
    Arriscar outra flecha no sentido
150   Em que foi a primeira, eu lhe garanto
    Que, num só alvo, encontrarei as duas;
    Ou, pelo menos, pago o novo risco
    E só fico devendo o anterior.

ANTÔNIO

    Você já me conhece e perde tempo
155   Com tanto circunlóquio e indagação.
    Você ofende mais meus sentimentos

Querendo dar limites aos meus gestos
Do que pedindo tudo o quanto é meu.
Basta pedir aquilo que deseja:
160 Desde que esteja em mim poder fazê-lo,
A palavra está dada; agora, fale.

BASSÂNIO
Há em Belmonte uma moça, muito rica,
Que é linda e — o que é mais lindo ainda —
É virtuosa. De seus belos olhos
165 Já recebi mensagens silenciosas.
Seu nome é Pórcia, e ela não vale menos
Que a filha de Catão, mulher de Brutus;
E nem o mundo ignora o seu valor,
Pois, de todo rincão, os quatro ventos
170 Trazem-lhe pretendentes os mais nobres.
Seu cabelo dourado cinge a testa
Como se fora velocino de ouro;
E Belmonte, qual fora o lar de Calcos,
Atrai muitos Jasões a cobiçá-la.
175 Ó meu Antônio; se eu tivesse os meios
Pra ser rival à altura desses outros,
Eu sinto em mim presságios de tais lucros
Que estou seguro de alcançar sucesso.

ANTÔNIO
Já sabe que os meus bens estão no mar;
180 Não tenho ouro nem mercadorias
Pra levantar tal soma; mas insisto
Que use do meu crédito em Veneza —
E tudo o que obtiver por meio dele
Há de levá-lo pra Belmonte e Pórcia.
185 Indague por aí, como eu também,
Onde há dinheiro; não questionarei
Se por meu nome ou crédito o terei.

(Saem.)

CENA 2
Belmonte.

(Entra PÓRCIA, com sua aia NERISSA.)

PÓRCIA
Palavra de honra, Nerissa, que meu pequeno corpo está cansado deste imenso mundo.

NERISSA

Estaria, senhora, se suas misérias fossem tão abundantes quanto são as suas bênçãos e fortunas: mas, pelo que vejo, os que se saturam com excessos ficam tão doentes quanto os que mínguam por falta; sempre é mais tranquilo ter-se um pouco menos; dinheiro demais compra cabelos brancos; um modesto conforto garante melhor vida.

PÓRCIA

Bem pensado e melhor dito.

NERISSA

E muito melhor ainda se seguido.

PÓRCIA

Se fazer fosse tão fácil quanto saber o que se deve fazer, as capelas seriam igrejas e as choupanas, palácios. Bom pregador é aquele que ouve e atende a seus próprios sermões; acho mais fácil dar bons conselhos a vinte pessoas do que seguir eu mesma um só deles; o cérebro é capaz de conceber leis para controlar o sangue, mas uma cabeça quente ignora todo e qualquer decreto frio. A juventude é louca como a lebre: foge aos pulos dos obstáculos que os bons conselhos custam para armar; mas não é com esse tipo de raciocínio que vou escolher meu marido. Ai de mim, por que dizer "escolher"! Não posso nem escolher quem quero, nem recusar quem não quero; pois os desejos de uma filha viva estão submetidos à vontade de um pai morto. Não é doloroso, Nerissa, não poder escolher um, nem recusar nenhum?

NERISSA

Seu pai foi sempre virtuoso; e os homens santos, ao morrer, sempre têm boas inspirações. Portanto, se concebeu as três arcas de ouro, prata e chumbo, entre as quais aquele que decifrar o enigma conquista a sua mão, é porque sabia que a escolha correta só será feita por alguém a quem a senhora certamente há de amar. Mas que calor de afeto já sentiu por qualquer dos candidatos principescos que já se apresentaram aqui?

PÓRCIA

Peço-lhe que vá dizendo seus nomes; e, à medida que os disser, eu os descreverei; por minha descrição poderá avaliar o meu afeto.

NERISSA

Primeiro temos o príncipe napolitano.

PÓRCIA

Um belo potro, que só fala de cavalos e que parece contar entre suas melhores qualidades saber colocar as próprias ferraduras. Temo muito que a senhora sua mãe tenha sido infiel com algum ferreiro.

NERISSA

Depois vem o conde Palatino.

PÓRCIA

Só sabe franzir a testa (como se estivesse a dizer "Que não seja a mim, mas escolha logo"). Ouve histórias galantes, mas não sorri (creio que será um filósofo chorão quando envelhecer, já que em jovem é de tristeza desagradável). Prefiro casar-me com uma caveira, de osso na boca, do que com qualquer um deles; que Deus me proteja dos dois.

NERISSA

E o nobre francês, *monsieur* Le Bon?

PÓRCIA

Deus o fez, e portanto, é preciso chamá-lo de homem — eu sei que é feio rir dos outros; mas esse! Em matéria de cavalo, é melhor que o napolitano; franze a testa mais do que o conde Palatino: ele é todo mundo e ninguém; se um passarinho canta, ele sai dançando; e due-la com a própria sombra. Se casasse com ele, me casaria com vinte maridos: se me odiasse, poderia perdoá-lo; mas, mesmo que me amasse à loucura, jamais poderia corresponder.

NERISSA

O que diz então de Faulconbridge, o jovem barão inglês?

PÓRCIA

Não digo nada, pois não me compreende e eu não o compreendo: não sabe latim, nem francês, nem italiano, e você sabe que o meu inglês não dá para o gasto: é um belo retrato de homem; mas, ai ai, quem pode conversar com uma coisa muda? E a roupa é muito esquisita! Parece que comprou a jaqueta na Itália, os calções na França e o boné na Alemanha, enquanto que as maneiras foram arrebanhadas um pouco aqui e ali.

NERISSA

E o que acha do lorde escocês, vizinho dele?

PÓRCIA

Parece um vizinho correto; tomou emprestado uns tabefes do inglês, mas disse que os devolveria assim que fosse possível; parece que apresentou, como garantia, o francês, que acabou levando uns também, por procuração.

NERISSA

Mas não gosta do alemão, sobrinho do duque da Saxônia?

Pórcia

Desagrada-me um pouco de manhã, quando está sóbrio, e muito à tarde, quando está bêbado; em seu melhor é um pouco pior que homem, em seu pior um pouco melhor que fera — por pior que seja o meu caminho, só faço questão de não segui-lo com ele.

Nerissa

Se ele fizer a escolha e escolher certo, a senhora estaria desobedecendo à vontade de seu pai se recusasse a aceitá-lo.

Pórcia

E, para evitar que isso aconteça, eu lhe imploro que coloque um imenso copo de vinho do Reno na arca errada pois, mesmo com o diabo lá dentro, vendo essa tentação cá fora, há de escolhê-la. Farei qualquer coisa, Nerissa, menos me casar com uma esponja.

Nerissa

Não é preciso que se preocupe, senhora, em aceitar nenhum desses fidalgos, que me informaram de suas resoluções de voltarem a seus lares, sem insistirem mais em cortejá-la, a não ser que possa ser conquistada por algum meio que não seja a imposição de seu pai, dependendo das arcas.

Pórcia

Se viver até ficar velha qual Sibila, hei de morrer casta qual Diana se não for conquistada pelo modo por que quis meu pai: alegra-me que essa leva de pretendentes seja tão razoável, pois não há dentre eles um só por cuja ausência eu não suspire; e rogo a Deus que lhes dê bons ventos que os levem!

Nerissa

A senhora não se lembra, ao tempo de seu pai, de um veneziano (estudioso e soldado) que aqui esteve em companhia do marquês de Montferrat?

Pórcia

Sei, sei; era Bassânio; se me lembro era assim que o chamavam.

Nerissa

Em verdade, senhora, e ele pareceu, a estes olhos tontos, que, de todos os homens que já viram, ele seria o mais merecedor de alguma dama nobre.

Pórcia

Lembro-me bem dele e — se estou bem lembrada — ele merece seus elogios.

(Entra um Criado.)

Pórcia

O que é que há?

Criado

Os quatro forasteiros procuram-na para se despedir; e o arauto de um quinto, o príncipe de Marrocos, chega para avisar que seu amo estará aqui esta noite.

Pórcia

Se puder saudar o quinto com o mesmo prazer com que me posso despedir dos outros quatro, veria com alegria sua próxima chegada: mas se ele tiver natureza de santo, com aspecto de diabo, eu prefiro o convento ao casamento. Vamos, Nerissa. *(Para o Criado.)* Vá você na frente: Já bate à porta um outro pretendente.

(Saem.)

CENA 3
Veneza.

(Entra Bassânio com Shylock, o judeu.)

Shylock

Três mil ducados, bem.

Bassânio

Sim, senhor; por três meses.

Shylock

Por três meses, bem.

Bassânio

E pelos quais, como já lhe disse, Antônio ficará comprometido.

Shylock

Antônio ficará comprometido, bem.

Bassânio

O senhor poderá ajudar-me? Poderá fazer-me esse favor? Pode dar-me alguma resposta?

Shylock

Três mil ducados por três meses, e Antônio comprometido.

BASSÂNIO
Qual é sua resposta?

SHYLOCK
Antônio é um bom homem.

BASSÂNIO
Já ouviu alguma insinuação em contrário?

SHYLOCK
Ah, não, não, não, não: o que quero significar quando digo que ele é um bom homem é que espero que compreenda que ele é suficiente — no entanto, seus bens são meras suposições: ele tem um barco que se destina a Trípoli, outro às Índias e, pelo que ouço dizer no Rialto, tem um terceiro rumo ao México, um quarto à Inglaterra, e mais outras empresas que espalhou pelo estrangeiro. Mas barcos não passam de tábuas, marinheiros, de homens; há ratos de terra e ratos de água, ladrões de terra e ladrões de água (quero dizer piratas, além dos perigos das águas, dos ventos e dos rochedos: mas apesar disso, o homem é suficiente — três mil ducados — acho que posso aceitar o compromisso dele.

BASSÂNIO
Garanto-lhe que pode.

SHYLOCK
Mas só posso com garantias: e para que possa ficar garantido, estou pensando... poderia falar com Antônio?

BASSÂNIO
Se quiser nos dar o prazer de jantar conosco...

SHYLOCK
Eu sei, para cheirar porco e comer na habitação para a qual o seu profeta Nazareno conjurou o diabo: comprarei com os senhores, venderei com os senhores, falarei, andarei e assim por diante: mas não comerei com os senhores, não beberei com os senhores e nem farei as minhas orações com os senhores. Que novidades há no Rialto? Quem está vindo aí?

(Entra ANTÔNIO.)

BASSÂNIO
Este é o *signior* Antônio.

SHYLOCK

>   *(À parte.)*
>   Como está pronto, agora, a bajular!
>   Eu o odeio porque é cristão,
>   E ainda mais porque, ingênuo e tolo,
>   Empresta ouro grátis, rebaixando
>   Os juros que cobramos em Veneza.
>   Se consigo apanhá-lo num aperto,
>   Mato a fome de queixas muito antigas.
>   Por odiar minha nação sagrada,
>   Nos locais onde vão os mercadores
>   Agride a mim, meus lucros e poupanças,
>   A que chama de juros ou de usura.
>   Maldita seja a minha própria tribo
>   Se eu o perdoo.

BASSÂNIO

>   Está me ouvindo, Shylock?

SHYLOCK

>   Tentava avaliar os meus recursos
>   E, pelo que concluo de memória,
>   Não posso fornecer, neste momento,
>   O total dos três mil; mas, o que importa?
>   Tubal (um rico hebreu de minha tribo)
>   Há de ajudar-me; ouça! Quantos meses
>   O senhor quer?
>
>   *(Para ANTÔNIO.)*
>
>   Bons dias, bom *signior*;
>   Era de si que estávamos falando.

ANTÔNIO

>   Shylock, embora eu nunca empreste ou tome
>   Pra dar ou receber mais que o em jogo,
>   Mesmo assim, pra ajudar o meu amigo.
>   Quebro os meus hábitos.
>   *(Para BASSÂNIO.)* Ele já sabe o quanto você quer?

SHYLOCK

>   Sei, sei; três mil ducados.

ANTÔNIO

>   Por três meses.

SHYLOCK

    Esqueci: são três meses.

    (Para BASSÂNIO.)

    Já me disse.
65   Seu compromisso, então — mas, deixe eu ver —
    Parece-me que disse que não toma
    Nem empresta por ganho.

ANTÔNIO

    Nunca o faço.

SHYLOCK

    Quando Jacó foi ser pastor de ovelhas
70   De seu tio Labão — sendo Jacó
    Graças à mãe, o terceiro a herdar —
    Sim, senhor, desde o santo Abraão...

ANTÔNIO

    O que tem ele? Já cobrava juros?

SHYLOCK

    Não, juros, não; ou pelo menos não
75   Juros diretos — veja o que fez ele:
    Quando Labão e ele concordaram
    Que as ovelhas malhadas ou pintadas
    Seriam o salário de Jacó,
    Estando as fêmeas prontas para os machos —
80   Sendo hora de fazer multiplicar,
    Por cruza, os lanudos que criava —
    Descobriu o pastor algumas varas
    Que colocou perto das fêmeas fortes
    Que, emprenhadas, deram cria toda
85   Malhada, que ficou para Jacó.
    Assim ele lucrou e foi bendito
    E lucro é bênção se não for roubado.

ANTÔNIO

    Mas Jacó trabalhou por tal acaso:
    Não foi por poder seu que o conquistou;
90   Veio mandado pela mão do céu.
    Diz isso pra justificar a usura?
    Ou são carneiros sua prata e ouro?

SHYLOCK

    Não sei, mas sei que os faço procriar
    Com igual presteza. Ouça, bom *signior*...

ANTÔNIO

95   Repare bem, Bassânio, que o diabo
    Cita em seu próprio bem as Escrituras!
    A alma vil, com testemunho santo,
    É igual ao vilão de rosto amável,
    À maçã rubra que por dentro é podre.
100   Que aspecto encantador tem a mentira!

SHYLOCK

    Três mil ducados; é uma boa soma...
    Por três bons meses — vamos ver os juros.

ANTÔNIO

    Bem, Shylock; vamos ser seus devedores?

SHYLOCK

    Signior Antônio; muita, muita vez
105   Buscou menosprezar-me no Rialto,
    Por meus dinheiros e minhas usuras.
    Aturei tudo só com um dar de ombros
    (Pois suportar é a lei da minha tribo).
    Chamou-me de descrente, de cão vil,
110   Cuspiu na minha manta de judeu,
    Apenas porque eu uso do que é meu.
    Mas agora, parece, quer ajuda:
    Agora chega; vem a mim, e diz:
    "Shylock, hoje preciso o seu dinheiro",
115   O senhor, que escarrou na minha barba,
    Afastou-me com o pé, como a um cachorro,
    Da sua porta, agora quer dinheiro.
    Que devo dizer eu? Devo dizer
    "Cão tem dinheiro? Pode um vira-lata
120   Emprestar a alguém três mil ducados?"
    Ou devo rastejar e, em tom servil,
    Quase sem voz, com um sussurro humilde,
    Dizer apenas:
    "Na quarta-feira o senhor cuspiu-me,
125   Humilhou-me tal dia e, certa vez,
    Chamou-me cão: por tantas cortesias
    Vou emprestar-lhe todo esse dinheiro"?

ANTÔNIO

    Irei chamá-lo novamente assim,

                    Hei de cuspir e hei de desprezá-lo.
130   Se emprestar o dinheiro, não o faça
                    Como a amigos seus, pois que amizade
                    Toma do amigo cria de metal?
                    É melhor emprestá-lo a um inimigo,
                    Para que, se falhar, possa, feliz,
135   Cobrar-lhe a multa.

        SHYLOCK
                    Eu o quero amigo, ter sua afeição,
                    Esquecer as vergonhas que me impôs,
                    Atender seu pedido, sem ganhar
                    Um tostão por meu ouro; mas não me ouve...
140   A oferta é boa.

        BASSÂNIO
                    Quanta bondade.

        SHYLOCK
                                    Eu a mostrarei,
                    Se for comigo ao notário e lá selar
                    Um compromisso simples que dirá
                    (Por brincadeira) que se não pagar
145   Em certo dia e local a soma ou somas
                    Mencionadas na nota, a multa imposta
                    Fica arbitrada numa libra justa
                    De sua carne alva, a ser cortada
                    E tirada da parte de seu corpo
150   Que na hora da escolha me aprouver.

        ANTÔNIO
                    De boa-fé assino um tal acordo,
                    E direi que há bondade num judeu.

        BASSÂNIO
                    Eu não permito que por mim o assine:
                    Prefiro continuar necessitando.

        ANTÔNIO
155   Não tenha medo; não haverá multa.
                    Nestes dois meses — um antes do prazo
                    Do compromisso — espero ter de volta
                    Mais que três vezes o que assumo agora.

        SHYLOCK
                    Ai, Abraão, mas que cristãos são esses,

160 Que fazem tanto mal que já suspeitam
Do que fazem os outros? Digam lá —
Se ele passar do prazo, o que é que eu ganho
Em obrigá-lo a me pagar tal multa?
Pois se uma libra dessa carne humana
165 Não vale tanto nem traz tanto ganho
Quanto a de vacas, cabras ou carneiros.
Para ter seu favor faço tal gesto —
Pra ser amigo! Se não quer, adeus!
E, por favor, não tentem me enganar.

ANTÔNIO
170 Sim, Shylock; eu assino o compromisso!

SHYLOCK
Pois então vamos já para o notário:
Que ele redija nosso alegre trato!
Eu vou buscar a bolsa e os ducados,
Ver minha casa, que está mal guardada,
175 Por um covarde, de mão muito aberta.
Mas volto logo.

(Sai.)

ANTÔNIO
Vai, judeu bondoso;
O hebreu está ficando bom cristão.

BASSÂNIO
Não gosto de vantagem de homem vil.

ANTÔNIO
180 Não há por que sofrer por esse caso:
Meus barcos chegarão antes do prazo.

(Saem.)

ATO 2

CENA 1
Belmonte.

(Fanfarras. Entram o Príncipe de Marrocos — um mouro trigueiro, todo de branco — e três ou quatro seguidores, com Pórcia, Nerissa e seu séquito.)

MARROCOS

Que não vos seja hostil o meu aspecto,
Reflexo obscuro do meu sol em chamas,
Vizinho junto ao qual sempre vivi.
Trazei-me o nórdico mais lindo e claro,
5 Que venha de onde o sol mal toque as neves,
E se, por vosso amor, sangramos ambos,
Não mais rubro que o meu será seu sangue.
Garanto-vos, senhora, que este rosto,
Se espantou bravos — dentre os de meu clima —
10 Pode dizer também que foi amado
Por moças nobres: e eu não trocaria
O tom de minha pele a não ser
Para atrair-vos, ó minha rainha.

PÓRCIA

Em minha escolha eu não sou só guiada
15 Pelo que me sugere o meu olhar;
Além do que, a rifa do meu fado
Proíbe-me que escolha livremente:
Não tivesse o meu pai ditado as normas
Pra conceder a outorga de mim mesma,
20 Que me farão esposa de quem tenha
O dom de me encontrar neste sorteio,
O vosso aspecto, príncipe, seria
Comparável a todos os demais
Dos pretendentes à minha afeição
Que aqui já vi.

MARROCOS

Por isso eu vos sou grato;
E peço-vos que me leveis às arcas
Tentar a sorte: pela cimitarra
Que matou reis e príncipes da Pérsia
E por três vezes venceu Soliman —
30 Preferiria monstros enfrentar,

　　　　　　Bater-me com o mais fero coração,
　　　　　　Roubar as crias da selvagem ursa,
　　　　　　Disputar com o leão a sua presa,
　　　　　　Pra ganhar-vos, senhora. Mas, é triste!
35　　　　　Se Hércules e Lichas jogam dados
　　　　　　Pra ver qual o melhor, o ganhador
　　　　　　Pode ser o pior, mas com mais sorte:
　　　　　　Se Alcides foi batido por seu pajem,
　　　　　　Poderei eu perder-vos para um outro
40　　　　　De menor mérito, por ter por guia
　　　　　　A Fortuna, que é cega, e assim morrer
　　　　　　Só de paixão.

　　　PÓRCIA
　　　　　　　　　　É um risco que tomais:
　　　　　　Ou nem sequer tentar, aqui, a escolha,
　　　　　　Ou, se escolher errado, aqui jurar
45　　　　　Jamais ousar falar em casamento
　　　　　　A qualquer outra. É bom pensar.

　　　MARROCOS
　　　　　　Assim farei. Quero arriscar a sorte.

　　　PÓRCIA
　　　　　　Primeiro, ao templo. Logo após a ceia
　　　　　　Fareis a escolha.

　　　MARROCOS
　　　　　　　　　　　E entre os homens serei,
50　　　　　Só pela sorte, desgraçado ou rei!

　　　　　　　　　　　　　　　　(Fanfarras. Saem.)

　　　　　　　　　　CENA 2
　　　　　　　　　　Veneza.

　　　　　　(Entra LANCELOTE GOBBO, o cômico, sozinho.)

　　　LANCELOTE
　　　　　　É claro que a consciência vai me ajudar muito para eu fugir do judeu meu amo: o demônio fica bem aqui do lado e me tenta, dizendo: "Gobbo, Lancelote Gobbo, meu bom Lancelote" ou "Bondoso Gobbo, para o que é que servem essas pernas? Anda, dá no pé, sai correndo". Aí, *minha consciência* vira e diz: "Não. Pensa bem, honestíssimo Lan-
5　　　　　celote; pensa bem honesto Gobbo", ou, então, "um homem exem-
　　　　　　plário como você não pode escafeder-se, não pode só assim dar nas

pernas". Mas aí o demo, que é mais metido, quer que eu dê o fora, gritando: "Passa fora!" É assim que grita: "Passa!" E ainda diz que os céus inspiram as grandes inteligências a fugir como o diabo da cruz! Aí a minha consciência, agarrada no pescoço do meu coração, me diz, sapeca, com a maior sabedoria: "Meu honesto amigo Gobbo" — honesto porque sou filho de um homem honesto, ou melhor, de uma mulher honesta, porque, pra falar a verdade, de meu pai eu não diria tanto; sabe como é, tem qualquer coisinha que não me cheira bem — bem, mas aí a consciência diz: "Firme!"

Aí eu digo: "Consciência, você dá ótimos conselhos", e se fosse para eu obedecer à consciência eu ficava mesmo com meu amo judeu que (Deus que me perdoe) é assim uma espécie de meio diabo; e se eu obedecer ao diabo eu fujo do judeu, que (com o perdão da palavra), é o diabo em pessoa; é, eu acho que não há dúvida de que o judeu é a própria encarnação do diabo, e se eu puser mesmo a mão na consciência, vou acabar vendo que a minha consciência é uma consciência meio empedernida, pra ficar me dizendo assim que eu devo ficar com o judeu: o conselho do demônio é, assim, um conselho assim mais amigável: demônio, eu vou dar o fora, e minhas pernas ficam a seu comando, sempre à sua disposição: eu vou embora mesmo.

(Entra o velho Gobbo, com uma cesta.)

GOBBO

Patrãozinho, senhor patrãozinho, por favor, onde é que fica a casa do mestre judeu?

LANCELOTE

(À parte.)
Pelo amor de Deus! É meu pai, o único pai que eu pus no mundo, e que não me conhece porque é mais cego que toupeira brincando de cabra-cega — e eu vou aproveitar, assim, para confusioná-lo. Brincar de confundi-lo.

GOBBO

Senhor meu patrãozinho, por favor, como é que eu chego à casa do mestre judeu?

LANCELOTE

Quebra a *mão direita* na próxima esquina, depois, na outra quebra o cotovelo para a esquerda; e logo adiante, quando chegar na esquina que não dobra para lado nenhum, é só descer em frente que dá direitinho na casa do judeu.

GOBBO

Os santos que me ajudem, que o caminho não é dos mais fáceis. E o senhor sabe me informar se um tal de Lancelote, que mora na casa dele, também mora lá, ou não?

Lancelote

Está falando do jovem mestre Lancelote? *(À parte.)* Reparem só a mentira que eu vou armar agora: está falando do jovem mestre Lancelote?

Gobbo

Mestre eu não sei de quê, já que ele é um bom filho de um pobre que (embora seja eu quem o diga) é um homem honesto mas paupérrimo, e que (graças a Deus) dá graças a Deus de estar vivo.

Lancelote

Pois olhe, deixe que esse pai seja o que lhe der na telha; eu estou falando do jovem mestre Lancelote.

Gobbo

Isso deve ser um Lancelote lá qualquer, que é seu amigo.

Lancelote

Mas por favor, *ergo*, meu senhor, *ergo*, por favor, o senhor está falando não é do jovem mestre Lancelote?

Gobbo

A senhoria de Vossa Senhoria que me perdoe, mas eu só estou falando de Lancelote.

Lancelote

Ergo de mestre Lancelote — não quero saber do pai de mestre Lancelote, pois o jovem cavalheiro (segundo os Fados e os Destínicos Fados e coisas nesse gênero, tais como as tais das Três Irmãs Parcas e outros ramos científicos congenéricos) para falar a verdade ficou recentemente falecido ou seja, para falar mais claro, partiu ainda faz poucamente para o céu.

Gobbo

Deus me livre! O rapaz era o próprio cajado da minha velhice, meu único apoio.

Lancelote

(À parte.)
Mas vejam só se eu tenho cara de vara ou de muleta ou de bengala, tenho? Papai, o senhor não me conhece?

Gobbo

Sinto muito, senhor, mas eu sou muito catacego e não o conheço.

LANCELOTE

Vai ver que mesmo que o senhor enxergasse muito bem era capaz de não me reconhecer. Olhe que é preciso ser um pai muito esperto para saber e reconhecer quem são seus próprios filhos. Mas escute aqui, meu velho, vou dar-lhe notícias de seu filho. *(Ajoelha-se.)* Dê-me a sua bênção — a verdade sempre aparece; assassinato não se esconde, filho às vezes se pensa que se dá um jeito mas, no fim, a verdade aparece mesmo.

GOBBO

Por favor, meu senhor, fique de pé; eu tenho a certeza de que o senhor não é meu filho Lancelote.

LANCELOTE

Bom, vamos acabar com toda essa bobajada; e ande logo com essa bênção: eu era seu filhinho, sou seu filho, e vou continuar a ser para toda a vida.

GOBBO

Mas o senhor não pode ser meu filho.

LANCELOTE

Se posso ou não posso eu não sei; mas eu sou Lancelote, o criado do judeu, e tenho certeza de que sua mulher Margery é minha mãe.

GOBBO

O nome é Margery, mesmo — raios me partam se você não é Lancelote, carne de minha carne, sangue do meu sangue: Deus me abençoe, mas com essa barba toda você até parece uma dessas senhorias por aí! Tem mais pelo na sua cara do que a minha mula tem no rabo!

LANCELOTE

Então ele está crescendo ao contrário, porque quando eu saí de casa o rabo dela era muito mais peludo que a minha cara.

GOBBO

Como você está mudado! Como é que você está se dando com seu amo? Eu trouxe um presente para ele; como é que vocês estão se dando?

LANCELOTE

Muito bem, mas muito bem mesmo; mas de minha parte, achei por bem, por meu lado, ter resolvido fugir daqui. Vou dar o fora e só parar quando estiver muito fora daqui, mesmo; meu amo é o próprio judeu! Dar presente pra ele? Só se for corda para ele se enforcar — eu passo fome na casa dele! Olha só: pode dar uma contada nas minhas costelas. Mas estou muito contente que esteja aqui, papai, e quero que dê o seu presente ao senhor Bassânio que aquele, sim, veste bem os criados! Se eu não for trabalhar para ele vou dar o fora por aí afora até o fim do mundo. Mas, que sorte! Lá vem ele ali. Fale com ele, papai, pois quero ser judeu se continuar a trabalhar para o judeu!

(Entra Bassânio com Leonardo e um ou dois seguidores.)

BASSÂNIO
Pode ser, mas quero que apressem a ceia de modo que fique pronta no máximo às cinco e meia: entregue essas cartas, encomende as librés e peça a Graziano para vir imediatamente à minha casa.

(Sai um de seus seguidores.)

LANCELOTE
Ataca, papai.

GOBBO
Deus abençoe Vossa Senhoria.

BASSÂNIO
Amém. Deseja alguma coisa comigo?

GOBBO
Este aqui é meu filho, meu senhor, um rapaz pobre.

LANCELOTE
Não sou nenhum mendigo, não senhor, sou criado do judeu rico como o meu pai vai acabar conseguindo informacionar.

GOBBO
Ele está com uma forte infecção, como se diz, de trabalhar...

LANCELOTE
Em poucas palavras, eu trabalho para o judeu e tenho um desejo que meu pai vai explicacionar...

GOBBO
O amo e ele (que Vossa Senhoria me perdoe a má palavra) não são exatamente farinha do mesmo saco...

LANCELOTE
Em resumo, a verdade é que, já que o judeu não andou bem comigo, isso é a causa daquilo que meu pai (sendo, como espero, mais velho) há de frutificar para o senhor...

GOBBO
> Eu tenho aqui um bom prato de pombos que gostaria de transferir em doação a Vossa Senhoria, e o meu pedido é...

LANCELOTE
> Em poucas palavras o pedido é impertinente para mim mesmo, como poderá Vossa Senhoria saber por esse honesto velho que — muito embora seja eu quem o diga — embora velho, embora pobre, ainda é honesto e é meu pai.

BASSÂNIO
> Que um fale pelos dois; o que desejam?

LANCELOTE
> Servi-lo, senhor.

GOBBO
> Esse é exatamente o defeito do pedido, senhor.

BASSÂNIO
> Já o conheço bem e atendo o seu pedido;
> Shylock, seu amo, já falou comigo.
> Mas eu não sei se é tão bom negócio
> Deixar um judeu rico pra seguir
> Um cavalheiro pobre como eu.

LANCELOTE
> O velho ditado fica muito bem dividido entre o meu amo Shylock e Vossa Senhoria. Para Vossa Senhoria fica "a graça de Deus" e, para ele, "basta".

BASSÂNIO
> Muito bem dito; vai pai, com seu filho;
> Despeçam-se do seu antigo amo
> E vão pra minha casa. *(A um seguidor.)* A libré dele.
> Deve ser das mais ricas. Podem ir.

LANCELOTE
> Vamos entrar, pai. Eu não ia conseguir outro emprego, pois sim! Não sei falar, nem dizer o que penso! Pois muito bem... *(Olhando a palma da mão.)* Só quero ver se existe na Itália algum sujeito com melhor mão para poder jurar na Bíblia que vai ter boa sorte!... Olhem só aqui: uma linha de vida muito simples, com um pequeno detalhe na questão de mulheres — ai, ai, quinze esposas não é nada, ainda tem mais onze viúvas e nove virgens, o que já é um bom começo para qualquer homem. Vou escapar de três afogamentos, mas vou correr grande pe-

rigo de vida nas beiradas de um colchão de plumas. Ainda tem mais umas aventurazinhas... Está tudo bem; a Fortuna é mulher e sabe se virar muito bem nesse tipo de coisa... Vamos, pai. Eu me despeço do judeu num abrir e fechar de olhos.

(Lancelote e Gobbo entram na casa de Shylock.)

Bassânio

150 Bom Leonardo, peço-lhe atenção:
Estando tudo providenciado,
Volte depressa, pois festejo, à noite,
Meus melhores amigos. Vá bem rápido.

(Sai Leonardo. Quando vai sair, entra Graziano.)

Graziano

Aonde está o seu amo?

Leonardo

155 Ali vai ele.

(Sai.)

Graziano

Signior Bassânio!

Bassânio

Viva, Graziano!

Graziano

Tenho um pedido.

Bassânio

Que eu já atendi.

Graziano

160 Preciso que me leve pra Belmonte.

Bassânio

Então, precisa; mas escute, amigo:
Seu gesto e voz estão exagerados;
Seus excessos alegres ficam bem
Aos nossos olhos, por sabermos vê-los —
165 *Mas junto àqueles que não o conhecem
Parecem liberdades.* Eu lhe imploro:
Salpique com um pouco de modéstia

O seu ardor, p'ro seu comportamento
Não me levar a ser incompreendido
170 Aonde vou, fazendo-me perder
Minha esperança.

GRAZIANO

Ouça-me, Bassânio
Se eu não me comportar de modo sóbrio,
Falar com muito tino e poucas pragas,
Ler livros de orações com ar piedoso,
175 E, mais, se quando ouvir alguém dar graças
Não suspirar "amém" com os olhos baixos:
Se eu não usar de toda a cortesia
Com o mais cuidado aspecto de tristeza
Que usamos para agradar nossos avós,
180 Então, nunca mais confie em mim.

BASSÂNIO

Pois bem; vejamos como se comporta.

GRAZIANO

Mas, hoje, não. Não quero que me julgue
Por hoje à noite.

BASSÂNIO

Isso eu não faria.
Pelo contrário, peço-lhe que ostente
185 Seu mais brilhante traje de alegria,
Pois vamos divertir-nos entre amigos.
Adeus; tenho negócios a tratar.

GRAZIANO

Eu vou ter com Lorenzo e os outros todos;
Mas logo, à ceia, iremos visitá-lo.

(Saem.)

CENA 3
Veneza.

(Entram, vindos da casa, JÉSSICA e LANCELOTE.)

JÉSSICA

É pena que você deixe o meu pai;
Nossa casa é um inferno, mas você
(Um diabinho alegre) lhe roubava

	Um pouco do sabor de eterno tédio.
5	Boa sorte, e aqui está o seu ducado;
	Lancelote, você verá, à ceia,
	Lorenzo, convidado do seu amo;
	Dê-lhe esta carta, mas muito em segredo.
	Adeus; não quero que o meu pai me veja
10	Falando com você.

LANCELOTE

Adeus! As lágrimas é que me servem de língua. Linda pagã, doce judia! Ou muito me engano, ou algum cristão esperto virá roubá-la um dia destes; mas, adeus! Essas tontas dessas gotas parecem que estão atrapalhando um pouco a minha virilidade; adeus!

(Sai.)

JÉSSICA

15	Adeus, bom Lancelote!
	Ai, ai, como é terrível meu pecado,
	Em ter vergonha do meu próprio pai!
	Mas mesmo sendo filha do seu sangue
	Não sou de seu pensar... Ó meu Lorenzo,
20	A minha dor só pode terminar,
	Ao ver que tua jura não é vã
	E que eu serei sua mulher cristã.

(Ela torna a entrar na casa.)

CENA 4
Veneza.

(Entram GRAZIANO, LORENZO, SALÉRIO e SOLÂNIO.)

LORENZO

Durante a ceia nós escapulimos!
Nos disfarçamos lá na minha casa
E voltamos em menos de uma hora.

GRAZIANO

Mas a preparação não foi bem feita.

SALÉRIO

5 Nem sequer temos quem carregue as tochas.

SOLÂNIO

E fica horrível se não for bem feito;
É melhor, nesse caso, nem tentar.

LORENZO
São quatro horas, inda temos duas
Para nos preparar.

(Entra LANCELOTE com uma carta.)

O que é, Lancelote?

LANCELOTE
Se o senhor se der ao trabalho de abrir aqui, acho que irá perceber que ela vai explicar o que significa.

LORENZO
Conheço a letra — e que letra tão linda —
De mão mais branca que o papel que usou
E ainda mais belas.

GRAZIANO
São coisas de amor.

LANCELOTE
Com licença, senhor.

LORENZO
Aonde vai?

LANCELOTE
Ora essa, vou convidar o meu antigo amo judeu para cear esta noite com meu novo amo cristão.

LORENZO
Espere — tome aqui e diga a Jéssica
Que eu não faltarei — fale em segredo.

(Sai LANCELOTE.)

Meus senhores,
Vão preparar-se para a mascarada?
Já tenho quem carregue a nossa tocha.

SALÉRIO
Se está tudo acertado eu já vou indo.

SOLÂNIO
Eu também vou.

LORENZO

      E, dentro de uma hora,
Nos veremos em casa de Graziano.

SALÉRIO

Estamos combinados.

         (Saem SALÉRIO e SOLÂNIO.)

GRAZIANO
30 Era da bela Jéssica essa carta?

LORENZO

Eu tenho de contar! Ela me explica
Como tirá-la da casa do pai,
Que ouro e joias vai trazer consigo,
E que já tem sua libré de pajem.
35 Se o judeu que é pai dela for pro céu,
Há de ser por ter filha tão suave;
E a desventura nunca a tocará,
A não ser com a desculpa de ela ser
Nascida filha de um judeu herege.
40 Venha comigo e leia a carta dela.
Quem leva a minha tocha é a bela Jéssica.

         (Saem.)

CENA 5
Veneza.

(Entram SHYLOCK, o judeu, e seu antigo criado LANCELOTE.)

SHYLOCK

Seus próprios olhos é que vão julgar
A diferença entre Bassânio e eu;
Ó Jéssica! Não vai comer à farta
Como na minha casa. Olá, Jéssica!
5 Ou roncar, estragando as roupas novas.
Ó Jéssica, olá! Vem logo!

LANCELOTE

    Jéssica!

SHYLOCK

Quem disse pra chamar? Eu não pedi.

LANCELOTE

    O senhor estava sempre me dizendo que eu nunca fazia nada sem o senhor pedir!

    (Entra JÉSSICA.)

JÉSSICA

    O senhor me chamou? O que deseja?

SHYLOCK

    Fui convidado pr'uma ceia, Jéssica;
    Cá estão as chaves. Mas por que vou lá?
    O convite não foi de coração;
    Acharam necessário bajular-me:
    Irei por ódio, pra me alimentar
    Do pródigo cristão. Escuta, Jéssica,
    Cuida da casa; eu não quero ir;
    Há um mal que quer turvar o meu sossego,
    Pois esta noite eu sonhei com ouro.

LANCELOTE

    Peço que vá, senhor, pois meu jovem amo está contando com a sua ofensa.

SHYLOCK

    E eu com a dele.

LANCELOTE

    E todos conspiram — não digo que o senhor verá uma mascarada, mas, se acontecer, então não foi por nada que meu nariz sangrou na última segunda-feira magra, às seis da manhã, que naquele dia caiu na quarta-feira de cinzas quando eram quatro horas da tarde.

SHYLOCK

    Então há mascarada? Ouve, Jéssica:
    Tranca as portas, e quando ouvires tambores
    E os vis agudos dessas flautas tortas,
    Não subas curiosa pras janelas,
    Nem vires a cabeça para a rua
    Pra ver loucos cristãos todos pintados:
    Fecha as janelas, os ouvidos da casa;
    Não permitas que fúteis sons penetrem
    Meu sóbrio lar. Eu juro por Jacó
    Que não desejo festas hoje à noite.
    Porém irei; vai na frente, rapaz;
    Diz que eu irei.

LANCELOTE

                Eu vou indo na frente.
Patroa, fica olhando na janela.
E aí um cristão há de chegar
Que da judia valerá um olhar.

                                                                                      (Sai.)

SHYLOCK

Que tolice diz o filho de Hagar?

JÉSSICA

Só disse "adeus, patroa" e nada mais.

SHYLOCK

O tonto não é mau; come demais,
Dá pouco lucro e dorme todo o dia,
Igual a um gato: eu não crio zangões
Por isso o deixo, e o deixo para quem
Eu espero que ele ajude a jogar fora
A bolsa que emprestei. Vai, entra, Jéssica.
Eu poderei voltar de imediato;
Faz como eu digo: fecha bem as portas.
Quem fecha, acha —
É bom provérbio pra quem quer poupar.

                                                                                               (Sai.)

JÉSSICA

Adeus; e se a Fortuna não me trai,
Tu perdeste uma filha e eu um pai.

(Ela entra na casa.)

CENA 6
A mesma.

(Entram os mascarados GRAZIANO e SALÉRIO.)

GRAZIANO

É esta a arcada sob a qual Lorenzo
Deseja que paremos.

SALÉRIO

                         Já é tarde.

GRAZIANO
    Fico surpreso de ele se atrasar:
    Quem ama chega sempre adiantado.

SALÉRIO
5   Vênus tem pombos que são mais velozes
    Se voam pra selar novos amores
    Que quando vão honrar juras antigas.

GRAZIANO
    Isso é verdade: quem sai de uma mesa
    Com o empenho que lhe deu o apetite?
10   Qual o corcel que faz, no adestramento,
    Com igual ímpeto, na ida e à volta,
    A pista de obstáculos? Na busca
    Há sempre mais paixão do que no gozo.
    Qual jovem pródigo, embandeirado,
15   O veleiro abandona o porto calmo
    E entrega-se aos maus ventos da Fortuna;
    E volta, filho pródigo e esquálido,
    Gasto, batido, co'o velame em trapos,
    Que a rameira deixou na mendicância!

(Entra LORENZO.)

SALÉRIO
20   Lá está Lorenzo. Por agora, chega!

LORENZO
    Amigos, que esperaram com paciência
    (Não foi por mim, e sim por meus negócios)
    Quando forem, como eu, ladrões de noivas,
    Estarei ao seu dispor: venham aqui!
25   É a casa do meu pai judeu. Olá!

(Entra JÉSSICA, ao alto, vestida como um rapaz.)

JÉSSICA
    Quem está aí? Diga, para eu ter certeza,
    Embora eu jure que conheço a voz.

LORENZO
    Lorenzo e o seu amor.

JÉSSICA
    Por certo que Lorenzo é meu amor,

30 Pois a quem amo tanto? Mas quem sabe,
Senão você, se eu serei o seu?

LORENZO

O céu e o meu pensar são testemunhas.

JÉSSICA

Pegue esse cofre; ele vale o esforço.
Que bom que é noite e você não me vê —
35 Sinto vergonha deste meu aspecto:
Se o amor é cego, quem ama não vê
As ousadas loucuras que comete;
Pois o próprio Cupido, se me visse,
Coraria de ver que eu sou rapaz.

LORENZO

40 Desça, pra carregar a minha tocha.

JÉSSICA

Que horror! Pra iluminar minha vergonha?
Na noite escura eu sinto que ela brilha;
Não quero vê-la mais iluminada
Mas, sim, oculta.

LORENZO

                É pra estar oculta
45 Que o seu encanto agora é de rapaz.
Mas venha logo!
Pois o escuro da noite vai passando
E temos de ir à festa de Bassânio.

JÉSSICA

Vou trancar tudo e junto-me a você
50 Um pouco mais dourada de ducados.

(Sai, ao alto.)

GRAZIANO

Pelo que vejo, a judia é gentil.

LORENZO

Maldito seja eu se eu não a amo;
Pois só posso julgá-la boa e sábia
E linda, se não mentem os meus olhos —
55 E que não mentem tenho muitas provas.
E por ser boa, sábia, linda e fiel,

Hei de prezá-la sempre em minha alma.

(Entra Jéssica.)

Já veio? Meus senhores, a caminho!
Os outros mascarados nos esperam.

(Sai com Jéssica e Salério; Graziano está a ponto de segui-los. Entra Antônio.)

Antônio
60 Quem vai lá?

Graziano
Signior Antônio!

Antônio
Olá, Graziano; onde estão os outros?
São nove horas; tudo está à espera.
Nada de mascaradas; há bom vento:
65 Bassânio já precisa ir pra bordo.
Eu mandei vinte homens procurá-los.

Graziano
São boas novas — e que mais prazer
Que partir logo posso eu querer?

(Saem.)

CENA 7
Belmonte.

(Fanfarras. Entram Pórcia e Marrocos, com seus séquitos.)

Pórcia
Afastem as cortinas pra mostrar
As várias arcas a este nobre príncipe:
Podeis fazer agora a vossa escolha.

Marrocos
A primeira é de ouro, com a inscrição
5 "Eu tenho o que desejam muitos homens".
A segunda, de prata, aqui promete:
"Quem me escolher terá o que merece".
A terceira, de chumbo, afirma, rude:
"Escolhe a mim quem dá e arrisca tudo".
10 Como saber qual é a escolha certa?

PÓRCIA
Uma contém o meu retrato, príncipe:
Se a escolherdes, serei pra sempre vossa.

MARROCOS
Que os deuses guiem minha decisão!
Vejamos novamente o que elas dizem.
15 Que diz esta de chumbo?
"Escolhe a mim quem dá e arrisca tudo".
Quem dá — por quê? Por chumbo, só por chumbo!
É uma ameaça — os que arriscam tudo
O fazem pra alcançar vantagens certas:
20 A mente de ouro não cobiça escória;
Pelo chumbo eu não dou e nem arrisco.
O que me diz a prata virginal?
"Quem me escolher terá o que merece".
O que merece... atenta aí, Marrocos,
25 E pesa com equilíbrio o teu valor —
Avaliado na própria estimativa
Tu mereces bastante, mas bastante
Pode não ser bastante pra incluí-la:
Porém ter medo que me falte mérito
30 Já me desabilita por fraqueza.
O que eu mereço é a própria dama.
Mereço-a por berço e por fortuna,
Por dotes, e até mesmo por preparo:
Mereço-a, mais que isso, por amor —
35 Não será esta a escolha que procuro?
Ouçamos novamente a voz do ouro:
"Eu tenho o que desejam muitos homens".
É ela, com quem sonha o mundo inteiro:
Dos quatro continentes têm chegado
40 Aqueles que na vida só almejam
Beijar o altar desta santa mortal.
Os desertos hircâneos e os agrestes
Da vasta Arábia hoje são caminhos
Pra príncipes que sonham em ver Pórcia.
45 O reino de Netuno, cujas ondas
Desafiam os céus, não são barreiras
A estrangeiros que o atravessam
Como mero riacho, pra ver Pórcia.
Numa está sua imagem divina.
50 Seria o chumbo? Mas seria ofensa
Pensar em tal; seria o mesmo que
Dar-lhe mortalha vil em tumba pobre —
Ou devo vê-la presa nesta prata

Tão menos valiosa do que o ouro?
55 Mas, que pecado! Nunca uma tal gema
Foi montada sem ouro. Na Inglaterra
Há uma moeda em que se vê um anjo
Cunhado no ouro; mas fica por fora:
Aqui o anjo está encastoado
60 Dentro de um leito áureo. Dai-me a chave.

PÓRCIA
Ei-la aqui. Se aí jaz o meu retrato,
Então sou vossa!

(Ele abre a arca de ouro.)

MARROCOS
Mas, ó Deus, que horror!
Nas órbitas vazias da caveira
65 Há uma mensagem, que me diz assim:
"Nem tudo o que luz é ouro,
É verdade repetida;
Muita gente vende a vida
Só para olhar um tesouro —
70 Mesmo em túmulos de ouro
Os vermes têm moradia;
Mais siso do que ousadia
Traria melhor agouro.
Com a resposta aqui achada,
75 Tua corte está acabada".
Acabada e sem remédio:
Foi-se a vida, chega o tédio.
Ó Pórcia, adeus; meu coração partido
Parte em silêncio, porque foi vencido.

(Sai com seu SÉQUITO.)

PÓRCIA
80 Reponham tudo como estava antes;
E escolha igual façam seus semelhantes.

CENA 8
Veneza.

(Entram SALÉRIO e SOLÂNIO.)

SALÉRIO
Eu vi quando Bassânio fez-se ao mar.

Graziano também partiu com ele:
Mas Lorenzo não está naquele barco.

SOLÂNIO

O vil judeu gritava de tal modo
Que o duque foi com ele para o cais.

SALÉRIO

Chegaram tarde; já se fora o barco.
Porém o duque já ouviu dizer
Que foram vistos juntos numa gôndola.
A apaixonada Jéssica e Lorenzo
Não estavam com Bassânio em seu navio.

SOLÂNIO

Eu nunca ouvi paixão assim confusa,
Tão estranha, ultrajante e variada
Quanto a que o cão judeu gritava à rua —
"A minha filha! Os meus ducados! Filha!
Fugida com um cristão! Justiça! Lei!
Meus ducados cristãos! Ai, minha filha!
Dois sacos de ducados, um de ouro,
Roubados pela minha própria filha!
E joias, duas pedras preciosíssimas
Que ela levou! Justiça! Vão achá-la!
Ela levou as pedras e os ducados!"

SALÉRIO

E a meninada toda ia atrás
Gritando "A filha, as pedras, os ducados!"

SOLÂNIO

É bom Antônio honrar o prazo certo,
Senão quem paga tudo isto é ele.

SALÉRIO

Bem lembrado. E ainda ontem um francês
Contou-me que, no estreito que separa
França e Inglaterra, foi à garra um barco
Que vinha carregado de tesouros:
Pensei logo em Antônio e orei baixinho
Pra que não fosse a dele a tal riqueza.

SOLÂNIO

É melhor relatar tudo a Antônio;
Mas com jeito, pra não deixá-lo aflito.

SALÉRIO

    Não há no mundo homem mais gentil.
35   Eu vi Bassânio e Antônio a despedir-se;
    Bassânio garantiu que apressaria
    A volta ao máximo; e o outro disse:
    Nada de pressas só por mim, Bassânio;
    Tudo tem prazo pra amadurecer.
40   O meu acordo com o judeu não pode
    Entrar em sua mente apaixonada:
    Mas alegre-se e pense, tão apenas,
    Em cortejar com os rituais do amor
    Que são devidos nessas circunstâncias.
45   Foi aí que (com os olhos marejados)
    Voltou o rosto e, com a mão para trás,
    Com o mais terno e sentido dos afetos,
    Cerrou a de Bassânio e foi-se embora.

SOLÂNIO

    Antônio ama o mundo só por ele —
50   Venha comigo, vamos procurá-lo,
    Aliviar a tristeza que ele abraça,
    Dando-lhe algum prazer.

SALÉRIO

                Que boa ideia.

(Saem.)

CENA 9
Belmonte.

(Entram NERISSA e CRIADO.)

NERISSA

    Faça o favor de abrir logo as cortinas,
    Pois Aragão também já prestou jura
    E vai fazer agora a sua escolha.

(Fanfarra. Entram o PRÍNCIPE DE ARAGÃO e seu SÉQUITO e PÓRCIA e seu SÉQUITO.)

PÓRCIA

    Vede: aqui estão as arcas, nobre príncipe;
5   Se escolherdes aquela na qual estou,
    Comemoramos logo a nossa boda;
    Mas, se falhardes, sem uma palavra
    Deveis partir daqui pra nunca mais.

ARAGÃO

            A jura me traz três obrigações:
10   Não dizer a ninguém qual foi a arca
            Escolhida por mim é a primeira.
            Pela segunda, com o fracasso eu juro
            Jamais pensar de novo em casamento.
            E, por fim,
15   Se a minha escolha for de má fortuna
            Devo deixar-vos imediatamente.

PÓRCIA

            Tais compromissos são sempre assumidos
            Por quem se arrisca por meus poucos méritos.

ARAGÃO

            Assim fiz eu — e que a Fortuna, agora,
20   Me ajude o coração! Prata, ouro e chumbo.
            "Escolhe a mim quem dá e arrisca tudo";
            Devias ser mais bela para tal risco.
            E na de ouro? Ah, deixa-me ver:
            "Eu tenho o que desejam muitos homens";
25   Desejam muitos homens... esse "muitos"
            Pode falar de todos que se prendem
            Às aparências, sem olhar mais fundo,
            Qual andorinha que, desavisada,
            Faz seu ninho ao relento, em qualquer muro.
30   Eu não escolho o que desejam muitos;
            Não sou igual a espíritos comuns,
            Não me equiparo à turba rude e bárbara.
            Vamos a ti, então, tesouro argênteo,
            Vejamos outra vez o que tu dizes:
35   "Quem me escolher terá o que merece".
            Muito bem dito. Pois quem poderá
            Buscar Fortuna de maneira honrada,
            Sem ser por mérito? Só o presunçoso
            Ostenta dignidade imerecida.
40   Se posses, honrarias e funções
            Não fossem atingidas por corruptos —
            Se o prêmio só coubesse a quem merece —
            Estaria coberto muito nu,
            E muito comandante comandado!
45   Quanto joio seria rebaixado,
            Que hoje passa por trigo de nobreza!
            Quanto bom nome, hoje escurecido,
            Voltaria a brilhar! Mas escolhamos!
            "Quem me escolher terá o que merece";

50   Creio em meu mérito; co'a chave desta,
        Neste instante eu desvendo a minha sorte.

                    (Abre a arca de prata.)

    PÓRCIA
        A pausa é muito longa pro que viu.

    ARAGÃO
        Aqui está retratado um idiota
        Que apresenta um escrito: é melhor ler.
55   Como diferes dessa linda Pórcia,
        De minhas esperanças e meus méritos!
        "Quem me escolher terá o que merece"!
        Não valho eu mais do que um semblante tolo?
        É tal meu prêmio? Apenas tal meu mérito?

    PÓRCIA
60   Ofender e julgar são bem diversos,
        Opostos naturais.

    ARAGÃO
        Que diz aqui?
        "O fogo diz sete vezes
        O que já julgaram sete:
65   Pra acertar estes revezes,
        Quem de sonhos se acomete
        Só tem sorte em sonho, às vezes.
        Há muito tolo perfeito
        Como este, prateado;
70   Se esposa levas ao leito,
        Será de tolo o teu fado.
        Podes ir, 'stás derrotado."
        Mais tolo parecerei
        Custando a me despedir —
75   Como um tolo cortejei,
        Tolo duplo vou partir.
        Amada, adeus! Embora dura,
        Manterei a minha jura!

                    (Saem ARAGÃO e seu SÉQUITO.)

    PÓRCIA
        A chama atrai e queima a mariposa:
80   Que tolos presunçosos! Pra escolher
        Tanto pensam, que acabam por perder.

NERISSA
Tem razão quando diz o bom ditado
Que morte e casamento vêm com o fado.

PÓRCIA
Nerissa, já podemos fechar tudo.

(Entra um MENSAGEIRO.)

MENSAGEIRO
85 Onde está a senhora?

PÓRCIA
O que deseja?

MENSAGEIRO
Acaba de arribar à sua porta
Um jovem veneziano anunciando,
Senhora, a chegada de seu amo,
90 De quem traz saudações as mais gentis,
Feitas não só das mais doces palavras,
Mas de ricos presentes; nunca vi
Embaixada de amor tão agradável.
Jamais o azul de abril anunciou
95 Tão docemente o próximo verão,
Quando fez esse arauto a seu senhor.

PÓRCIA
Não fale mais, pois fico com receio
Que vá dizer que é algum parente seu,
Já que o elogia com tamanho empenho!
100 Vamos, Nerissa, pois quero saber
O que Cupido manda me dizer.

NERISSA
Meu Deus, faça Bassânio aparecer!

(Saem.)

ATO 3

CENA 1
Veneza.

(Entram Solânio e Salério.)

Solânio

Quais são as novidades no Rialto?

Salério

Continua a correr abertamente que Antônio tem um barco de carga riquíssima naufragado no estreito; creio que o local se chama Goodwins; é um trecho raso e mortífero onde, ao que parece, jazem enterradas as carcaças de muitos galeões — isto, se a minha amiga Dona Novidadeira for mulher de palavra.

Solânio

Eu gostaria que, ao menos nesse caso, ela fosse mais mentirosa que a mais desonesta das vendeiras ou do que a velha que mastiga gengibre ou convence a vizinhança que está chorando a morte do terceiro marido; mas é verdade, em poucas palavras e falando claro, que o bom Antônio, o honesto Antônio — quem me dera encontrar um título adequado para fazer companhia a esse nome...

Salério

Vamos, chegue logo ao fim.

Solânio

O quê? No fim de tudo, ele perdeu um barco.

Salério

Só desejo que seja esse o fim de suas perdas.

Solânio

Deixe-me dizer logo "amém", antes que o diabo se atravesse em minhas preces, pois aí vem ele, em forma de judeu.

(Entra Shylock.)

Solânio

Então, Shylock; quais são as novas entre os mercadores?

Shylock

O senhor sabia, melhor que qualquer outro, da fuga da minha filha.

SALÉRIO

Isso é verdade. Conheço — e muito bem — o alfaiate que teceu as asas com as quais ela fugiu.

SOLÂNIO

E Shylock, por seu lado, sabe que quando a ave empluma é de sua natureza abandonar o ninho.

SHYLOCK

Maldita seja por isso!

SALÉRIO

Sem dúvida, se o diabo for o juiz.

SHYLOCK

Rebelar-se, a minha própria carne!

SOLÂNIO

Velho safado! Ela ainda se rebela?

SHYLOCK

Eu disse que minha filha é a minha própria carne!

SALÉRIO

Há mais diferença entre a carne dela e a sua que entre o ébano e o marfim; mais entre os seus dois sangues que entre o vinho vermelho e o do Reno: mas, ouça aqui, ouviu dizer se Antônio teve ou não perdas no mar?

SHYLOCK

Esse é outro mau parceiro que arranjei: um falido, um pródigo, que mal ousa mostrar o rosto no Rialto, um mendigo que antes se mostrava tão vaidoso no mercado; ele que cuide do que prometeu! Ele, que emprestava dinheiro a troco de cortesias cristãs, ele que se cuide no nosso acordo!

SALÉRIO

Mas tenho a certeza de que se ele não puder cumpri-lo, o senhor não vai tomar-lhe a carne. Pra que lhe serviria ela?

SHYLOCK

Para servir de isca aos peixes. Se não nutrir mais nada, nutrirá minha vingança. Ele me desgraçou, prejudicou-me em meio milhão; riu-se das minhas perdas, caçoou dos meus lucros, escarneceu minha estirpe, atrapalhou meus negócios, esfriou minhas amizades, afogueou meus inimigos; e por que razão? Eu sou judeu. Um judeu não tem olhos? Um judeu não tem mãos, órgãos, dimensões, sentidos, afeições, paixões? Não é alimentado pela mesma comida, ferido pelas mesmas armas, sujeito às mesmas doenças, curado pelos mesmos meios, esquentado e regelado pelo mesmo verão e inverno, tal como um cristão? Quando vós nos feris, não sangramos nós? Quando nos divertis, não nos rimos nós? Quando nos envenenais, não morremos nós? E se nos enganais, não haveremos nós de nos vingar? Se somos como vós em todo o resto, nisto também seremos semelhantes. Se um judeu enganar um cristão, qual é a humildade que encontra? A vingança. Se um cristão enganar um judeu, qual deve ser seu sentimento, segundo o exemplo cristão? A vingança, pois. A vileza que me ensinais eu executo, e, por mais difícil que seja, superarei meus mestres.

(Entra um CRIADO DE ANTÔNIO.)

CRIADO
Senhores, meu amo Antônio está em casa e deseja falar com ambos.

SALÉRIO
Nós o temos procurado em toda parte.

(Entra TUBAL.)

SOLÂNIO
Lá vem outro da tribo — impossível encontrar um terceiro igual a esses, a não ser que o próprio diabo vire judeu.

(Saem SOLÂNIO e SALÉRIO com o CRIADO.)

SHYLOCK
Então, Tubal! Que notícias tem de Gênova? Encontrou minha filha?

TUBAL
Em muitos pontos ouvi notícias dela, mas não pude encontrá-la.

SHYLOCK
Bem, bem, bem, bem! Um dos brilhantes que se foram custou-me dois mil ducados em Frankfurt — a maldição só caiu sobre nosso povo agora; eu nunca a senti antes — dois mil ducados numa pedra — e outras joias muito preciosas. Eu a preferiria morta a meus pés, com as joias em suas orelhas! Eu a preferiria amortalhada a meus pés, os ducados no caixão — não há notícia alguma? Mas por quê? E já perdi a conta do quanto estou gastando na busca. Vejam só — é perda sobre perda! Um tanto foi com a ladra, outro tanto para achá-la, e nenhuma satisfação, nenhuma vingança, nenhum azar neste mundo a

não ser o que cai sobre os meus ombros, nenhum suspiro a não ser os que eu solto, nenhuma lágrima, a não ser as que eu choro.

TUBAL
75 Eu sei; mas outros homens têm azar — Antônio, segundo eu ouvi em Gênova...

SHYLOCK
O quê, o quê, o quê? Azar? Azar?

TUBAL
... teve naufragado um veleiro que vinha de Trípoli...

SHYLOCK
Deus seja louvado! Deus seja louvado! É verdade? É verdade?

TUBAL
80 Falei com alguns dos marinheiros que escaparam do naufrágio.

SHYLOCK
Obrigado, meu bom Tubal; boas novas, boas novas; ha! Ouviu dizer em Gênova!

TUBAL
Sua filha gastou muito em Gênova, segundo ouvi; oitenta ducados numa noite.

SHYLOCK
85 Está-me cravando um punhal na carne — nunca mais verei meu ouro — oitenta ducados de uma vez; oitenta ducados!

TUBAL
Vários credores de Antônio vieram para Veneza em minha companhia e juram que ele não pode deixar de falir.

SHYLOCK
Isso me alegra muito — vou infernizá-lo, torturá-lo — me alegra muito.

TUBAL
90 Um deles mostrou-me um anel que sua filha deu por um macaco.

SHYLOCK
Infeliz! Você me tortura com isso, Tubal; era a minha turquesa, que ganhei de Lia quando era solteiro: eu não o daria nem por uma floresta inteira de macacos.

TUBAL
>Mas Antônio certamente está perdido.

SHYLOCK
>Lá isso é verdade — vá, Tubal, contrate-me um oficial de justiça; quero que fique comprometido com duas semanas de antecedência; se ele não pagar eu lhe arranco o coração, pois sem ele em Veneza eu poderei fazer os negócios que quiser; vá, Tubal, e depois encontre-me na sinagoga — vá, bom Tubal — na sinagoga, Tubal.

CENA 2
Belmonte.

(Entram BASSÂNIO, PÓRCIA, GRAZIANO, NERISSA e seus SÉQUITOS.)

PÓRCIA
>Eu lhe peço que espere um dia ou dois
>Para arriscar-se, pois se escolhe errado
>Perco sua companhia; aguarde um pouco —
>Algo me diz (mas que não é amor)
>Que eu não quero perdê-lo, e o senhor sabe
>Que não é ódio que aconselha assim;
>Mas pra que eu saiba que me compreende...
>Embora eu deva me manter calada —
>Eu desejo retê-lo um mês ou dois
>Antes de se arriscar. Eu poderia
>Ensiná-lo a escolher, porém não posso;
>Não o farei — e, então, pode perder-me...
>E, em me perdendo, me fará pecar —
>Querendo ter falado. Esses seus olhos
>Enfeitiçaram-me e dividiram-me:
>Eu sou metade sua e, o resto, sua;
>Isto é, metade minha e, sendo assim,
>Sou toda sua porque o meu é seu.
>É triste que entre o dono e seu direito
>Existam condições e obstáculos!
>Se, sendo sua, não puder ser sua,
>Terei sido maldita sem pecar.
>Eu falo assim só pra passar o tempo,
>Enchê-lo e esticá-lo o mais possível
>Para impedir a escolha.

BASSÂNIO
>   Mas escolho,
>Porque, qual estou, eu vivo torturado.

PÓRCIA

Torturado, Bassânio? Então confesse
Que traição está mesclada em seu amor.

BASSÂNIO

Nenhuma, a não ser a insegurança
De temer não poder gozar o amor —
Fogo e neve têm tanta afinidade
Quanto têm a traição e o meu amor.

PÓRCIA

Eu receio que, como o torturado,
Diga, forçado, não importa o quê.

BASSÂNIO

Se prometer-me a vida, então confesso.

PÓRCIA

Confesse e viva, então.

BASSÂNIO

                    Confesso e amo:
Esse é o total da minha confissão.
Como é doce o tormento, se o carrasco
Ensina-me a falar com liberdade!
Quero arriscar, agora, o fado e as arcas!

PÓRCIA

Pois bem! Estou trancada numa delas.
Se me ama, com certeza há de encontrar-me.
Nerissa e todos mais, cheguem para longe;
Enquanto escolhe, eu quero que haja música,
Pois assim, se perder, será qual cisne
Que falece cantando. E dos meus olhos
Nascerá, nesse quadro, a correnteza
Que o acolherá na morte. E se ganhar?
Por que a música? Porque a música
É a clarinada a que se curva o súdito
Do rei recém-ungido. Ela é igual
Aos doces sons da aurora que se esgueiram
Pelo ouvido do noivo adormecido
E chamam para a boda. Agora vá —
Com a mesma nobreza e mais amor
Que Alcides, jovem, quando resgatou
O prêmio virginal devido ao monstro
Por Troia. E hoje sou eu a imolada.

　　　　　　　As outras, afastadas, são troianas
60　　　　　 Que, com os olhos inundados, velam
　　　　　　　Pelo final da luta. Avante, Hércules!
　　　　　　　Viva por mim! Eu sofro mais por ver
　　　　　　　A luta, que você por combater.

　　　　　　　　　(Canção com música enquanto Bassânio *comenta consigo as três arcas.)*

　　　Solo

　　　　　　　Como nasce o amor no mundo?
65　　　　　 Vem do coração bem fundo
　　　　　　　Ou é da mente oriundo?

　　　Todos

　　　　　　　Quem sabe, quem sabe?

　　　Solo

　　　　　　　Num olhar é engendrado
　　　　　　　E morre depois de olhado;
70　　　　　 No berço em que é embalado,
　　　　　　　Dobra o sino, está acabado.

　　　Todos

　　　　　　　Di-lim, de-lem, da-lão.

　　　Bassânio

　　　　　　　O aspecto pode ser contrário à essência —
　　　　　　　O mundo muito engana na aparência —
75　　　　　 Na lei, que causa chega tão corrupta,
　　　　　　　Que a palavra sonora e adocicada
　　　　　　　Não lhe atenue o erro? E, na igreja,
　　　　　　　Que pecado não tem quem, muito austero,
　　　　　　　O abençoe, citando as Escrituras,
80　　　　　 Ocultando o que é sórdido com o belo?
　　　　　　　Não há vício tão claro que não traga
　　　　　　　Vislumbre de virtude em seu aspecto;
　　　　　　　Quantos covardes cujos corações
　　　　　　　Não são mais firmes que muros de areia,
85　　　　　 Não têm aspecto de Hércules ou Marte,
　　　　　　　'Stando, por dentro, pálidos de medo?
　　　　　　　Mas, só por terem ares de coragem,
　　　　　　　Eles ficam famosos. E a beleza
　　　　　　　Que vemos, muitas vezes é comprada
90　　　　　 A peso e, alterando a natureza,
　　　　　　　Torna levianas as que mais carregam:

                    Os cachos que, dourados, serpenteiam
                    Tão cheios de malícia, quando ao vento,
                    Muitas vezes, sabemos, são presentes,
95   A essas falsas belezas, de outro crânio
                    Que ora jaz em alguma sepultura.
                    O ornamento é a praia traiçoeira
                    De um mar bravio, o deslumbrante véu
                    Que encobre a bela hindu. Em uma palavra,
100   A aparente verdade com que o esperto
                    Engana o sábio. E então, ouro vulgar,
                    Alimento de Midas, não te quero,
                    Nem a ti, que és a pálida criada
                    Do comércio entre os homens: mas a ti,
105   Ó pobre chumbo, que me falas mais
                    De ameaças que promessas, eu darei
                    A minha escolha. Que ela seja alegre!

        PÓRCIA
                        (À parte.)
                    Todas as paixões mais se desvanecem:
                    O medo, os olhos verdes do ciúme.
110   Amor, modera-te; controla o êxtase;
                    Faz cair leve a chuva da alegria!
                    Evita o excesso! Sinto bênçãos tais,
                    Tão enormes, que deves diminuí-las
                    Para eu não sufocar.

        BASSÂNIO
115   Que vejo aqui?

                        (Abre a arca de chumbo.)

                    O retrato de Pórcia. Mas que Deus
                    Fez tal imitação? Eu já não sei
                    Se esses olhos se movem ou se os meus
                    É que os fazem mover-se. Eis os lábios
120   Apenas entreabertos — separados
                    Por seu gentil arfar — qual doce obstáculo
                    A separar irmãos; e seus cabelos
                    O pintor fez-se aranha pra tecer
                    Uma trama dourada que captura
125   Mais corações que teias a insetos.
                    Mas como viu seus olhos e pintou-os?
                    O primeiro pintado já teria
                    Força bastante pra cegar-lhe ambos,
                    Ficando assim sem par: por mais injusto

130	Que seja o meu louvor a esse reflexo,
	Inda maior é o vale que separa
	Esse reflexo do original. Eis a mensagem
	Que diz o que me coube por fortuna:
	"Quem o aspecto não tentou
135	Escolheu bem, na verdade;
	Se a fortuna te tocou,
	Não busques mais novidade.
	Se alegria ela te dá,
	E riquezas benfazejas,
140	Beija a noiva que aqui está,
	Se é a ela que desejas."
	Essa mensagem, como pode ver,
	É promissória pra dar e receber.
	Assim como, no fim de uma contenda,
145	Um lutador pressente que agradou,
	Mas, ao ouvir o aplauso que o consagra
	Ainda tonto fica sem saber
	Se os louvores são seus ou são do outro,
	Assim, bela entre as belas, estou eu —
150	Sem crer nessa fortuna que me é dada,
	Sem tê-la, por sua voz avalizada.

PÓRCIA

      Senhor Bassânio, aqui me vê agora
      Tal como eu sou; e embora por mim mesma
      Não tivesse ambição de ser melhor
155 Do que aquilo que sou, por sua causa
      Desejaria eu ser multiplicada
      Por mil no aspecto, dez mil na riqueza,
      Tão só pra merecer a sua estima.
      Queria em bens e belezas e virtudes
160 Ser muito pródiga, mas me resumo
      Na resumida soma que, no todo,
      É uma moça sem lustro ou experiência,
      Mas que é feliz por ser ainda jovem
      Para aprender; e mais feliz ainda
165 Por não nascer sem dotes que permitam
      Que venha a aprender; e felicíssima
      Por poder entregar o seu espírito
      Ao seu, para que possa orientá-la
      Como seu amo, seu senhor, seu rei.
170 Eu e o que é meu a si e ao que é seu
      Nos entregamos. Inda até há pouco
      Era eu o senhor desta mansão
      Na qual reinava: mas daqui em diante

	A casa, a criadagem e até eu
175	Somos seus, meu senhor, com este anel:
	Se o senhor o perder, der ou tirar,
	Nisso eu verei o fim do seu amor,
	Cabendo-me o direito do protesto.

BASSÂNIO

Senhora, não me restam mais palavras;
180 O meu sangue pulsando é que lhe fala.
Em meus sentidos há o burburinho
Que, ao findar a magnífica oração
De um príncipe adorado, faz-se ouvir
Na multidão feliz e murmurante,
185 Quando um milhão de coisas, misturadas,
Tornam-se nada num só todo alegre
Que, sem dizer, diz tudo; se algum dia
Eu deixar este anel, é o fim da vida!
E aceito que proclamem minha morte!

NERISSA

190 Meus amos, é chegada agora a vez
Daqueles que tiveram atendidas
Suas preces em vê-los tão felizes.
De todo o coração, felicidades.

GRAZIANO

Bassânio, senhor meu; minha senhora:
195 Eu lhes desejo tudo o que sonharem,
Pois creio que não sonham com o que é meu:
Mas quando for momento de selar
O seu solene compromisso, imploro
Que me deixem casar-me, também eu.

BASSÂNIO

200 De todo o coração, se é que tem noiva.

GRAZIANO

É graças ao senhor que a alcancei.
Meus olhos são iguais aos do meu amo:
Ele viu a senhora e eu, a aia:
Ele amou, eu amei — pois as demoras
205 Agradam tanto a mim quanto ao senhor.
Se a sua sorte dependeu das arcas,
Também a minha delas dependeu;
Pois cortejando até suar em bicas,
Jurando amor até secar o céu

210 Da boca, finalmente consegui
Que a minha bela aqui me prometesse
O seu amor, mas só se a boa sorte
Lhe desse a ama.

PÓRCIA
Foi assim, Nerissa?

NERISSA
215 Foi, sim, e eu espero que lhe agrade.

BASSÂNIO
Pretende agir de boa-fé, Graziano?

GRAZIANO
Da melhor, meu senhor.

BASSÂNIO
Sua boda alegrará nossa festa.

GRAZIANO
E mil ducados pro primeiro macho!

NERISSA
220 E depois, a aposta não levanta?

GRAZIANO
Levanta, sim — isso nós garantimos!
Mas, quem vem lá? Lorenzo e a infiel?
E Salério, velho amigo de Veneza?

(Entram LORENZO, JÉSSICA e SALÉRIO.)

BASSÂNIO
Boas-vindas a Lorenzo e Salério.
225 Se a minha posição, recém-nascida,
Permite que eu as dê, querida Pórcia;
Com sua permissão faço bem-vindos
Aqui os meus amigos.

PÓRCIA
E eu também.

LORENZO
230 Eu agradeço, mas, de minha parte,
Não tinha planos para vir aqui;

Salério, que encontrei em meu caminho
Chamou-me, sem deixar que eu recusasse,
A vir com ele.

SALÉRIO

235 Assim foi, meu senhor.
E com boas razões. O nobre Antônio
Envia saudações.

(Dá a carta a BASSÂNIO.)

BASSÂNIO

Antes que eu abra,
Dê-me notícias do meu bom amigo.

SALÉRIO

240 Nem doente, a não ser em pensamento
Nem são, senão em pensamento. A carta
Dirá seu estado.

(BASSÂNIO abre a carta.)

GRAZIANO

Nerissa, vá cuidar da triste infiel.
Salério, sua mão, — que há em Veneza?
245 Está bem Antônio, o nosso mercador?
Ele há de apreciar nossa ventura:
Somos Jasões, ganhamos velocinos.

SALÉRIO

Mas não ganharam o que ele perdeu.

PÓRCIA

Naquela carta há notícias más;
250 A face de Bassânio empalidece —
A não ser pela morte de um amigo,
Não sei o que traria tais mudanças
A um homem tão constante. Mas, piora!
Perdão, Bassânio; mas, metade sua,
255 Eu devo arcar, assim, com uma metade
Do que lhe trouxe a carta.

BASSÂNIO

Doce Pórcia,
Estão aqui palavras das mais trágicas
Que já vi num papel! Ó, doce amada,

260   Quando primeiro eu lhe falei de amor,
      Eu disse abertamente que a riqueza
      Que eu tinha era a do sangue bem-nascido;
      E não menti; mas, mesmo assim, querida,
      Ao afirmar que não valia nada,
265   Verá que me gabava, já que em vez
      De dizer que era nada, eu deveria
      Dizer que ainda era menos, pois pra vir,
      Eu empenhei-me com um grande amigo,
      Empenhando-se ele a um inimigo
270   Para eu ter meios. Aqui nesta carta
      Está o próprio corpo desse amigo:
      Cada palavra é uma ferida aberta,
      Perdendo sangue e vida. Mas, Salério,
      É verdade? Está tudo malogrado?
275   De Trípoli, do México e Inglaterra,
      De Lisboa, da Índia e da Barbária,
      Nem um só casco escapou aos ataques
      Das rochas inimigas?

  SALÉRIO
      Nem um só.
280   E, mais, parece que se ele tivesse
      Neste instante o dinheiro pro judeu,
      Este já não o aceita. Eu nunca vi
      Ninguém que, tendo forma e aspecto humanos,
      Sonhasse tanto com o fim de um homem.
285   Ele importuna o Duque noite e dia,
      Diz que, se perde a causa, esta república
      Renega as suas leis. O próprio Duque,
      Vinte dos mercadores e o senado
      Já tentaram, por tudo, dissuadi-lo.
290   Mas não há quem o abale em seu intento
      De, com o protesto, ver cumprida a multa.

  JÉSSICA
      Eu mesma estava lá quando jurou
      A Tubal e a Chus, de sua tribo,
      Que preferia a carne desse Antônio
295   A vinte vezes o valor da soma
      Do que este lhe devia; e sei também
      Que, se não há defesa pela lei,
      As coisas serão duras para Antônio.

  PÓRCIA
      É o seu amigo que tem tais problemas?

BASSÂNIO

300 O meu melhor amigo e o mais nobre
Dos homens, o mais generoso espírito.
O mais cortês, em quem podemos ver —
Mais do que em qualquer outro, nesta Itália —
A honra dos romanos de outro tempo.

PÓRCIA

305 E, ao judeu, que soma deve ele?

BASSÂNIO

Por mim, três mil ducados.

PÓRCIA

Mas, só isso?
Dê-lhe seis mil pra resgatar o título,
Duas vezes seis mil, ou até três,
310 Antes que amigo tal como o pintou
Perca um cabelo graças a Bassânio.
Primeiro, à igreja pra chamar-me esposa,
Depois, para Veneza e o seu amigo:
Não quero que se deite junto a Pórcia
315 Com a alma inquieta. Logo terá ouro
Que pague vinte vezes a tal dívida.
Depois de paga, traga o seu amigo —
Nerissa e eu, durante a sua ausência,
Somos virgens-viúvas. Vão à toda!
320 É preciso partir após a boda.
Bem-vindos sejam; vamos celebrar
O quanto me custou poder amar!
Deixe-me ver a carta que chegou.

BASSÂNIO

(Lendo.)

Doce Bassânio, todos os meus navios estão perdidos; meus credores
325 tornaram-se cruéis, minhas posses estão em baixa, meu compromisso com o judeu, vencido, e — já que, ao pagá-lo, é impossível que eu sobreviva — dou como quitadas todas as dívidas entre você e eu; gostaria, porém, de poder vê-lo antes de morrer: mas aja apenas segundo o seu prazer — se o seu amor não o persuadir a vir, que a minha
330 carta não o faça tampouco.

PÓRCIA

Amor — liquide tudo e parta logo!

BASSÂNIO

Se permite que vá, então eu ouso
Apressar-me em partir; e, até voltar,
Nenhuma cama me dará repouso,
Nem descanso nos há de separar.

(Saem todos.)

CENA 3
Veneza.

(Entram SHYLOCK, o judeu, SOLÂNIO e ANTÔNIO, com o guarda da prisão.)

SHYLOCK

Cuidado, guarda — nada de mercê —
Esse é o tolo que empresta grátis...
Cuida bem dele.

ANTÔNIO

Ouve aqui, bom Shylock.

SHYLOCK

Quero a multa; não há como negá-la.
Antes do acordo me chamava cão...
Pois se sou cão, cuidado com os meus dentes.
O Duque há de ser justo — e eu me espanto,
Guarda imbecil, que por fraqueza tenha
Vindo aqui, só porque ele o desejou.

ANTÔNIO

Eu lhe rogo que me escute...

SHYLOCK

Eu quero a multa. E não quero ouvi-lo.
Eu quero a multa; não me fale mais.
Ninguém vai me fazer de tolo fraco,
Que suspira, hesita e entrega os pontos
A apelos cristãos; não adianta —
Não quero ouvir mais nada; eu quero a multa.

(Sai.)

SOLÂNIO

É um cão empedernido, que não pode
Viver em meio aos homens.

ANTÔNIO

Deixe-o estar;
Não quero prosseguir com preces vãs.
Eu sei por que ele quer a minha vida:
Muitas vezes livrei, de suas penas,
A devedores seus que me buscavam.
Por isso é que me odeia.

SOLÂNIO

Sei que o Duque
Não há de permitir que pague a multa.

ANTÔNIO

O Duque não tem como ir contra a lei;
Pois muitos forasteiros, com interesses
Cá em Veneza — se ele assim agisse —
Iriam criticar nossa justiça,
Já que o comércio e o lucro da cidade
Vêm de muitas nações. Portanto, vai —
As minhas perdas me abateram tanto
Que amanhã mal terei a minha libra
De carne para dar ao meu credor.
Agora, vamos. Oxalá Bassânio
Ainda venha pra me ver pagar
A sua dívida. E depois, que importa!

(Saem.)

CENA 4
Belmonte

(Entram PÓRCIA, NERISSA, LORENZO, JÉSSICA e BALTAZAR, um criado de Pórcia.)

LORENZO

Senhora, mesmo ante seus ouvidos,
Devo dizer que tem belo conceito
Do que seja amizade, como mostra
Ao enfrentar a ausência do seu amo.
Mas se soubesse a quem faz esse gesto,
A que alma nobre manda a sua ajuda,
A que extremado amigo de Bassânio,
O seu prazer seria inda maior
Que aquele que a bondade sempre traz.

PÓRCIA

Eu nunca lamentei o bem que fiz.

	Nem o farei agora, pois amigos
	Com quem se fala pra passar o tempo,
	Com cujas almas se partilha o amor,
	Precisam ter conosco semelhança
15	Em maneiras, critérios e em espírito;
	O que me leva a crer que esse Antônio,
	Amigo muito amado de Bassânio,
	Deve ser como ele. E, se assim é,
	Como é pequeno o preço que paguei
20	Pra salvar o reflexo de minh'alma
	da infernal crueldade em que se via!
	Assim, parece que me estou louvando...
	Vamos falar, portanto, de outras coisas.
	Lorenzo, eu vou deixar em suas mãos
25	O cuidado geral de minha casa
	Na ausência do meu amo: quanto a mim,
	Fiz aos céus, em segredo, uma promessa,
	De viver no retiro da oração,
	Servida apenas por minha Nerissa,
30	Até que voltem nossos dois maridos —
	Há um mosteiro aqui perto, p'ronde irei;
	Não quero que me negue esse pedido,
	Que o meu amor e a crise que atravesso
	Ora lhe fazem.

LORENZO

	É de coração,
35	Senhora, que obedeço a seus desejos.

PÓRCIA

Os meus criados já estão informados
E a si e a Jéssica obedecerão
Como o fariam a Bassânio e a mim.

LORENZO

40 Que as horas passem calmas e felizes!

JÉSSICA

Com o coração em paz, minha senhora!

PÓRCIA

Eu agradeço os votos que me fazem
E lhes desejo o mesmo. Adeus, amigos.

(Saem JÉSSICA e LORENZO.)

Agora, Baltazar,
Preciso ainda uma vez da lealdade
Que sempre me mostraste: toma aqui
Esta missiva e corre; vai levá-la
Com toda a pressa a Pádua, pra Bellario,
O meu parente que é doutor em leis.
As vestes e os papéis que ele te der
Vem entregar-me logo, a toda pressa,
Na gôndola que faz a travessia
Direto pra Veneza; anda depressa —
Pois eu estarei lá antes de ti.

BALTAZAR

Irei, senhora, com a maior das pressas.

(Sai.)

PÓRCIA

Vamos, Nerissa; vamos fazer coisas
Das quais ainda não sabe; e vamos ver
Nossos maridos antes de que pensam.

NERISSA

Eles também irão nos ver, senhora?

PÓRCIA

Irão, Nerissa; mas com tal aspecto,
Que irão julgar que nós somos dotadas
De algo que não temos. E aposto já
Que quando nos vestirmos como homens,
Serei o mais bonito dos rapazes,
Usando a minha adaga com mais prosa,
Com voz meio rachada de menino
Que vira homem e, mudando o andar,
Pra dar largas passadas, vou gabar-me
De lutas e conquistas. Vou mentir
A respeito de damas que me amaram
E que morreram porque não as quis.
Depois eu me confesso arrependido,
Lamento ter causado as suas mortes,
Enfim, eu vou contar tanta mentira,
Que os homens que me ouvirem vão pensar
Que faz um ano que saí da escola.
Conheço mil estórias como essas,

                Que os fanfarrões espalham pela vida,
                E vou usá-las.

    NERISSA
80   Vamos virar homens?

    PÓRCIA
                Que coisa feia pra se perguntar!
                A frase pode ter sentido mau!
                Mas vou contar-lhe já todo o meu plano
                Quando entrarmos no coche, que já espera
85   Por nós no parque; mas vamos correr,
                Pois temos vinte milhas pra vencer.

                                                (Saem.)

CENA 5
Belmonte

(Entram JÉSSICA e LANCELOTE.)

    LANCELOTE
                É verdade; todo o mundo sabe que os pecados dos pais escorregam sobre os filhos e, portanto, juro que estou tremendo por você — sempre fui franco e, agora, tenho de lhe dizer que estou muito preocupadíssimo com o assunto; portanto, alegrize-se, pois eu realmente
5   acho que você foi maldita. Só há uma esperança que pode ser que a ajude; e mesmo assim é uma esperança meio filha da mãe.

    JÉSSICA
                E que esperança é essa?

    LANCELOTE
                Ora essa, que você não tenha sido preconcebida por seu pai, pois, nesse caso, você não era mais filha do judeu.

    JÉSSICA
10   Não vejo como legitimar tal idéia, já que — nesse caso — recaíram sobre mim os pecados de minha mãe.

    LANCELOTE
                Então acho que você fica mesmo maldita de pai e mãe, porque se procura escapar do monstro Cila que é seu pai, cai no redemoinho de Caribde que é sua mãe. De um jeito ou de outro, está perdida.

    JÉSSICA
15   Mas serei salva por meu marido — ele me fez cristã!

Lancelote

O que o torna mais culpado, pois já havia cristãos bastantes — até mesmo demais — que davam justo para uns viverem à custa dos outros; essa estória de fabricar cristão vai aumentar o preço dos leitões — se todo o mundo começa a comer porco, daqui a pouco ninguém mais vai ter dinheiro que dê para o toucinho...

(Entra Lorenzo.)

Jéssica

Vou contar a meu marido o que você disse — aí vem ele!

Lorenzo

Lancelote, vou acabar com ciúmes de você, que está sempre em algum cantinho com a minha mulher!

Jéssica

Não é preciso, Lorenzo. Lancelote e eu estamos de mal — ele me disse claramente que não há misericórdia no céu para mim, porque sou filha de judeu: e que você não é bom cidadão porque, convertendo judeus em cristãos, está aumentando o preço da carne de porco.

Lorenzo

O que sempre é melhor do que fazer crescer a barriga de uma negra: a moura está grávida de Lancelote.

Lancelote

É muito mourejar para expandecer uma moura; mas se ela é honesta, isso não desdoura a moura.

Lorenzo

Qualquer tolo sabe brincar com palavras! Creio que as pessoas de espírito em breve ficarão reduzidas a completo silêncio, e que a fala só será aplaudida nos papagaios; vá lá dentro, rapaz, e diga que eu mando dizer que todos se preparem para o jantar.

Lancelote

Quem tem estômago está sempre preparado.

Lorenzo

Meu Deus, que piadista cansativo! Então peça-lhes que preparem o jantar.

Lancelote

Isso também já está feito. Só falta servir.

LORENZO

Você, eu já vi que não me serve.

LANCELOTE

Nem sempre, meu senhor. Só quando é meu dever.

LORENZO

Mas que discussão gratuita! Será que é preciso fazer *todas* as graças ao mesmo tempo? Faça o favor de compreender a linguagem simples de um homem simples: vá lá dentro e diga que ponham a mesa e sirvam a comida, que nós já queremos entrar para jantar.

LANCELOTE

A mesa não precisa ser posta lá dentro, senhor; sempre esteve lá. A comida será servida se servir; e o senhor entra onde e quando quiser.

(Sai.)

LORENZO

Pobres palavras, como são usadas!
O bobo tem guardado na cabeça
Um batalhão de ótimas palavras...
Mas sei de bobos que, em outros cargos,
Fazem, como ele, enorme confusão
E mudam o que dizem em bobagem.
Como está, minha Jéssica querida?
E diga agora a sua opinião
A respeito da esposa de Bassânio.

JÉSSICA

Nem sei o que dizer — eu só espero
Que ele queira viver com dignidade —
Pois recebendo a bênção dessa esposa
Ele alcançou o céu aqui na terra;
E, se não merecê-lo por aqui,
Não é provável que ele chegue ao céu!
Se num jogo divino entre dois deuses
Fosse o caso apostar em dois mortais,
E Pórcia fosse uma, a pobre outra
Teria de juntar a si mais algo,
Pois nosso mundo rude não conhece
A sua igual.

LORENZO

Mas você conquistou,
No marido, o que ela é como esposa!

JÉSSICA
> Por que não pede a minha opinião?

LORENZO
> Já vou pedir. Mas, antes, o jantar.

JÉSSICA
> Com fome eu sou mais dada a elogios...

LORENZO
> Prefiro ser conversa de jantar
> Porque, assim, o que é dito com a comida
> Fica mais fácil para eu digerir...

JÉSSICA
> Pois sendo assim, eu vou servi-lo à mesa!

> > *(Sai com LORENZO.)*

ATO 4

CENA 1
Veneza. Um tribunal.

(Entram Duque, senadores, Antônio, Bassânio, Graziano, Salério e outros.)

DUQUE

Antônio está presente?

ANTÔNIO

Estou pronto, Vossa Graça.

DUQUE

Sinto por vós, pois tendes de enfrentar
Adversário cruel e desumano,
Tão implacável quanto é incapaz
Da mais vaga piedade.

ANTÔNIO

E eu já soube
Que Vossa Graça fez por suavizar
O rigor que ele exige; mas, se insiste,
E não há leis que possam me livrar
Do ódio dele, aqui eu ofereço
Paciência à sua fúria, e estou disposto
A encarar de espírito tranquilo
A tirania dessa sua ira.

DUQUE

Que chamem o judeu ao tribunal

SALÉRIO

Ele está pronto e vem aí, senhor.

(Entra Shylock.)

DUQUE

Deixai-o entrar, pr'eu vê-lo face a face.
O mundo julga, Shylock, como eu,
Que ostentarás tua malícia apenas
Até a última hora, pra, depois,
Mostrar o teu perdão com mais surpresa
Do que a surpresa desta crueldade:
E que tu, que ora clamas pela multa,

          Que é uma libra da carne desse homem,
25   Não só abrirás mão do contratado
          Mas, também, por bondade e amor humanos,
          Perdoarás parcela do emprestado
          Por ter piedade das imensas perdas
          Que se abateram sobre ele, há pouco.
30   Elas abalam qualquer mercador
          E inspiram pena, pelo que ele enfrenta,
          Aos mais duros e frios corações —
          A turcos e até a tártaros selvagens —
          Gerando cortesia e terna ajuda.
35   Que resposta gentil nos dás, judeu?

    SHYLOCK
          Já disse o que desejo a Vossa Graça
          E já jurei, por tudo o que é sagrado,
          Que quero a multa que o contrato indica.
          Se ela me for negada, que o perigo
40   Desça sobre a cidade e suas leis!
          Vossa Graça irá me perguntar
          Por que prefiro a carne a receber
          Três mil ducados — Isso eu não respondo!
          Digamos que é capricho — serve assim?
45   Se houvesse um dia um rato em minha casa
          E me agradasse dar dez mil ducados
          Pra liquidá-lo... Serve essa resposta?
          Há homens que não gostam de ver porco;
          Outros que endoidam quando encontram gatos!
50   Há quem não possa reter as urinas
          Se ouve gaita de foles — os caprichos
          São mestres das paixões e — ao acaso —
          Viram amor ou ódio — por que causa?
          Não há razão que explique bem por que
55   Este não gosta de olhar pra porco,
          Aquele não suporta um bichaninho,
          O outro a gaita; mas acabam, todos,
          Passando por vergonhas e ofendendo
          Os outros porque algo os ofendeu.
60   Assim, não dou razão — e nem darei.
          Por esse ódio fixo, essa ojeriza,
          Que tenho a Antônio é que eu levo avante
          Essa causa contra ele; eu respondi?

    BASSÂNIO
          Mas, insensível, só essa resposta
65   Não justifica a sua crueldade.

SHYLOCK
> Não tenho de lhe dar satisfações!

BASSÂNIO
> Os homens matam tudo a que odeiam?

SHYLOCK
> Alguém odeia sem querer matar?

BASSÂNIO
> Nem toda ofensa é ódio, quando nasce.

SHYLOCK
70 > Quer que uma cobra o morda duas vezes?

ANTÔNIO
> Lembre com quem você está lutando —
> Pedir a esse judeu é a mesma coisa
> Que rogar à maré que suba menos;
> Será melhor argumentar com um lobo
75 > Pr'obter a segurança dos cordeiros:
> É o mesmo que negar a algum pinheiro
> Direito de vergar ou de chorar
> Quando se vê torcido pelo vento.
> É o mesmo que querer amolecer
80 > O que há de mais curtido — como seja
> Um coração judeu. Portanto, eu peço
> Que pare de pedir e oferecer
> E que, de forma rápida e decente,
> Eu receba a sentença e ele a multa.

BASSÂNIO
85 > Eu dou seis mil pelos três mil ducados!

SHYLOCK
> Se cada um desses seis mil ducados
> Se transformasse novamente em seis,
> Eu recusava, preferindo a multa!

DUQUE
> De onde espera perdão, se não o dá?

SHYLOCK
90 > Por que temer, se não cometo erros?
> Vós tendes entre vós muitos escravos,
> Que usais como se fossem cães ou mulas;

        Que usais para as tarefas mais abjetas,
        Porque os comprastes — devo eu vos dizer
95   "Libertai-os, casai-os com os vossos?
        Por que mourejam eles? Que seus leitos
        Sejam também macios, seus jantares
        Cozidos como os vossos?" Vós direis
        "Os escravos são nossos". Também eu
100   Digo que a carne que estou exigindo
        Comprei-a caro, é minha e eu a quero:
        Se ma negais, adeus às vossas leis!
        Veneza não garante os seus decretos!
        Quero a sentença — vamos! Ela é minha?

Duque

105   Terei de dispensar o tribunal
        A não ser que Bellario, um grande sábio,
        A quem pedi viesse ouvir o caso,
        Chegue logo.

Salério

        Meu Duque, está lá fora
110   Um mensageiro que traz cartas dele,
        Vindo de Pádua.

Duque

        Trazei-as, e chamai o mensageiro!

Bassânio

        Vamos, Antônio, um pouco mais de ânimo!
        Eu antes hei de dar da minha carne
115   Que deixar o judeu ter sangue seu.

Antônio

        Sou o pior cordeiro do rebanho;
        O melhor pra morrer. O fruto fraco
        Cai logo ao solo; e eu me sinto assim.
        Não há melhor destino pra você
120   Que viver e escrever meu epitáfio.

(Entra Nerissa, vestida como auxiliar de advogado.)

Duque

        O senhor vem de Pádua, de Bellario?

Nerissa

        E a vós saúdo em nome do doutor.

(Apresenta uma carta.)

BASSÂNIO
Por que afia desse modo a faca?

SHYLOCK
Para cobrar a multa de quem deve!

GRAZIANO
125 Não é assim da palma, mas da alma,
Que vem o fio agudo que lhe dá.
Não há arma no mundo tão cortante
Quanto a inveja de seu coração.
Será que não há prece que o demova?

SHYLOCK
130 Nenhuma concebida em seu espírito.

GRAZIANO
Maldito seja, cão abominável!
E maldita a justiça que o defende!
Você quase que abala a minha fé
Para fazer-me crer, qual Pitágoras,
135 Que, às vezes, almas de animais penetram
No corpo humano. Seu maldito espírito
É presa de algum lobo antropofágico
Cuja alma, que escapou ao cadafalso,
Entrou no ventre mau que o envolvia
140 Para infectá-lo, pois os seus anseios
Só podem ser de lobo esfomeado.

SHYLOCK
Palavras não apagam promissórias;
Gritar assim ofende os seus pulmões.
Aprenda a controlar-se ou seu destino
145 Não vai ser bom. A lei 'stá do meu lado.

DUQUE
A carta de Bellario recomenda
Um jovem sábio ao nosso tribunal
Onde está ele?

NERISSA
Aguarda fora apenas
150 A vossa permissão pra apresentar-se.

Duque

Está dada. Ide buscá-lo, alguns de vós,
E escoltai-o com respeito à corte.
A carta será lida enquanto entra.

(Lê.)

Vossa Graça há de compreender que, ao receber vossa carta, encontrava-me eu muito doente. Porém, no momento em que vosso mensageiro chegou, em visita de amizade, achava-se comigo um jovem doutor romano, chamado Baltazar. Informei-o a respeito da causa que envolve a controvérsia entre o judeu e Antônio, o mercador, e consultamos juntos inúmeras obras. Ele está a par de minha opinião e (aprimorando-a com sua própria sabedoria, cuja grandeza não tenho palavras para expressar) ele irá, por insistência minha, atender em meu lugar vosso pedido. Rogo-vos que sua juventude não se torne empecilho para que mereça reverência e estima, pois nunca conheci corpo tão moço com cabeça tão madura: entrego-o à vossa graciosa aceitação, seguro de que esse julgamento só servirá para proclamar mais imediatamente os seus méritos.

(Entra Pórcia vestida como um doutor em leis.)

Ouvistes o que disse o bom Bellario?
E aqui está o doutor, segundo penso.
A vossa mão. Vós vindes de Bellario?

Pórcia

Sim, Vossa Graça.

Duque

Sois bem-vindo aqui.
Tomai vosso lugar. Já conheceis
A essência dessa causa que julgamos?

Pórcia

Conheço muito bem a causa toda:
Quem é o mercador? Quem o judeu?

Duque

Apresentai-vos, Shylock e Antônio.

Pórcia

Chama-se Shylock?

SHYLOCK
    Esse é o meu nome.

PÓRCIA
    É duro e muito estranho o que pleiteia;
    Mas tem tal forma que estas leis daqui
    Não podem impugnar o seu pedido.
    O senhor 'stá, então, em poder dele?

ANTÔNIO
    Parece.

PÓRCIA
    A nota é válida?

ANTÔNIO
    É, sim.

PÓRCIA
    Então, o judeu tem de perdoar.

SHYLOCK
    Eu tenho? Então dizei-me o que me força.

PÓRCIA
    A graça do perdão não é forçada;
    Desce dos céus como uma chuva fina
    Sobre o solo: abençoada duplamente,
    Abençoa a quem dá e a quem recebe;
    É mais forte que a força: ela guarnece
    O monarca melhor que uma coroa;
    O cetro mostra a força temporal,
    Atributo de orgulho e majestade,
    Onde assenta o temor devido aos reis;
    Mas o perdão supera essa imponência:
    É um atributo que pertence a Deus,
    E o terreno poder se faz divino
    Quando, à piedade, curva-se a justiça.
    Assim, judeu, se clamas por justiça,
    Pondera: na justiça não se alcança
    Salvação; e se oramos por justiça,
    Essa mesma oração ensina os gestos
    E os atos do perdão. Falei, portanto,
    Mitigando a justiça dessa causa,
    Pois, se a cumprir, a corte de Veneza
    Dará sentença contra o mercador.

SHYLOCK

210 Respondo por meus atos! Pela lei,
Exijo a pena e a multa do meu trato.

PÓRCIA

Ele não tem a soma necessária?

BASSÂNIO

Tem; e em seu nome eu a entrego à corte —
Até o dobro e — se não bastar —
Aceito até pagar dez vezes mais
215 Ou dar minha cabeça, ou coração.
Sei isso não basta, deve ficar claro
Que ele age com malícia. E eu vos rogo
Que, hoje, a lei submeta-se ao poder
E que, para alcançar um grande bem,
220 Concordeis em fazer um mal pequeno,
Para que esse diabo não triunfe.

PÓRCIA

É impossível; pois não há poder
Que altere qualquer lei já promulgada.
E o precedente que nós criaríamos
225 Seria usado pra mil causas podres
Nas nossas cortes. Isso é impossível.

SHYLOCK

Um Daniel me julga! Um Daniel!
Ó jovem sábio, o quanto eu vos respeito!

PÓRCIA

Por favor, quero ler o compromisso.

SHYLOCK

230 Ei-lo aqui, Reverência, ele aqui está.

PÓRCIA

Judeu, o triplo foi-lhe oferecido.

SHYLOCK

Eu jurei, eu jurei, aos céus jurei —
Devo perder minh'alma num perjúrio?
Nem por Veneza inteira.

PÓRCIA

235 Este título

Está vencido e o judeu, segundo a lei,
Pode cortar uma libra de carne
Bem junto ao coração do mercador.
Tenha piedade: dê-lhe o seu perdão;
240 Aceite o triplo, rasgue esse papel.

SHYLOCK

Depois de pago, tal como previsto.
Parece que vós sois um bom juiz
E que sabeis as leis. E é pelas leis
Que peço a vós, que sois seu defensor,
245 Que julgueis logo a causa. Por minh'alma,
Não há poder na língua de ninguém
Pra me abalar. Eu quero o que tratei.

ANTÔNIO

Eu rogo à corte, com o maior empenho,
Que faça o julgamento.

PÓRCIA

250 Que assim seja.
Prepare então seu peito para a faca.

SHYLOCK

Nobre juiz! É um jovem excelente!

PÓRCIA

Pois o intento e sentido de uma lei
Compreende exatamente a multa imposta
255 No aceito neste título por ambos.

SHYLOCK

É verdade; o juiz é sábio e íntegro!
Sois bem mais velho que esse aspecto jovem.

PÓRCIA

Prepare o peito, então.

SHYLOCK

É isso, o peito;
260 'Stá escrito, não está, nobre juiz?
"Perto do coração", diz assim mesmo.

PÓRCIA

Certo. E há balança aqui para pesar
A carne?

SHYLOCK

    Já tenho aqui.

PÓRCIA

265   Pague um médico, então, para atendê-lo,
    E evitar que ele sangre até morrer.

SHYLOCK

    Está dito aí que isso é exigido?

PÓRCIA

    Não está; mas que importa o que foi dito?
    É bom que o faça, só por caridade.

SHYLOCK

270   Não vejo nada aqui; não vejo nada.

PÓRCIA

    O mercador não tem nada a dizer?

ANTÔNIO

    Bem pouco. Eu estou pronto e preparado —
    Dê-me sua mão, Bassânio; e Deus o tenha.
    Não chore eu ter caído por você,
275   Pois a Fortuna foi bem mais bondosa
    Do que costuma; ela em geral tem hábito
    De deixar o infeliz sobreviver
    Sua riqueza, pra sofrer, enfim,
    Uma velhice pobre; de tal pena,
280   Lenta e cruel, ao menos sou poupado.
    Recomendo-me à sua nobre esposa:
    Conte-lhe a história do final de Antônio;
    Diga-lhe como o amei, relate tudo
    E, ao terminar, peça-lhe então que julgue
285   Se um dia o amor não visitou Bassânio.
    Basta que chore a perda deste amigo,
    Que ele não chorará ter pago a dívida.
    Pois se o judeu cortar bastante fundo,
    Hei de pagá-la — e de coração.

BASSÂNIO

290   Antônio, sou casado com uma esposa
    Que me é mais cara do que a própria vida;
    Porém nem ela, nem vida, nem mundo,
    Não me valem o mesmo que você;
    Eu perderia tudo, em sacrifício
295   A esse demônio, para libertá-lo.

PÓRCIA

    Sua mulher não agradeceria,
    Se aqui estivesse pra escutar a oferta.

GRAZIANO

    Tenho uma esposa a quem eu amo muito —
    Estivera ela no céu para poder
300   Interferir na ira do judeu.

NERISSA

    Inda bem que o deseja em sua ausência,
    Pois, em casa, essa prece ia dar briga.

SHYLOCK

    (À parte.)
    Que maridos cristãos! Ai, minha filha!...
    Eu preferia Barrabás por genro
305   A vê-la entregue a algum cristão assim!
    Perdemos tempo; qual é a sentença?

PÓRCIA

    Uma libra de carne desse peito
    É sua, pela corte e pela lei.

SHYLOCK

    O juiz é mais que sábio!

PÓRCIA

310   Deve cortar a carne desse peito
    Segundo a lei e a permissão da corte.

SHYLOCK

    Sábio juiz! Deu a sentença; pronto!

PÓRCIA

    Espere um pouco, que há mais uma coisa.
    A multa não lhe dá direito a sangue;
315   "Uma libra de carne" é a expressão:
    Cobre a multa, arrebanhe a sua carne,
    Mas se, ao cortar, pingar uma só gota
    Desse sangue cristão, seu patrimônio
    Pelas leis de Veneza é confiscado,
320   Revertendo ao Estado.

GRAZIANO

    Ó juiz sábio!
    Veja, judeu, como ele é erudito!

SHYLOCK

    Aceito a oferta. Paguem-me esse triplo
    E soltem o cristão.

BASSÂNIO

325   Está aqui o dinheiro.

PÓRCIA

    Calma!
    O judeu quer justiça; muita calma!
    Só pode receber a multa justa.

GRAZIANO

    Ai, ai, judeu; mas que juiz mais sábio!

PÓRCIA

330   Prepare-se, portanto, pra cortar;
    Mas não derrame sangue; e corte apenas
    Uma libra de carne, pois se cortar
    Ou mais ou menos que uma libra justa —
    Nem que seja pra alterar o peso
335   Pela mínima parte de um vigésimo
    De um quase nada — se a balança mexe
    O espaço de um só fio de cabelo —
    O senhor perde a vida e as propriedades.

GRAZIANO

    Ó judeu! Veja! Um novo Daniel!
340   Apanhou pelo pé esse infiel!

PÓRCIA

    Por que espera, judeu? Cobre sua multa!

SHYLOCK

    Dai-me o valor do empréstimo, que basta.

BASSÂNIO

    Está aqui à sua espera há muito tempo.

PÓRCIA

    Mas ele o recusou no tribunal:
345   Só pode ter justiça e a multa certa.

GRAZIANO

    Um Daniel! Um novo Daniel!
    Aprendi com o judeu essa expressão!

Shylock
E não terei sequer o que emprestei?

Pórcia
Não terá nada, que não seja a multa —
Com a exceção do risco de cobrá-la...

Shylock
Pois que o diabo lhe dê o gozo dela:
Eu abandono a causa.

Pórcia
Espere um pouco:
A lei ainda o acusa de algo mais.
Nas leis venezianas fica dito
Que quando há provas de que um estrangeiro —
Por caminhos frontais ou indiretos —
Buscou privar de vida um cidadão,
Aquele contra quem ele tramou
Ficará com a metade de seus bens,
Revertendo ao Estado a outra metade —
Enquanto que a vida do culpado
Só será salva por mercê do Duque.

Graziano
Implore ao Duque pra poder matar-se —
Mas como perdeu tudo, não terá
Nem sequer o dinheiro pr'uma corda:
Pode enforcar-se às custas do Estado.

Duque
Pra mostrar que existe um outro espírito,
Eu lhe dou sua vida sem que a peça.
Antônio tem metade do que é seu,
Para o Estado vai a outra metade —
Que a piedade talvez comute em multa.

Pórcia
A do Estado, sim; de Antônio, não.

Shylock
Tomai a minha vida junto ao resto.
Pra que serve o perdão se me tomais
Minha casa e mais tudo o que a sustenta:
Ao tomar-me os meus meios de viver,
Vós tomastes de mim a própria vida.

PÓRCIA

Que mercê pode dar a ele, Antônio?

GRAZIANO

380   A corda para a forca, e nada mais.

ANTÔNIO

Se o Duque e toda a corte concordarem,
Eu pago a multa que cobrar o Estado,
Se me der usufruto do que resta,
O que, por morte dele, será dado
385   Ao cavalheiro que lhe roubou a filha.
Com duas condições: pelo que faço,
Ainda hoje ele há de ser cristão
E mais — aqui na corte há de firmar
A doação de tudo o que tiver
390   Na hora da morte pra Lorenzo e Jéssica.

DUQUE

Se o não fizer eu repudio aqui
O perdão que acabei de proclamar.

PÓRCIA

Fica contente assim, judeu? Que diz?

SHYLOCK

Fico contente.

PÓRCIA

(Para o ESCRIVÃO.*)*
395   Lavre a doação.

SHYLOCK

Deixai que eu vá-me embora, por favor.
Não estou bem. Mandai-me o documento
Que assinarei.

DUQUE

Está bem; mas se assinar.

GRAZIANO

400   E no batismo terá dois padrinhos —
Sendo eu o juiz teria dez,
Pra ir à forca, nunca ao batistério.

(Sai SHYLOCK.*)*

DUQUE

Eu vos convido a vir jantar conosco.

PÓRCIA

        Rogo a mercê de vosso bom perdão,
405   Mas devo estar em Pádua inda esta noite —
        E, para tanto, devo partir já.

DUQUE

        Quisera que tivésseis mais lazer.
        Antônio, recompense este senhor
        Pois, para mim, a ele deve muito.

(Saem DUQUE e seu SÉQUITO.)

BASSÂNIO

410   Preclaro mestre, o meu amigo e eu
        Livramo-nos aqui, pelo seu mérito,
        De duras penas, em lugar das quais
        Três mil ducados — o total do empréstimo —
        Aqui lhe damos para agradecer-lhe.

ANTÔNIO

415   Ficando-lhe pra sempre devedores
        Em afeição, em préstimos, em tudo.

PÓRCIA

        Está bem pago quem se diz contente
        E eu estou contente só por libertá-lo,
        Sendo essa toda a paga a que eu aspiro.
420   Me falta o interesse mercenário:
        Só peço que, ao me ver, me reconheçam;
        E passem muito bem, que eu vou-me embora.

BASSÂNIO

        Senhor, eu lhe imploro inda uma vez:
        Aceite uma lembrança, pelo menos —
425   Como tributo, mais que pagamento.
        Eu lhe peço fazer-me dois favores —
        Perdoar-me e receber a prenda.

PÓRCIA

        Pois já que insiste eu tenho de ceder —
        Para lembrá-lo, dê-me as suas luvas
430   E, em sinal de afeição, quero esse anel.
        Por que afasta a mão? Não peço muito;
        Sua afeição não vai negar tão pouco!

BASSÂNIO

        Esse anel, meu senhor, é coisa pouca;
        Seria vergonhoso dar-lhe isso!

PÓRCIA

435 Pois não quero outra coisa e creio, mesmo,
Que, de repente, me é importante tê-lo!

BASSÂNIO

Há mais do que valor em jogo aqui.
Vou proclamar que busquem, por Veneza,
O mais valioso anel, para eu lhe dar;
440 Mas rogo que se esqueça do que eu uso!

PÓRCIA

Já vi que é generoso nas palavras...
Mandou que eu escolhesse para, agora,
Tratar-me qual pedinte inoportuno.

BASSÂNIO

Senhor, minha mulher deu-me este anel
445 E, ao colocá-lo, fez-me prometer
Não dá-lo, não vendê-lo e não tirá-lo.

PÓRCIA

São desculpas de quem reluta em dar,
A não ser que sua esposa seja louca.
Após saber porque o mereci
450 Não haveria de ficar zangada
A vida inteira, só porque o senhor
Me desse o anel. A paz esteja convosco.

(Saem PÓRCIA e NERISSA.)

ANTÔNIO

Bassânio, é necessário dar-lhe o anel —
Junte ao mérito dele o meu amor
455 E os pese contra a ordem de uma esposa.

BASSÂNIO

Graziano, corre e vê se inda o apanha;
Dá-lhe o anel e vê se ele volta
Para a casa de Antônio — vai depressa.

(Sai GRAZIANO.)

Vamos pra lá nós dois e, amanhã,
460 Iremos pra Belmonte; vem, Antônio.

(Saem.)

CENA 2
Veneza.

(Entram Pórcia e Nerissa.)

PÓRCIA
    Va à casa do judeu e dá-lhe o trato
    Pra que o assine — nós partimos hoje
    Pra estar de volta antes dos maridos.
    O documento é bom para Lorenzo!

(Entra Graziano.)

GRAZIANO
5   Ainda bem, senhor, que o encontrei:
    Bassânio, tendo ouvido mais conselhos,
    Lhe manda o seu anel e o convida
    Para cear com ele.

PÓRCIA
    É impossível.
10   Quanto ao anel, aceito e agradeço
    E rogo que lho diga. Quer mostrar
    Onde mora o judeu ao meu rapaz?

GRAZIANO
    Pois não.

NERISSA
    Uma palavra, meu senhor.

(À parte, a Pórcia.)

15   Vou ver se pego o anel do meu marido —
    Aquele que jurou guardar para sempre.

PÓRCIA
    É fácil, vamos ter os dois jurando
    Que foi a homens que os ofereceram...
    Nós juramos que não, como sabemos!
20   Vá depressa; e já sabe onde a espero.

NERISSA
    Pode mostrar-me agora, meu senhor?

(Saem.)

ATO 5

CENA 1
Belmonte.

(Jéssica e Lorenzo.)

LORENZO

A lua brilha — numa noite assim
Quando a brisa beijava, suave, as folhas
E elas calavam — numa noite assim
Troilo subiu as muralhas de Tróia
5 E olhou, sofrendo, as tendas gregas onde
Dormia Créssida.

JÉSSICA

Numa noite assim
Tisbe, tremendo, pisou sobre o orvalho,
Viu sombra de leão antes de vê-lo
10 E fugiu, tonta.

LORENZO

Numa noite assim
Com um ramo à mão Dido ficou imóvel
Na praia, onde chamou o amor de volta
Para Cartago.

JÉSSICA

15 Numa noite assim
Colheu Medéia as ervas encantadas
E Jasão viveu.

LORENZO

Numa noite assim
Fugiu Jéssica ao ouro do judeu
20 E foi, com o amado pobre, de Veneza
Para Belmonte.

JÉSSICA

Numa noite assim
Jurou Lorenzo, jovem, que a amava,
Roubando-lhe a alma com mil belas juras,
25 Mas falsas, todas.

LORENZO

Numa noite assim
A feiticeira Jéssica, tão linda,
Seu amor calunia e ele perdoa.

JÉSSICA

De noite em noite eu inda iria indo,
Se não ouvisse os passos que vêm vindo!...

(Entra STEFÂNIO, um mensageiro.)

LORENZO

Quem corre assim, na noite silenciosa?

STEFÂNIO

Um amigo!

LORENZO

Que amigo? Não tem nome?

STEFÂNIO

Stefânio é meu nome e trago novas
De que a senhora chega muito breve
Em Belmonte, depois de ter parado
Para rezar, em vários santuários,
Por um feliz futuro.

LORENZO

Ela vem só?

STEFÂNIO

Vem com um santo ermitão e sua aia.
E, por favor, meu amo não chegou?

LORENZO

Ainda não e nem mandou notícias —
Vamos pra dentro, minha amada Jéssica,
Pra preparar, com toda a cerimônia,
Alguma coisa pra chegada dela.

(Entra LANCELOTE, o cômico.)

LANCELOTE

Sola! Sola! Ho ha ho! Sola! Sola!

LORENZO
    Quem chama?

LANCELOTE
    Alguém viu o senhor Lorenzo? Senhor Lorenzo! Sola! Sola!

LORENZO
    Pára essa gritaria, homem, o que é que há?

LANCELOTE
50   Sola! Onde? Onde?

LORENZO
    Aqui!

LANCELOTE
    Pois diga a ele que chegou correio do meu amo, com os cornos cheios
    de boas novas — meu amo vai chegar antes da aurora.

(Sai.)

LORENZO
    Amada, entremos pra esperar por eles.
55   Não sei por quê — não há por que entrar.
    Stefânio, meu amigo, avise a todos
    Na casa, que a senhora vai chegar —
    Mas diga aos músicos que venham cá.

(Sai STEFÂNIO.)

    Como é doce o luar sobre essas encostas!
60   Aqui fiquemos, pra que os sons da música
    Encham o nosso ouvido: a noite calma
    Combina com os sons dessa harmonia.
    Senta, Jéssica. Vê o chão do céu
    Patinado de ouro flamejante:
65   Não há uma só órbita no espaço
    Que, ao se mover, não cante como um anjo,
    Pra acalentar os doces querubins —
    Tal canto está nas almas imortais,
    Mas enquanto esta podre lama humana
70   Nos encobrir, não podemos ouvi-lo...

(Entram os MÚSICOS.)

    Entrem e toquem pra acordar Diana:

Que sons divinos entrem nos ouvidos
De Pórcia e a atraiam para casa.

(Música.)

JÉSSICA

Nunca me alegra a doçura da música.

LORENZO

75 É porque teu espírito é sensível;
Basta-nos ver a manada selvagem
Ou a horda de potros não domados
Que salta e guincha, louca e desmedida.
Se por acaso escutam uma trombeta,
80 Se alguma melodia chega a elas,
Verá que, normalmente, se acomodam
E o olhar desvairado fica calmo,
Só com o poder da música. E o poeta
Diz que Orfeu encantou rochas e enchentes,
85 Porque não há nada de tão rude ou mau
Que a música não mude e não transforme.
O homem que não tem música em si,
Que a doce melodia não comove,
É feito pra traição e para o crime;
90 É como a noite o tom de seu espírito;
Seus sentimentos negros como Erebus;
Não é de confiança. Escuta a música!

(Entram PÓRCIA e NERISSA.)

PÓRCIA

A luz que vemos vem de minha sala:
Que longe alcança a chama de uma vela!
95 É como um ato bom num mundo mau.

NERISSA

Mas, com o luar, nós não vimos a vela.

PÓRCIA

Uma glória maior cobre a pequena —
Um substituto brilha como rei
Até que chegue o rei e, então, sua pompa
100 Deságua, qual riacho ou afluente,
Na torrente maior. Mas ouve a música!

NERISSA

Senhora, são os músicos da casa.

PÓRCIA

O bem, parece, é sempre relativo —
Ela soa mais doce que de dia.

NERISSA

105 A calma em torno aumenta-lhe a virtude.

PÓRCIA

O corvo iguala o tom da cotovia
Quando canta sozinho: o rouxinol,
Eu penso, se cantasse em pleno dia,
Quando grasnam os gansos, não seria
110 Julgado mais cantor do que o pardal!
Quanta coisa, por vir na hora certa,
Atinge, nesse clima, a perfeição!
Paz! Veja, a lua foi dormir com Endymion
E não quer despertar!

(Música para.)

LORENZO.

Se não me engano
O que ouvimos foi a voz de Pórcia.

PÓRCIA

Me reconhece como o cego ao cuco —
Pela má voz!

LORENZO

Bem-vinda ao lar, senhora!

PÓRCIA

120 Fizemos preces por nossos esposos,
Rogamos que o sucesso os bafejasse.
Já estão aqui?

LORENZO

Ainda não, senhora;
Mas veio um mensageiro pra avisar
125 Que chegam logo.

PÓRCIA

Entre lá, Nerissa,.
E ordene que ninguém na criadagem,
E nem você, Lorenzo, ou sua Jéssica,
Comente a nossa ausência desta casa.

(Fanfarra.)

LORENZO

130 É seu marido; já ouvi sua trompa —
Pode confiar que não diremos nada.

PÓRCIA

Esta noite é um dia adoentado,
Um pouco pálido — é como o dia
Que fica cinza porque o sol se esconde.

(Entram BASSÂNIO, ANTÔNIO, GRAZIANO e seus SÉQUITOS.)

BASSÂNIO

135 Nós teríamos dia, qual antípodas
Se você insistisse em não ter sol.

PÓRCIA

Prefiro a luz, mas não qual mariposa:
Esposa-mariposa traz problemas,
Que espero nunca dar ao meu Bassânio; —
140 Que Deus nos tenha! Meu senhor, bem-vindo!

BASSÂNIO

Obrigado, senhora, e ora saúde
Meu grande amigo Antônio, o mesmo homem
A quem sou infinito devedor.

PÓRCIA

E, creio, muito preso a essa dívida,
145 Já que ele esteve preso por você.

ANTÔNIO

A dívida está paga e esquecida.

PÓRCIA

Senhor, seja bem-vindo à nossa casa:
E o faremos sê-lo mais por atos
Que por gastarmos tempo com palavras.

GRAZIANO

(A NERISSA.)
150 Eu juro que você está enganada!
Eu dei pro auxiliar do advogado!
Que ele seja capado por levá-lo,
Já que você ficou assim magoada.

PÓRCIA

Os dois brigando? Mas por quê, rapaz?

Graziano

155 Uma argola de ouro, um anelzinho
Que ela me deu e onde estava escrito
Como um versinho desses de mascate,
"Ama-me sempre, nunca me abandones."

Nerissa

Que me importa o versinho ou o mascate?
160 Você jurou, quando eu lhe dei o anel,
Que o usaria até a hora da morte
E que ele iria com você p'ro túmulo —
Se não por mim, ao menos pelas juras
Você não poderia dá-lo nunca —
165 A um escrivão! Pois, sim! Juro por Deus
Que nunca terá barba esse escrivão!

Graziano

Terá, quando for homem.

Nerissa

Mulher não vira homem.

Graziano

Estou dizendo que eu o dei a um jovem;
170 Era um menino, um tanto mirradinho,
Um escrivão assim do seu tamanho,
Que o reclamou à guisa de honorários
De forma que eu não pude recusar.

Pórcia

Devo dizer que agiu de forma errada
175 Ao dar assim o primeiro presente
De sua esposa — e que jurou guardar.
A jura era o bastante pra guardá-lo
De forma permanente à sua carne.
Eu dei um anel ao meu amor, pedindo
180 Que ele jurasse não tirá-lo, e agora
Juro por ele que ele ainda o tem —
E que nada no mundo o levaria
A tirá-lo do dedo, nem que fosse
O maior dos tesouros. Graziano
185 Você deu grande dor à sua esposa
E eu, no caso, ficava indignada.

BASSÂNIO

(À parte.)
É melhor eu cortar a mão esquerda,
Jurando que a perdi só pelo anel!

GRAZIANO

Mas o Senhor Bassânio deu o anel
Ao juiz que o pediu e, na verdade,
O mereceu; depois, o escrivão,
Que ajudou com os papéis, pediu o meu.
Por paga, amo e servo só quiseram
Os dois anéis.

PÓRCIA

Que anel lhe deu, senhor?
Espero que não seja o que eu lhe dei.

BASSÂNIO

Não vou juntar ao erro uma mentira
E negá-lo: meu dedo, como vê,
Não traz o anel, porque ele já se foi.

PÓRCIA

Do mesmo modo que o seu coração
Tão falso não traz nada de verdade.
Não irei ao seu leito sem voltar
A ver o meu anel!

NERISSA

Nem eu tampouco
Sem ver o meu.

BASSÂNIO

Minha adorada Pórcia,
Mas se soubesse a quem eu dei o anel,
Se soubesse por quem eu dei o anel,
Se pensasse por que eu dei o anel,
E o quanto me custou dar o anel,
Não ficaria assim tão transtornada.

PÓRCIA

Se conhecesse os dons daquele anel,
Ou o valor de quem lhe deu o anel,
Ou sua honra em manter o anel,
Não poderia, então, ter dado o anel.
Existe alguém tão pouco razoável

                    (Se o defendesse com o devido empenho.)

         Capaz da imprudência de exigir
         Algo que o dono visse como sacro?
         Nerissa tem razão, e eu também penso
220   Que é uma mulher que usa o meu anel!

BASSÂNIO
         Por minha honra, sim, por minha alma,
         Não é mulher, mas um jurista sábio,
         Que não quis receber três mil ducados,
         Mas pediu o anel — que eu lhe neguei,
225   Deixando até partir, em desagrado,
         Aquele que salvara a própria vida
         Do meu amigo. Que fazer, senhora?
         Fui forçado a mandá-lo para ele.
         Tive vergonha, em minha cortesia,
230   De empanar minha honra de tal forma
         Com ingratidão: perdão, minha senhora;
         Mas pelas velas que aqui dão suas bênçãos,
         Se estivesse presente, eu estou certo,
         Que daria ao doutor o meu anel.

PÓRCIA
235   Que o doutor jamais venha à minha casa,
         Pois já que usa a jóia que eu amava —
         E que você jurou usar por mim —
         Pode ser que eu me mostre liberal
         E não lhe negue nada do que é meu,
240   Nem mesmo o corpo, ou o leito conjugal.
         Eu hei de conhecê-lo, esteja certo.
         Portanto, fique atento. E jamais passe
         Uma só noite longe desta casa:
         Se não me vigiar, se eu ficar só,
245   Por minha honra (que ainda é minha)
         Eu dormirei bem junto ao seu doutor.

NERISSA
         E eu com o escrivão: está avisado
         De que eu nunca devo estar sozinha:

GRAZIANO
         E eu que o veja aqui, se for capaz —
250   Se o pego, eu quebro a perna do rapaz.

ANTÔNIO
         Eu sou a causa dessas brigas todas.

PÓRCIA

    Mas, mesmo assim, bem-vindo: não se culpe.

BASSÂNIO

    Pórcia, perdoe, pois errei forçado:
    Perante esses amigos que aqui estão
255   Eu juro, por seus belos olhos claros,
    Nos quais me vejo...

PÓRCIA

    Vejam só, senhores,
    Vendo em dois olhos ele se vê duplo,
    Um para cada olho; e jura dupla
260   Merece confiança?

BASSÂNIO

    Não; escute!
    Se perdoar-me o erro cometido,
    Eu juro que jamais serei perjuro.

ANTÔNIO

    Eu empenhei meu corpo por dinheiro
265   E, se não fosse por quem tem o anel,
    Estaria perdido. Mas, agora,
    Empenho a própria alma, garantindo
    Que o seu marido não trairá sua jura.

PÓRCIA

    Será seu fiador. Dê-lhe este anel,
270   Pedindo-lhe que o guarde com mais zelo.

ANTÔNIO

    Aqui, Bassânio: guarde sempre o anel...

BASSÂNIO

    Mas é o mesmo que eu dei ao doutor!

PÓRCIA

    Foi ele quem m'o deu; perdão, Bassânio,
    Mas, pelo anel, deitei-me com o doutor.

NERISSA

275   Eu quero seu perdão, também, Graziano —
    Mas, pelo anel, deitei-me com o rapaz.

GRAZIANO
    Saiu pior a emenda que o soneto?
    Já somos cornos antes de casar?

PÓRCIA
    Não seja rude — é tudo uma surpresa.
    Leiam mais tarde a carta que aqui trago.
    Foi redigida em Pádua por Bellario —
    E aí vão ver que Pórcia era o doutor
    E Nerissa o escrivão. Lorenzo, aqui,
    É testemunha de que parti logo
    E acabo de voltar. Eu vou entrar
    Na casa onde Antônio é tão bem-vindo.
    E trago para si melhores novas
    Do que esperava: veja nessa carta
    Que três de suas naus, bem carregadas,
    Chegaram de surpresa ao nosso porto.
    Mas nunca saberá por que acidente
    A carta veio ter às minhas mãos.

ANTÔNIO
    É incrível!

BASSÂNIO
    Você era o doutor e eu não soube?

GRAZIANO
    E é você que pretende me pôr chifres?

NERISSA
    Não creio que o rapaz possa fazê-lo,
    A não ser que consiga virar homem.

BASSÂNIO
    Doce doutor, nós vamos dormir juntos
    E, em minha ausência, terá a minha esposa.

ANTÔNIO
    Senhora, deu-me a vida e subsistência
    Pois leio aqui que enfim os meus navios
    Chegaram salvos.

PÓRCIA
    Venha cá, Lorenzo.
    Você também tem novas do escrivão.

NERISSA

305 Verdade, e eu entrego sem cobrar:
Está aqui a doação, feita por Shylock,
A Jéssica e você, de tudo aquilo
Que a ele pertencer na hora da morte.

LORENZO

Senhoras, isso vem como um maná
310 Que cai do céu em bocas esfaimadas.

PÓRCIA

Está quase amanhecendo e, no entanto,
Eu sei que ainda há muito o que contar.
Vamos entrar — perguntem à vontade
Que nós vamos depor sobre a verdade.

GRAZIANO

315 Começarei meu interrogatório
Perguntando a Nerissa, sob palavra,
Se é depor por mais tempo que ela quer,
Ou ir pra cama, que está perto o dia:
De dia eu vou sonhar com a escuridão
320 Só pra poder dormir com o escrivão.
E na vida, o maior cuidado meu
Será cuidar do anel que ela me deu.

(Saem todos.)

Fim

As alegres comadres de Windsor

Introdução
BARBARA HELIODORA

As alegres comadres de Windsor é a única das peças de William Shakespeare que tem uma história ligada à sua composição. De início publicada numa péssima edição "pirateada", provavelmente pelo ator que interpretava o Taverneiro, ela aparece em 1602 em uma ótima edição, provavelmente já copiada do livro do contrarregra, ou seja, pronta para ser encenada. Dizia a página de rosto:

> Uma comédia muito agradável e de excelente conceito, sobre Syr John Falstaff, e as alegres Comadres de Windsor entremeadas com vários, variados e agradáveis humores de Syr Hugh, o Cavaleiro Galês, o juiz Shallow, e seu sábio Primo M. Slender. Com as vãs fanfarronices do Alferes Pistoll, e o Cabo Nym. Por William Shakespeare. Como foi diversas vezes interpretada pelos servos do Muito Honrado Lord Camerlengo. Tanto diante de sua Majestade, quanto em outros lugares.

As mais recentes pesquisas têm apresentado fortes indícios de que a peça foi estreada durante os festejos por ocasião da cerimônica de indução de novos Cavaleiros na Ordem da Jarreteira, que teve lugar no Castelo de Windsor, estando incluídos entre esses George Carey, Lord Hunsdon, o patrono da companhia em que trabalhava William Shakespeare, e Frederick, duque de Würtemberg, que na comédia é referido, por brincadeira, como o "duque de Jamany" (uma corruptela de Germany). Esses dados, mais as frequentes menções de Windsor e da Jarreteira no texto tendem a confirmar a data.

A comédia teria sido escrita em 1597, logo a seguir da primeira parte de Henrique IV (1996) e da segunda (1997), e para ela não existem fontes diretas. Diz a lenda que tendo a rainha Elizabeth ficado encantada com Falstaff nessas duas peças, fez saber pelo primo, patrono na companhia dos atores, que gostaria de o ver em nova peça, que deveria estar pronta em catorze dias. A lenda foi enriquecida por Nicholas Rowe, que em sua edição das *Obras* de Shakespeare em seis volumes, acrescenta que a rainha expressou o desejo de ver Falstaff apaixonado. Duas semanas é muito pouco tempo para se escrever uma comédia em cinco atos, até mesmo para um Shakespeare.

Outra versão diz que foi o próprio Lord Hunsdon quem encomendou uma peça para os festejos tão logo soube que seria agraciado com a Jarreteira, três semanas antes da cerimônia, o que ainda é pouco tempo, mas sempre melhor do que duas. Tudo isso têm levado os estudiosos a recusar a ideia de Shakespeare ter trabalhado da estaca zero, sugerindo que ele tenha aproveitado o enredo de uma antiga comédia já meio esquecida. A melhor candidata encontrada até agora é a *Jealous Comedy*, montada em 1593, que obviamente trata de uma trama de ciúme, e que seria herdeira típica dos mecânicos enredos da *commedia dell'arte*, mas a verdade é que não há semelhança muito acentuada entre as duas obras. Se esse foi o modelo, no entanto, só daria conta de uma parte da trama das *Comadres*, pois aqui a desmoralização de Falstaff como conquistador e a trama do namoro e casamento da jovem Anne Page são tão importantes quanto o ciúme de mestre Ford, o que resulta, no todo, em um enredo realmente original.

Com esta comédia Shakespeare volta pela última vez à forma da comédia crítica, romana, que por duas vezes experimentara no início de sua carreira, em *A comédia dos erros* e em *A megera domada;* como nessas duas primeiras, o enredo tem por base a correção de uma situação: na primeira havia a confusão entre os gêmeos idênticos, na segunda o comportamento descontrolado de Catarina. Em *As comadres*, não só o gratuito ciúme de Ford e a ridícula pretensão do gordo e velho Falstaff a ainda ser conquistador são criticados, como também outros personagens menores são alvo de ironias que desnudam suas falhas.

A maior originalidade de *As comadres*, no entanto, não reside na trama mas, sim, no fato de ela ser a única, de todas as peças de Shakespeare, a se passar no universo da burguesia de uma pequena cidade, cujas intrigas e maledicências o observador-poeta conheceria muito bem em sua própria cidade natal onde, inclusive, conheceria bem até mesmo as atividades da administração pública, da qual seu pai fizera parte por muitos anos: as conversas das vizinhas, os frequentadores da taverna, os visitantes que nela se hospedavam, o médico, o professor, todos eles Shakespeare conhece bem, e se lembra até mesmo latim na gramática escrita pelo avô de seu contemporâneo John Lily, universalmente usada na Grã-Bretanha até o século XVIII – tão conhecida que era chamada simplesmente "the grammar". Do ponto de vista do estilo, a única coisa que distingue *As comadres* de suas companheiras é um alto percentual de prosa; o fato não é de surpreender, pois a prosa sempre foi um recurso comum para as cenas cômicas; só Anne e o jovem Fenton, romanticamente apaixonados, usam o verso em todos os seus diálogos.

Diz a lenda que a rainha gostou muito do resultado de sua comédia encomendada, o que não deixa de ser surpreendente, já que a peça funciona bem como um todo, sendo impossível, no entanto, deixar de reconhecer que o Falstaff que encontramos aqui é um personagem bem menos rico e interessante do que o que atua no palco mais amplo de Londres e das guerras; para quem tivera seus grandes momentos de farra com o príncipe de Gales, a atual plateia não parece ter força para provocar-lhe o melhor de seu humor ou até mesmo de sua falta de escrúpulos. Isso não significa, no entanto, que a incursão do talento de Shakespeare pela vida da burguesia inglesa não ofereça bons momentos de diversão, em seu combate ao autoengano ou em sua defesa das duas *alegres comadres de Windsor*, que com sua sensatez e bom humor deixam bem claro que sua alegria brincalhona não significa de modo algum que haja qualquer coisa de condenável em seu comportamento.

A senhora Ford e a senhora Page, na verdade, são bons exemplos da visão mais moderna e arejada que Shakespeare tinha da mulher, além de ilustrarem muito bem o carinho com que Shakespeare pensava na vida semirrural de sua cidade natal.

Introdução *Barbara Heliodora*

LISTA DE PERSONAGENS

Sir John Falstaff
Fenton, um jovem fidalgo
Shallow, um juiz de aldeia
Abraham Slender, parente de Shallow

Frank Ford
George Page } cidadãos de Windsor

William Page, um menino, filho de Page e da senhora Page
Sir Hugh Evans, um pastor galês
Doutor Caius, um médico francês
O Taverneiro, da Taverna da Jarreteira

Bardolf
Pistol
Nym } seguidores de Falstaff

Robin, pajem de Falstaff
Peter Simple, empregado de Slender
John Rugby, empregado de Caius
John e Robert, empregados de Ford
Senhora Ford (Alice)
Senhora Page (Margaret)
Anne Page, filha de Page e da senhora Page
Senhora Quickly, empregada de Caius
Três ou quatro crianças (vestidas de fadas no último ato)

A cena: Windsor.

ATO 1

CENA 1

(Entram o Juiz Shallow, Slender e Sir Hugh Evans.)

Shallow

Não tente dissuadir-me, Sir Hugh: vou levar a questão ao Tribunal da Estrela.[1] Nem que ele fosse vinte Sir John Falstaffs, não há de abusar do cidadão Robert Shallow.

Slender

Juiz de Paz e *coram*[2] no condado de Gloucester.

Shallow

Isso, primo Slender. E Custalorum.

Slender

Sim, senhor, e Rotulorum; e nascido gentilhomem, Senhor Cura, com direito de assinar "Armigero" em qualquer conta, certificado, recibo ou obrigação – "Armigero".[3]

Shallow

O que faço, e tenho feito nos últimos trezentos anos.

Slender

Todos os seus sucessores, que vieram antes, também fizeram, e todos os seus ancestrais, que virão depois, poderão; e podem botar uma dúzia de pescadas brancas em seu brasão

Shallow

Um brasão velhíssimo.

Evans

Uma tucia[4] de pescadas calham bem em um prasão tão felho; concorda pem, de passagem; é animal familiar ao homem, e significa amor.

---

[1] Assim chamado porque instalado em um salão com o teto pintado com estrelas. Sua função principal era manter a ordem e atender casos sem precedente na lei comum. (N.T.)

[2] Corruptela de *quorum*, referente a casos em que era indispensável a presença de dois juízes de paz. *Custalorum* é corruptela de *custos rotulorum*, encarregado da guarda de documentos, e *rotulorum* apenas mostra que Slender não entendeu e acha que está citando um novo posto. (N.T.)

[3] *Armigero*, em sua origem era mais ou menos o equivalente a fidalgo; porém pelo som acabou identificado com portador de armas. (N.T.)

[4] Evans é galês, e aqui é tentada uma grafia que se assemelhe à usada no original, endurecendo a fala. O recurso só é usado nas primeiras falas, como sugestão, mas prejudica a leitura seu uso continuado. (N.T.)

Shallow

A pescada é o peixe fresco; o peixe salgado é brasão de velhice.

Slender

E pode ser quartelado, primo.

Shallow

É o que você pode fazer, casando.

Evans

Só martelando é fai quartelar

Shallow

Nada disso.

Evans

Pela Firchem: se ele tem um quarto de seu prasão, sobram só três casas para focê, nas minhas conjecturas simplórias; mas tanto faz. Se Sir John Falstaff lhe cometeu tesconsiderações, eu sou da igreja e terei o maior prazer em facer minhas penevolências, a fim de propiciar atenuações e concessões entre os tois.

Shallow

O Conselho há de saber; trata-se de um motim.

Evans

Não é correto o Conselho saber de motim: não há temor a Teus em motim. O Conselho, fique sabendo, vai querer saber de temor a Teus, e não ouvir falar de motim; aceite nisso suas aconselhações.

Shallow

Ah! Palavra que, se eu fosse jovem de novo, a espada acabaria com essa história.

Evans

Melhor que amigos é a espada, e acaba tudo; mas há também uma outra maquinação em meu cérebro, que acaso traga boas descrições consigo. Temos Anne Page, que é filha de mestre Thomas Page, que é uma virgindade bonitinha.

Slender

Dona Anne Page? Ela tem cabelos castanhos, e fala baixinho como uma mulher.

Evans

E essa mesma pessoa, no mundo inteiro, e justo como deseja: e setecentas libras em dinheiro, e ouro, e prata, é de seu avô em seu leito de morte (Teus que lhe conceda uma alegre ressurreição!) dado, quando ela puder alcançar dezessete anos de idade. Seria uma boa proposta deixar esses para-aqui, para-lá, e desejar um casamento entre o mestre Abraham e dona Anne Page.

SLENDER

Seu avô lhe deixou setecentas libras?

EVANS

E seu pai ainda lhe dá uns bons tostões.

SHALLOW

Eu conheço a jovem senhorita; ela é bem dotada.

EVANS

Setecentas libras e possibilidades, são bons dotes.

SHALLOW

Bem, vamos procurar o honesto mestre Page. Falstaff está lá?

EVANS

Quer que eu conte uma mentira? Eu desprezo um mentiroso como desprezo um falso, ou como desprezo o que não é verdade. O cavaleiro Sir John está lá; e eu lhe imploro que seja guiado pelos que lhe desejam bem. Eu bato na porta de Mestre Page *(Ele bate.)* Olá! Que Deus abençoe esta casa!

PAGE

(De dentro da casa.)
Quem está aí?

(Entra PAGE.)

EVANS

Aqui estão a benção de Deus e o seu amigo, e o mestre Shallow, e aqui está o jovem mestre Slender, que acaso lhe contará uma outra história, se o assunto lhe agradar.

PAGE

Alegro-me por ver suas senhorias todas bem. Agradecido pela caça, mestre Shallow.

SHALLOW

Mestre Page, alegro-me por vê-lo: que lhe traga muito bem ao coração! Quisera que o veado estivesse melhor; mas foi mal matado, Como está a boa comadre Page? E eu lhe agradeço sempre de coração, sim de coração.

PAGE
Senhor, eu lhe agradeço.

SHALLOW
Senhor, eu lhe agradeço; por bem ou por mal, eu é que agradeço.

PAGE
Prazer em vê-lo, bom mestre Slender.

SLENDER
Como vai seu galgo bege, senhor? Ouvi dizer que ele perdeu a corrida em Cotsall.

PAGE
Não foi possível julgar, senhor.

SLENDER
Não quer confessar, não quer confessar.

SHALLOW
Isso ele não faz. Ele perdeu o faro, perdeu o faro; é um cão muito bom.

PAGE
Um vira-lata, senhor.

SHALLOW
Ele é um bom cachorro, e um cachorro bonito; pode-se dizer mais que isso? Bom e bonito. Sir John Falstaff está aqui?

PAGE
Está lá dentro; e espero que possa usar meus bons ofícios entre os senhores.

EVANS
Ele fala como deve falar um cristão.

SHALLOW
Ele me ofendeu, mestre Page.

PAGE
Senhor, e ele de certo modo o confessou.

SHALLOW

Confessar não é corrigir; não é assim, mestre Page? Ele me ofendeu, é verdade que sim; em poucas palavras, me ofendeu, acredite. Robert Shallow, cidadão, diz que ele foi ofendido.

PAGE

Aí vem Sir John.

(Entram SIR JOHN FALSTAFF, BARDOLPH, NYM e PISTOL.)

FALSTAFF

Então, mestre Shallow, vai se queixar de mim ao rei?

SHALLOW

Cavaleiro, o senhor bateu em meus criados, matou meus veados e arrombou minha portaria.

FALSTAFF

Mas não beijei a filha do porteiro?

SHALLOW

Bobagem; tem de prestar contas disso tudo.

FALSTAFF

Pois respondo logo: fiz tudo isso. Já prestei contas de tudo.

SHALLOW

O Conselho há de saber disso.

FALSTAFF

Seria melhor para o senhor que fosse sabido em segredo; vão rir do senhor.

EVANS

Pauca verba; Sir John, foram boas palavras.

FALSTAFF

Boas palavras? Bons repolhos! Slender, quebrei sua cabeça; o que é que tem contra mim?

SLENDER

Ora, senhor, tenho a questão da minha cabeça contra o senhor e contra seus vigaristas Bardolph, Nym e Pistol.

BARDOLPH

Sua fatia de queijo!

Slender

Isso; não importa.

Pistol

100 Mas então, Mefostófilus?

Slender

Isso; não importa.

Nym

Fatia, digo eu; *pauca,pauca;* fatiazinha, é o que acho.

Slender

Onde está Simple, meu criado? Acaso sabe, primo?

Evans

105 Calma, por favor. Agora vamos nos entender: há três juízes nessa história, segundo penso: ou seja, mestre Page (*fidelicet* mestre Page); há eu mesmo (*fidelicet* eu mesmo); e a parte três (por último e finalmente): o meu hospedeiro da Jarreteira.

Page

Nós três para ouvirmos e acabar com o que há entre eles.

Evans

Muito bem; vou fazer um resumo em meu livro de notas, depois resolver o caso da forma mais discreta possível.

110

Falstaff

Pistol!

Pistol

Está ouvindo com as orelhas.

Evans

Com o diabo e sua mulher! Que frase é essa, "está ouvindo com as orelhas"? Isso é afetação.

Falstaff

115 Pistol, o senhor bateu a carteira do mestre Slender?

Slender

Por estas luvas que sim – que eu jamais possa entrar na minha própria casa se não – sete tostões em vinténs recunhados, e dois shelins de Eduardo IV que me custaram dois shelins e dois pence cada um, de Yead Miller, por minhas luvas.

FALSTAFF

120 É verdade, Pistol?

EVANS

Não, é falso, se for bateção de carteira.

PISTOL

Ah, seu estrangeiro selvagem! Sir John meu amo,
Eu a combate desafio essa espadachim de lata!
Uma negativa nessas suas *labras*.
125 Outra negativa: espuma e lixo, está mentindo!

SLENDER

(Apontando para NYM.)
Por estas luvas, então, foi ele.

NYM

Ouça este conselho, senhor, e deixe dessas raivas:
Eu digo que feche essa boca, se não quer me ver virar meirinho; to-me nota muito bem.

SLENDER

130 Por este chapéu, então foi o de cara vermelha; pois se não consigo me lembrar do que fiz quando me embebedaram, também não sou asno total.

FALSTAFF

O que dizem, Scarlet e John?[5]

BARDOLPH

Eu, de minha parte, digo que o cavalheiro aí na bebedeira perdeu as
135 cinco sentenças.

EVANS

São os cinco sentidos. Isso é que é ignorância!

BARDOLPH

E, bêbado, foi despachado; e, para concluir, perdeu as estribeiras.

SLENDER

É, e naquela hora também falou em latim; mas não importa. Eu nun-

---

[5] Falstaff se refere a seus comparsas com os nomes de dois famosos companheiros de Robin Hood. (N.T.)

140 ca mais me embebedo na vida, a não ser em companhia honesta, civil e cristã, por causa disso tudo; se me embebedar, vai ser com quem é temente a Deus, e são uns safados.

EVANS

Que Deus o abençoe, por tanta virtude.

FALSTAFF

O senhor ouviu as acusações serem todas negadas; ouviu tudo.

(Entram ANNE PAGE, trazendo vinho, depois a COMADRE FORD e a COMADRE PAGE.)

PAGE

Não, filha, leve o vinho para dentro; beberemos lá dentro

(Sai ANNE PAGE.)

SLENDER

145 Céus, essa é a dona Anne Page!

PAGE

Como está, comadre Ford?

FALSTAFF

Comadre Ford, palavra que é bom encontrá-la: com sua licença, boa comadres. *(Ele a beija.)*

PAGE

Mulher, dê as boas-vindas a esses cavalheiros. Vamos, temos umas
150 tortas quentes de veado para a refeição. Venham, cavalheiros, espero que possamos fazer todo o desentendimento descer com a bebida.

(Saem todos menos SLENDER.)

SLENDER

Eu preferia ter aqui meu livro de canções e sonetos do que quarenta shelins. *(Entra SIMPLE.)* Como é, Simple, onde é que andou? Então tenho de me servir eu mesmo? Você por acaso tão tem aí consigo
155 um livro de rimas, tem?

SIMPLE

Livro de rimas? Ora, o senhor não o emprestou a Alice Shortcake no Dia de Todos os Santos, quinze dias antes do Dia de São Miguel?

(Entram Shallow e Evans.)

SHALLOW
Venha logo, primo; estamos à sua espera. Uma palavra consigo, primo. Pela Virgem, primo: existe, por assim dizer, uma oferta, uma espécie de oferta, feita de longe aqui pelo Sir Hugh. Está me compreendendo?

SLENDER
Estou, senhor, e há de ver que sou razoável; se assim for, eu farei o que a razão mandar.

SHALLOW
Mas, compreenda.

SLENDER
Eu compreendo, senhor.

EVANS
Dê ouvidos a essas propostas. Mestre Slender, vou descrever o assunto para o senhor, se o senhor tiver capacidade para tanto.

SLENDER
Não, eu faço o que o meu primo Shallow disser. Peço perdão: ele é Juiz de Paz em sua terra, tão simplesmente quanto eu estou aqui.

EVANS
Mas a questão não é essa: a questão trata do seu casamento.

SHALLOW
Esse é o ponto, senhor.

EVANS
Isso mesmo, o próprio ponto – com a dona Anne Page.

SLENDER
Se for assim, eu caso com ela desde que as exigências sejam razoáveis.

EVANS
Mas pode afeiçoar-se à mulher? Nós precisamos ouvir para saber isso de sua boca ou de seus lábios; pois vários filósofos dizem que os lábios são parte da boca. Portanto, com precisão, será que vê a moça com bons olhos?

SHALLOW
Primo Abraham, é capaz de amá-la?

SLENDER

Eu espero, senhor, que eu venha a fazer como convém a alguém que age segundo a razão.

EVANS

Não, pelo nobres de Deus e suas damas! Tem de falar com positividade, se pode conduzir seus desejos na direção dela.

SHALLOW

É o que precisa. Será que, sendo bom o dote, se casa com ela?

SLENDER

Faço ainda mais do que isso, se o pedir, meu primo, dentro do razoável.

SHALLOW

Não, compreenda, doce primo: o que faço é para agradá-lo, primo. É capaz de amar a donzela?

SLENDER

Casarei com ela, senhor, a seu pedido; mas se não houver um grande amor no princípio, mesmo assim o céu poderá aumentá-lo com o conhecimento, quando estivermos casados, tendo mais oportunidades para nos conhecermos. Espero que a familiaridade traga contentamento; mas se disser "Case com ela", eu caso; a isso estou livremente dissolvido, de forma dissoluta.

EVANS

É uma resposta muito discreta; a não ser pelo escorregão na palavra "dissoluta"; a palavra é, segundo nossa compreensão, "resoluta". O sentido está bom.

SHALLOW

Sim, creio que meu primo tinha boa intenção.

SLENDER

Sim, e que seja enforcado, se assim não for!

SHALLOW

E lá vem a dona Anne. *(Entra ANNE PAGE.)* Quem me dera ser jovem, só por sua causa, dona Anne!

ANNE

O jantar está servido; meu pai requer a presença de suas senhorias.

SHALLOW

E eu o atenderei, linda dona Anne.

EVANS

Por Deus, que eu não ficarei ausente para dar graças.

(Saem SHALLOW e EVANS.)

ANNE

Sua senhoria não quer entrar, senhor?

SLENDER

Não, obrigado, verdade, de coração; estou muito bem aqui.

ANNE

205 O jantar o espera, senhor.

SLENDER

Não estou com fome, obrigado, verdade. *(Para SIMPLE.)* Vá, moleque; mesmo sendo meu criado, vá servir meu primo Shallow. *(Sai SIMPLE.)* Um Juiz de Paz de vez em quando pode ficar obrigado a um amigo por um criado. Eu tenho três homens e um menino, até minha mãe
210 morrer; mas seja como for, vivo como um cavalheiro que nasceu pobre.

ANNE

Eu não hei de entrar sem sua senhoria; eles não podem sentar-se enquanto o senhor não vier.

SLENDER

Por minha fé, não vou comer nada; mas agradeço como se comesse.

ANNE

215 Por favor, senhor, vamos andando.

SLENDER

Eu prefiro andar por aqui, obrigado. Machuquei a canela no outro dia lutando com espada e punhal com um mestre de esgrima – três toques contra um prato de ameixas cozidas – e, palavra, desde então não suporto o cheiro de carne. Por que seus cachorros latem tanto?
220 Há ursos aqui pela cidade?

ANNE

Creio que há um, senhor. Ouvi dizer.

SLENDER

É um esporte de que gosto bastante, porém brigo por ele tanto quanto qualquer homem na Inglaterra. A senhora tem medo quando vê um urso solto, não tem?

ANNE
225
Claro que sim.

SLENDER
Pois para mim é comida e bebida. Já vi Sackerson solto umas vinte vezes, e o peguei pela corrente; mas, eu lhe garanto, as mulheres gritavam e guinchavam tanto que era de cair o queixo; mas as mulheres de modo geral não os suportam; são umas coisas muito feias
230
e brutas.

(Entra PAGE*.)*

PAGE
Venha, gentil mestre Slender, venha; estamos à sua espera.

SLENDER
Não quero comer nada, obrigado.

PAGE
Por cobras e lagartos, não tem escolha, senhor: venha, venha.

SLENDER
Então faça o favor de ir na frente.

PAGE
235
Vamos, senhor.

SLENDER
Dona Anne, a senhora irá na frente.

ANNE
Eu, não, senhor; por favor, vá logo.

SLENDER
Palavra que não vou na frente; verdade verdadeira, não posso lhe fazer essa ofensa.

ANNE
240
Eu lhe imploro, senhor.

SLENDER
Prefiro ser mal educado do que criar caso. Mas a senhora está se ofendendo a si mesma, eu garanto.

(Saem.)

CENA 2

(Entram Evans e Simple.)

Evans
Vá logo, e procure a casa do doutor Caius, que fica no caminho; lá mora uma tal Madama Quickly, que é uma espécie de enfermeira dele; ou sua ama; ou sua cozinheira; ou sua lavadeira; ela o lava e torce.

Simple
Sim, senhor.

Evans
Melhor ainda. Entregue esta carta a ela; pois é uma mulher que conhece muito bem a dona Anne Page; e a carta é para desejar e pedir que ela solicite os desejos de seu amo à dona Anne Page. Por favor, vá logo. Eu vou acabar meu jantar; estão vindo umas maçãs com queijo.

(Saem.)

CENA 3

(Entram Falstaff, o Hospedeiro, Bardolph, Nym, Pistol e Robin.)

Falstaff
Senhor hospedeiro da Jarreteira!

Hospedeiro
O que quer, minha gralha do coração? Fale com erudição e sabedoria.

Falstaff
Na verdade, meu caro hospedeiro, tenho de dispensar alguns de meus seguidores.

Hospedeiro
Descarte, caro Hércules, despache: eles que se virem como puderem.

Falstaff
Meu aluguel é dez libras por semana.

Hospedeiro
O senhor é um imperador, César, Kaiser, Bufador. Eu fico com Bardolph; ele pode extrair e servir a cerveja. Falei bem, caro Heitor?

Falstaff
Faz muito bem, meu caríssimo hospedeiro.

HOSPEDEIRO

Já falei; ele que me siga. *(Para Bardolph.)* Quero ver se sabe espumar e aguar. Tem minha palavra. Venha comigo.

(Sai.)

FALSTAFF

Vá com ele, Bardolph. Botequineiro é bom ofício: O casaco velho vira colete novo, um servo velho um botequineiro novo. Vá, adeus.

BARDOLPH

É a vida tranquila que eu queria; vai dar certo.

FALSTAFF

Seu húngaro porcaria, vai virar manipulador de torneiras?

(Sai Bardolph.)

NYM

Ele foi concebido em bebida; não é esse o seu destino certo então?

FALSTAFF

Fico contente de me livrar do estopim; seus roubos estavam um tanto escancarados; seus golpes pareciam maus cantores, erravam o tom.

NYM

O golpe é roubar no segundo certo.

PISTOL

O nome certo é "surrupiar". "Roubar", que diabos levem essa palavra.

FALSTAFF

Pois é, senhores, eu não tenho mais nem sola.

PISTOL

Isso só dá em frieira.

FALSTAFF

Não há remédio; tenho de dar uma de vigarista; tenho de me virar de algum modo.

PISTOL

Corvo novo precisa comer.

FALSTAFF

Qual de vocês conhece um Ford, aqui na cidade?

Pistol

Eu conheço o tal; é bastante substancioso.

Falstaff

Meus honestos amigos, vou lhes contar o alcance de minhas preocupações.

Pistol

Umas duas jardas de circunferência.

Falstaff

Não é hora de brincadeira. Na verdade eu meço duas jardas de circunferência, mas tenho de apertar o cinto da economia. Em resumo, resolvi cortejar a mulher de Ford. Percebi que ela gosta de se divertir, ela ginga e dá umas olhadelas provocantes; para mim é fácil interpretar esses atos de familiaridade, e suas vozes passiva e ativa, que se traduzem por "Eu sou de Sir John Falstaff".

Pistol

Ele estudou o que ela quer, e transplantou o que ela quer... de castidade para o vernáculo.

Nym

Está pescando fundo: será que vai dar certo?

Falstaff

Consta que ela é quem controla os cordões da bolsa do marido; ele tem uma legião de anjos.[6]

Pistol

O que atrai muitos diabos; a ela, rapaz, a ela!

Nym

É esse o caminho; e é bom. Pois me encaminhe esses anjos.

Falstaff

Escrevi uma carta a ela; e aqui está uma outra para a mulher de Page, que ainda agora também me lançou umas boas olhadelas, examinando minhas partes com olhares criteriosos: às vezes o raio de seus olhos iam para meus pés, às vezes para minha portentosa pança.

Pistol

É sol a brilhar no estrume.

---

6 Algumas moedas inglesas eram cunhadas com um anjo, o que deu esse apelido. (N.T.)

Nym

Eu lhe agradeço por esse chiste.

Falstaff

Ela me percorreu o exterior com intenções de tal modo gananciosas que o apetite de seus olhos parecia me queimar como uma lente! Eis a carta para ela, que também controla a bolsa: ela é uma Guiana, toda de ouro e prodigalidade. Eu engano as duas, e elas passam a ser os meus tesouros: serão minhas Índias Orientais e Ocidentais, e hei de comerciar com as duas. Vá levar esta carta à comadre Page; enquanto você leva esta à comadre Ford; estamos feitos, rapazes, estamos feitos.

Pistol

Hei eu de ser Sir Pandarus de Troia,
E vestir armadura? Viva Lúcifer!

Nym

Não gosto de comportamentos vis. Leve você a carta amorosa; prefiro guardar minha reputação.

Falstaff

(Para Robin.)
Menino, pegue com cuidado as cartas;
Veleje leve pras praias douradas.
Calhordas, fora; sumam, vão-se embora;
Manquem, cavalguem, busquem proteção!
Falstaff vai ver como se brilha agora;
Economia, cães; fico eu e o pajem.

(Saem Falstaff e Robin.)

Pistol

Que os corvos o devorem, dados falsos
Com números enganam rico e pobre;
Terei moedas quando você não,
Canalha turco frígio!

Nym

'Stou maquinando humores vingativos.

Pistol

Vai se vingar?

Nym

Pelo céu e suas estrelas!

Pistol

Com espírito ou aço?

Nym

Com todos dois irei: vou conversar com Ford sobre esse humor amoroso.

Pistol

E a Page eu vou contar
Que Falstaff, esse canalha
Bolsa e mulher vai roubar
Manchando o sofá de palha.

Nym

Meus humores não hão de esfriar; esquento Ford com veneno; o deixo amarelo de ciúme, pois a minha revolta é perigosa. Assim é que eu sou, de verdade.

Pistol

Você é o Marte dos Descontentes. Eu o apoio: vamos em frente.

(Saem.)

CENA 4
(Entram Madama Quickly e Simple.)

Quickly

Olá, John Rugby! *(Entra Rugby.)* Por favor, vá até a janela e veja se pode ver se meu patrão, o mestre doutor Caius, já está chegando. Se estiver, e encontrar alguém na casa, vai ser um horror de abuso da paciência de Deus e da nossa língua.

Rugby

Já vou ver.

Quickly

Vá; e em paga tomamos um traguinho de noite, depois que o fogo de carvão se apagar. *(Sai Rugby.)* É o sujeito mais honesto, serviçal e bondoso que já vi nesta casa; palavra que nem faz intriga nem cria caso. Seu maior defeito é ser dado a rezas; nisso ele é meio irritante; mas ninguém é sem defeitos; deixe para lá. Então disse que seu nome é Peter Simple?

Simple

É, por falta de outro.

QUICKLY

E o mestre Slender é seu amo?

SIMPLE

Isso mesmo.

QUICKLY

Ele não usa uma barba redonda enorme, parecendo faca de raspa de luveiro?

SIMPLE

Nada disso: ele tem uma carinha pequenina, com uma barbicha amarela – uma barba cor de Cain.

QUICKLY

Como homem, mais para suave, não é?

SIMPLE

Sim, senhora, mas tão valente quanto qualquer medroso: já lutou com um ladrão de coelhos.

QUICKLY

Não diga? – Mas acho que me lembro dele: não anda com a cabeça empinada, e todo se pavoneando?

SIMPLE

Ele é assim mesmo.

QUICKLY

Bem, que o céu não mande destino ainda pior à dona Anne Page! Diga ao mestre pastor Evans que faço o que puder por seu patrão: Anne é uma boa moça, e eu queria...

(Entra RUGBY.)

RUGBY

Fora, depressa, aí vem meu amo.

QUICKLY

Vamos todos ser xingados. Entre aqui, rapaz *(SIMPLE entra no quarto.)* Olá, John Rugby! John! Olá, John! Vá logo, John, saber do meu patrão: não deve estar muito bem, pois não vem para casa. *(Cantando.)* E lá vai ele, e vai, e vai...

(Entra o DOUTOR CAIUS.)

CAIUS

Está cantando o quê? Não gosto dessas alegrias. Vá pegar no meu quarto uma *boitine* verde – uma caixa, uma caixa verde. Entende o que eu digo? Uma cai-xa ver-de.

QUICKLY

Está certo; já vou buscar. *(À parte.)* Que bom que ele não foi em pessoa: se encontrasse o rapaz ia ficar maluco dos cornos.

CAIUS

Fe, fe, fe, fe, ma foi, il fait fort chaud. Je m'em vais voir à la court la gran de affaire.

QUICKLY

É esta aqui, senhor?

CAIUS

Oui, mette le au mon pocket: dépêche; depressa. Onde está o safado do Rugby?

QUICKY

Olá, John Rugby! John!

RAGBY

Aqui estou, patrão!

CAIUS

Você é John Rugby e Jack Rugby também. Vamos, pegue seu punhal e siga-me nos calcanhares até a corte.

RUGBY

Está tudo pronto, lá na entrada.

CAIUS

Raios, que estou demorando muito. Deus que me ajude, *que ai je oublié?* Há uns remédios no meu quarto que por nada deste mundo hei de deixar para trás.

QUICKLY

Ai, ai, ele vai ver o rapaz lá, e ficar fulo de raiva.

CAIUS

O diable, diable! Quem é no meu quarto? Safadeza, *larron!* *(Puxando* SIMPLE *para fora.)* Rugby, o meu punhal!

QUICKLY

Amo, fique calmo.

CAIUS

E por que haveria de ficar calmo?

QUICKLY

O rapaz é honesto.

CAIUS

O que faz o rapaz honesto no meu quarto? Não há rapaz honesto que entre no meu quarto.

QUICKLY

Eu lhe imploro, não seja tão fleumático. Escute a verdade: ele veio me procurar a mandado do pastor Hugh Evans.

CAIUS

E daí?

SIMPLE

É verdade; ele queria que ela...

QUICKLY

Cale-se, por favor.

CAIUS

Segure essa língua. *(Para SIMPLE.)* Fale aí a sua história.

SIMPLE

Queria que essa fidalga honesta, a sua criada, dissesse uma boa palavra a dona Anne Page em favor de meu amo, a respeito de casamento.

QUICKLY

Foi só isso, eu garanto, mas eu não sou de meter minha mão no fogo, mas não mesmo.

CAIUS

Sir Hugh o mandou? Rugby, me arranje um papel. Espere aí um pouco. *(Escreve.)*

QUICKLY

(À parte, para SIMPLE.)
Ainda bem que ele está tão calmo: se ficasse mesmo aborrecido, ia ficar aos gritos de melancolia. Mas mesmo assim, homem, farei por seu amo o que puder; e para falar claro, o médico francês, meu amo

– posso chamá-lo de meu amo, pois tomo conta de sua casa; e lavo, enxugo, destilo, asso, esfrego, tempero carne e bebida, faço as camas, e tudo sozinha...

SIMPLE

(À parte, para QUICKLY.)
É carga demais para cair nas mãos de um só...

QUICKLY

(À parte, para SIMPLE.)
Percebeu? Pois há de achar que é muita carga, mesmo; é levantar cedo e deitar tarde; mas mesmo assim – eu lhe digo isso no ouvido, e não pode contar a ninguém – o meu próprio amo está apaixonado por dona Anne Page; mas, assim mesmo, eu sei o que Anne pensa – e tanto faz quanto tanto fez.

CAIUS

Moleque tonto, entregue esta carta a Sir Hugh; por Deus que é um desafio. Eu lhe cortarei a garganta no Parque, e ensinarei esse pastor vagabundo a se meter e intrigar. Pode ir; não adianta ficar aqui. Por Deus que o corto em duas pedras; por Deus que não vai sobrar uma pedra para ele jogar em seu cão.

(Sai SIMPLE.)

QUICKLY

Coitado, ele só estava falando pelo amigo.

CAIUS

Isso pouco me importa; a senhora não me disse que eu teria Anne Page para mim? Juro por Deus que eu mato esse padre de meia-tigela; tenho hora marcada com o dono da Jarreteira para medir nossas armas. Juro por Deus que vou ficar com Anne Page para mim.

QUICKLY

Senhor, a donzela o ama, e tudo vai dar certo. Deixe os outros falarem: este ano é nosso!

CAIUS

Rugby, venha à corte comigo. *(Para RUGBY.)* Juro por Deus que se não tiver para mim Anne Page ponho sua cabeça para fora da minha porta. Venha atrás dos meus calcanhares, Rugby.

QUICKLY

O senhor há de ... *(Saem CAIUS e RUGBY.)* ... fazer papel de bobo, e sozinho. Não, eu sei o que Anne tem na cabeça; não há mulher em Windsor que conheça melhor a cabeça de Anne do que eu, nem que possa fazer com ela mais do que eu, graças a Deus.

Fenton

(De fora.)
Há alguém em casa?

Quickly

Quem será que está aí? Chegue mais perto da casa, por favor.

(Entra Fenton.)

Fenton

Então, boa amiga, como está passando?

Quickly

Melhor por sua senhoria querer perguntar.

Fenton

O que há de novo? Como vai a linda dona Anne?

Quickly

É verdade, senhor, e ela é bonita, e honesta, e suave, e uma sua amiga... Isso eu lhe digo sem que pergunte, e dou graças aos céus por isso.

Fenton

Será que eu vou ter sucesso? Será que não será em vão a minha corte?

Quickly

Na verdade, senhor, tudo está nas mãos Dele lá no céu; mas apesar disso, mestre Fenton, eu juro em qualquer livro que ela o ama. O senhor não tem uma verruga acima de um olho?

Fenton

Ora essa, tenho; e daí?

Quickly

Ora, daí toda uma história. Palavra, é uma não tão especial; mas, perjuro, uma donzela das mais honestas que vivem; nós falamos uma hora sobre essa verruga... Nunca rio tanto quanto na companhia dessa moça!... mas, na verdade, ela é dada a muita alicolia e pensação; mas quanto ao senhor... agora chega.

Fenton

Bom, eu hei de vê-la hoje. Eis aqui um dinheiro para você; não deixe de falar a meu favor; se a vir antes de mim, recomende-me.

Quickly

E não? Claro que sim; e vou falar ao senhor muito mais sobre a verruga na próxima vez que conversarmos; e dos outros apaixonados também.

Fenton

Bem, adeus. Estou com muita presa agora.

Quickly

E o senhor passe bem. *(Sai Fenton.)* Palavra que é um cavalheiro honesto... porém Anne não o ama; pois eu sei tão bem o que ela pensa quanto qualquer um. Ora essa, o que foi que esqueci?

(Sai.)

ATO 2

CENA 1
(Entra a Comadre Page, com uma carta.)

Comadre Page
Então eu escapei das cartas de amor no auge da minha beleza, para agora ser sujeitada a elas? Deixa-me ver. *(Lê.)* "Não me pergunte por que a amo, pois embora o Amor use Razão para orientá-lo, não a admite como conselheira. A senhora não é jovem, e nem eu; veja que isso já é simpatia. É alegre, e eu também; há, há, mais simpatia. Gosta de vinho, e eu também; pode-se querer mais simpatia? Que lhe baste, comadre Page – pelo menos se o amor de um soldado bastar – que eu a ame. Não pedirei sua piedade – não é coisa que soldado diga – mas digo que me ame. Assino-me
   Seu verdadeiro cavaleiro,
   Noite ou dia,
   À luz que guia
   Com a valentia
   Por si porfia

John Falstaff
Mas que Herodes da Judeia é esse? Mas que mundo malvado: ele está quase caindo aos pedaços de velho, a querer parecer jovem galante! Que comportamento desatinado descobriu esse bêbado flamengo – com os diabos – na minha conversa para ousar me atacar desse jeito? Só o vi umas três vezes! O que terei dito a ele? Fui frugal em meus chistes. Que o céu me perdoe! Vou propor uma lei no parlamento para a supressão dos homens. Como hei de me vingar? Pois hei de me vingar, tão certo quanto as tripas dele são feitas de pudim.

(Entra a Comadre Ford.)

Comadre Ford
Comadre Page! Imagine só, eu ia mesmo à sua casa.

Comadre Page
E acredite que eu estava indo à sua. Mas está com mau aspecto.

Comadre Ford
Nada disso; e tenho o que há de provar-lhe o contrário.

Comadre Page
Está bem; mas a mim, parece.

COMADRE FORD
Então estou; mas, como disse, posso provar-lhe o contrário. Comadre Page, faça o favor de me dar um conselho!

COMADRE PAGE
O que houve, mulher?

COMADRE FORD
Mulher, se não fosse por um detalhezinho de respeito, poderia ser tão honrada!

COMADRE PAGE
Deixe o detalhe para lá, mulher, e agarre a honra.
Qual é? Esqueça o detalhe... qual é?

COMADRE FORD
Se eu me dispusesse apenas a ir para o inferno por toda a eternidade, poderia virar cavalheira.

COMADRE PAGE
O quê? Está mentindo! Sir Alice Ford? Essa história de cavaleiro está desmoralizada; não vale a mudança de classificação.

COMADRE FORD
É perda de tempo. Olhe, leia aqui: veja como eu poderia ser cavalheirada. Vou pensar mal dos gordos enquanto tiver olhos para ver a forma dos homens; pois ele garante que aprecia a modéstia na mulher, e enuncia com tanta ordem e comportada condenação de tudo o que é malfeito que dava para eu jurar que ele sentia a verdade de suas palavras; mas elas não se juntam nem se acertam mais do que cantar os cem Salmos com a melodia de "Greensleeves". Eu me pergunto que tempestade arrastou essa baleia, com tantas toneladas de óleo na barriga para a terra em Windsor? Como hei de me vingar dele? Creio que o melhor meio é dar-lhe esperanças até que o maldito fogo de seu desejo o derreta em sua própria banha. Já ouviu alguma coisa parecida?

COMADRE PAGE
Letra por letra, a não ser por serem diferentes os nomes Page e Ford! Para o seu consolo nesse mistério dos maus conceitos, aqui está a irmã gêmea da sua carta; mas que a sua seja a primogênita, pois a minha não há de querer tal herança. Garanto que eles tem mil dessas cartas, escritas deixando um espaço em branco para os vários nomes – não, mais ainda – e que estas já são da segunda edição. Sem dúvida ele manda imprimir, e pouco lhe importa quem exprime, já que inclui nós duas: eu preferia ser uma gigante, e ficar debaixo do

Monte Pelion. Bom, é mais fácil encontrar vinte tartarugas devassas que um homem casto.

COMADRE FORD

60 Mas são perfeitamente iguais; a letra e as palavras. O que pensa ele de nós?

COMADRE PAGE

Eu sei lá: me dá vontade até de brigar com minha própria honestidade. Vou me comportar como alguém que nem sequer conheço; pois com certeza que, a não ser que ele conheça algum veio em mim que
65 eu mesma desconheça, jamais me abordaria com tal fúria.

COMADRE FORD

Você chama de "abordaria"? Vou providenciar para que ele não desça abaixo do convés.

COMADRE PAGE

Eu também: se atingir a linha d'água, jamais irei para o mar de novo. Vamos nos vingar dele: vamos marcar um encontro, fingir que rece-
70 bemos bem sua corte, mas sem deixar que morda a isca até que já tenha empenhado seus cavalos com o dono da hospedaria.

COMADRE FORD

Isso mesmo; eu concordo em armar qualquer vilania contra ele desde não manche a pureza de nossa honestidade. Se meu marido visse esta carta, tinha alimento eterno para os seus ciúmes.

COMADRE PAGE

75 Ora, lá vem ele, e com meu cara metade também. Este é tão livre de ciúmes quanto eu de lhe dar causa para tê-los; o que espero que essa seja uma liberdade sem limites.

COMADRE FORD

Você é que é feliz.

COMADRE PAGE

Conversamos depois sobre o cavaleiro banhudo. Chegue para cá.

(Elas se afastam)
(Entra FORD, com PISTOL, PAJEM e NYM.)

FORD
80 Eu espero que não seja nada disso.

PISTOL

Esperança às vezes é cão capado:
Sir John, senhor, está de olho em sua mulher.

FORD

Ora essa, minha mulher não é mais jovem.

PISTOL

Tanto faz alta e baixa, rica e pobre.
Jovens e velhas, qualquer uma, Ford;
Gosta de misturar; cuidado, Ford.

FORD

Ele ama minha mulher?

PISTOL

Com o fígado em fogo. Ou evite,
Ou passe a andar, como Acteon,
Perseguido por cães.
É um nome odioso!

FORD

Que nome, senhor?

PISTOL

Chifre, senhor. Adeus.
Cuidado; alerta; ladrão anda de noite:
Saiba que o cuco é no verão que canta.
Vamos, Senhor Cabo Nym! – Acredite, Page, que ele está falando sério.

(Sai.)

FORD

(À parte.)
Com paciência eu descubro tudo.

NYM

(Para PAGE.)
É tudo verdade. Não tenho humor mentiroso. Ele me ofendeu em outros humores. Era para eu levar a carta apaixonada para ela; mas eu tenho uma espada, que morde quando eu preciso. Ele ama a sua mulher, a verdade é essa. Meu nome é cabo Nym; eu falo e confirmo; é verdade: meu nome é Nym, e Falstaff ama sua mulher. Fico de mau humor quando passo a pão e manteiga.

PAGE

Acha que assim é "humor"; faz a língua perder o sentido, de susto.

FORD
105 Vou procurar Falstaff.

PAGE
Nunca vi um malandro falar tão mole e afetado.

FORD
Se não encontrar.... bem.

PAGE
Não vou acreditar num cataiano[7] desses, nem que o pároco da cidade me garanta que ele seja honesto.

FORD
110 Até que parecia um sujeito sensato.

PAGE
Então, Meg?

(COMADRE PAGE e COMADRE FORD *se adiantam.*)

COMADRE PAGE
Onde está indo, George? Escute aqui.

COMADRE FORD
O que há, meu doce Frank; por que toda essa melancolia?

FORD
Melancólico? Eu? Não estou melancólico. Vá para casa, vá.

COMADRE FORD
115 Palavra que sua cabeça parece cheia de nós. Vamos, comadre Page?

COMADRE PAGE
Já estou indo. Você vem jantar, George? *(À parte para a* COMADRE FORD.*)* Veja quem vem lá; ela será nossa mensageira para o cavaleiro tratante.

COMADRE FORD
(À parte para a COMADRE PAGE.*)*
Garanto que já tinha pensado nela: vai servir muito bem.

(Entra a MADAMA QUICKLY.*)*

COMADRE PAGE
Veio ver minha filha Anne?

---

7 Cataiano, de Catai, antigo nome da China. Aos chineses cabia a fama de mentirosos. (N.T.)

QUICKLY

Isso mesmo; diga-me, como vai passando a dona Anne?

COMADRE PAGE

Venha conosco para ver; podemos ter uma boa hora de conversa.

(Saem COMADRE PAGE, COMADRE FORD e MADAMA QUICKLY.)

PAGE

E então, mestre Ford?

FORD

Escutou o que aquele canalha disse, não escutou?

PAGE

Claro; e não escutou o que o outro canalha me disse?

FORD

E acha que algum dos dois diz a verdade?

PAGE

Que morram ambos: não creio que o cavaleiro chegasse a tentar. Mas os que o acusam são um par de sujeitos despedidos por ele; uns vagabundos, agora que estão sem emprego.

FORD

Mas eram empregados dele?

PAGE

Claro que eram.

FORD

Não fica nada melhor por isso. Ele está hospedado na Jarreteira?

PAGE

Está. Se pretende viajar na direção da minha mulher, dou a cabeça que a solto em cima dele, e aposto que dela ele não arranca mais que uma boa xingação.

FORD

Não duvido de minha mulher; mas não gostaria de ver os dois juntos; é possível ter confiança demais; Prefiro que não apareça nada na minha cabeça; não estou satisfeito assim.

PAGE

Lá vem o falastrão do dono na hospedaria; alegre assim, está com bebida na cabeça ou dinheiro no bolso. *(Entra o Hospedeiro.)* Como passa, caro Hospedeiro?

Hospedeiro
Como vai, meu camarada? O senhor é um cavalheiro.... Cavaleiro Juiz, olá!

(Entra Shallow.)

Shallow
Estou indo, Hospedeiro, estou indo. Muitas boas tardes, mestre Page! Mestre Page, não quer vir conosco? Vamos ter uma boa brincadeira.

Hospedeiro
Conte a ele, Cavaleiro Juiz; conte, camarada.

Shallow
Senhor, vai haver uma luta entre Sir Hugh Evans, o pastor galês, e Caius, o médico francês.

Ford
Caro patrão da Jarreteira, uma palavra.

(Afasta-o para um lado.)

Hospedeiro
O que deseja, camarada?

Shallow
(Para Page.)
Não quer ir ver, conosco? Aqui o bravo hospedeiro é quem vai medir as armas dos dois, e, segundo penso, marcou locais diferentes para eles; pois, acredito, ouvi dizer que o pastor não é de brincadeira. Vou lhe contar qual vai ser a nossa brincadeira.

(Conversam afastados dos outros.)

Hospedeiro
O senhor não tem nenhuma queixa contra o cavaleiro, meu hóspede?

Ford
Nenhuma, eu lhe garanto; mas lhe darei um garrafão de vinho se me obtiver acesso a ele, dizendo que meu nome é Brook – por brincadeira.

Hospedeiro
Eis minha mão, amigo; terá egresso e ingresso – gostou dos termos?

– e seu nome será Brook. É um cavaleiro muito alegre. – Vamos, então, Anheers?⁸

SHALLOW

160 Quando quiser, caro Hospedeiro.

PAGE

Ouvi dizer que o francês é muito hábil com o punhal.

SHALLOW

Tolice, eu lhe poderia dizer mais. Nessas ocasiões se depende da distância, dos passes, estocadas, e não sei mais o quê. Já houve tempo em que minha espada comprida teria feito os senhores quatro correrem como ratos.

165

HOSPEDEIRO

O que é isso, rapazes; vamos ficar falando?

PAGE

Às suas ordens. Eu prefiro ouvir os dois trocando ofensas do que lutando.

(Saem HOSPEDEIRO, SHALLOW e PAGE.)

FORD

Embora Page seja um tolo confiante, e fique tão firme sobre a fraqueza de sua mulher, eu não consigo afastar esses pensamentos com tanta facilidade: ela esteve na companhia dele na casa de Page; e o que lá fizeram eu não sei. Pois bem, vou investigar mais a coisa, e já inventei um disfarce para sondar Falstaff. Se constatar que ela é honesta, perco meu trabalho; mas de outro modo será trabalho muito bem aproveitado...

170

175

(Sai.)

CENA 2
(Entram FALSTAFF e PISTOL.)

FALSTAFF

Eu não lhe empresto um *penny*.

PISTOL

Então o que me resta é a ostra do mundo, que eu hei de abrir com a minha espada.

---

8 O termo não tem explicação, senão uma possível deformação do "myn heers" holandês. (N.T.)

Falstaff

Nem um *penny*. Eu concordei, senhor, que usasse minha figura para o empenho; me amolei junto a bons amigos para conseguir três suspensões de pena para você e seu comparsa Nym – pois de outro modo estariam atrás das grades, como um par de babuínos; estou condenado ao inferno por jurar a amigos meus que vocês eram bons soldados e sujeitos sérios. E quando a senhora Bridget perdeu o cabo do leque, empenhei minha honra afirmando que ele não estava com vocês.

Pistol

E você não ficou com sua parte? Não levou quinze *pence*?

Falstaff

O que era justo, safado? Pensa que ponho minha alma em perigo grátis? Em resumo, pare de ficar pendurado em mim, porque eu não sou sua forca. Ladrãozinho fácil – vá para a sua Casa de Tolerância, vá! Então não entrega a minha carta, calhorda? E fala em honra? Ora, vileza ilimitada, eu mal consigo me conter nos termos precisos de minha honra: eu, eu mesmo, por vezes, afastando para a esquerda o temor de Deus, e esconde minha honra por necessidade, sou obrigado a escorregar, hesitar, cambalear; e no entanto você, safado, se protege nos seus andrajos, sua cara de tigre, sua linguagem de taverna, e suas blasfêmias, sob a proteção da sua honra? Não quer levar, não é?

Pistol

Eu concordo; o que mais há de querer de um homem?

(Entra Robin.)

Robin

Tem uma mulher aí querendo falar com o senhor.

Falstaff

Que ela se aproxime.

(Entra a Madama Quickly.)

Quickly

Bom dia a suas senhorias.

Falstaff

Bom dia, minha senhora.

Quickly

Nada disso, se me faz favor.

Falstaff

Minha donzela, então.

Quickly

Eu juro – como era a minha mãe, na hora em que nasci.

Falstaff

Eu acredito em quem jura. O que deseja?

Quickly

Será que pode conceder uma palava ou duas comigo?

Falstaff

Eu concedo duas mil para ouvi-la, mulher.

Quickly

Há uma comadre Ford, senhor – chegue um pouco mais perto – eu mesma resido com o mestre doutor Caius...

Falstaff

Muito bem; a comadre Ford, dizia...

Quickly

Sua senhoria diz a verdade. – Por favor, venha um pouco mais aqui para o lado.

Falstaff

Eu garanto que não há ninguém ouvindo. É gente minha, gente minha.

Quickly

Ah, é? Que o céu os abençoe, e os faça seus servidores!

Falstaff

Bem, a comadre Ford... o que tem ela?

Quickly

Ora, senhor, é boa pessoa. Senhor! Senhor! Sua senhoria é um devasso! Bem, que o céu perdoe a todos nós, é o que peço.

Falstaff

A comadre Ford; vamos, a comadre Ford.

Quickly

Ora, em poucas palavras a história é essa: o senhor a deixou atrovoada que é um assombro. Nem o melhor dos cortesãos, quando a corte estava em Windsor, a deixou tão atrovoada. Eram cavaleiros, lordes, e fidalgos, com carruagens – eu lhe garanto, coche após coche, carta após carta, presente após presente – tudo cheirando bem, tudo muscado, tudo farfalhante, eu juro, em seda e ouro, e termos tão aligantes, e tanto vinho e açúcar do melhor e do mais bonito, pois dela não tiravam nem uma piscadela; ainda hoje de manhã um deles me deu vinte anjos; mas que me importam anjos – desse tipo, como se diz – a não ser por meios honestos; pois juro que dela não conseguiram nem que bebesse um golinho com o mais importante deles todos, mas teve até conde, e até mesmo pensionistas, mas juro que para ela era tudo a mesma coisa.

FALSTAFF

Mas o que diz ela de mim? Diga logo, minha boa Mercúria.

QUICKLY

Pois ela recebeu sua carta; pela qual lhe agradece mil vezes; e manda a avisá-lo que o marido estará fora de casa entre as dez e as onze.

FALSTAFF

As dez e as onze.

QUICKLY

Isso mesmo, e que então o senhor poderá vir e ver o retrato o senhor sabe do quê; o mestre Ford, seu marido, não estará em casa. Ai, ai, a pobre leva uma vida dura com ele: ele é muito ciumento; ela leva uma vida muito destroçada com ele, a doce coitadinha.

FALSTAFF

As dez e as onze. Mulher, recomende-me a ela, e diga que eu não faltarei.

QUICKLY

Muito bem dito. Mas tenho outro recado para sua senhoria: a comadre Page lhe manda as maiores salvações também; e deixe que eu lhe diga isso no ouvido, ela é uma esposa de muitas fartudes e decência, que não perde reza de manhã nem de noite, mais que qualquer outra em Windsor, seja quem for; e me pediu que dissesse à sua senhoria que o marido dela raramente sai de casa, mas que espera que apareça uma hora. Nunca vi mulher tão boba por um homem; acho que o senhor deve usar uns encantamentos, fora de brincadeira.

FALSTAFF

Eu lhe garanto que, a não ser pelos atrativos de minhas várias partes, não tenho outros encantos.

QUICKLY

Abençoado seja seu coração por isso.

FALSTAFF

Mas diga-me, por favor: a mulher de Ford e a mulher de Page contaram uma à outra o amor que sentem por mim?

QUICKLY

Era só o que faltava! Elas não são assim tão bobas; ia ser muito engraçado! Mas a comadre Page pede que o senhor lhe mande seu pajem, como prova de amor: seu marido sente uma grande infecção pelo pajemzinho; e na verdade o mestre Page é um homem honesto. Não há mulher em Windsor que tenha vida melhor do que a dela; faça o que quiser, diga o que disser, aceita tudo, paga tudo, ela se deita na hora que quer, tudo é pela vontade dela; e ela merece; pois se há uma mulher boa em Windsor, é ela. O senhor precisa mandar seu pajem sem falta.

FALSTAFF

Claro que mando.

QUICKLY

Não, mande mesmo, porque ele poderá levar e trazer entre os dois; e precisam também ter uma senha, para que saibam um o que pensa o outro, sem que o menino compreenda nada; pois não é certo que criança saiba de maldades; já os velhos, como sabe, conhecem o mundo e compreendem.

FALSTAFF

Passe bem; recomende-me às duas. Tome a minha bolsa; ainda fico seu devedor. Menino, siga com esta senhora. *(Saem MADAMA QUICKLY e ROBIN.)* Essas novidades me deixaram tonto.

PISTOL

A rameira é correio de Cupido.
Ice as velas, ataque; vá à luta!
Atire! Ela é meu butim, se não afunda!

(Sai.)

FALSTAFF

É assim, velho Jack? Preciso apreciar mais o meu corpo. Elas o querem? Será que depois de gastar tanto agora é hora do lucro? Meu bom corpo, obrigado. Deixem que digam que ele é mal feito; se o que traz é bom, não importa.

(Entra Bardolph.*)*

Bardolph

Sir John, há um tal mestre Brook aí embaixo, que lhe quer falar e conhecê-lo; e mandou a sua senhoria uma garrafa de vinho.

Falstaff

Seu nome é Brook?

Bardolph

Sim, senhor.

Falstaff

110 Mande-o entrar. *(Sai* Bardolph.*)* Qualquer rio que corra com vinho, para mim é bem-vindo.[9] Ah, comadre Ford e comadre Page, com que então eu as conquistei? Pois vamos em frente!

(Entra Bardolph, *com* Ford *disfarçado.)*

Ford

Abençoado seja, senhor.

Falstaff

E o senhor também deseja falar comigo?

Ford

115 Tive a ousadia de me impingir ao senhor com tão pouca preparação.

Falstaff

É bem-vindo. O que deseja? – Com a sua licença, copeiro.

(Sai Bardolph.*)*

Ford

Senhor, sou um cavalheiro que já gastou muito; meu nome é Brook.

Falstaff

Caro mestre Brook, gostaria de estabelecer boas relações com o senhor.

Ford

120 Bom Sir John, eu é que anseio pelas suas; não para lhe trazer despesa, pois deve compreender que me julgo em melhores condições para emprestar do que o senhor se encontra – o que me estimulou a ter a ousadia desta intrusão; pois dizem que quando o dinheiro vai na frente, todos os caminhos se abrem.

---

9 "Brook" quer dizer riacho. (N.T.)

FALSTAFF
O dinheiro é bom soldado, e vai avante.

FORD
Verdade, e eu trago comigo um saco de dinheiro que me pesa; se me ajudar a carregá-lo, Sir John, peço que aceite a metade, ou tudo, Por me aliviar da carga.

FALSTAFF
Senhor, não sei como posso merecer ser seu carregador.

FORD
Pois eu lhe direi, senhor, se me der ouvidos.

FALSTAFF
Fale, mestre Brook, que ficarei feliz em servi-lo.

FORD
Senhor, sei que é um estudioso – serei breve ao falar – e desde há muito que o conheço, embora jamais tenha tido o ensejo de entrar em contato com o senhor. Vou revelar-lhe uma coisa, com o que devo deixar à mostra minha própria imperfeição; porém, meu bom Sir John, quando lançar um olhar às minhas loucuras, ao ouvi-las sendo reveladas, compare-as a um catálogo das suas próprias, para que minha reprovação seja mais leve, já que o senhor sabe, pessoalmente, o quão fácil é praticar tais ofensas.

FALSTAFF
Muito bem, senhor; adiante.

FORD
Existe uma dama nesta cidade – o nome de seu marido é Ford.

FALSTAFF
Muito bem, senhor.

FORD
Há muito tempo que a amo, eu lhe confesso, a ela tenho dado muito; seguido-a com adorador respeitoso; colecionado oportunidades para encontrá-la; pago por todas as mais tênues oportunidades aptas a conseguir tê-la por segundos ante meus olhos; não só tenho comprado inúmeros presentes para mimoseá-la, como dado generosamente aos capazes de saber o que ela gostaria que lhe fosse dado: em resumo, tenho-a perseguido como o amor a mim persegue, o que se dá nas asas de toda e qualquer ocasião. Mas por tudo o que tenho merecido, por minha mente ou meios, recompensas, por certo, não recebi

nenhuma, a não ser que a experiência seja alguma joia, que eu comprasse a preço altíssimo, e que me tivesse ensinado a dizer o seguinte:
O amor, sombra, foge do sólido no amor;
Persegue o que foge, foge ao perseguidor.

FALSTAFF
155   Não teve de suas mãos promessa alguma de satisfação?

FORD
Nunca.

FALSTAFF
Acaso a importunou com esse objetivo?

FORD
Nunca...

FALSTAFF
Mas que espécie de amor é o seu, então?

FORD
160   De uma bela casa construída em terreno alheio, de modo que perdi o edifício por me enganar no local onde a construí.

FALSTAFF
E com que objetivo me revelou tudo isso?

FORD
Quando eu lho disser, já saberá de tudo. Dizem alguns que embora ela me pareça honesta, com outros se mostra alegre ao ponto de se
165   poder fazer mau juízo dela. Então, Sir John, eis o âmago de meu objetivo: o senhor é um cavalheiro de fina educação, discurso admirável, largo trânsito, autêntico de posto e pessoa, largamente aplaudido por seu preparo para guerra, corte e erudição.

FALSTAFF
Ora, senhor...

FORD
170   Creia-me, pois bem o sabe. Aí tem dinheiro; gaste-o. Gaste-o, e gaste ainda mais; gaste tudo o que tenho, porém conceda-me de seu tempo apenas o necessário para fazer um cerco amigável à honestidade da mulher de Ford. Use a sua arte da sedução; ganhe o seu consentimento para si; se há homem que o possa, o senhor o pode mais do
175   que qualquer um.

FALSTAFF

E combina bem com a veemência de sua afeição que eu conquiste aquilo do que o senhor há de gozar? A mim parece que o senhor encontrou para si mesmo uma receita muito esquisita.

FORD

Compreenda o que digo: ela confia com tamanha firmeza na excelência de sua honra que a loucura da minha alma não ousa sequer mostrar-se; ela brilha demais para poder ser encarada diretamente. Mas se me fosse possível aproximar-me dela com algum indício de desvio em mãos, meus desejos teriam sinais e argumentos que os estimulassem; eu poderia então afastá-la da barreira de sua pureza, sua reputação, seus votos matrimoniais, e mil outras defesas que agora estão tão fortemente armadas contra mim. O que diz a isso, Sir John?

FALSTAFF

Mestre Brook, primeiro, eu hei de aproveitar o seu dinheiro; a seguir, dê-me sua mão; e por último, por minha condição de cavalheiro, o senhor há de gozar, se o quiser, da mulher de Ford.

FORD

Meu bom senhor!

FALSTAFF

Garanto que há.

FORD

Não lhe faltará dinheiro, Sir John; não lhe faltará.

FALSTAFF

Não lhe faltará a comadre Ford. Mestre Brook, não lhe faltará nada. Eu estarei com ela, posso informá-lo, por compromisso próprio; no próprio momento em que chegou, a ajudante dela, ou alcoviteira, deixou-me: digo-lhe que estarei com ela entre as dez e as onze; pois a essa hora o ciumento canalha safado do marido dela irá sair. Venha procurar-me à noite, e eu lhe direi como me saí.

FORD

Sinto-me abençoado por conhecê-lo. Conhece Ford por acaso, senhor?

FALSTAFF

Que se enforque o pobre cornudo, não o conheço. Mas o calunio quando digo pobre: dizem que o calhorda do ciumento chifrudo tem pilhas de dinheiro, razão pela qual sua mulher me parece atraente. Pretendo usá-la como chave do cofre do cornudo, como coroação da minha colheita.

FORD
Gostaria que conhecesse Ford, senhor, para que o evitasse ao vê-lo.

FALSTAFF
Que se enforque o porcaria do safado barato! Eu o enlouqueço só com o olhar; hei de assustá-lo com meu chicote, que há de ficar pendurado como um meteoro nos chifres do cornudo. Mestre Brook, irá ver como predomino sobre o camponês, e o senhor há de deitar-se com sua mulher. Venha cedo ver-me à noite. Ford é um safado, e eu hei de agravar a sua fama; o senhor, mestre Brook, o conhecerá como safado e corneado. Venha ver-me cedo, à noite.

(Sai.)

FORD
Mas que devasso maldito e safado é esse? Meu coração está estourando de impaciência. Quem diz que isto seja ciúme sem sentido? Minha mulher se comunicou com ele, marcou a hora, o encontro está firmado. Que homem espera isso? Conhecer o inferno de uma mulher falsa: meu leito será abusado, meus cofres saqueados, minha reputação corroída, e eu não só sofro tais ofensas abomináveis como ainda serei rotulado com os termos mais vis, e ainda pelo homem que me ofende. Rótulos! Nomes! Amainon soa bem; Lúcifer, bem; Barbason, bem: são nomes de diabos, rótulos de demônios. Mas cornudo? Complacente? Chifrudo? Nem o próprio diabo é chamado assim. Page é um asno, um asno confiante: confia na mulher, não é ciumento. Prefiro confiar em um flamengo com minha manteiga,[10] o galês Pastor Hugh com meu queijo, ou um irlandês com minha garrafa de *aqua-vitae*, ou um ladrão com meu cavalo castrado, do que minha mulher com ela mesma. Sozinha ela conspira, rumina, planeja; e o que elas pensam em seus corações são capazes de executar, podem partir seus corações mas executam. Louvado seja o céu por meu ciúme! – É para as onze horas: vou evitar que aconteça, vingar-me de Falstaff, e rir-me de Page. Vamos lá; melhor três horas adiantado do que um minuto atrazado. Vergonha! Vergonha! Vergonha! Cornudo! Cornudo! Cornudo!

(Sai.)

CENA 3
(Entram CAIUS e RUGBY.)

CAIUS
Jack Rugby!

---
10   Referência à pouca conta que faziam os ingleses à população dos Países-Baixos que, por pobreza, se alimentavam de manteiga em lugar de carne. (N.T.)

Rugby

Senhor?

Caius

Que horras son?[11]

Rugby

Já passa da hora, senhor, que Sir Hugh prometeu encontrá-lo.

Caius

Por Deus que ele salvou sua alma porque não vem; ele rezou bem sua Bíblia, para não vir; juro por Deus, Jack Rugby, que ele estar já morto, se ele tem vindo.

Rugby

Ele é sábio, senhor; sabia que sua senhoria o matava, no caso de ele vir.

Caius

Por Deus, que nem arenque fica tão morto quanto ele quando eu o matar. Pegue seu punhal, Jack; eu lhe digo como vou matá-lo.

Rugby

Ai, ai, patrão, eu não sou de esgrima.

Caius

Vilão, pegue o seu punhal.

Rugby

Desculpe; vem gente aí.

(Entram o Hospedeiro, Shallow, Slender e Pajem.)

Hospedeiro

Deus o abençoe, caro doutor.

Shallow

Salve, mestre doutor Caius.

Pajem

Boas, bom mestre doutor.

Caius

O que todos, um, dois, três, quatro, vieram fazer?

---

11 Apenas para lembrar que Caius fala sempre com carregado sotaque francês. (N.T.)

Hospedeiro

Ver o senhor lutar, ver seu a fundo, sua parada, vê-lo aqui, vê-lo ali, ver seu golpe direto, sua estocada, sua resposta, sua distância, seu golpe em quarta. Ele está morto, meu etíope?[12] Ele está morto, meu Francisco?[13] Então, querido? O que diz meu Esculápio? Meu Galeno? Meu coração de sabugueiro?[14] Como é, ele está morto, meu prezado verme? Está morto?

Caius

Palavra, ele é o mais covarde porcaria deste mundo; não mostrou a cara.

Hospedeiro

Você é um rei-castelhano-urinol: Heitor da Grécia, menino!

Caius

Eu lhe peço que seja testemunha de moi ter estado seis ou sete, duas, três horas à espera, mas ele não veio.

Shallow

Ele é um homem sábio, mestre doutor: ele cura almas e o senhor cura corpos; se lutassem os senhores iriamj contra os princípios de suas profissões. Não é verdade, mestre page?

Page

Mestre Shallow, o senhor mesmo foi um grande na luta e hoje é um homem de paz.

Shallow

Pelas tripas de Deus, mestre page, embora eu já esteja velho, e de paz, se vejo uma espada meus dedos comicham de vontade de agir. Embora haja juízes, e médicos e homens da igreja, mestre Page, ainda temos resquícios de juventude em nós; somos filhos de mulheres, mestre Page.

Page

Isso é verdade, mestre Shallow.

Shallow

Há de ver que sim, mestre Page. Mestre doutor Caius, vim levá-lo para casa. Sou oficialmente da paz; o senhor se mostrou um médico sábio, e Sir Hugh mostrou-se um clérigo sábio e paciente; tem de vir comigo, mestre doutor.

---

12 Ao que parece aqui usado como alternativa para *blackamoor*, possivelmente por Caius ser moreno ou ter barba preta. (N.T.)
13 Quem transmitiu o texto deve ter confundido o nome (que aparece no *Folio* de 1623) com o *"francoyes"* que aparece na primeira edição em Quarto. (N.T.)
14 "Coração de carvalho" era um elogio comum ao corajoso; o sabugueiro deve significar o oposto. (N.T.)

HOSPEDEIRO
Perdão, meu hóspede juiz. Uma palavra, *monsieur* Água-falsa.

CAIUS
Água-falsa? O que é isso?

HOSPEDEIRO
Água-falsa, na nossa língua inglesa, é coragem, meu caro.

CAIUS
Por Deus que eu tenho tanta água-falsa quanto qualquer inglês. Safado padre podre! Por Deus que mim corta suas orelhas...

HOSPEDEIRO
Não faça isso que o pau come, meu querido.

CAIUS
Que é isso de pau comer? Que é isso?

HOSPEDEIRO
Ele vai se acertar com o senhor.

CAIUS
Juro que mim espera que ele comer pau a mim, pois juro que mim também acerta.

HOSPEDEIRO
E eu hei de o levar a fazê-lo, ou que saia com o rabo entre as pernas.

CAIUS
Mim lhe agradece por isso.

HOSPEDEIRO
E além do mais, meu caro... *(Para os outros, à parte.)* Mas primeiro, mestre hóspede e mestre Page, e também cavaleiro Slender, cruzem a cidade até Frogmore.[15]

PAGE
Sir Hugh está lá, então?

HOSPEDEIRO
Ele está lá. Vejam como anda o humor dele; e eu levo o doutor dando a volta pelo campo. Está bem?

---

15 Pequena aldeia, do lado oposto de Windsor ao qual Caius é mandado para duelar.

SHALLOW
    Nós o faremos.

PAGE, SHALLOW E SLENDER
    Adieu, bom mestre doutor.

(Saem PAGE, SHALLOW e SLENDER.)

CAIUS
    Juro que vou matar o padre, que fica falando à dona Anne em favor de um idiota.

HOSPEDEIRO
    Que ele morra; controle sua impaciência; jogue água fria na sua cólera; venha pelo campo comigo por Frogmore, e eu o levo onde está a dona Anne Page, numa festa em uma fazenda; para o senhor poder cortejá-la. Solte os cachorros, a caçada começou; não falei bonito?

CAIUS
    Por Deus que mim agradece por isso; e juro que o amo; e vou arranjar bons hóspedes para o senhor; cavalheiros, condes, fidalgos, meus pacientes.

HOSPEDEIRO
    Pelo que eu serei seu adversário em relação a Anne Page. Falei bonito?

CAIUS
    Mim jura que sim; muito bonito.

HOSPEDEIRO
    Pé na estrada, então.

CAIUS
    Jack Rugby, venha nos meus calcanhares.

(Saem.)

ATO 3

CENA 1
(Entram Evans e Simple.)

EVANS
Eu lhe peço, bom criado do mestre Slender, e amigo Simple, segundo o seu nome, em que lugar procurou o mestre Caius, que se intitula doutor de Medicina?

SIMPLE
Verdade, senhor, no parque pequeno, para o lado do parque e mais todos os lados; para o lado de Windsor Velho, todos menos o da cidade.

EVANS
Eu desejo veementemente que também o procure para esse lado também.

SIMPLE
(À parte, saindo.)
Sim, senhor.

EVANS
Deus que me perdoe, como eu estou cheio de cólera, e perturbado de mente: vou ficar contente se ele me enganou. Como estou melancolioso! Vou amassar os urinários dele com a maçã do moleque dele quando tiver oportunidade para o trabalho. Deus que me abençoe!

(Canta.)

Rio rasos, a cujos ais
Aves cantam madrigais;
Faremos lá leito de rosas
E de flores perfumosas.
Rios rasos...
Misericórdia! Estou muito disposto a chorar... *(Canta.)*
Aves cantam madrigais...
Quando estava em Babilônia...
E de flores perfumosas.
Rios rasos etc.

SIMPLE
Lá vem ele para este lado, Sir Hugh;

Evans

Será bem-vindo. *(Canta.)*
Rios rasos, a cujos ais...
Que Deus proteja o direito! Que armas traz?

Simple

Arma nenhuma, senhor. Aí vêm meu amo, mestre Shallow, e um outro cavalheiro; de Frogmore, pela cancela, para este lado.

Evans

Por favor, dê-me minha capa, ou então fique com ela no braço.

(Entram Page, Shallow e Slender.)

Shallow

Então, mestre pároco? Bom dia, Sir Hugh. Não se pode afastar jogador dos dados nem estudioso dos livros!

Slender

Ah, doce Anne Page!

Page

Salve, bom Sir Hugh.

Evans

Que Ele os abençoe a todos.

Slender

O quê? A espada e a palavra? É estudante de todos dois, mestre pároco?

Page

E ainda jovem, assim de calça e colete em um dia assim cortante?

Evans

Há razões e causas para isso.

Page

Viemos procurá-lo para oferecer nossos bons ofícios, mestre pároco.

Evans

Muito bem; e o que são eles?

Page

Lá adiante está um reverendíssimo cavalheiro que, talvez por ter sido ofendido por alguém, está na maior discórdia com sua própria gravidade e paciência que jamais se viu.

SHALLOW

Eu já vivi oitenta e mais; jamais vi um homem de sua posição, gravidade e erudição tão afastado de seu próprio respeito.

EVANS

Quem é ele?

PAGE

Creio que o conhece: mestre doutor Caius, o famoso médico francês.

EVANS

Pela graça de Deus e Sua paixão, no meu coração preferia que me falasse de um mingau de aveia.

PAGE

Por quê?

EVANS

Ele não sabe nada de Hibógrates e Galeno, e além disso é um safado: o mais covarde safado que o senhor teria prazer em conhecer.

PAGE

Garanto que é o homem com quem deveria lutar.

SLENDER

Ah, doce Anne Page!

SHALLOW

É o que parece, por suas armas. Melhor mantê-los afastados; aí vem o doutor Caius.

(Entram o HOSPEDEIRO, CAIUS e RUGBY.)

PAGE

Não, bom mestre Pároco; guarde as suas armas.

SHALLOW

E o senhor também, bom mestre doutor.

HOSPEDEIRO

Melhor desarmá-los e deixar que discutam; que fiquem com os membros inteiros, e só golpeiem a nossa língua inglesa.[16]

---

16 Não se pode esquecer que um é francês, o outro galês, e ambos falam inglês com erros e fortes sotaques. (N.T.)

CAIUS

Peço que deixa mim falar uma palavra em seu ouvido. Por que não foi me encontrar?

EVANS

(À parte, para CAIUS)
Por favor, tenha paciência. *(Alto.)* Quando for hora.

CAIUS

Juro que é um covarde; um vira-lata; um macaco.

EVANS

(À parte, para CAIUS.)
Por favor, não vamos ser motivo de riso para o humor de outros homens; quero sua amizade, e de um modo ou outro hei de pagar minhas contas. *(Alto.)* Vou bater com o seu urinário na crista do seu moleque.

CAIUS

Diable! Jack Rugby, meu hospedeiro da Jarretère, eu não disse para ele que matava ele? E eu não fui, na hora certa, ao local combinado?

EVANS

Pela minha alma cristã, veja aqui, este é o local combinado. Recebo julgamento pelo hospedeiro da Jarretère.

HOSPEDEIRO

Eu digo paz, Gália e Gales, francês e galês, curador de almas e curador de corpos.

CAIUS

Essa foi muito boa, excelente.

HOSPEDEIRO

Paz, eu digo; ouçam o hospedeiro da Jarreteira. Eu sou político? Sou ardiloso? Sou algum Maquiavel? Hei de perder meu médico? Não, ele me dá poções e promoções. Hei de perder meu pároco? Meu padre? Meu Sir Hugh? Não, ele me dá os provérbios e os não-verbos.[17] Dê aqui sua mão terrestre, assim; dê-me aqui sua mão celeste, assim. Meus eruditos, eu enganei a ambos: mandei-os a lugares errados; seus corações estão fortes, suas peles inteiras, a melhor solução é um bom

---

17 Em sua capacidade de pároco, diz o que não pode ser feito. (N.T.)

vinho açucarado. Vamos, podem empenhar as espadas. Venham atrás de mim, rapazes pacíficos, atrás, atrás, atrás.[18]

SHALLOW

Acreditem, é um hospedeiro louco. Vamos segui-lo, cavalheiros.

SLENDER

Ah, doce Anne Page!

(Saem SLENDER, SHALLOW e PAGE.)

CAIUS

Ah! Estou compreendendo isso? O senhor fez *sots* de nós, é, é?

EVANS

Então está bem: ele nos fez de palhaços para riso. Eu desejo que fiquemos amigos; e vamos amarrar nossos cérebros para nos vingarmos desse sujeito sarnento, piolhento e nojento, o hospedeiro da Jarreteira.

CAIUS

Por Deus, de todo o coração. Ele a mim prometeu levar onde estava Anne Page. Enganou a mim também.

EVANS

Eu ainda quebro a cabeça dele. Venha comigo.

(Saem.)

CENA 2
(Entra a COMADRE PAGE, seguida de ROBIN.)

COMADRE PAGE

Vá em frente, meu galante; você costumava seguir, mas agora virou guia. Prefere guiar meus olhos ou olhar os calcanhares de seu amo?

ROBIN

Na verdade prefiro ir na sua frente, como um homem, do que atrás, como um anão.

COMADRE PAGE

É muito bajulador; já vi que vai ser cortesão.

(Entra FORD.)

---

18 "Follow me", digam-me, no original. Não há explicação correta para o uso da expressão, mas já foi sugerido que talvez seja o equivalente elisabetano de "Pega ladrão!". (N.T.)

Ford

Que prazer, comadre Page. Onde está indo?

Comadre Page

Na verdade, ver sua mulher. Ela está em casa?

Ford

Está, e quase morrendo de inércia, por falta de companhia. Creio que se seus dois maridos morressem, as senhoras se casariam.

Comadre Page

Com certeza – com dois outros maridos.

Ford

Onde arranjou esse galinho de cata-vento?

Comadre Page

Não sei que diabos é o nome que meu marido arrancou dele. Como se chama seu amo cavaleiro, moleque?

Robin

Sir John Falstaff.

Ford

Sir John Falstaff?

Comadre Page

É isso mesmo; nunca consigo me lembrar do nome. Ele anda tão amigo do meu marido! Sua mulher está mesmo em casa?

Ford

Com certeza que está.

Comadre Page

Com licença, estou louca para vê-la.

(Saem a Comadre Page e Robin.)

Ford

Será que Page tem cabeça? Ou olhos? Ou que tem raciocínio? Na certa estão todos adormecidos: ele não os usa. Ora, esse menino carrega uma carta vinte milhas com a mesma facilidade que um canhão atira a doze vintenas. Ele dá apoio às inclinações de sua mulher; dá impulso e facilidade às loucuras dela: e agora lá vai ela procurar minha mulher, com o pajem de Falstaff. Qualquer homem pressente a tempestade que chega. E o pajem de Falstaff com ela! Grandes planos! Já estão feitos; e nossas mulheres, revoltosas, compartilham dessa danação. Muito bem, eu vou pegá-lo, torturar minha mulher, arrancar o falso véu de modéstia que dá aparência à comadre Page, proclamar o próprio Page com um Actaeon[19] confiante e cabeçudo. E por tais comportamentos toda a vizinhança há de me aplaudir. *(Um relógio bate horas.)* O relógio dá minha deixa, e minha certeza ordena que eu comece a busca: lá eu encontrarei Falstaff. Prefiro ser louvado por isso do que caçoado, pois é tão certo quanto ser firme a terra que Falstaff está lá. Eu vou.

(Entram PAGE, SHALLOW, SLENDER, O HOSPEDEIRO, EVANS, CAIUS e RUGBY.)

SHALLOW, PAGE ETC.
Que bom encontro, mestre Ford.

FORD
(À parte.)
Ora vejam, que bom bando. *(Alto.)* Tenho boas novas em casa, e peço que venham todos comigo.

SHALLOW
Eu tenho de me desculpar, mestre Ford.

SLENDER
E eu também, senhor: tenho um compromisso para cear com a dona Anne, e não quebro a palavra com ela nem por mais dinheiro do que se possa imaginar.

SHALLOW
Estamos considerando uma união entre Anne Page e meu primo Slender, e hoje é o dia em que teremos nossa resposta.

SLENDER
Espero ter seus bons olhos, pai Page.

PAGE
E os tem, mestre Slender; o meu apoio é seu. Minha mulher, no entanto, é totalmente favorável ao senhor, mestre doutor.

CAIUS
Graças a Deus, e a moça me ama; minha senhora Quickly é quem me disse isso.

HOSPEDEIRO
E o que dizem do jovem mestre Fenton? Ele corre, ele dança, tem os

---

19 Da mitologia grega, grande caçador que, por ver Ártemis banhar-se, foi por ela transformado em cervo, e morreu estraçalhado por seus próprios cães. Seus chifres o fazem ser com frequência ser símbolo do marido traído. (N.T.)

olhos da juventude: escreve versos, usa fala de feriado, cheira a abril e maio.[20] Ele vai ganhar, ele vai ganhar; está dito em seus botões que vai.[21]

PAGE

Não com meu consentimento, prometo. O cavalheiro não tem nada: costumava tomar parte nas loucuras do príncipe e Poins.[22] É de esfera muito alta: sabe demais. O dedo das minhas posses não há de ajudá-lo a amarrar sua fortuna; se ficar com ela, que a tome sem nada: minha riqueza depende de meu consentimento, e meu consentimento não vai para esse lado.

FORD

Eu lhe peço encarecidamente que venham cear em minha casa; haverá alegria e surpresas: hei de lhes mostrar um monstro. Mestre doutor, tem de vir; e o senhor, mestre Page, e o senhor, *Sir* Hugh.

SHALLOW

Bem, até logo; poderemos assim fazer a corte com mais liberdade, na casa de mestre Page.

(Saem SHALLOW e SLENDER.)

CAIUS

Vá para casa, John Rugby; eu irei logo.

(Sai RUGBY.)

HOSPEDEIRO

Adeus, meus queridos; vou ver meu honesto cavaleiro Falstaff, e beber vinho das Canárias com ele.

(Sai.)

FORD

(À parte.)
Primeiro hei de beber vinho de pipa com ele, e hei de fazê-lo dançar. Vamos, amigos?

TODOS

Vamos lá ver o tal monstro.

---

20 Meses da primavera no hemisfério norte, sempre ligados ao amor. (N.T.)
21 Tudo indica que a referência seja a um botão de flor, com promessa de desabrochar. (N.T.)
22 Uma vaga tentativa de ligar a comédia às peças anteriores em que Falstaff aparece, em que o príncipe Hal é figura de destaque. (N.T.)

CENA 3

(Entram a COMADRE FORD e a COMADRE PAGE.)

COMADRE FORD
    Olá John! Olá, Robert!

COMADRE PAGE
    Depressa, depressa, a cesta de roupas já está...

COMADRE FORD
    Com certeza. Olá, Robin, não ouviram?

(Entram JOHN e ROBERT com uma cesta.)

COMADRE PAGE
    Venham, venham, venham.

COMADRE FORD
    Podem pousá-la aqui.

COMADRE PAGE
    Dê as ordens a seus homens; a toda pressa.

COMADRE FORD
    Muito bem, como já lhes disse, John e Robert, têm de ficar a postos aqui perto, na sala do alambique; e logo que eu chamar venham logo, sem parar e sem tropeços, e ponham a cesta nos ombros. Isso feito, é só levá-la a toda pressa para onde ficam as lavadeiras na campina Datchet, e esvaziá-la na vala lamacenta perto da margem do Tamisa.

COMADRE PAGE
    Sabem como é?

COMADRE FORD
    Já repeti mil vezes; não há de ser por falta de instruções. Saiam, e venham quando forem chamados.

(Saem JOHN e ROBERT.)

COMADRE PAGE
    Lá vem o pequeno Robin.

(Entra ROBIN.)

COMADRE FORD
Como é, passarinho; quais são as novidades?

ROBIN
Meu amo, Sir John, está na porta dos fundos, e pede a sua companhia.

COMADRE PAGE
Meu bonequinho de engonço, foi fiel a nós?

ROBIN
Juro que sim. Meu amo não sabe que a senhora está aqui e ameaçou me deixar em liberdade eterna se contar para a senhora; ele jura que me manda embora.

COMADRE PAGE
Você é um bom menino; esse seu segredo vai lhe servir de alfaiate, e lhe fará uma roupa nova. Eu já vou me esconder.

COMADRE FORD
Vá logo. Diga a seu amo que estou sozinha. *(Sai ROBIN.)* Comadre Page, não se esqueça de sua deixa.

COMADRE PAGE
De jeito nenhum. Se eu não representar bem pode me vaiar.

COMADRE FORD
Então, vá: vamos pegar essa umidade doentia, essa abóbora gorda e aguada; havemos de ensinar-lhe a diferença entre a pomba e o gaio.[23]

(Sai COMADRE PAGE.)

(Entra FALSTAFF.)

FALSTAFF
Apanhei-a, minha joia celestial? Pois então que agora eu morra, já vivi o bastante: este é o máximo de minha ambição. Bendita hora!

COMADRE FORD
Doce Sir John!

FALSTAFF
Comadre Ford, não sei mentir, nem bajular, comadre Ford. Direi com

---

23 As pombas eram símbolos de fidelidade, ao contrário dos gaios, de plumagem colorida comparada à maquilagem exagerada usada na época por prostitutas. (N.T.)

simplicidade o meu desejo: desejo que seu marido estivesse morto; diria isso ante o maior dos lordes, e a faria minha lady.

Comadre Ford
Eu, sua lady, Sir John? Ai, ai, eu seria uma lady de dar pena.

Falstaff
Que as cortes de França me mostrem uma igual. Teus olhos são como diamantes; tens na fronte a curva da beleza do penteado mais alto, o valor de qualquer embelezamento veneziano.

Comadre Ford
Um simples lenço, Sir John: minha fronte não combina com mais nada, e nem bem com isso.

Falstaff
És uma tirana por dizê-lo; farias uma cortesã absoluta, e a postura firme de teu pé te daria excelente balanço a teu andar com uma saia armada em semi-círculo. Vejo o que poderias ser se a Fortuna (teu inimigo) fosse, ao invés da Natureza, tua amiga. Vamos, não podes ocultá-lo.

Comadre Ford
Acredite que não há nada disso em mim.

Falstaff
O que me fez amar-te? Que isso te convença que haja algo de extraordinário em ti. Vamos, não sei parolar e dizer que há em ti isto ou aquilo, como muitos desses ciciosos botões de pilriteiro que parecem mulheres em trajes de homens, e que cheiram como herbário no verão; não posso. Mas te amo, e só a ti; e tu o mereces.

Comadre Ford
Não me engane, senhor. Temo que o senhor ame a comadre Page.

Falstaff
Seria o mesmo que dizer que me dá prazer entrar nos portões da prisão, que odeio tanto quanto o cheiro de vinho avinagrado.

Comadre Ford
Bem, os céus sabem como eu o amo, e o senhor há de descobri-lo algum dia.

Falstaff
Não te esqueças disso; eu o mereço.

COMADRE FORD

60   Não, tenho de dizer-lhe, para que saiba; pois de outro modo eu não poderia pensar como penso.

(Entra Robin.)

ROBIN

Comadre Ford! Comadre Ford! A comadre Page está aí na porta, suando e bufando, e parecendo maluca, dizendo que precisa falar já com a senhora.

FALSTAFF

65   Ela não pode me ver: Vou esconder-me atrás da cortina.

COMADRE FORD

Peço-lhe que sim, pois ela é muito faladeira. *(Falstaff esconde-se atrás da cortina. Entra a Comadre Page.)* O que é que houve? O que é isso?

COMADRE PAGE

Ai, comadre Ford, o que foi fazer? Está desmoralizada, acabada, desonrada para sempre!

COMADRE FORD

70   Mas o que foi, comadre Page?

COMADRE PAGE

Pela luz dos meus olhos, comadre Ford, tendo um marido honesto, dar-lhe tamanha causa para suspeitas!

COMADRE FORD

Mas que causa para suspeitas?

COMADRE PAGE

Que causa para suspeitas? Deixa disso: como me enganei contigo!

COMADRE FORD

75   Mas, ai, ai, o que é que há?

COMADRE PAGE

Teu marido está vindo aí, mulher, com todas as autoridades de Windsor, em busca de um cavalheiro que ele afirma estar agora aqui na casa, com teu consentimento, para gozar de um proveito ilícito de sua ausência. Estás perdida.

COMADRE FORD

80   Eu espero que não.

Comadre Page

Pede aos céus que não tenhas aqui esse tal homem – mas não há dúvida de que teu marido está vindo, com metade de Windsor atrás, em busca dele, e eu vim antes para avisar-te. Se sabes que estás inocente, alegro-me; mas se teu amigo está por aqui, é preciso expulsá-lo logo. Nada de se atrapalhar; fica bem esperta. Defende tua reputação ou perdes tua vida boa para sempre.

Comadre Ford

O que hei de fazer? Há um cavalheiro, meu querido amigo; e não temo tanto por minha vergonha quanto pelo perigo dele. Daria mil libras para vê-lo fora desta casa.

Comadre Page

Que vexame! Nada de "daria" ou "preferia": seu marido está chegando! Pense em algum meio de transportá-lo; na casa não podes escondê-lo. Ai, como me iludiste! Olha, ali está uma cesta; se for de estatura normal, pode enfiar-se nela; e joga-se umas roupas sujas em cima dele, como se para mandar lavar; é época de limpeza geral, manda teus criados levarem a cesta para Datchet.

Comadre Ford

Ele é muito grande para ela. O que hei de fazer?

Falstaff

(Avançando.)
Deixem-me ver, deixem-me ver. Por favor, deixem-me ver! Eu entro, eu entro; segue o conselho de tua amiga; eu entro.

Comadre Page

O quê, *Sir* John Falstaff? São essas as suas cartas, cavaleiro?

Falstaff

Eu te amo; ajuda-me a fugir. Deixa-me entrar na cesta. Eu nunca...

(Ele entra na cesta; elas o cobrem com roupa suja.)

Comadre Page

Ajude-me a cobrir seu amo, menino. Chame os empregados, comadre Ford. Mas que cavalheiro mais enganador!

Comadre Ford

Olá, John! Robert! John! *(Entram John e Robert.)* Levem logo estas roupas. Onde está a vara para carregar? Mas que gente mais lenta! Levem tudo para as lavadeiras na campina Datchet; depressa!

(Entram FORD, PAGE, CAIUS e EVANS.)

FORD

Por favor, vão entrando; se minhas suspeitas não têm causa, podem zombar de mim; que eu lhes sirva de palhaço, pois o mereço. O que é isso? Onde estão levando a cesta?

JOHN

É para a lavadeira.

COMADRE FORD

110 O que tem a ver com o destino da cesta? Será que agora o senhor é que atesta o que sai para lavar?

FORD

Quem me dera poder lavar de vez a testa! Testa! Testa! É isso mesmo, a testa! Garanto; está tudo planejado, como irão ver. *(Saem JOHN, ROBERT e ROBIN, com a cesta.)* Cavalheiros, eu sonhei esta noite; e vou contar-
115 -lhes meu sonho. Aqui, aqui estão minhas chaves; subam até meus aposentos; busquem, procurem, descubram. Eu garanto que havemos de tirar a raposa da toca. Primeiro, deixem-me fechar aqui. *(Tranca a porta.)* E agora é desnudar.

PAGE

Bom mestre Ford, acalme-se; está ofendendo demais a si mesmo.

FORD

120 Verdade, mestre Page. Subam, cavalheiros; logo hão de se divertir; si-gam-me, cavalheiros.

(Sai.)

EVANS

Isso são humores e ciúmes muito fantásticos.

CAIUS

Juro que isso não é moda em França; não há ciúmes em França.

PAGE

Não, é melhor segui-lo, cavalheiros; para ver o final dessa busca.

(Saem PAGE, CAIUS e EVANS.)

COMADRE PAGE

125 Mas não é uma dupla excelência, tudo isso?

Comadre Ford
Não sei o que me diverte mais, se o engano de meu marido ou o de Sir John.

Comadre Page
Que susto ele deve ter levado quando seu marido perguntou o que havia na cesta!

Comadre Ford
Tenho a impressão de que ele estava mesmo precisando ser lavado – portanto, atirá-lo no rio só fará bem a ele.

Comadre Page
Que se enforque, o crápula safado! Só queria que todos os como ele passassem pelo mesmo susto.

Comadre Ford
Acho que meu marido tinha alguma desconfiança especial que Falstaff estivesse aqui, pois nunca vi seu ciúme ficar tão violento quanto agora.

Comadre Page
Vou armar algum truque para descobrir, e ainda havemos de armar outros para Falstaff: sua devassidão é doença, este remédio só não basta.

Comadre Ford
Será que podemos mandar aquela corrupta senhora Quickly a ele, para pedir desculpas por o termos jogado na água, e oferecer-lhe uma nova esperança, para fazê-lo cair em novo castigo?

Comadre Page
Está feito: mande buscá-lo para amanhã, às oito horas, para receber desculpas.

(Entram Ford, Page, Caius e Evans.)

Ford
Não consigo encontrá-lo; talvez o canalha se tivesse gabado do que não conseguiu realizar.

Comadre Page
(À parte, para Comadre Ford.)
Ouviu isso?

Comadre Ford
O senhor me respeita bem, mestre Ford, não é?

FORD
Com certeza.

COMADRE FORD
Que o céu o faça melhor do que seu pensamento!

FORD
Amém.

COMADRE PAGE
O senhor ofende a si mesmo, mestre Ford.

FORD
Ai, ai, e tenho de arcar com isso.

EVANS
Se houver alguém na casa, nos quartos, no escritório, ou nos armários, que o céu perdoe meus pecados no dia do julgamento!

CAIUS
E nem os meus também; não há ninguém aqui.

PAGE
É o cúmulo, mestre Ford, não está envergonhado? Que espírito, que demônio provoca tal fantasia? Eu não teria esse tipo de perturbação, nem por toda a riqueza do castelo de Windsor.

FORD
É um defeito meu, mestre Page, que me faz sofrer.

EVANS
Se sofre é por má consciência. Sua mulher é mais honesta do que se possa pedir entre cinco mil, mais quinhentas também.

CAIUS
Por Deus que vejo que é mulher honesta.

FORD
Eu lhes prometi uma refeição. Vamos, vamos passear no parque. Peço que me perdoem; mais tarde eu lhes direi por que fiz isso. Venha, mulher, venha, comadre Page, peço que me perdoem; eu imploro que me perdoem.

PAGE
Vamos entrar, cavalheiros... *(À parte.)* mas garanto que havemos de rir dele. Convido a todos para vir tomar o desjejum em minha casa

170 amanhã; depois vamos todos caçar passarinhos... Tenho um ótimo falcão para touceiras. Fica combinado?

FORD
Como quiser.

EVANS
Se um for, eu faço dois na companhia.

CAIUS
Se forem dois, eu serei o tercère.

FORD
175 Por favor, vamos, mestre Page

(Sai, com PAGE.)

EVANS
Por favor, não deixe de lembrançar amanhã o piolhento do meu hospedeiro.

CAIUS
Está bem, eu juro; de todo o coração!

EVANS
Um safado piolhento, com seus deboches e pilhérias!

(Saem.)

CENA 4
(Entram FENTON e ANNE PAGE.)

FENTON
Eu não consigo conquistar seu pai;
Então me deixe longe dele, Nan.

ANNE
Ai, ai; e então?

FENTON
   Seja só você mesma.
Ele reclama do meu alto berço,
E de haver arranhado o que era meu,
5 Pretendendo curá-lo com o que é dele;
E junta a essa inda mais barreiras –
Meus companheiros e farras de outrora –

Dizendo-me na cara que é impossível
Que eu não a ame só como riqueza.

ANNE

Quem sabe isso é verdade.

FENTON

Não, que o céu me valha doravante!
Confesso que o dinheiro de seu pai
É que de início fez-me cortejá-la,
Mas, Anne, eu logo vi que o seu valor
É bem maior que ouro ou que dinheiro;
E às riquezas dentro de você
É que hoje aspiro.

ANNE

                Gentil mestre Fenton,
Procure sempre a afeição de meu pai.
Se a oportunidade e a corte humilde
Não a conseguem, bem.... Cuidado, alerta!

(Eles conversam afastados. Entram SHALLOW, SLENDER, *e a* MADAMA QUICKLY.*)*

SHALLOW

Acabe com aquela conversa, dona Quickly. Meu primo Slender quer falar por si.

SLENDER

Vou por paus ou por pedras. Pelos olhos de Deus que vou me aventurar.

SHALLOW

Não desanime.

SLENDER

Não. Ela não vai me desanimar: isso não importa, mas não estou com medo.

QUICKLY

(Para ANNE.*)*
Atenção, o mestre Slander quer uma palavra consigo.

ANNE

Já vou. *(À parte.)* Essa é a escolha de meu pai.
Que mundo de defeitos os mais vis
Ficam belos com centenas de renda!

Quickly

Como vai passando, mestre Fenton? Por favor, uma palavra.

Shallow

(Para Slender.)
Lá vem ela. A ela, primo! Menino, você teve pai!

Slender

Eu tive um pai, dona Anne; meu tio lhe pode contar muitos chistes dele. Por favor, tio, conte aquela história de quando meu pai roubou dois gansos de um galinheiro, titio.

Shallow

Dona Anne, meu primo a ama.

Slender

Isso é verdade; tanto quanto amo a qualquer outra moça no condado de Gloucester.

Shallow

Ele a sustentará como uma fidalga.

Slender

Com certeza, chova ou faça sol, com meu título de fidalgo rural.

Shallow

Ele lhe garante cento e cinquenta libras como dote de casamento.

Anne

Bom mestre Shallow, deixe ele falar por si.

Shallow

Ora, obrigado por isso; eu lhe agradeço esse bom conselho. Ela o chama, primo; eu os deixarei.

Anne

Então, mestre Slender.

Slender

Então, dona Anne.

Anne

O que está disposto a atestar?

Slender

Eu testar? Pelo amor de Deus, mas essa é uma grande tolice! Eu nunca fiz nenhum testamento, graças a Deus. Não sou doentio, graças a Deus.

ANNE

Eu perguntava se desejava atestar o que seu tio afirmou o senhor querer comigo.

SLENDER

Na verdade, de minha parte, quero pouco ou nada consigo. Seu pai e meu tio fizeram tratativas. Se for essa a minha sorte, que seja; se não for, que cada um dê graças pelo que lhe cabe! Eles podem dizer como estão as coisas, melhor do que eu. A senhora pode perguntar a seu pai, que vem aí.

(Entram PAGE e COMADRE PAGE.)

PAGE

Meu mestre Slender; ame-o, filha Anne.
Que é isso, que faz aqui o mestre Fenton?
'Stá me ofendendo, a me rondar a casa.
Eu disse que minha filha está noiva.

FENTON

Não fique impaciente, mestre Page.

COMADRE PAGE

Bom mestre Fenton, largue a minha filha.

PAGE

Ela não é noiva para o senhor.

FENTON

Não pode ouvir-me?

PAGE

Não, meu mestre Fenton.

(Saem PAGE, SHALLOW e SLENDER.)

QUICKLY

Fale com a comadre Page.

FENTON

Comadre Page, se eu amo a sua filha
De modo tão correto quanto o faço,
Preciso, contra todo impedimento,

Mostrar as cores deste meu amor
Sem recuar. Só peço boa vontade.

ANNE

Mãe, não me case com aquele idiota.

COMADRE PAGE

75 Claro que não. Quero melhor marido.

QUICKLY

(À parte.)
Esse é o meu patrão, mestre doutor.

ANNE

Eu prefiro ser enterrada viva,
Ou morta por uma chuva de nabos!

COMADRE PAGE

Não se atormente. Meu bom mestre Fenton
80 Não serei sua amiga ou inimiga.
Hei de saber se minha filha o ama,
E o que ela sente a mim afeta muito.
Até mais ver; ela precisa entrar;
Pra não zangar o pai.

FENTON

85 Até mais ver, senhora; e você, Nan.

(Saem a COMADRE PAGE e ANNE.)

QUICKLY

Isso foi coisa minha, "O que", disse eu, "há de atirar sua filha a um tolo, e a um médico? Observe o mestre Fenton". Foi coisa minha.

FENTON

Eu agradeço. E peço que, hoje à noite,
Dês este anel a Nan. E toma isto.

QUICKLY

90 Que o céu lhe mande boa fortuna! *(Sai FENTON.)*, Ele tem bom coração: qualquer mulher passa por fogo e por água por um coração desses. Porém queria que meu amo ficasse com a dona Anne; ou que mestre Slender; mas na verdade quero que o mestre Fenton fique com ela. Farei o que posso por todos três, pois assim prometi, e não falto à
95 minha palavra, mas especiosamente para o mestre Fenton. Bom, já

tenho outra tarefa, de minhas duas amas para Sir John Falstaff; que cretina eu sou, de me atrasar.

(Sai.)

CENA 5

(Entra Falstaff.)

FALSTAFF

Onde está você, Bardolph?

(Entra Baldolph.)

BARDOLPH

Aqui, senhor.

FALSTAFF

Vá me buscar um litro de xerez; ponha uma torrada dentro.[24] *(Sai Bardolph.)* Será que vivi para ser carregado em uma cesta, como um
5 carrinho de restos de açougue, e atirado no Tâmisa? Se eu cair em outro ardil desses, quero que meu cérebro seja arrancado, passado na manteiga e dado a um cachorro como presente de Ano Novo. Os vagabundos me derramaram no rio com tanto remorso quanto teriam afogando os filhotinhos cegos de uma cadela, de uma ninhada
10 de quinze; e todos podem ver pelo meu tamanho que tenho uma espécie de alegria especial em me afundar: se o leito fosse tão profundo quanto o inferno, eu ia até lá. Teria me afogado se a margem não fosse arenosa e rasa – um tipo de morte que eu abomino: pois a água estufa o homem; e imaginem só o que eu ia virar se fosse estufado!
15 Uma montanha mumificada!

(Entra Bardolph com o xerez.)

BARDOLPH

Está aí a madama Quickly, querendo falar com o senhor.

FALSTAFF

Venha, vou servir um xerez para as águas do Tâmisa: pois minha barriga está fria como se eu tivesse engolido bolas de neve como pílulas para esfriar os rins. Mande a mulher entrar.

BARDOLPH
20 Entra, mulher!

---

24 Era comum, na época, colocar uma torrada dentro do vinho ou da cerveja, para "puxar" o gosto.

(Entra a MADAMA QUICKLY.)

QUICKLY

Com licença; se me fazem favor. Que sua senhoria tenha um bom dia.

FALSTAFF

Leve embora esses cálices. Vá me preparar uns dois litros de xerez, muito bem filtrados.

BARDOLPH

Com ovos, senhor?

FALSTAFF

Simples e puro; não quero esperma de galinha nas minhas fermentações. *(Sai BARDOLPH.)* E então?

QUICKLY

Muito bem, senhor, venho procurar sua senhoria da parte da comadre Ford.

FALSTAFF

Da comadre Ford! Essa é forte; depois que fui *fordado* na torrente, e a barriga se encheu com o golpe forte.

QUICKLY

Ai, ai, meu coração, a culpa não foi dela! Ela está furiosa com o marido; e os criados confundiram a ereção dela.

FALSTAFF

E eu a minha, por planejá-la em torno das promessas de uma tola.

QUICKLY

E ela está tão triste, senhor, que seu coração ia doer só de ver. O marido vai caçar pássaros esta manhã; e ela pede que a venha ver entre as oito e as nove. Tenho de avisá-la logo; tenho a certeza de que ela irá recompensá-lo.

FALSTAFF

Está bem, irei visitá-la; pode dizer a ela. E peça-lhe que reflita sobre o que é um homem; que ela considere a fragilidade dele, e a partir daí então julgue os meus méritos.

QUICKLY

Vou dizer tudo.

FALSTAFF

Isso. Entre as nove e as dez, disse?

QUICKLY
Entre as oito e as nove, senhor.

FALSTAFF
Pois vá logo; não faltarei a ela.

QUICKLY
Que a paz esteja convosco, senhor.

(Sai.)

FALSTAFF
Estou espantado de não ter notícias de mestre Brook; ele mandou dizer que eu ficasse em casa. Gosto muito do dinheiro dele. Ora, lá vem ele.

(Entra FORD como BROOK.)

FORD
Que Deus o abençoe, senhor.

FALSTAFF
Então, mestre Brook, veio saber o que se passou entre mim e a mulher do Mestre Ford?

BROOK
É esse mesmo, Sir John, o meu intento.

FALSTAFF
Mestre Brook, não lhe posso mentir: eu estive na casa dela exatamente na hora marcada.

FORD
E se deu bem?

FALSTAFF
Muito mal, mestre Brook.

FORD
Como, senhor? Ela mudou de ideia?

FALSTAFF
Não, mestre Brook; mas o metido do *cornuto* marido dela, mestre Brook, que vive tomado por acessos de ciúmes, entrou no momento do nosso encontro, depois de nos termos abraçado, beijado, trocado promessas e, por assim dizer, representado todo o prólogo da nossa

comédia; e atrás dele uma turba de companheiros, levados até lá pela provocação e instigação dos ataques dele para, verdade, darem busca na casa à procura do amante da mulher.

FORD

O quê, enquanto estava lá?

FALSTAFF

Enquanto eu estava lá.

FORD

E o procuraram e não conseguiram encontrar?

FALSTAFF

Vai ouvir tudo. Por sorte, apareceu uma tal comadre Page, que a avisou da chegada de Ford; e com invenção dela e desespero da mulher de Ford, me meteram dentro de uma cesta de roupa...

FORD

Uma cesta de roupa?

FALSTAF

Sim, senhor. Uma cesta de roupa! Enfiaram-me lá com camisas e camisolas sujas, meias imundas, guardanapos gorduroso que, mestre Brook compunham o mais repelente cheiro que jamais ofendeu um nariz.

FORD

E quanto tempo ficou lá dentro?

FALSTAFF

Pois vai ouvir, mestre Brook, o que eu sofri para levar para o mal aquela mulher, para o seu bem. Pois entulhado dentro da cesta, um par dos criados de Ford, serviçais, foram chamados pela patroa a fim de me levarem a título de roupa suja para a ruela Detchet; carregaram-me nos ombros; encontraram com o safado do patrão na porta, que perguntou uma ou duas vezes o que tinham na cesta. Quase morri de medo que aquele calhorda lunático mandasse revistar; porém o destino, que o deseja cornudo, segurou-lhe a mão. Pois ele contiuou a busca e eu continuei com a roupa suja. Mas repare no que se seguiu, mestre: eu passei pelas dores de três mortes separadas. Primeiro, a de um susto intolerável, o de ser descoberto por um porcaria de um carneiro castrado. Depois, ficar arqueado em uma bolota, pé com cabeça; e depois ser enfiado no meio de uma destilação de roupas fedorentas fervidas em sua própria banha – imagine só – um homem da minha envergadura – imagine só – tão sensível ao calor quanto a manteiga; um homem dissolvido e degelado a todo momento: foi um milagre tão ter sido sufocado. E no auge desse banho, quando já estava mais do que meio cozido em banha, como um quitute holandês, ser jogado no Tâmisa e resfriado, ainda esquentado, naquela corrente, como uma ferradura – imagine só – chiando de quente – pense nisso, mestre Brook!

FORD

É com tristeza que lamento que, por mim, o senhor tenha passado por tudo isso. Minha causa, então, já é sem esperanças: o senhor não se ocupará mais dela?

FALSTAFF

Mestre Brook, quero que me atirem no Etna, como me atiraram no Tâmisa, antes de eu a abandonar assim. O marido vai caçar passarinhos hoje de manhã; recebi dela nova embaixada pedindo encontro. Entre as oito e as nove é a hora, mestre Brook.

FORD

Senhor, já passa das oito.

FALSTAFF

Verdade? Vou então dirigir-me ao meu compromisso. Venha procurar-me quando lhe convier, e saberá do meu sucesso; e para concluir tudo será coroado por sua posse dela. Adieu. Há de tê-la, mestre Brook; mestre Brook, ainda há de cornear Ford.

(Sai.)

FORD

Hum! Ah! Será uma visão? É um sonho? Estarei dormindo? Acorde, mestre Ford, acorde; acorde, mestre Ford: Há um buraco em seu melhor casaco, mestre Ford. Ser casado é isso; é isso ter roupas sujas e cestas! Muito bem, vou proclamar-me o que sou. Vou apanhar o devasso; está na minha casa; não me escapa; não seria possível; não pode se enfiar em bolsinha de moedas ou em caixinha de rapé; mas, a fim de que o diabo que o guia não o ajude, farei busca em locais impossíveis. Embora o que eu seja não possa evitar, mesmo assim o que não desejei não há de me tornar dócil; se tenho chifres para enlouquecer, que eu honre o ditado: está louco dos chifres.

(Sai.)

ATO 4

CENA 1
(Entram Comadre Page, Madama Quickly e William.)

Comadre Page
Acredita que ele já esteja na casa do mestre Ford?

Quickly
A esta altura, com certeza; mas pra falar a verdade ele está louco de coragem com aquela história de ser jogado na água. A comadre Ford quer que a senhora venha logo.

Comadre Page
Eu já vou ter com ela; vou só levar aqui o meu menino para o colégio. Olhe, lá vem o patrão; pelo que vejo é dia de folga.

(Entra Evans.)

Com é, Sir Hugh, não há aulas hoje?

Evans
Não; o mestre Slender fez deixar os meninos com licença para brincar.

Quickly
Bendito seja ele!

Comadre Page
Sir Hugh, meu marido diz que meu filho não está tendo o menor proveito dos mundo dos livros. Por favor, faça a ele algumas perguntas de sintaxe.

Evans
Vem cá, William. Levanta a cabeça, vamos.

Comadre Page
Vamos, moleque; levante essa cabeça. Responda seu professor, não tenha medo.

Evans
William, quantos números tem a palavra nome?

William
Dois.

Quickly

Eu sempre pensei que tivesse um mais, porque dizem "Em nome de Deus".

Evans

Pare com essa falação! Que quer dizer "belo", William:

William

Pulcher.

Quickly

Púcaro? Há coisas muito mais belas do que os púcaros, com certeza.

Evans

A senhora é uma grande simplicidade; por favor, por favor, silêncio. – O que é *lápis*, William?

William

Pedra.

Evans

E o que é uma pedra, William?

William

Uma pedrinha.

Evans

Não; é *lápis*. Peço que te lembres no teu cérebro.

William

Lápis.

Evans

Esse é um bom William. E quem é, William que empresta os artigos?

William

Os artigos são tomados emprestados dos pronomes, e são declinados assim: *Singulariter nominativo hic, haec, hoc.*

Evans

Nominativo *hig, haeg, hog.* Preste muita atenção: *Genitivo huius*. E então, qual o seu acusativo?

William

Accusativus hinc.

EVANS
Eu lhe peço que tenha lembrança, menino: *accusativo hing, hang, hog.*

QUICKLY
"Hang hog" garanto que é barulho de porco.

EVANS
Deixe-se de parábolas, mulher. Qual é o caso vocativo, William?

WILLIAM
Oh! Vocativo é oh!

EVANS
Lembre-se, William, esse vocativo é *caret.*[25]

QUICKLY
Cará é uma boa raiz.

EVANS
Mulher, chega.

COMADRE PAGE
Silêncio.

EVANS
Qual é o caso genitivo plural, William?

WILLIAM
Caso genitivo?

EVANS
Isso.

WILLIAM
Genitivo *horum, harum, horum.*

QUICKLY
Que vergonha! Nada de ora,ora,ora com a Geni! Não há motivo para dizer que ela é puta!

EVANS
Que vergonha, a senhora!

---

25 *Caret* significa "está faltando", no caso, a palavra não tem vocativo. (N.T.)

Quickly

O senhor faz mal em dar essas ideias a uma criança. Eles aprendem esse ora, ora, logo, logo, sem ninguém ensinar. Que coisa feia!

Evans

A mulher é lunática? Será que não entende nada de casos e os números dos gêneros? Não se pode nem imaginar cristã mais tola.

Comadre Page

(Para Quickly.)
Trate de ficar calada.

Evans

E agora, William, mostre-me algumas declinações de seus pronomes.

William

Para falar a verdade, eu esqueci.

Evans

Diz-se *qui, quae, quod:* se esquecer seus *quies*, seus *quaes*, seus *quods*, vai ter vara de marmelo. Vá-se embora; vá brincar.

Comadre Page

Ele já sabe mais do que eu esperava.

Evans

Ele tem uma memória esperta. Passe bem, comadre Page.

Comadre Page

Até mais, bom Sir Hugh. *(Sai Evans.)* Vá para casa, menino. Vamos, estamos demorando muito.

CENA 2

(Entram Falstaff e a Comadre Ford.)

Falstaff

Senhora Ford, sua tristeza engoliu meu sofrimento. Vejo que é obsequiosa em seu amor, e juro igualizá-lo a um fio de cabelo, não só, senhora Ford, nos simples ofícios do amor, como em todos os seus equipamentos, complementos e cerimoniais. Mas desta vez tem certeza de seu marido?

Comadre Ford

Está caçando pássaros, doce Sir John.

COMADRE PAGE
(De fora.)
Olá, comadre Ford! Está aí?

COMADRE FORD
Esconda-se na alcova, *Sir* John.

(Sai FALSTAFF.)[26]

(Entra a COMADRE PAGE.)

COMADRE PAGE
Comadre, queridinha, quem está na casa além de você?

COMADRE FORD
Ora, ninguém, além da minha gente.

COMADRE PAGE
É, mesmo?

COMADRE FORD
É claro que ninguém. *(Baixo, para COMADRE PAGE.)* Fale mais alto.

COMADRE PAGE
Fico muito contente de não haver ninguém aqui.

COMADRE FORD
Por quê?

COMADRE PAGE
Ora, mulher, seu marido está nas dele de novo: ele saiu com meu marido tão zangado, xingando todos os casados; maldizendo todas as filhas de Eva, de todo tipo e coloração; batendo tanto na própria cabeça, gritando "Cresçam logo, cresçam logo!", que qualquer tipo de loucura que jamais tenha visto me pareceu ser apenas suavidade, civilidade e paciência, comparada com o destempero em que ele está agora. Ainda bem que o cavaleiro gordo não está aqui.

COMADRE FORD
Por quê? Meu marido está falando dele?

COMADRE PAGE
Só fala nele, e jura que da última vez ele foi carregado daqui em uma cesta; garante a meu marido que ele está aqui agora, e arrancou

---

26 Essa marca é um bom exemplo do uso do palco interior, separado por uma cortina do exterior, no palco elisabetano, onde não havia cenário e nem móveis. (N.T.)

todos eles de sua caçada a fim de tornar a pôr à prova suas suspeitas. Mas alegro-me que o cavaleiro não esteja aqui; assim ele irá ver como está sendo tolo.

Comadre Ford
Ele já está por perto, comadre?

Comadre Page
Pertinho; ali no fim da rua; vai chegar já, já.

Comadre Ford
Estou perdida: o cavaleiro está aqui.

Comadre Page
Então você está desonrada, e ele está morto. Mas que espécie de mulher é você? Mande-o embora, mande-o logo embora; antes a vergonha do que a morte.

Comadre Ford
Mas por onde ele há de sair? Como hei de escondê-lo? Será que o enfio na cesta de novo?

(Entra Falstaff.)

Falstaff
Naquela cesta não entro mais. Não posso sair antes de ele chegar?

Comadre Page
Infelizmente três dos irmãos dele estão guardando as portas com pistolas, para ninguém poder sair; senão, poderia escapar antes de ele chegar. Mas o que está fazendo aqui?

Falstaff
O que hei de fazer? Vou subir pela chaminé.

Comadre Ford
É por onde eles experimentam suas armas de caça. É melhor se enfiar no forno.

Falstaff
Onde fica?

Comadre Ford
Não, ele vai procurar lá, na certa. Não há armário, cofre, arca, fonte, sótão que ele não tenha feito uma lista para se lembrar, e procura um a um. Não há um único esconderijo em toda a casa.

Falstaff
Então eu vou sair.

Comadre Page
Se sair com seu próprio aspecto, morre, Sir John – a não ser que saia disfarçado.

Comadre Ford
Mas como podemos disfarçá-lo?

Comadre Page
Ai, ai, eu é que não sei: não há roupa de mulher que caiba nele; de outro modo poderia escapar com um chapéu, um véu, um xale, e escapar.

Falstaff
Minhas queridas, inventem alguma coisa; qualquer recurso extremo é melhor que a desgraça.

Comadre Ford
A tia da minha empregada, aquela mulher gorda de Brainford, deixou um vestido lá em cima.

Comadre Page
E palavra que serve nele. Ela é assim do mesmo tamanho; e ela deixou aquele chapéu amassado e o xale, também. Suba depressa, Sir John.

Comadre Ford
Vá logo, meu doce Sir John; a comadre Page e eu arranjaremos alguma coisa para a sua cabeça.

Comadre Page
Depressa! Depressa! Nós já subimos para arrumá-lo; vá vestindo o vestido, enquanto isso.

(Sai Falstaff.)

Comadre Ford
Só queria que meu marido o encontrasse disfarçado; ele não suporta a aquela velha de Brainford; jura que ela é bruxa, proibiu que ela entrasse em minha casa, e ameaçou dar-lhe uma boa surra.

Comadre Page
Que Deus o guie ao açoite de seu marido; e que depois disso o diabo guie o açoite!

COMADRE FORD
Mas meu marido está mesmo vindo?

COMADRE PAGE
Fora de brincadeira, está mesmo, e fica falando da cesta, que não sei como ficou sabendo dela.

COMADRE FORD
Então está combinado. Vou mandar meus homens carregarem a cesta de novo e cruzarem com ele na porta, como da última vez.

COMADRE PAGE
Mas ele já está chegando; vamos vestir o outro como a bruxa de Brainford.

COMADRE FORD
Primeiro vou dar as ordens para eles levarem a cesta. Pode subir; eu já levo o que falta para ele.

COMADRE PAGE
Que se enforque, o safado; tudo o que pudermos fazer é pouco.
Vamos mostrar, ao fazer essa festa
Que é possível ser alegre e honesta;
Não age mal quem ri com brincadeira
Porco quieto é que gosta de lameira.

(Sai.)

(Entram JOHN e ROBERT.)

COMADRE FORD
Ponham de novo a cesta nos seus ombros. Seu amo este perto da porta; e se ele pedir que a baixem, tratem de obedecer. Vão logo.

(Sai.)

JOHN
Vamos, levante aí.

ROBERT
Só peço a Deus que não esteja recheada de cavaleiro de novo.

JOHN
Espero que não; prefiro até carregar chumbo.

(Entram FORD, PAGE, SHALLOW, CAIUS e EVANS.)

FORD

É, mas se for verdade, mestre Page, tem algum modo de me desfazer de bobo outra vez? Desçam essa cesta, vilões! Alguém chame minha mulher. A juventude em uma cesta! Safados cafetões; está há vendo uma trama, um golpe, uma conspiração, contra mim. Agora o diabo vai passar vergonha. Como é, mulher, venha cá! Venha logo: veja só que roupas mais honestas você está mandando alvejar!

PAGE

Isso já é demais, mestre Ford; você não pode mais ficar solto; vai ter de ser amarrado.

EVANS

Isso é lunacidade; é loucura de cachorro louco.

SHALLOW

Verdade, Mestre Ford; isso não fica nada bem.

FORD

É o que digo eu. *(Entra a COMADRE FORD.)* Venha cá, Senhora Ford – Senhora Ford, a honesta, a esposa pudica, a criatura virtuosa, que tem por marido um tolo ciumento! Eu examino sem causa, não é?

COMADRE FORD

Tenho o céu por testemunha que sim, se desconfia da minha honestidade.

FORD

Falou bem, descarada, vamos ver. Chegue para cá, moleque! *(Vai arrancando roupas da cesta).*

PAGE

Mas isso já é um despropósito!

COMADRE FORD

Olá, comadre Page, desça logo com a velha; meu marido quer examinar os quartos.

FORD

Velha? Que velha é essa?

COMADRE FORD

A tia da minha empregada, de Brainford.

FORD

Uma bruxa, uma rameira, uma cafetina intrigante! Não proibi que ela entrasse em minha casa? Ela faz de leva-e-traz, não é? Somos apenas homens, não sabemos o que é levado e trazido com o nome de cartomante. Ela trabalha com encantos, feitiçarias, enigmas e bruxarias que desconhecemos. Desça aqui, sua bruxa, sua megera; desça já aqui!

COMADRE FORD
Não faça isso, meu bom marido! Cavalheiros, não deixem que ele bata na velha.

(Entra FALSTAFF, vestido de mulher, com a COMADRE PAGE.).

FORD
Quem tasca sou eu. *(Batendo nele.)* Fora daqui, sua bruxa, sua harpia, seu lixo, linguaruda, erva daninha, passa fora! Eu te esconjuro, boto as cartas do seu futuro.

(Sai FALSTAFF.)

COMADRE FORD
Não tem vergonha? Acho que você matou a pobre da velha.

COMADRE PAGE
É assim que ele gosta. Há de lhe trazer muito bom crédito!

FORD
Enforquem a bruxa!

EVANS
Pelo sim, pelo não, creio a velha ser bruxa mesmo. Não gosto de mulher de barba grande. E vi uma grande barba por debaixo do xale.

FORD
Como é, senhores, vêm comigo? Peço que me sigam, só para ver o resultado de meu ciúme; se eu estiver gritando deste jeito por nada, nunca mais me acreditem quando abrir a boca.

PAGE
Concordemos um pouco mais com os caprichos dele; vamos, cavalheiros.

(Saem FORD, PAGE, SHALLOW, CAIUS e EVANS.)

COMADRE FORD
Palavra que ele surrou o outro de dar pena.

Comadre Page

Pela missa que não: a mim parece que ele bateu mas sem a menor pena.

Comadre Ford

Você acha que ainda podemos, sendo mulheres adultas e com o testemunho de consciência limpa, inventar alguma nova vingança contra ele?

Comadre Page

Pelo menos o espírito da luxúria deve ter sumido com o susto; se o diabo não o levar, com pena, multa e compensação, creio que pelo menos para não perder tempo, ele nunca mais há de nos procurar.

Comadre Ford

E contamos a nossos maridos o que fizemos com ele?

Comadre Page

Claro – mesmo que só para apagar a imagem dele da cabeça do seu marido. Se os dois ainda sentirem que o pobre e desvirtuoso cavaleiro gordo ainda deve ser punido, nós continuaremos a ser o instrumento.

Comadre Ford

Garanto que vão querer que ele passe alguma vergonha em público; a mim parece que a farra não acaba enquanto ele não for denunciado em público.

Comadre Page

Vamos, então, forjar a coisa; e dar-lhe forma; não podemos deixar o caso esfriar.

CENA 3
(Entram o Hospedeiro e Bardolph.)

Bardolph

Senhor, o alemão quer seus três cavalos: o próprio duque estará amanhã na corte, e eles irão encontrá-lo.

Hospedeiro

Por que há o duque de vir assim em segredo? Não soube de nada dele na corte. Deixe-me falar com os cavalheiros. Eles falam inglês?

Bardolph

Falam; e eu irei chamá-los.

HOSPEDEIRO

Podem ficar com meus cavalos; mas têm de pagar; vou sugá-los. Tiveram minha casa uma semana à sua disposição; tive de recusar outros hóspedes. Eles têm de acertar; vou arrancar-lhes o couro. Vamos.

(Saem.)

CENA 4
(Entram Page, Ford, Comadre Page, Comadre Ford e Evans.)

EVANS

Eu nunca vi mulher agir tão bem.

PAGE

Ele mandou na mesma hora as cartas?

COMADRE PAGE

Quinze minutos entre uma e outra.

FORD

Perdão, mulher. E aja livremente.
5 Prefiro suspeitar o sol de frio
Que você de devassa. A sua honra
Parecerá, a quem já foi herege,
Tão firme quanto a fé.

PAGE

                Agora, chega.
Não exagere tanto em submissão
10 Quanto na ofensa.
Vamos à trama; que as nossas mulheres
Mais uma vez, pra divertir a todos,
Marquem encontro com esse velho gordo,
Onde, apanhado, ele passe vergonha.

FORD
15 O melhor modo é o que elas sugeriram.

PAGE

Qual? O de mandar recado para ele as encontrar no parque à meia-noite? Aposto que não aparece.

EVANS

Já disseram que ele foi jogado no rio, e levou uma grande surra, vestido de velha; a mim parece que ele deve estar com terror para não
20 vir; penso que sua carne foi punida e ele não tem mais desejos.

PAGE
    É o que penso também.

COMADRE FORD
    Pensem no que farão se ele vier,
    Que nós pensamos no que há de trazê-lo.

COMADRE PAGE
    Corre uma história que Herne, o caçador,
25   Outrora guarda da floresta Windsor,
    Durante o inverno, toda meia-noite,
    Anda, chifrudo, em volta do carvalho,
    Ferindo as árvores, roubando gado;
    Faz leiteira dar sangue, e inda sacode
30   Suas correntes com barulho horrendo.
    Vocês sabem do mito, e já ouviram
    Que os velhos tolos, supersticiosos,
    Escutaram, e contam hoje em dia,
    Como verdade, a história de Herne.

PAGE
35   Não falta gente pra tremer de medo
    De andar à noite perto do carvalho.
    E daí?

COMADRE FORD
    Esse vai ser nosso golpe,
    Que, no carvalho, Falstaff nos encontre.

PAGE
    Não duvidemos que ele venha mesmo,
40   Altas horas, andar junto ao carvalho.
    Mas, e daí?

COMADRE PAGE
    O plano é o seguinte:
    A minha filha Nan e o meu filhinho,
    E mais uns três ou quatro, nós vestimos
    Qual fada ou diabrete, em verde e branco,
45   Com coroas de velas nas cabeças
    E matracas nas mãos; e de repente,
    Quando nós duas encontrarmos Falstaff,
    Eles saltam de um banco e vêm correndo
    Cantando a muitas vozes; mal os vemos,
50   E nós duas fugimos, espantadas;
    Os outros fazem roda em volta dele

Como fadas beliscam o calhorda,
Perguntando por que, àquela hora,
Santa pras fadas, ousa ele pisar
Com tal aspecto.

COMADRE FORD
E até que ele confesse,
Que as falsas fadas fiquem beliscando,
E o queimem com suas velas.

COMADRE PAGE
Com a verdade,
Nos mostramos, pra deschifrar o espírito
E caçoarmos dele até Windsor.

FORD
É preciso treinar bem as crianças.

EVANS
Eu ensinarei às crianças seus comportamentos; e me visto de macaco para queimar o cavaleiro com a minha vela.

FORD
Está excelente; vou comprar as máscaras.

COMADRE PAGE
A minha Nan é a rainha das fadas,
Mui bem trajada com um vestido branco.

PAGE
Eu compro a seda. *(À parte.)* E, na ocasião,
O mestre Slender leva a minha Nan.
Pra casar-se em Eton. Chamem Falstaff.

FORD
Irei vê-lo de novo como Brook;
Ele me conta o plano. Vem na certa.

COMADRE PAGE
Não tenha medo. Pegue os acessórios
Para enfeitar as nossas fadas.

EVANS
Vamos providenciar: é um prazer infinito e uma safadeza muito honesta.

(Saem PAGE, FORD e EVANS).

COMADRE PAGE

75   Vá, comadre; e mande logo
Saber o que Sir John vai ter em mente.

(Sai a COMADRE FORD.)

Eu vou ver o doutor, a quem protejo,
E ninguém mais se casa com Nan Page.
Aquele Slender é rico mas idiota;
80   Mas é a quem prefere o meu marido.
O doutor tem dinheiro, e seus amigos
Têm cotação na corte: ela é só dele,
Mesmo que me apareçam mil melhores.

(Sai.)

CENA 5
(Entram o HOSPEDEIRO e SIMPLE.)

HOSPEDEIRO

O que quer, cretino? O quê, casca-grossa?
Fala, proclama, discursa; mas rápido, depressa.

SIMPLE

Pela Virgem, senhor, vim falar com *Sir* John Falstaff, por parte do mestre Slender.

HOSPEDEIRO

5   Está ali seu quarto, sua casa, seu castelo, seu leito firme e sua cama de armar; recém-pintado com a história do Pródigo. Vai, bate e chama; ele te responderá como um antropofaginês; bate logo.

SIMPLE

Uma velha, uma gordona, subiu para o quarto dele. Tomo a liberdade de esperar até que ela desça; é com ela que quero falar.

HOSPEDEIRO

10   O quê? Uma mulher gorda? Talvez o cavaleiro tenha sido roubado; vou chamá-lo. Encantador cavaleiro! Caro *Sir* John! Fale com seus pulmões militares. Está aí? É o seu hospedeiro, seu efesiano, quem chama.

FALSTAFF

(Do alto.)
O que há, meu hospedeiro?

HOSPEDEIRO

Um boêmio-tártaro aguarda a descida de sua mulher gorda. Que ela desça. Meu caro, que ela desça; meus alojamentos são honrados. Vexame! Privacidade? Que vexame!

(Entra FALSTAFF.)

FALSTAFF

Até há pouco, meu hospedeiro, estava comigo uma mulher gorda, mas já foi embora.

SIMPLE

Por favor, senhor, não era a feiticeira de Brainford?

FALSTAFF

Isso mesmo, seu boca mole: o que quer com ela?

SIMPLE

Meu amo, senhor, meu amo Slender, mandou falar com ela, depois que a viu na rua, para saber, senhor, se um tal Nym, senhor, que o embromou com uma corrente, estava com a corrente ou não.

FALSTAFF

Eu falei com a velha a respeito.

SIMPLE

E, por favor, o que diz ela, senhor?

FALSTAFF

Ora, diz ela que esse mesmo homem que embromou o Mestre Slender surrupiou-lhe a tal da corrente.

SIMPLE

Eu queria falar direto com a mulher; tinha outras coisas para dizer a ela, da parte dele.

FALSTAFF

Que coisas? Diga logo.

HOSPEDEIRO

Fala, depressa.

SIMPLE

Não posso ocultar nenhuma delas, senhor.

HOSPEDEIRO

Oculta ou morre, meu senhor.

SIMPLE

35 Ora, senhor, não era nada senão sobre a dona Anne Page, para saber se é destino de meu amo ficar com ela ou não.

FALSTAFF

Claro que é seu destino.

SIMPLE

O quê?

FALSTAFF

Ficar com ela ou não. Vá-se embora; conte a ele que foi o que a velha
40 me disse.

SIMPLE

Posso ousar dizer isso, senhor?

FALSTAFF

Pode, sim, senhor. E com mais ousadia.

SIMPLE

Agradeço a sua senhoria; deixarei meu amo feliz com essas novas.

HOSPEDEIRO

O senhor é erudito, senhor, muito erudito, Sir John. Havia uma feiri-
45 ceira em seus aposentos?

FALSTAFF

Havia, hospedeiro; que me ensinou mais espírito do que eu jamais aprendera na vida. E não paguei nada para aprender, mas fui pago pelo que aprendi.

(Entra BARDOLPH.)

BARDOLPH

Ai, ai, senhor; é vigarice em cima de vigarice!

HOSPEDEIRO

50 Onde estão meus cavalos? Dê boas notícias deles, empregadote!

BARDOLPH

Fugiram com os vigaristas; logo que passei adiante de Eton,[27] eles me atiraram, um deles, por trás, num atoleiro de lama; esporearam a se mandaram, como três alemães, três doutores Faustos.

---

27 Eton, onde existe o famoso colégio, é contígua a Windsor. (N.T.)

HOSPEDEIRO
Foram só encontrar o duque, vilão; não diga que fugiram. Os alemães são homens honestos.

(Entra EVANS.)

EVANS
Onde está o hospedeiro?

HOSPEDEIRO
O que é que há, senhor?

EVANS
Tome cuidado com os que abriga: um amigo meu que chegou à cidade diz que há três alemães que já roubaram todos os hospedeiros de Readins, Maidenhead, e Colebrook,[28] de cavalos e dinheiro. Eu digo isso por sua boa vontade, saiba; o senhor é sábio, e cheio de deboches e mostrativos de riso, e não é conveniente que seja vigarizado. Passe muito bem.

(Sai.)

(Entra CAIUS.)

CAIUS
Onde está mon hospedeiro da Jarretère?

HOSPEDEIRO
Aqui, mestre doutor, em perplexidade e duvidoso dilema.

CAIUS
Isso não sei o que é; mas me foi dito a mim que faz grandes preparativos para um duque da Alemagne; dou minha palavra que não há duque que a corte saiba que vem. Digo isso só de boa vontade; adieu.

(Sai.)

HOSPEDEIRO
Alarma, vilão, vá-se embora! – Se o cavaleiro não me ajuda, estou liquidado! – Voem, corram, e gritem vilania, eu estou liquidado!

(Saem o HOSPEDEIRO e BARDOLPH.)

---

28 O galês troca os nomes das localidades: Reading e Colinbrook. (N.T.)

FALSTAFF

Só queria que o mundo inteiro fosse vigarizado, pois eu fui vigarizado e também espancado. Se chegasse aos ouvidos da corte em que me transformei, e como minha transformação foi lavada e surrada, iam derreter minha banha gota por gota, e engraxar botas de pescador comigo; garanto que iriam me espancar com seus espíritos requintados até eu ficar com a crista caída como uma pera seca. Não ganhei nada desde que abjurei o carteado. Pois se eu tivesse fôlego, me arrependeria. *(Entra a MADAMA QUICKLY.)* De onde é que a senhora apareceu?

Que o diabo leve uma, e a mãe dele a outra, o que dá conta das duas. Já sofri mais por causa daquele par – mais do que a inconstância vilanosa que a disposição humana é capaz de aturar.

QUICKLY

E elas não sofreram? Sim, senhor, eu garanto, em particular uma delas: a comadre Ford, aquele bom coração, apanhou tanto que está roxa de alto a baixo, sem se ver um único ponto branco nela.

FALSTAFF

E pra que me falar do roxo dela? Eu apanhei tanto que fiquei com todas as cores do arco-íris; e ainda quase que fui preso por ser a feiticeira de Brainford. Se minha admirável destreza de espírito, minha contrafação dos modos de uma velha, não me libertassem, o safado do policial me teria posto no cepo, como qualquer feiticeira.

QUICKLY

Senhor, permita que converse com o senhor em seus aposentos: vai saber como estão indo as coisas, para sua satisfação. Aqui está uma carta que já explica um pouco. Ah, meus queridos, que trabalho e confusão tem havido para juntar os dois! Na certa um dos dois não anda servindo direito o céu, para as coisas ficarem assim, tão cheias de obstáculos.

FALSTAFF

Vamos subir, então.

(Saem.)

CENA 6
(Entram FENTON e o HOSPEDEIRO.)

HOSPEDEIRO

Nem fale comigo, mestre Fenton, minha cabeça está está estourando. Vou desistir de tudo.

FENTON
  Ouça; me ajude nesse meu intento.
  E, por minha palavra, lhe darei
5 Cem libras-ouro mais que suas perdas.

HOSPEDEIRO
  Vou ouvi-lo, mestre Fenton e, no mínimo, guardarei seu segredo.

FENTON
  Por várias vezes já o informei
  Do grande amor que tenho por Anne Page,
  Que corresponde, com afeição igual,
10 Na medida em que possa ter escolha,
  Ao meu desejo. Mandou-me esta carta
  Cujo teor lhe causaria espanto,
  A farra tão mesclada com o que eu quero,
  Que nenhuma das coisas tem sucesso
15 Se separadas. O gordo Falstaff
  Faz um grande papel; e a ideia toda
  Eu vou mostrar-lhe aqui. Ouça, hospedeiro.
  Junto ao carvalho, entre a meia-noite e a uma,
  A minha Nan é Rainha das Fadas;
20 Por que, vai ver aqui – e assim vestida,
  Enquanto os outros armam brincadeiras,
  Mandou o pai que ela escapulisse
  Com Slender, a fim de, com ele, em Eton,
  Casar-se logo; e ela concordou.
25 Porém a mãe, que não se agrada dele,
  E quer o doutor Caius, resolveu
  Que ele é que a deve sequestrar,
  Enquanto os outros têm outros prazeres,
  E na capela, onde um padre os espera,
30 Casar depressa; com a trama da mãe
  Parecendo obediente, uma outra vez,
  Prometeu-se ao doutor. A coisa é esta:
  Segundo o pai ela estará de branco;
  Vestida assim, na hora certa Slender,
35 Tomando-a pela mão, pede que o siga,
  E ela irá com ele; pois a mãe,
  Pra que o doutor a possa conhecê-la –
  Pois todos têm de estar usando máscaras –
  Disse que Nan 'stará de verde claro
40 E fitas penduradas nos cabelos;
  E o doutor, quando achar que é a hora
  De, segundo o sinal, pegar a mão
  Da moça que aceitou partir com ele.

HOSPEDEIRO
    Quem será o enganado: pai ou mãe?

FENTON
    Ambos, amigo, pra fugir comigo:
    E o que lhe peço é que traga o vigário
    Pra que me espere, entre as doze e a uma,
    E, nas palavras legais do matrimonio,
    Nos uma os corações, com a cerimônia.

HOSPEDEIRO
    Consiga a sua parte, e eu, o vigário.
    Traga a moça, que o padre estará lá.

FENTON
    Eu lhe fico pra sempre devedor,
    E, além disso, vou recompensá-lo.

(Saem.)

ATO 5

CENA 1
(Entram Falstaff e a Madame Quickly.)

Falstaff

Chega de tagarelice; vá. Eu irei. Essa é a terceira vez; espero que a boa sorte esteja nos números ímpares. Vá logo! Há algo de divino nos ímpares, seja no nascimento, no jogo ou na morte. Vá!

Quickly

Vou trazer-lhe uma corrente, e farei tudo para arranjar-lhe um par de chifres.

Falstaff

Vá logo, o tempo corre; cabeça em pé e um passinho leve.

(Sai a Madama Quickly.)

(Entra Ford como Brook.)

Então, mestre Brook? Mestre Brook, o assunto se resolve esta noite, ou nunca. Esteja no parque por volta da meia-noite, no carvalho de Herne, que há de ver maravilhas.

Ford

Não foi encontrar-se com ela ontem, como me havia dito?

Falstaff

Eu fui, mestre Brook, assim como me vê, um pobre velho, mas voltei de lá, mestre Brook, como uma pobre velha. O mesmo safado, mestre Brook, o marido dela, apanhou o mais louco dos demônios do ciúmes, mestre Brook, que jamais governou um frenesi. Eu lhe digo que ele me bateu com muita vontade, na forma de uma mulher; pois em forma de homem, mestre Brook, não temo nem Golias tendo uma vara de tear, pois também sei que a vida é uma lançadeira. Estou com pressa; venha comigo. Eu lhe conto tudo, mestre Brook. Desde que eu depenava gansos, fazia gazeta na escola e rodava pião que não sabia o que era levar uma surra. Venha comigo, hei de contar-lhe coisas esquisitas sobre esse safado Ford, de quem me vingarei esta noite, e entregarei a mulher dele em suas mãos. Siga-me. Coisas estranhíssimas estão para acontecer, mestre Brook! Venha comigo.

(Saem.)

CENA 2
(Entram PAGE, SHALLOW e SLENDER.)

PAGE
Venham, venham, vamos nos esconder no fosso do castelo até vermos as luzes das fadas. Lembre-se, filho Slender, da minha filha.

SLENDER
Certo; eu falei com ela e nós temos uma não-palavra para nos conhecermos um ao outro: eu me aproximo dela de branco, e grito "Ai, ai", e ela responde "Que tem?" e assim nós nos conhecemos.

PAGE
Fica muito bem assim; mas por que a necessidade de "Ai, ai" e "Que tem?". O branco já explica tudo para ela. Já bateram as dez horas.

PAGE
A noite está escura; as luzes e os espíritos calharão bem. Que o céu ajude nossos planos! Ninguém é mau senão o diabo, e a ele nós conheceremos pelos chifres. Vamos lá; venham comigo,

(Saem.)

CENA 3
(Entram COMADRE PAGE, COMADRE FORD e DOUTOR CAIUS.)

COMADRE PAGE
Mestre doutor, minha filha está de verde: quando chegar sua hora, pegue-a pela mão, leve-a até a capela e resolva tudo depressa. Primeiro entre no parque. Nós não devemos ser vistos juntos.

CAIUS
Eu sei bem o que tenho de fazer. *Adieu.*

(Sai.)

COMADRE PAGE
Boa sorte, senhor. Meu marido não vai gozar tanto o vexame de Falstaff quanto se irritar com o doutor casar com a minha filha; mas não importa: antes um pouco de reclamação do que muito sofrimento.

COMADRE FORD
Onde está a Nan? E seu bando de fadas? E aquele demônio galês Hugh?

COMADRE PAGE
Estão todos escondidos em uma caverna perto do carvalho de Herne,

com as luzes cobertas que, no momento em que Falstaff encontrar conosco vão exibir na escuridão.

COMADRE FORD
O que não pode deixar de dar um susto nele.

COMADRE PAGE
Assustado ou debochado; mas se assustado, mesmo assim será debochado.

COMADRE FORD
Preparamos uma ótima traição para ele.

COMADRE PAGE
Contra os vis e sua devassidão
Não se culpa os traidores de traição.

COMADRE FORD
Está chegando a hora; pro carvalho!

(Saem.)

CENA 4
(Entram EVANS, fantasiado, WILLIAM e as outras crianças como Fadas.)

EVANS
Saltitando, fadas; vamos; e lembrem-se de seus papéis. Sejam ousados, por favor; sigam-me para a caverna; e quando eu disser a palavra combinada, façam como pedi. Vamos, saltitando, saltitando.

(Saem.)

CENA 5
(Entra FALSTAFF, fantasiado de Herne, usando uma cabeça de cervo.)

FALSTAFF
O sino de Windsor bateu as doze; o minuto está chegando. Que os deuses de sangue quente me ajudem! Lembre-se de Zeus, que foi um touro para sua Europa, com o amor armado nos chifres. Oh, poderoso amor, que às vezes faz de um animal um homem, outras de um homem um animal. Você também, um cisne para Leda. Oh deus onipotente, como o deus ficou perto da compleição de um ganso! O primeiro pecado feito em forma de animal: Oh Zeus, que pecado animal! E depois outro, com aspecto de um penoso: pense nisso, Zeus,

um pecado penoso! Quando os deuses esquentam de desejo, o que podem fazer os pobres dos homens? Quanto a mim, aqui estou como cervo de Windsor, e na certa o mais gordo da floresta. Zeus, mande-me tempo fresco, senão quem pode me condenar por mijar na minha vela? Mas, quem vem lá? É a minha corça?

(Entram Comadre Ford e Comadre Page.)

Comadre Ford
Sir John? Está aí, meu servo, meu cervo macho?

Falstaff
Minha corça de rabinho preto? Que do céu chovam batatas; que troveje ao som de "Greensleeves",[29] granizo de confeitos-beijos, neve caramelada; que caia uma tempestade de erotice, hei de abrigar-me aqui.

Comadre Ford
A comadre Page veio comigo, queridinho.

Falstaff
Repartam-me como veado roubado, uma perna para cada uma; as ancas guardo para mim mesmo, os ombros para o guarda local – e meus chifres eu dou a seus maridos. Sou ou não bom de pau? Não falo como um caçador? Pois agora Cupido é filho da consciência; ele compensa tudo. Sou aparição honesta; boas-vindas!

(Som de toque de trompas, fora.)

Comadre Page
Que barulho é esse?

Comadre Ford
Que Deus perdoe nossos pecados!

Falstaff
Mas o que haveria de ser isso?

Comadre Ford
Fujam!

Comadre Page
Fujam!

(As duas saem correndo).

---

29 A referência à canção conhecida até hoje é por ser ela uma canção de amor. (N.T.)

FALSTAFF

Creio que o demônio não quer que eu seja danado, para que o óleo que há em mim não toque fogo no inferno; de outro modo, jamais haveria de me contrariar assim.

(Entra EVANS, fantasiado como antes; PISTOL, como duende; a MADAMA QUICKLY, como Rainha das Fadas; ANNE PAGE e as crianças como fadas, com tochas.)

QUICKLY

Fadas de preto, de branco e verdura.
Fastos do luar, sombras da noite escura,
Herdeiras órfãs de um mesmo destino,
Cumpram as regras, de atributo fino.
Duende, chame agora suas fadas,

PISTOL

Falem, demos; fadas fiquem caladas.
Em Windsor, pula o grilo da lareira
Onde ninguém limpou cinza e poeira;
Lá belisquem criadas descuidadas,
Nossa rainha odeia putinhas safadas.

FALSTAFF

São fadas; morre quem com elas falar.
Abaixo e pisco; ninguém as pode olhar.

(Ele se deita, virado para o chão.)

EVANS

Bolinha! Saia para uma moça procurar
Que rezou muito antes de deitar;
Acenda-lhe a imaginação sutil,
Durma ela em inocência infantil;
Mas quem no sono esqueceu seus pecados,
Em braço, perna e tronco sejam beliscados.

QUICKLY

Rápido, rápido:
Duendes, corram por todo o castelo:
A todo ele a sorte há de sorrir
E para sempre ele há de resistir,
Em estado que sirva bem ao estado,
Digno do dono, o dono sempre honrado;

As cadeiras da ordem[30] lavem bem
Com o bálsamo que as flores todas têm;
Em cada escudo, armas e brazão
Goze pra sempre a sua sagração;
60 E, fadas, cantem, pela noite inteira,
Numa roda, como a da Jarreteira;
Que seja verde o tom que hão de deixar,
Mais fértil-verde que o campo que olhar;
E *Honit soit qui mal y pense* escrevamos
65 Com flor azul, branco e carmim em ramos,
Qual se safiras e pérolas, bordados,
Cingissem nobres joelhos dobrados:[31]
Usem flores para a caligrafia.
Vão, espalhem-se; mas até à uma
70 Junto ao carvalho é que a dança se arruma,
Junto ao de Herne, fiquem bem lembradas.

EVANS

Em ordem, por favor, e de mãos dadas;
Os vagalumes vão iluminar
Para em volta do tronco nos guiar.
75 Estou sentindo cheiro de terráqueo!

FALSTAFF

Que Deus me proteja dessa fada galesa, para que não me transforme em queijo!

PISTOL

Oh verme vil, encantado ao nascer.

QUICKLY

Que o fogo-teste[32] queime aquele dedo,
80 Se for casto, ele foge do brinquedo
E não provoca dor; mas se fere a mão.
São corrompidos carne e coração.

PISTOL

Vamos testar.

EVANS

Isso é lenha de queimar?

---

30 Na capela do castelo de Windsor é a da Ordem da Jarreteira, e nomes e títulos de seus ocupantes aparecem acima de cada uma. (N.T.)
31 A Ordem da Jarreteira, como é sabido, é usada na forma de uma liga logo abaixo do joelho esquerdo pelos membros da Ordem. (N.T.)
32 Ao que parece uma tradição popular falava de um jogo usado para pôr à prova a presença da luxúria no indivíduo.

(Eles tentam queimar Falstaff *com suas velas.)*

Falstaff
   Ai, ai, ai!

Quickly
85 É corrupto, pecou por desejar!
   Ataquem, fadas, cantem com desdém;
   E, saltando, vão picando, também.

      (Canção.)

   Fora a imaginação pecaminosa
   Fora a luxúria e o desejo
90 *A primeira é a carne fogosa*
   Que arde e queima sem pejo,
   Chamas do peito a galgar
   Que o pensamento faz voar.
   Belisquem-no, fadas, em conjunto
95 *Sua vilania é o nosso assunto.*
   É beliscar, queimar, fazer pular
   Até que acabem velas e luar.

      (Durante a canção eles beliscam Falstaff. *Por um lado, entra* Caius
      e rouba uma fada de verde; por outro, entra Slender *e rouba uma*
      de branco; então entra Fenton *e leva consigo* Anne Page. *Ruídos de*
      caçada vêm de fora. As Fadas *fogem.* Falstaff *arranca a cabeça de*
      Cervo, *e se levanta.)*

      (Entram Page, Ford, Comadre Page *e* Comadre Ford.*)*

Page
   Nada de fuga; agora o apanhamos.
   Será que só o Herne, caçador, lhe serve?

Comadre Page
100 Por favor, não precisam ir mais longe.
   Sir John, que tal as comadres de Windsor?

      (Apontando para os chifres.)

   Marido, viu? Não acha que essas cangas
   Ficam melhor no campo que em cidade?

Ford
   E então, senhor, quem é o corno agora? Mestre Brook, Falstaff não

presta, é um safado cornudo; de Ford ele só usou a cesta de roupas, o chicote, e vinte libras em dinheiro, que terá de pagar a mestre Brook; seus cavalos foram sequestrados por conta, mestre Brook.

COMADRE FORD

Sir John, tivemos má sorte; nossos encontros falharam. Jamais tornarei a tê-lo por meu amor, mas hei de contá-lo sempre entre os meus servos.

FALSTAFF

Começo a perceber que me fizeram de asno.

FORD

E de boi, também; há provas de ambos.

FALSTAFF

Essas não eram fadas? Por três ou quatro vezes pensei que não fossem, mas a culpa de minha mente, a surpresa de minhas capacidades, tornou a grosseria da mascarada na tradição aceita, a despeito de tudo que ia contra a razão, de que elas eram fadas. Vejam como o espírito pode ser feito de idiota, quando a serviço de um mau uso!

EVANS

Sir John Falstaff, sirva a Deus, abandone os desejos, que as fadas param de beliscar.

FORD

Muito bem dito, duende Hugh.

EVANS

E abandone as suas ciumeiras também, por favor.

FORD

Nunca mais desconfio de minha mulher; pelo menos até o senhor aprender a falar inglês direito.

FALSTAFF

Será que tanto sequei meu cérebro ao sol que ele não tenha massa para evitar tamanhos desmandos? Também tenho de andar com uma cabra galesa?[33] Já está na hora de eu me engasgar com um pedaço de queijo torrado.

EVANS

Não é bom dar queijo a manteiga; sua barriga é toda ela manteiga.

---

33 A tradição dizia que havia um número imenso de cabras no País de Gales, constando que o diabo muitas vezes se transformava em bode. Era igualmente popular a ideia de que os galeses têm forte queda por queijo. (N.T.)

Falstaff

"Queijo" e "manteiga"?[34] Vivi até hoje para ser debicado por quem faz frituras do inglês? É o bastante para determinar o fim da luxúria e dos passeios noturnos no reino.

Comadre Page

Ora, *Sir* John, crê que mesmo se houvéssemos arrancado a virtude de nossos corações e nos entregado sem escrúpulos ao inferno, que o demônio poderia algum dia fazê-lo nosso prazer?

Comadre Ford

Esse pudim de tripa? Esse saco de linhaça?

Comadre Page

Esse homem estufado?

Page

Velho, frio, seco, transbordando de tripas?

Ford

Tão mentiroso quanto Satã?

Page

Pobre como Jó?

Ford

Tão mau quanto sua mulher?

Evans

Tão dado a fornicações, a tavernas, a xerezes, a vinhos, a hidromeis, a bebeções, a praguejações, a olhações e patatis e patatás?

Falstaff

Sou o alvo do deboche de todos; estão com a vantagem; eu estou derrotado; não posso responder a flanela galesa; a própria ignorância me afunda; façam de mim o que quiserem.

Ford

Muito bem, senhor; o levaremos a Windsor a um tal mestre Brook de quem arrancou dinheiro, e a quem deveria servir como cafetão. Além de tudo o que passou, creio que devolver aquele dinheiro será punição dolorosa.

---

34 É preciso tornar a lembrar que Evans fala o tempo todo com pesado sotaque galês, que altera, por exemplo, b em p, v em f etc. (N.T.)

PAGE

150 Alegre-se, cavaleiro; hoje à noite há de tomar um quentão em minha casa, onde quero que ria tanto de minha mulher quanto ela ri do senhor. Diga-lhe que o mestre Slender casou-se com a filha dela

COMADRE PAGE

(À parte.)
Os doutores duvidam; se Anne Page é minha filha, a esta altura ela é mulher do doutor Caius.

(Entra SLENDER.)

SLENDER

155 Ai, ai, ai, pai Page!

PAGE

Filho, o que foi? O que há, filho? Está liquidado?

SLENDER

Liquidado? Vou contar a tudo o que há de melhor no condado de Gloucester; que eu seja enforcado, se não!

PAGE

Tudo o quê, filho?

SLENDER

160 Fui até Eton para casar com a dona Anne Page, e ela era um meninão gorducho! Se não estivesse na igreja eu esganava ele, ou ele a mim. Se não pensasse que era a dona Anne, não tinha arredado o pé daqui – e era um mensageiro do correio!

PAGE

Eu juro que você pegou a moça errada.

SLENDER

165 E ainda precisa me dizer? Eu já achei na hora em que peguei menino por menina. Se tivesse casado com ele, mesmo que vestido de mulher, não ia querer ele para mim.

PAGE

Tudo isso é loucura sua. Eu não lhe disse como reconhecer minha filha pelas roupas?

SLENDER

170 Eu atrás da de branco, e gritei "Ai, ai", e ela gritou "Que tem?", como Anne e eu combinamos; mas não era Anne, era o menino do correio.

COMADRE PAGE

Meu bom George, não fique com raiva: eu sabia dos seus planos, vesti minha filha de verde, e para falar a verdade ela agora está se casando com o doutor, na capela.

(Entra CAIUS.)

CAIUS

175 Onde está a comadre Page? Por Dieu, eu fui enganado: eu casei com *un garçon*, um rapaz, *un paysan*, eu juro; um menino; não é Anne Page; *pour Dieu* que eu fui enganado.

COMADRE PAGE

Mas não pegou a que estava de verde?

CAIUS

Peguei, juro, mas era um menino; juro que vou acordar Windsor in-
180 teira.

(Sai.)

FORD

Mas que estranho. Quem agarrou a Anne certa?

PAGE

Meu coração já tremeu; aí vem o mestre Fenton. *(Entram FENTON e ANNE PAGE.)* O que é isso, mestre Fenton?

ANNE

Perdão, bom pai; e, boa mãe, perdão.

PAGE

185 Moça, por que não foi com o mestre Slender?

COMADRE PAGE

E por que não com o doutor, mocinha?

FENTON

Não a assustem. Eu conto a verdade.
Ambos lhe davam boda desonrosa,
Na qual o amor não era respeitado.
190 Na verdade, ela e eu éramos noivos,
E hoje nada pode separar-nos.
Só de forma sagrada ela pecou,
E este engano não é falsidade,
Dever mal feito ou desobediência,

195 Já que ele, por si, evita e afasta
Horas malditas contra a religião,
Que traz o casamento que é forçado.

Ford

Chega de espanto; não há mais remédio.
No amor, os céus é que guiam o estado
200 Ouro traz terra; casamento é fado.

Falstaff

Fico contente que, de tanto mirar em mim, sua flecha tenha errado o alvo.

Page

Que remédio? Seja feliz, Fenton,
O sem remédio está remediado.

Falstaff

205 Sem cachorros, a caça vai pro brejo.

Comadre Page

Pra mim, chega de queixas. Mestre Fenton,
Que o céu lhe traga só dias alegres!
Marido, vamos todos para casa,
Rir de tudo ao fogo da lareira.
210 *Sir* John também.

Ford

Assim seja. *Sir* John,
A palavra com Brook ficou acorde
Hoje ele dorme com a comadre Ford.

(Saem.)

Muito barulho por nada

Introdução
BARBARA HELIODORA

Muito barulho por nada, datada de 1598, é a primeira das três chamadas "comédias de ouro" que Shakespeare escreveu quando entrava no fantástico período em que se uniram de forma ímpar seu amadurecimento pessoal e seu domínio de todos os segredos da dramaturgia, seguida por *Como quiserem*, em 1599, e *Noite de Reis*, escrita entre 1600 e 1602, já, portanto, no início do período trágico. Para variar, o poeta não inventou seu enredo, sendo que os estudiosos já encontraram nada menos que dezesseis possíveis fontes, entre dramáticas e não dramáticas, que ele possa ter usado. Entre as não dramáticas, talvez as mais importantes, estejam o *Orlando Furioso*, de Ariosto, e a 22ª história das *Novelle*, de Matteo Bandello, sendo que esta última ele poderia ter lido no original italiano ou no terceiro volume da tradução francesa de François Belleforest, *Histoires Tragiques*. O engano dos supostos amantes vistos pela janela, do *Orlando Furioso*, já havia sido usado por Spenser em *The Faerie Queene*, enquanto a intriga para que um casal que vive brigando admita seu amor já havia sido usada também em duas peças sem maior sucesso ou repercussão, hoje perdidas. A habilidade em entrelaçar as duas e a criação das personalidades que completam o quadro são puro Shakespeare, e é o que empresta ao texto o seu extraordinário encanto.

Um aspecto que precisa ser levantado, para o leitor ter melhor ideia da intenção de Shakespeare com o título da obra: "*Muito barulho por nada*" é por demais consagrado para poder ser alterado, mas algum esclarecimento é necessário, porque sem dúvida pode ser considerado desapropriado esse título, dada a gravidade da acusação de Cláudio a Hero, principalmente com seu repúdio público. Acontece que, justamente na época em que Shakespeare estava escrevendo, o encanto dos ingleses com a potencialidade de sua língua fazia com que estivesse muito em moda o trocadilho; uma das explicações para o título, portanto, é o fato de "Much Ado About Nothing" (Muita confusão por nada) podia facilmente ser tomada por "Much Ado About Noting" (Muita confusão por se notar, ou escutar). Tudo, então, toma novo sentido: praticamente todos os problemas da peça são criados porque alguém nota ou ouve alguma coisa e a entende mal, ou faz uso errado da informação obtida: Cláudio ouve Dom João dizer que seu irmão, o príncipe Dom Pedro, estava cortejando Hero para si mesmo, e acredita (esse engano é esclarecido, porém já caracteriza a credulidade de Cláudio para a calúnia principal; Boraquio ouve a conversa do trato de casamento de Cláudio e Hero, e Dom João planeja usar a informação para desmoralizar Cláudio; Dom Pedro, Dom Antônio e Cláudio conseguem fazer Benedito ouvir uma conversa na qual os três falam do grande amor de Beatriz por ele, o que leva Benedito a ficar disposto a amá-la, enquanto Hero e Margaret fazem Beatriz ouvir uma conversa em que têm pena de Benedito, tão apaixonado por Beatriz que quase morre de amor por ela, mas tem medo da zombaria de Beatriz.

A ação central é o momento em que Dom João faz o príncipe e Cláudio "verem" Hero e um amante à janela do quarto da moça, na véspera do casamento, enquanto a solução da intriga só é alcançada porque os iletrados e idiotas guardas-

-noturnos ouvem Boraquio contar a Conrado o que havia feito e, em meio às piores confusões, conseguem fazer a verdade chegar aos ouvidos certos.

Assim sendo, "La calunnia", ária de *O barbeiro de Sevilha*, talvez fosse título mais adequado a essa memorável comédia, do que o consagrado que sugere que todo o barulho tenha sido por nada.

Cada vez que Shakespeare usa um enredo alheio, ele o transforma radicalmente, e aqui o caso não é diferente, pois antes da maldosa intriga é criado todo um ambiente de alegria e festa, com a chegada de Dom Pedro a Messina, muito embora o mal já seja nesse momento introduzido, na figura de Dom João, irmão do príncipe, caracterizado como um *"malcontent"*, um insatisfeito, personagem de grande popularidade na época, malévolo, intrigante, revoltado contra todo e qualquer sucesso alheio. Com grande habilidade, Shakespeare contrasta o amor romântico e juvenil de Hero e Cláudio – que torna plausível o rapaz ser tão vulnerável e crédulo – com a vivacidade de espírito e o maior contato com a realidade do duelo entre Beatriz e Benedito, cujo amor terá base em melhor conhecimento mútuo.

E, criação exclusiva de Shakespeare, é a coleção de tolos e ignorantes encarregados da parte mais cômica da peça: Dogberry foi o último papel de Will Kempe para a companhia para a qual Shakespeare escrevia, os Lord Chamberlain's Men: com mais talento para uma comicidade mais fácil, deve ter tido certa queda para o "caco", o que perturbava o autor; em 1599, Kempe é substituído por Robert Armin, muito mais erudito e sutil, sendo fácil perceber a radical mudança na natureza dos bobos com essa mudança de intérprete. Mas, por ridículos e tolos que possam nos parecer os guardas-noturnos de *Muito barulho por nada*, deve ter sido real o despreparo desse tipo de guarda voluntário em comunidades pequenas daquela época, não entrando em conflito com alguma verdade essencial, não sendo mais do que uma criação dramática que exagera nas tintas.

Vale a pena lembrar que até mesmo o final feliz é baseado em um engano: Hero não estava morta, e Cláudio é persuadido a casar-se com uma suposta prima, a quem faz promessa de casamento sem a ver. O generoso perdão de Leonato e Hero, no entanto, só pode ser aceito se aceitarmos que o fato incontestável de Cláudio ser, também ele, vítima da sórdida calúnia armada por dom João e seus asseclas. Mas o todo é perfeito.

LISTA DE PERSONAGENS

Dom Pedro, Príncipe de Aragão
Dom João, seu irmão bastardo
Cláudio, um jovem de Florença
Benedito, um jovem de Pádua
Leonato, Governador de Messina
Antônio, seu irmão
Baltasar, cantor, do séquito de Dom Pedro

Conrado
Boraquio } seguidores de Dom João

Frei Francisco
Dogberry, sargento de polícia
Verges, vigia da cidade
Primeiro Guarda-Noturno
Segundo Guarda-Noturno
Um Sacristão
Um Menino
Um Nobre
Hero, filha de Leonato
Beatriz, sobrinha de Leonato

Margaret
Úrsula } aias de Hero

Mensageiros, Músicos, Vigias, Servos etc.

A cena: Messina.

ATO 1

CENA 1
(Entram Leonato, governador de Messina, sua filha Hero e sua sobrinha Beatriz, com um Mensageiro.)

Leonato
A carta me informa que Dom Pedro de Aragão chega esta noite à Messina.

Mensageiro
A esta altura, já está bem perto; não estava nem a três léguas, quando o deixei.

Leonato
Quantos cavalheiros perderam na batalha?

Mensageiro
Poucos ao todo; nenhum da nobreza.

Leonato
A vitória vale por duas quando o vencedor traz de volta toda a sua tropa. Vejo aqui que Dom Pedro concedeu grandes honras a um florentino chamado Cláudio.

Mensageiro
Que muito as mereceu, e foi devidamente lembrado por Dom Pedro. Mais bravo do que prometia sua idade; parecendo cordeiro, realizou feitos de leão. Fez muito mais que o esperado, ou do que eu possa relatar.

Leonato
Ele tem um tio aqui em Messina que há de ficar muito gratificado com tudo isso.

Mensageiro
Já lhe entreguei várias cartas, que pareceram alegrá-lo muito, tanto mesmo que a alegria não teve pudor de mostrar-se sem um toque de tristeza.

Leonato
Desmanchou-se ele em lágrimas?

Mensageiro
E muitas.

LEONATO

É o transbordo da afeição: não há rostos mais verdadeiros do que os assim lavados. É bem melhor chorar de alegria do que alegrar-se com o choro.

BEATRIZ

Diga-me, o senhor fanfarrão voltou também da guerra, ou não?

MENSAGEIRO

Não conheço ninguém com esse nome, senhora; e nem havia ninguém, no exército, desse tipo.

LEONATO

Por quem é que está perguntando, sobrinha?

HERO

Minha prima fala do senhor Benedito, de Pádua.

MENSAGEIRO

Ora, ele voltou e tão agradável como sempre.

BEATRIZ

Ele espalhou cartazes em Messina, desafiando Cupido em arco e flecha; o Bobo da casa de meu tio o leu e, em nome de Cupido, propôs a flecha curta. Diga-me, por favor, quantos ele matou e comeu na guerra? Basta dizer quantos matou, pois prometi comer todos os que ele matasse.

LEONATO

Palavra, sobrinha, que provoca demais o senhor Benedito; mas sei que ele há de lhe responder à altura.

MENSAGEIRO

Ele prestou bons serviços, senhora, na guerra.

BEATRIZ

Serviam-lhe carne mofada, que ele comeu bem: é um garfo e tanto; e tem um estômago dos mais resistentes.

MENSAGEIRO

A senhora tem ali um bom soldado.

BEATRIZ

Ao senhor pode ser; mas e o seu senhor, o que tem ele ali?

MENSAGEIRO

É nobre para seu senhor nobre, e homem para um homem, cheio das mais honrosas virtudes.

BEATRIZ

Isso é verdade; ele é bem recheado; mas quanto ao que o recheia – bem, somos todos mortais.

LEONATO

Não se deixe enganar por minha sobrinha. Há uma espécie de guerra alegre entre o senhor Benedito e ela: cada vez que se encontram, temos uma escaramuça de espírito entre os dois.

BEATRIZ

O que não lhe adianta nada. No último encontro, ele saiu sem quatro de seus cinco sentidos, e agora depende só de um: de modo que se ainda tiver bom senso para se esquentar, que o use para diferenciá-lo de seu cavalo, pois a última riqueza que lhe resta é ser tido como racional. Quem é seu amigo agora? Cada mês tem um novo amigo de infância.

MENSAGEIRO

Será possível?

BEATRIZ

Mais que possível; usa amizades como moda de chapéu; novas formas sempre o atraem.

MENSAGEIRO

Já vi que não se lê o nome dele em seus livros.

BEATRIZ

Se lesse, eu queimava a biblioteca inteira. Mas, quem é seu atual companheiro? Não há algum baderneiro disposto a fazer com ele alguma viagem até o inferno?

MENSAGEIRO

Ele é visto com frequência na companhia do nobre Cláudio.

BEATRIZ

Céus, ele pega que nem doença; é mais fácil de se pegar do que a peste, e quem o apanha acaba logo ficando louco. Que Deus ajude o nobre Cláudio! Se ele pegou o Benedito, vai lhe custar mais de mil libras para ser curado.

MENSAGEIRO

Que eu seja sempre seu amigo, senhora.

BEATRIZ

Assim seja, meu amigo.

LEONATO
Você jamais ficará louca, sobrinha.

BEATRIZ
Só quando o inverno ficar quente.

MENSAGEIRO
Dom Pedro está chegando.

(Entram DOM PEDRO, CLÁUDIO, BENEDITO, BALTASAR, e também DOM JOÃO, o bastardo.)

DOM PEDRO
Bom senhor Leonato, veio dar boas-vindas ao seu trabalho? O hábito do mundo é evitá-lo, mas o senhor vem ao encontro dele.

LEONATO
Jamais chegou à minha casa trabalho como Sua Graça, pois o trabalho, quando acaba, deixa atrás o alívio; mas quando o senhor me deixar, ficará só a tristeza, partindo a felicidade.

DOM PEDRO
O senhor abraça suas tarefas com a maior boa vontade. Creio que essa é a sua filha.

LEONATO
Sua mãe muitas vezes assegurou-me que sim.

BENEDITO
E o senhor o duvidava, para ter de perguntar-lhe?

LEONATO
Não, pois o senhor Benedito ainda era criança.

DOM PEDRO
Foi bem pago, Benedito; já podemos perceber qual seja a sua fama. Na verdade, a moça proclama em si quem é seu pai. Alegre-se, jovem, pois se parece com um pai muito honrado.

BENEDITO
Se o senhor Leonato é seu pai, ela não gostaria de ter a cabeça dele em seus ombros, por toda Messina, por mais que se pareça com ele.

(DOM PEDRO e LEONATO se afastam para conversar.)

BEATRIZ
Não sei por que razão continua a falar, senhor Benedito; ninguém lhe presta atenção.

Benedito
Como, cara senhora desdenhosa! Ainda está viva?

Beatriz
E como poderia morrer o desdém, enquanto tiver alimento para nutrir-se, semelhante ao senhor Benedito? A própria cortesia se transforma em desdém, quando o senhor se apresenta.

Benedito
A cortesia então é uma vira-casaca. Mas o certo é que sou amado por todas as mulheres, com a sua única exceção; e gostaria de poder sentir, no coração, que não tenho coração de pedra, pois não amo nenhuma.

Beatriz
Uma felicidade para as mulheres, pois de outro modo seriam perturbadas por um cortejador pernicioso. Agradeço a Deus por meu sangue gelado, nisso estamos de acordo; pois prefiro ouvir um cão latir para um corvo do que um homem jurar que me ama.

Benedito
Deus mantenha a senhora assim resolvida, para que algum cavalheiro seja poupado de alguns inevitáveis arranhões no rosto.

Beatriz
Uns arranhões não haveriam de piorá-lo em nada, se fosse um rosto assim como o seu.

Benedito
A senhora é ótima para ensinar papagaio a falar.

Beatriz
Uma ave com a minha língua é melhor do que um animal com a sua.

Benedito
Gostaria que meu cavalo tivesse a velocidade e a resistência de sua língua. Mas, em nome de Deus, pode continuar; eu já acabei.

Beatriz
Eu o conheço bem; a sua conversa sempre acaba na cocheira.

Dom Pedro
E isso é tudo, Leonato. *(Voltando para o grupo.)* Senhor Cláudio e senhor Benedito, meu caro amigo Leonato nos convida a todos. Disse-lhe que ficaremos aqui ao menos um mês, e ele espera que algum acontecimento ainda nos detenha por mais tempo; como posso jurar que não é hipócrita, sei que o convite vem do coração.

LEONATO
Se jurar, meu senhor, não há de ser perjuro. *(Para Dom João.)* Permita-me que lhe dê as boas-vindas, senhor; pois, estando reconciliado com seu irmão, eu lhe devo o meu respeito.

DOM JOÃO
Obrigado; não sou homem de muitas palavras, porém lhe sou obrigado.

LEONATO
Sua Graça não quer ir na frente?

DOM PEDRO
A sua mão, Leonato; iremos juntos.

(Saem todos menos BENEDITO e CLÁUDIO.)

CLÁUDIO
Benedito, você não reparou na filha do senhor Leonato?

BENEDITO
Não reparei nela, porém a vi de relance.

CLÁUDIO
Ela não é uma moça recatada?

BENEDITO
Está me perguntando como o faz um homem honesto, querendo meu julgamento simples e verdadeiro, ou para que eu seja, como é meu hábito, um tirano em relação ao sexo dela?

CLÁUDIO
Não; peço que fale com critério e sobriedade.

BENEDITO
Bem; parece-me baixa demais para altos elogios, muito morena para elogios claros, muito pequena para grandes loas: a única recomendação que posso fazer é, que se ela fosse diferente do que é, seria feia, mas não sendo senão o que é não gostaria dela.

CLÁUDIO
Você pensa que estou brincando: peço que diga realmente o que pensa.

BENEDITO
Está querendo comprá-la, para perguntar tanto?

CLÁUDIO

Será que o mundo paga uma tal joia?

BENEDITO

Claro, e com o estojo para guardá-la. Mas está falando sério, ou está brincando, fazendo deboche, para dizer que Cupido tem olhos de lince, ou que Vulcano é bom carpinteiro? Vamos, em que tom devo acompanhar o seu canto?

CLÁUDIO

A meus olhos, ela é a moça mais doce que eu jamais vi.

BENEDITO

Eu enxergo bem sem óculos, mas não vejo as coisas assim: temos a sua prima, que se não fosse possuída pela fúria, a excederia em beleza assim como o primeiro de maio faz ao fim de dezembro. Mas espero que não esteja querendo virar marido, está?

CLÁUDIO

Eu não confiaria em mim mesmo, mesmo que tivesse jurado o oposto, se Hero quisesse ser minha mulher.

BENEDITO

Mas chegamos a isso? Será que não existe mais um só homem que não queira usar boné sem pensar em chifres? Ou que nunca mais verei um solteiro de sessenta anos? Continue assim e usará uma canga no pescoço até ficar marcado, e morrerá suspirando de tédio aos domingos. Olhe aí, Dom Pedro está de volta, para procurá-lo.

(Entra DOM PEDRO.)

DOM PEDRO

O que estão segredando aí, que não me seguiram com Leonato?

BENEDITO

Só peço que Sua Graça me obrigue a contá-lo.

DOM PEDRO

Exijo, se é meu súdito fiel.

BENEDITO

Ouviu, conde Cláudio? Pode crer que sei guardar segredo como um mudo; porém, como súdito fiel, repare só, súdito fiel... Ele está apaixonado. Por quem? Isso já vai ser tarefa para Sua Graça. A resposta é pequena: por Hero, a pequena filha de Leonato.

CLÁUDIO
Assim é, como foi dito.

BENEDITO
160 Como na velha história, meu senhor: "Não é isso, nem foi isso, e Deus não permita que seja isso!".[1]

CLÁUDIO
Se minha paixão não mudar em breve, Deus impeça que fosse qualquer outra coisa.

DOM PEDRO
Amém, se a ama, pois a moça é coberta de grandes qualidades.

CLÁUDIO
165 Fala assim para me apanhar, senhor.

DOM PEDRO
Palavra que disse o que penso.

CLÁUDIO
Juro, senhor, que disse o que eu penso.

BENEDITO
E eu, por minhas duas palavras e juras, senhor, disse o que eu penso.

CLÁUDIO
Eu sinto que a amo.

DOM PEDRO
170 Eu sei que ela o merece.

BENEDITO
Não sentir como ela deveria ser amada, nem saber como ela o mereceria, essa é a opinião que o fogo poderá arrancar de mim; por ela morrerei na tortura.

DOM PEDRO
Você sempre foi herege na presença da beleza.

CLÁUDIO
175 E nem poderia defender o que pensa, senão por força de vontade.

BENEDITO
Como uma mulher concebeu-me, lhe agradeço; por me te criado,

---

[1] A frase refere-se à história de Mr Fox, escrita por Blakeway, em que uma jovem noiva desmascara o próprio noivo, um bandido que acaba por ser morto. (N.T.)

igualmente ofereço-lhe meu humilde agradecimento; mas por desejar pendurar um par de galhos em minha testa, ou pendurar minha corneta nessa estrutura invisível, que todas as mulheres me perdoem Como não quero ferir nenhuma desconfiando dela, dou-me o direito de não confiar em nenhuma; e a multa, pela qual ainda faço boa economia, é continuar solteiro.

DOM PEDRO
Antes de morrer, hei de vê-lo desmaiando de amor.

BENEDITO
Desmaiando de raiva, de doença, ou fome, senhor; não de amor. Se algum dia perder mais sangue por amor do que recupero com a bebida, furem-me os olhos com a pena de um cantor de baladas, e me usem como sinal da porta de um bordel como Cupido cego.

DOM PEDRO
E se algum dia trair o que diz agora, vai nos dar assunto para muito tempo.

BENEDITO
Se trair, pendurem-me numa garrafa, como gato, me usem para alvo, e quem me acertar será o maior dos arqueiros.[2]

DOM PEDRO
O tempo dirá. "Com tempo, o touro selvagem aceita a canga."[3]

BENEDITO
O touro selvagem pode ser; mas se o sensato Benedito a aceitar, arranquem os chifres do touro, ponham-nos na minha testa, e façam um retrato horrendo meu, anunciando em letras grandes: "Bom cavalo para alugar", e em baixo "Este é Benedito, o casado".

CLÁUDIO
Se acontecer, ficará louco dos chifres.

DOM PEDRO
Talvez Cupido não tenha gasto todas as suas setas em Veneza, e você ainda trema com uma delas.

BENEDITO
Quem sabe com algum terremoto, também.

---

2 Na tradução foi suprimida a frase "e que me chamem de Adão" que faz referência a Adam Bell, arqueiro e bandido do norte da Inglaterra, famoso na época de Shakespeare. (N.T.)

3 Verso da peça *The Spanish Tragedy*, de Thomas Kyd (1558-1594), adaptado de Ovídio. (N.T.)

DOM PEDRO
Estamos gastando tempo. Enquanto isso, meu bom senhor Benedito, com meus cumprimentos, diga a Leonato que não deixarei de comparecer à ceia; sei que está fazendo grandes preparativos.

BENEDITO
Creio que chego a ter capacidade para executar tal embaixada; portanto, recomendo-me...

CLÁUDIO
A Deus. Datado da minha casa, se eu a tivesse...

DOM PEDRO
No dia 6 de julho. Seu dedicado amigo, Benedito.

BENEDITO
Não brinquem comigo. O corpo de seu discurso às vezes é ornado com farpas, com os ornamentos apenas alinhavados nele. Não atirem a primeira pedra sem consultar suas consciências. E agora os deixo.

(Sai.)

CLÁUDIO
Alteza, o senhor poderia me fazer um bem.

DOM PEDRO
Meu amor precisa guia; se ensiná-lo,
Há de vê-lo disposto a aprender,
Qualquer lição que a si traga algum bem.

CLÁUDIO
Tem Leonato algum filho, senhor?

DOM PEDRO
Só tem Hero como herdeira e filha.
Sua afeição é dela?

CLÁUDIO
                    Meu senhor,
Quando a olhei a caminho da guerra,
Eu a olhei com olhos de soldado;
Gostei, mas tinha em mãos tarefa bruta,
Que não deixou gostar virar amor.
Porém, de volta, esquecidas as guerras,
Ficou um vácuo que, em seu espaço,
Foi invadido por ideias ternas,

225 Todas dizendo o quanto Hero é linda,
E que eu gostava dela antes da guerra.

Dom Pedro
Daqui a pouco hei de vê-lo apaixonado,
Que cansa o ouvido, de tantas palavras.
Se ama Hero, preze um tal amor.
230 Eu o direi a ela e a seu pai,
E ela será sua. Não foi isso
Que quis dizer com essa história toda?

Cláudio
Com que doçura lida com o amor,
Que conhece sua dor pelo aspecto!
235 Mas se ele lhe parece repentino,
Eu o controlo em corte mais extensa.

Dom Pedro
E para que ponte maior que a enchente?
O prêmio bom tem a medida certa.
Tudo o que cai bem é certo. Se a ama,
240 Cairá bem o remédio que eu lhe trago.
Sei que esta noite haverá festejos:
Eu hei de disfarçar-me de você,
E digo à bela Hero que sou Cláudio,
E a ela hei de abrir meu coração,
245 E hei de aprisioná-la só com a força
E impacto de um discurso apaixonado.
Depois disso eu falarei com o pai dela,
E a conclusão é que ela será sua.
Vamos logo botar tudo em prática.

(Saem.)

CENA 2

(Entram, vindos de pontos diversos, Leonato e um Velho, Antônio, irmão de Leonato, e se encontram.)

Leonato
Então, irmão, onde está meu sobrinho, o seu filho? Já providenciou a música?

Antônio
Está tratando disso. Mas, irmão, vou dar-lhe uma notícia estranha, com a qual nem sonhou.

LEONATO

Mas é boa?

ANTÔNIO

Pela estampa, a capa é muito boa. Parecem boas, pelo aspecto exterior. O príncipe e o conde Cláudio, conversando e andando pelo parque, foram ouvidos por um homem meu: o príncipe descobriu que Cláudio ama minha sobrinha, sua filha, e planeja revelar tudo a ela no baile desta noite; e se ela estiver de acordo, imediatamente vão trazer-lhe a novidade.

LEONATO

Tem a cabeça no lugar, o seu criado?

ANTÔNIO

É muito esperto; vou chamá-lo para que o interrogue.

LEONATO

Não, não, consideremos tudo um sonho, até tomar forma; mas falarei com minha filha, para que não seja pega de surpresa e prepare a resposta, se for verdade. Vá você e fale com ela.

(Sai ANTÔNIO).

(Entram o FILHO de Antônio, com um MÚSICO e outros.)

Sobrinho, sabe o que tem de fazer. *(Para o músico.)* Por favor, venha comigo, preciso de sua arte. Sobrinho, por favor fique atento, em todo esse trabalho.

(Saem.)

CENA 3

(Entram DOM JOÃO, o bastardo, e CONRADO, seu companheiro.)

CONRADO

O que houve, senhor, para que aparente assim tanta tristeza?

DOM JOÃO

Não há nada demais na ocasião que a provoca, e, portanto, é uma tristeza sem limites.

CONRADO

O senhor precisa dar ouvidos à razão.

DOM JOÃO

E nas ocasiões em que lhe dei ouvidos, que bênçãos isso me trouxe?

CONRADO

Se não há cura imediata, pelo menos tenha paciência em seu sofrimento.

DOM JOÃO

Me espanta muito que você – que, segundo me diz, nasceu sob Saturno – fique aí oferecendo remédios morais para um mal torturante. Não sei esconder o que sou; tenho de ficar triste quando tenho motivo, sem sorrir dos chistes de ninguém; comer se tenho fome, sem esperar por ninguém; dormir se tenho sono, não servir os interesses de ninguém; sorrir quando alegre, e não bajular ninguém.

CONRADO

Sim, mas não deve deixar tudo isso à mostra, enquanto não o puder fazer sem qualquer freio. O senhor, ainda há pouco, andou em conflito com seu irmão, e acaba de cair de novo nas graças dele; e é impossível que se firme se não fizer soprar os ventos certos. Tem de trabalhar a estação certa para a colheita.

DOM JOÃO

Prefiro ser cancro na sebe que rosa em suas boas graças; e, para meu sangue, é melhor o desdém de todos do que comportamento que ganhe o amor de um qualquer; se ninguém pode me chamar de bajulador honesto, não podem negar que sou vilão sincero. Confiam em mim de focinheira, sou livre com peso nos pés; e por isso resolvi que não hei de cantar na gaiola. Com a boca livre, morderia; livre, faria o que bem quisesse; enquanto isso, deixem-me ser o que sou, e não tentem me modificar.

CONRADO

Não pode fazer uso desse descontentamento?

DOM JOÃO

E farei, pois é só o que tenho. Quem vem lá?

(Entra BORAQUIO.)

O que é que há, Boraquio?

BORAQUIO

Estou vindo de um grande banquete. Leonato festeja o príncipe de modo régio; e posso dar-lhes notícias de um plano de casamento.

Dom João
Que serve para criar algo de mau? Quem é o tolo que vai se amarrar à intranquilidade?

Boraquio
Ora, o braço direito de seu irmão.

Dom João
O quê? O sofisticado Cláudio?

Boraquio
Ele mesmo.

Dom João
Um sujeitinho exemplar! E com quem, com quem? Para onde lançou ele seus olhares?

Boraquio
Pela Virgem, para Hero, filha e herdeira de Leonato.

Dom João
Mas o pintinho é muito presunçoso! E como é que soube de tudo disso?

Boraquio
Contratado para perfumar a casa, estava eu fumegando uma sala poeirenta, quando o príncipe e Cláudio, de braços dados, entraram confabulando; pulei para detrás de uma cortina e ouvi os dois combinarem que o príncipe cortejaria Hero para si e, ao conquistá-la, a daria ao conde Cláudio.

Dom João
Vamos logo para lá: é um prato cheio para o meu desprazer; esse frangote foi quem mais lucrou com a minha derrota. Se puder prejudicá-lo, seja de que modo for, vou sentir-me abençoado. Vocês dois têm certeza? E vão me ajudar?

Conrado
Até a morte, senhor.

Dom João
Vamos ao banquete. Minha ausência só aumenta a alegria deles. Quem dera o cozinheiro pensasse como eu! Vamos ver o que podemos fazer?

Boraquio
Estamos às suas ordens, meu senhor.

(Saem.)

ATO 2

CENA 1

(Entram Leonato, Antônio, seu irmão, Hero, sua filha, Beatriz, sua sobrinha, Margaret e Úrsula.)

Leonato

Dom João não veio ao jantar?

Antônio

Eu não o vi.

Beatriz

Que ar de fel tem o homem! Nunca consegui vê-lo sem ter azia por uma hora, depois.

Hero

Ele é de disposição muito melancólica.

Beatriz

E seria um homem excelente, se fosse feito exatamente a meio caminho entre ele e Benedito: um parece estátua e não diz nada, e o outro é menino mimado, que não cala a boca.

Leonato

Então, metade da língua de Benedito na boca de Dom João e meia melancolia de Dom João no rosto de Benedito...

Beatriz

Com uma perna boa e um braço bom, e bastante dinheiro, o homem conquistava qualquer mulher no mundo – se conseguisse conquistar seus bons olhos.

Leonato

Juro, sobrinha, que você jamais arranjará marido, se continuar com a língua tão implicante assim.

Antônio

Para falar a verdade, é mais que maldita.

Beatriz

Maldita demais é mais que maldita; hei de atenuar o que Deus me deu, pois dizem que "Deus dá chifres curtos à vaca maldita", mas a uma vaca maldita demais não dá chifre nenhum.

LEONATO

20 Então, sendo demais, Deus não lhe dará chifres.

BEATRIZ

Isso, se não me der marido, por cuja benção eu rogo a ele de joelhos manhã e noite. Senhor, não poderia aturar um marido barbado! Prefiro mortalha de lã.

LEONATO

Mas pode arrumar um marido sem barba.

BEATRIZ

25 E o que faria com ele? Vesti-lo com minhas roupas e fazer dele minha aia? Quem tem barba é mais que rapaz, e quem não tem é menos que homem; quem é mais que rapaz não é para mim; nem eu nasci para quem é menos que homem; portanto aceitarei seis *pence* do treinador de ursos, e levarei seus macacos para o inferno.[4]

LEONATO

30 Quer dizer que você vai para o inferno?

BEATRIZ

Só até a porta, onde o Diabo, chifrudo como velho cornudo, me receberá dizendo: "Vá para o céu, Beatriz, isto aqui não é lugar para donzelas". Entrego os macacos e vou procurar São Pedro, no céu; ele me mostrará onde ficam os solteiros, e lá passaremos os dias alegremente.

ANTÔNIO

(Para HERO.)
35 Sobrinha, espero que faça o que disse seu pai.

BEATRIZ

Isso mesmo. É dever de minha prima fazer uma reverência e dizer: "Meu pai, como lhe aprouver". Mas mesmo assim, prima, que ele seja bonitão, senão é melhor fazer uma reverência e dizer "Meu pai, é como me aprouver".

LEONATO

40 Sobrinha, só espero vê-la algum dia equipada com um marido.

BEATRIZ

Não antes de Deus deixar de fazer os homens de barro. Não é uma tristeza a mulher ser dominada por um monte de pó valente, prestar contas de sua vida a um bolo de lama qualquer? Não, tio, para mim,

---

[4] A frase permanece inexplicada até hoje, mas tudo indica fosse provérbio da época, cujo sentido não se conhece. A edição Signet, no entanto, sugere que essa seria a punição para os que morriam solteiros. (N.T.)

não: os filhos de Adão são meus irmãos, e considero pecado casar com parente próximo.

Leonato

Filha, lembre-se do que eu disse: se o príncipe a pedir como foi dito, já sabe a resposta.

Beatriz

A falha estará na música, prima, se o pedido não sair no tempo certo. Se o príncipe for muito importante, diga-lhe que para tudo há uma medida, e dance a resposta.[5] Pois ouça, Hero: namoro, casamento e arrependimento são como uma jiga escocesa, um compasso e cinco passos:[6] o namoro é quente e rápido como a jiga escocesa, e igualmente fantástico; o casamento, comedido e correto como o compasso, só pompa e tradição; e depois vem o arrependimento que, com as pernas fracas, dá cinco passos cada vez mais depressa, até cair na cova.

Leonato

Sobrinha, sua interpretação é muito agressiva.

Beatriz

Tenho bons olhos, tio: sou capaz de enxergar uma igreja até de dia.

Leonato

Estão chegando os convivas, meu irmão; vamos abrir espaço.

(Leonato e os homens do grupo colocam suas máscaras. Entram Dom Pedro, Cláudio, Benedito, Baltasar, Boraquio, Dom João e outros, mascarados, com tambores.)

Dom Pedro

Senhora, quer dar uma caminhada com seu amigo?

Hero

Se andar com cuidado, com ar doce e sem falar, caminharei com grande prazer; e com maior ainda quando for hora de me afastar...

Dom Pedro

Comigo em sua companhia?

Hero

É possível, quando me aprouver.

---

5 A fala parodia o poema de Sir John Davies Orchestra, "A Poem of Dancing" (1597): "Time the measure of all moving is // And dancing is a moving all in measure." (N.T.)
6 Cinco-passos era uma dança popular na época de Shakespeare. É mencionada em várias peças. (N.T.)

Dom Pedro
E quando lhe aprouverá dizer sim?

Hero
Quando gostar de seu aspecto, e Deus permita que o alaúde seja diferente de sua caixa!

Dom Pedro
De Filemon este é o telhado,
Onde com Zeus 'stou hospedado.

Hero
Sua máscara então devia ser de sapê.

Dom Pedro
Fale baixo, se falar de amor. *(Eles se afastam.)*

Baltasar
Queria que fizesse assim comigo.

Margaret
Quem dera não, para o seu bem, pois sou coberta de más qualidades.

Baltasar
Diga uma delas.

Margaret
Rezo em voz alta.

Baltasar
Melhor ainda; quem as ouve que diga amém.

Margaret
Deus que me junte a um bom dançarino!

Baltasar
Amém.

Margaret
E Deus que o mantenha longe de meus olhos, quando a dança acabar! Responda, sacristão.

Baltasar
Chega de palavras; já tive a resposta. *(Eles se afastam)*

Úrsula
Sei muito bem quem é, senhor Antônio.

ANTÔNIO

Numa palavra, não sou.

ÚRSULA

Conheço seu jeito de balançar a cabeça.

ANTÔNIO

É verdade. Estou copiando.

ÚRSULA

Não poderia jamais imitá-lo tão bem, a não ser sendo o próprio. Essa é sua mão seca, sem tirar nem pôr. Sei que é ele, sei que é ele.

ANTÔNIO

Numa palavra, não sou.

ÚRSULA

Ora, vamos! Pensa que não conheço seu gostoso espírito? A virtude pode esconder-se? Chega, quieto, sei que é ele; os dotes sempre se revelam, e chega dessas falas. *(Eles se afastam.)*

BEATRIZ

Não quer dizer-me quem lhe disse isso?

BENEDITO

Perdão, mas não.

BEATRIZ

E nem quer dizer-me quem é?

BENEDITO

Agora, não.

BEATRIZ

Que eu era desdenhosa, e tirava meus ditos espirituosos dos *Cem contos alegres*[7] – ora, isso foi o senhor Benedito quem disse.

BENEDITO

E quem é ele?

BEATRIZ

Estou certa de que o conhece muito bem.

BENEDITO

Acredite que eu, não.

---

7 *A Hundred Merry Tales* (1526) é uma coletânea popular de contos e anedotas divertidos e um tanto grosseiros. (N.T.)

BEATRIZ
Ele nunca o fez rir?

BENEDITO
Por favor, quem é ele?

BEATRIZ
Ora, ele é o bobo do príncipe, e um bobo bem cacete; seu único dote é a invenção de calúnias impossíveis. Só os libertinos se divertem com ele, não pelo espírito, mas pela vilania; assim como agrada os homens, os irrita; eles riem, mas batem nele. Ele deve estar na esquadra; quem dera ele me abordasse.

BENEDITO
Quando conhecer o cavalheiro, dir-lhe-ei o que está dizendo.

BEATRIZ
Pois diga; ele há de me comparar a uma ou duas coisas, e se ninguém notar ou rir, ficará melancólico, o que economiza uma asa de codorna, já que o tolo então não janta. *(Música.)* Temos de seguir os outros.

BENEDITO
Em tudo o que for bom.

BEATRIZ
Se me levarem a algum mal, eu os deixo na próxima curva.

(Dança. Saem todos menos DOM JOÃO, BORAQUIO e CLÁUDIO.)

DOM JOÃO
Meu irmão sem dúvida está apaixonado por Hero, e saiu com o pai dela para conversar a respeito. As damas a seguiram, mas um mascarado ficou.

BORAQUIO
É Cláudio; conheço-o pelo porte.

DOM JOÃO
Não é o senhor Benedito?

CLÁUDIO
O senhor me conhece bem; sou ele.

DOM JOÃO
O senhor vive bem perto do coração de meu irmão. Ele está apaixonado por Hero; peço-lhe que o afaste dela, que não é sua igual em berço. Fará, no caso, o trabalho de um homem honesto.

CLÁUDIO
    E como sabe que ele a ama?

DOM JOÃO
    Eu o ouvi declarar sua afeição.

BORAQUIO
    Eu também, e jurou que se casaria com ela hoje à noite.

DOM JOÃO
125   Venha, vamos ao banquete.

(Saem DOM JOÃO e BORAQUIO.)

CLÁUDIO
    Falei como se fosse Benedito,
    E ouvi as más notícias para Cláudio.
    O príncipe falou por ele mesmo.
    A amizade é certa em tudo o mais,
130   Mas não nos atos e missões do amor.
    Os corações devem falar por si;
    E que os olhos fascinem por si próprios,
    E não por outros; beleza é uma bruxa
    Apta a mudar fidelidade em sangue.
135   Esse incidente prova uma vez mais
    O que eu temia. Adeus, portanto, Hero!

(Entra BENEDITO.)

BENEDITO
    Conde Cláudio?

CLÁUDIO
    Ele mesmo.

BENEDITO
    Não quer vir comigo?

CLÁUDIO
140   Aonde?

BENEDITO
    Ao próximo chorão, tratar de assunto seu, conde. Que tipo de adorno vai querer usar? O colar de usurário? Os alamares de tenente? Algum tem de usar, pois o príncipe lhe conquistou sua Hero.

CLÁUDIO

Que ele faça bom proveito.

BENEDITO

145 Falou como quem vendeu bem o gado. Assim se vendem vitelos. Mas pensou que o príncipe lhe faria isso?

CLÁUDIO

Por favor, deixe-me.

BENEDITO

Está atacando feito cego! O menino lhe rouba a carne, e você ataca o poste.

CLÁUDIO

150 Se não sair, saio eu.

(Sai)

BENEDITO

Ai, meu pássaro ferido, se arrastando na sebe. Quem dera a senhora Beatriz me conhecesse e não conhecesse! O bobo do príncipe! Me chama assim porque sou alegre. É, e com isso acabo prejudicando a mim mesmo. Não é essa a minha fama; é a disposição negativa e amarga de Beatriz que torna o mundo à sua moda, e me faz sair assim. Bom,
155 serei tão sério quanto possível.

(Entram o príncipe DOM PEDRO, HERO e LEONATO.)

DOM PEDRO

Então, senhor, onde está o conde? Não o viu?

BENEDITO

Juro, senhor, que agi como novidadeira. Encontrei-o aqui tão melancólico quanto hospedaria em deserto. Disse-lhe, creio que com verdade, que Sua Graça lhe havia conquistado a aprovação dessa jovem,
160 ofereci-lhe minha companhia de chorão, fosse como guirlanda de abandono, ou para amarrá-lo a um poste, para ser açoitado.

DOM PEDRO

Açoitado? Mas por que transgressão?

BENEDITO

Uma comum a menino de escola, que todo contente por encontrar
165 um ninho, mostra-o a um amigo, e este o rouba dele.

Dom Pedro
Vai fazer da confiança uma transgressão? Quem rouba é que é o transgressor.

Benedito
Não parece errado fazer açoite e guirlanda; pois a guirlanda ele poderia usar, e o açoite seria dado ao senhor, que lhe roubou o ninho de passarinhos

Dom Pedro
Só pretendo ensiná-los a cantar, para depois devolver ao dono.

Benedito
Se cantarem como está dizendo, palavra que o senhor está falando bem.

Dom Pedro
A senhora Beatriz andou brigando com você; o cavalheiro que dançou com ela disse-lhe que é muito caluniada por você.

Benedito
Ela me ofendeu para além de toda paciência! Um carvalho de uma folha só teria respondido a ela; a minha máscara começou a franzir a testa. Ela me disse, sem saber que era eu, que eu era o bobo do príncipe, pior de aturar que atoleiro, e lançando deboche sobre deboche, com tal destreza, que fiquei parecendo um alvo, com todo um exército atirando em mim. Suas falas são punhaladas certas: se seu hálito fosse tão horrível quanto suas frases, ninguém ia poder viver perto dela, pois seria infectado. Não casaria com ela nem que seu dote fosse tudo o que Adão tinha antes de pecar. Ela faria Hércules virar espeto, e ainda usaria sua clava para lenha. Chega de falar dela; verão que ela é a Ate dos infernos, bem vestida. Gostaria que algum mago a conjurasse, pois enquanto está aqui, os homens vão considerar o inferno um santuário, e pecar de propósito, a fim de ir para lá; toda inquietação, todo horror e perturbação estão sempre por perto dela.

(Entram Cláudio e Beatriz.)

Dom Pedro
Vejam só: lá vem ela.

Benedito
Será que Sua Graça pode mandar-me, a serviço, para o fim do mundo? Prefiro ir às Antípodas, pela mais ínfima tarefa que possa inventar; posso ir buscar um palito nos cafundós da Ásia; a medida do pé do imperador gigante da Abissínia; um fio da barba do Grande Kahn;

ir de embaixador junto aos pigmeus, antes de trocar três palavras com essa hárpia. Tem algum uso para mim?

Dom Pedro
Nenhum, senão o prazer da sua companhia.

Benedito
Senhor, esse é um prato de que não gosto! Não suporto essa Senhora Língua.

(Sai.)

Dom Pedro
Ora, minha jovem; vi que perdeu o coração do senhor Benedito.

Beatriz
É verdade, senhor; ele m'o emprestou por um tempo, e eu o paguei com juros, trocando dois por um dele. Certa vez ele o ganhou de mim, com cartas marcadas, portanto Sua Graça pode bem dizer que eu o perdi.

Dom Pedro
A senhora o derrubou, o derrubou.

Beatriz
O que espero que ele não me faça, para que não acabe mãe de bobos. Trouxe-lhe aqui o conde Cláudio, que o senhor me mandou buscar.

Dom Pedro
O que é isso, conde Cláudio? Por que razão está tão triste?

Cláudio
Triste, não, senhor.

Dom Pedro
Então o quê? Doente?

Cláudio
Também não, senhor.

Beatriz
O conde não está nem triste, nem doente, nem alegre, nem são; mas meio azedo, como uma laranja, e mais ou menos dessa mesma cor, o tom do ciúme.

Dom Pedro
É verdade, senhora; o retrato é verdadeiro, embora jure que, se ele

pensa assim, pensa falso. Ouça, Cláudio; a cortejei em seu nome, e a bela Hero foi conquistada. Falei com o pai dela, e obtive sua aprovação. Marque o dia do casamento, e que Deus lhes dê felicidade!

Leonato

Conde, receba de mim minha filha, e com ela o meu patrimônio; sua Graça propôs o casamento, e todas as graças dizem Amém.

Beatriz

Fale, conde; essa é a sua deixa.

Cláudio

O silêncio é o arauto perfeito da alegria; se estivesse pouco alegre, poderia dizer quanto. Senhora, como é minha, sou seu; dou a mim mesmo por si, e fico deslumbrado com a troca.

Beatriz

Fale, prima, ou, se não puder, tape-lhe a boca com um beijo, e não deixe que ele fale, tampouco.

Don Pedro

Palavra, senhora, que tem um coração alegre.

Beatriz

Tenho, senhor, pobre coitado dele. Fica sempre a barlavento das tristezas. Minha prima lhe segreda ao ouvido que o tem em seu coração.

Cláudio

É isso mesmo, prima.

Beatriz

Graças a Deus pelas alianças! Assim fazem todas, menos eu, que sou queimada de sol. Vou ficar numa esquina e pedir: "Quero um marido!".

Dom Pedro

Senhora Beatriz, eu lhe arranjarei um.

Beatriz

Prefiro um gerado por seu pai. Sua Graça não tem algum irmão parecido consigo? Seu pai fez ótimos maridos, é só as moças conseguirem alcançá-los.

Dom Pedro

Não aceita a mim, senhora?

BEATRIZ
Não, meu senhor, a não ser que possa ter um outro para uso diário: sua Graça é muito caro para ser usado sempre. Mas eu peço que me perdoe: eu nasci para só falar brincadeiras, nada de sério.

DOM PEDRO
Seu silêncio é que me ofende, e ser alegre lhe vai bem, pois não resta dúvida de que nasceu em um momento em uma hora feliz.

BEATRIZ
Não, senhor, minha mãe chorou, mas então uma estrela dançou, e foi sob essa que eu nasci. Prima, que Deus lhe traga alegrias!

LEONATO
Sobrinha, já providenciou o que lhe pedi?

BEATRIZ
Peço desculpas, tio. Com licença, senhor.

(Sai.)

DOM PEDRO
Palavra que é uma moça de bom humor.

LEONATO
É leve o toque de melancolia nela, meu senhor; só fica triste quando dorme, e nem então muito triste; pois minha filha diz que ela muitas vezes sonhou com a infelicidade, e se acordou de tanto rir.

DOM PEDRO
Ela não admite sequer falar em marido.

LEONATO
De jeito nenhum, e faz pouco de todos os pretendentes que aparecem.

DOM PEDRO
Ela daria uma excelente esposa para Benedito.

LEONATO
Meu Deus, senhor, se ficassem casados uma semana, se matariam mutuamente só de tanto falar.

DOM PEDRO
Conde Cláudio, quando pretende ir ao altar?

CLÁUDIO
: Amanhã, senhor; o tempo anda de muletas até o amor ver cumpridos todos os seus ritos.

LEONATO
: Não antes de segunda-feira, meu caro filho, que é justo daqui a uma semana, o que é pouco tempo, para dar conta de tudo que tenho em mente.

DOM PEDRO
: Você sacode a cabeça contra espera tão longa, porém eu lhe garanto, Cláudio, que o nosso tempo não passará em tédio. Enfrentarei, nesse meio tempo, um dos trabalhos de Hércules, que será o de fazer com que o senhor Benedito e a senhora Beatriz se afundem em uma montanha de afeição, um pelo outro. Gostaria de os ver como um casal, e não tenho dúvida de que isso pode ser feito, desde que os três aqui me ofereçam toda a ajuda no que vou sugerir.

LEONATO
: Meu senhor, tem meu apoio nem que isso me custe dez noites de vigília.

CLÁUDIO
: O meu também, senhor.

DOM PEDRO
: E você, gentil Hero?

HERO
: Cumprirei qualquer tarefa honesta, senhor, para dar um marido à minha prima.

DOM PEDRO
: E Benedito não é a maior desesperança para marido que conheço. Posso dizer o seguinte de bom dele: é de linhagem nobre, de bravura comprovada e honestidade conhecida. Vou ensinar-lhes como devem tratar Beatriz para que se apaixone por Benedito; enquanto eu *(Para LEONATO e CLÁUDIO.)* com a ajuda dos dois, vou manobrar Benedito de tal modo que, apesar de sua esperteza e desconfiança, também irá apaixonar-se por Beatriz. Se realizarmos isso, Cupido não será mais arqueiro; sua glória será nossa, pois seremos nós os deuses do amor. Venham comigo, que eu lhes conto minha ideia.

(Saem.)

CENA 2

(Entram Dom João e Boraquio.)

Dom João
Está combinado. O conde Cláudio vai casar-se com a filha de Leonato.

Borachio
É isso, senhor. Mas posso atrapalhar tudo.

Dom João
Qualquer obstáculo ou tropeço, qualquer impedimento, será um bálsamo para mim. Estou doente de irritação com ele, e tudo que o lhe faz bem, me faz mal. Como pode atrapalhar esse casamento?

Boraquio
Não de maneira honesta, senhor; mas tão bem disfarçada que ninguém vai ver a desonestidade.

Dom João
Diga logo como.

Boraquio
Creio que lhe disse, já no ano passado, que estava me dando muito bem com Margaret, uma das aias de Hero.

Dom João
Estou lembrado.

Boraquio
Pois, por isso mesmo, posso combinar para ela aparecer na janela do quarto de sua ama, em alguma hora bem comprometedora.

Dom João
E como é que isso acaba com o casamento?

Boraquio
Com o veneno com o qual o senhor há de temperá-lo. Procure o príncipe seu irmão; não se poupe na insistência de que ele foi desonrado, ao casar o nobre Cláudio – cujo bom nome o senhor está lutando por salvar – com matéria podre e usada, como é essa tal Hero.

Dom João
E que provas poderei dar do fato?

Boraquio
Prova bastante para enganar o príncipe, revoltar Cláudio, destruir Hero e matar Leonato. Ainda deseja alguma outra coisa?

Dom João
Para desonrá-los, eu farei qualquer coisa.

Boraquio
Vá, então, e descubra um momento conveniente para falar a sós com Dom Pedro e o conde Cláudio: diga-lhes saber que Hero me ama; finja estar preocupado tanto pelo príncipe quanto por Cláudio – agindo por amor à honra de seu irmão, responsável pelo trato do casamento, e à reputação do amigo dele, que está a ponto de ser enganado por uma aparência de virgindade – que é o que acaba de descobrir. Claro que não acreditarão sem provas; e estará pronto a apresentar uma concreta, que não será menos do que me ver à janela da moça, chamando Margaret de Hero e ouvindo Margaret chamar-me Cláudio. Leve-os a ver isso na própria véspera do casamento – pois nesse meio tempo tenho de garantir a ausência de Hero – e a deslealdade da moça há de parecer tão verdadeira que – como para o ciúme toda desconfiança é certeza – o casamento vai por água abaixo.

Dom João
Por pior que sejam as consequências, vou por tudo em marcha. Organize tudo com lábia, e terá um prêmio de mil ducados.

Boraquio
Se for firme em suas acusações, a minha esperteza não me fará passar vergonha.

Dom João
Vou descobrir logo a data do casamento.

(Saem.)

CENA 3
(Entra Benedito, sozinho.)

Benedito
Menino!

(Entra um Menino.)

Menino
Senhor?

Benedito
Na janela do meu quarto está um livro; pegue-o lá e volte aqui para mim, no pomar.

Menino
Já estou aqui, senhor.

BENEDITO

Eu sei; mas queria que fosse lá e voltasse. *(Sai o Menino).* Fico espantado que um homem, vendo como um outro fica idiota quando começa a andar feito apaixonado, de repente, depois de ter rido das tolices ridículas dos outros, se torna objeto de seu próprio desprezo, ao se apaixonar. É o caso de Cláudio. Eu o conheci quando música, para ele, era trompa e tambor; pois agora prefere tamborim e flauta. Naquele tempo, andava dez milhas para ver uma boa armadura; agora, passa dez noites acordado vendo desenhos para um colete novo. Costumava ter fala simples e objetiva, coisa de homem honesto e soldado, mas, agora, voltou-se para a ortografia – suas palavras são um banquete fantástico, composto de pratos estranhos. Será que, vendo tudo isso com estes olhos, eu poderia me converter assim? Não sei; mas acho que não. Não juro que o amor não possa me transformar em ostra, mas juro que até me transformar em ostra ele não me fará um tolo desses. Uma mulher é bela, e eu continuo bem; outra é sábia, e eu continuo bem; outra é virtuosa, e eu ainda continuo bem; mas até todas as graças se unirem em uma única mulher, mulher alguma cairá nas minhas graças. Ela há de ser rica, isso é certo; sábia, senão não quero; virtuosa, senão não compro; linda, ou nem olho para ela; doce, ou nem me chega perto; de ouro, senão não vale uma prata; de fala agradável, excelente musicista, e com cabelos... da cor que aprouver a Deus. Lá vêm o príncipe e *Monsieur Amour*! Vou esconder-me nos arbustos. *(Afasta-se)*

(Entram o Príncipe Dom Pedro, Leonato, Cláudio e Baltasar, com instrumentos de música.)

DOM PEDRO

Como é, vamos ouvir um pouco de música?

CLÁUDIO

Vamos, senhor. A tarde está tão calma
E quieta, que bem serve à melodia!

DOM PEDRO

Viu onde Benedito se escondeu?

CLÁUDIO

Vi muito bem, senhor; e finda a música,
Vamos jogar o nosso esconde-esconde.

DOM PEDRO

Tua canção de novo, Baltasar.

BALTASAR
>Meu bom senhor, não faça uma voz má
>Ferir qualquer canção mais de uma vez.

DOM PEDRO
>Pois será uma prova de excelência
>Dar novo aspecto à sua perfeição.
>Canta logo; não quero cortejar-te.

BALTASAR
>Como falou em cortejar, eu canto.
>Pois já vi muitos cortejarem moça
>Que não desejam, mas, ao cortejar,
>Juram que a amam muito.

DOM PEDRO
>   Agora, chega,
>Ou gastará mais tempo argumentando
>Do que com notas.

BALTASAR
>   Pois note-me as notas;
>Eu não tenho uma só a ser notada.

DOM PEDRO
>Mas ele só fala em semicolcheias!
>Só usa notação, e anota notas! *(Música.)*

BENEDITO
>*(À parte.)*
>Agora, ária divina! Sua alma está estraçalhada! Não é estranho que tripas de carneiro[8] possam abalar assim a alma do homem? Pois eu, no fim das contas, prefiro a trompa.

(A Canção.)

BALTASAR
>*Moça, chega, de suspirar,*
>*O homem é enganador:*
>*Um pé na terra e o outro no mar,*
>*Nunca é fiel, seja ao que for.*
>*Chega, então; melhor largar.*
>*Fique alegre e enfeitada,*
>*Faça a tristeza virar*

---

8 Referindo-se às cordas de instrumentos, na época feitas com tripas de animais. (N.T.)

60 *Só alegria cantada.*
Chega, chega, de canções
De dor escura e pesada:
O homem parte corações
Desde a primeira florada.
65 *Chega, então etc.*

Dom Pedro
Palavra, uma boa canção.

Baltasar
Mas um mau cantor, senhor.

Dom Pedro
Garanto que não; cantas bastante bem para um aperto.

Benedito
(À parte.)
Se fosse cão e uivasse assim, era enforcado, e peço a Deus que sua voz
70 não seja de mau agouro. Para mim, ouvia um corvo com igual prazer,
fosse qual fosse a praga que viesse depois.

Dom Pedro
Estás ouvindo, Baltasar? Peço que nos consigas música excelente, pois
amanhã à noite gostaríamos de tê-la, debaixo da janela da senhorita Hero.

Baltasar
75 A melhor que for possível, senhor.

Dom Pedro
Bem, adeus. *(Sai Baltasar.)* Venha cá, Leonato. O que foi que me disse
hoje, sobre sua sobrinha Beatriz estar apaixonada pelo senhor Benedito?

Cláudio
(À parte, para Dom Pedro.)
Agora é seguir em frente; o pássaro já pousou. *(Em voz alta.)* E eu ja-
80 mais pensei que ela viesse a amar homem algum.

Leonato
Nem eu, porém o mais espantoso é que fique assim boba pelo senhor
Benedito, que ela sempre deu a aparência de abominar.

Benedito
(À parte.)
Será possível? É daí que sopra o vento?

LEONATO
Palavra, senhor, que não sei o que pensar disso, mas o fato é que ela o ama com afeição tresloucada, ultrapassando todos os limites do pensamento.

DOM PEDRO
Quem sabe ela está só fingindo?

CLÁUDIO
Na verdade, é bastante provável...

LEONATO
Meu Deus! Fingir? Nenhuma imitação de paixão ficou tão próxima da própria paixão quanto a que ela revelou.

DOM PEDRO
Mas como se manifestou sua paixão?

CLÁUDIO
(À parte.)
Carreguem na isca, que o peixe morde.

LEONATO
Como se manifestou? Beatriz não para de falar... Você ouviu minha filha contar como...

CLÁUDIO
E contou mesmo...

DOM PEDRO
Mas como, digam-me? Estou espantado! Pensava que seu espírito fosse invencível diante dos ataques do amor.

LEONATO
Eu juraria que sim, meu senhor, particularmente em relação a Benedito.

BENEDITO
(À parte.)
Eu poderia supor que fosse alguma armadilha, mas até os cabelos brancos afirmam. Brincadeiras de mau gosto não podem se instalar em figura tão respeitável.

CLÁUDIO
(À parte.)
Ele já está infectado; agora é reforçar a dose.

Dom Pedro

Ela permitiu que Benedito tomasse conhecimento de sua afeição?

Leonato

Não, e jura que jamais o permitirá; isso é que a atormenta.

Cláudio

É verdade, segundo o que diz sua filha "Hei eu", exclama ela, "que tantas vezes o enfrentei com desdém, de escrever a ele dizendo que o amo?".

Leonato

Isso é o que diz quando está começando a escrever para ele, pois se levanta vinte vezes durante a noite, fica sentada, de camisola, até deixar a folha coberta com seus escritos! Minha filha me contou tudo.

Cláudio

Agora que disse coberta, lembrei-me de uma coisa engraçada, contada por sua filha.

Leonato

Ah! A que quando ela foi ler o que escrevera, viu que havia posto Beatriz e Benedito deitados entre as duas folhas?

Cláudio

Isso.

Leonato

Então rasgou a carta em mil pedaços, brigou consigo mesma, por falta de modéstia ao escrever para alguém que ela sabia que haveria de debochar dela. "Tomo a medida dele", diz ela, "por mim mesma, pois estou certa de que debocharia dele se me escrevesse, mesmo que o ame".

Cláudio

E aí ela cai de joelhos, chora, soluça, bate no coração, puxa os cabelos, reza, se maldiz; "Ah, meu doce Benedito! Deus me dê paciência!".

Leonato

Assim, mesmo, diz a minha filha; e fica de tal modo tomada por seu êxtase, que Hero às vezes tem medo que ela faça algo de desesperado contra si própria; é verdade.

Dom Pedro

Seria bom que Benedito viesse a saber do fato por alguma outra pessoa, já que ela insiste em não falar.

CLÁUDIO

   Para quê? Ele só iria se divertir com a história, e atormentar ainda mais
130 a pobre moça.

DOM PEDRO

   Se o fizer, é bom para a forca. Ela é uma moça muito doce, e não pode
   haver qualquer dúvida quanto à sua virtude.

CLÁUDIO

   Além de ter muito juízo.

DOM PEDRO

   Em tudo, menos em amar Benedito.

LEONATO

135 Ora, senhor; quando o juízo e a paixão se enfrentam em um corpo
   tão frágil, nove vezes em dez quem ganha é a paixão. Sinto muito por
   ela, e com razão, já que sou seu tio e guardião.

DOM PEDRO

   Gostaria que ela tivesse se apaixonado por mim; eu afastaria toda e
   qualquer outra afeição, e a faria metade de mim mesmo. Peço-lhes
140 que informem Benedito, para ouvir o que ele diz.

LEONATO

   Será que faríamos bem?

CLÁUDIO

   Hero acha que ela está à beira da morte; pois ela diz que morre se ele
   não a amar, que morre antes de dizer tudo a ele, que morre se ele a
   cortejar, antes de atenuar sequer o mínimo no tom de sua irritação
145 costumeira.

DOM PEDRO

   E faz muito bem: se ela lhe oferecer seu amor, é bem possível que ele
   o desdenhe, pois o homem, como sabemos, gosta de fazer pouco de
   tudo.

CLÁUDIO

   Mas é um rapaz muito correto.

DOM PEDRO

150 Realmente, por fora parece sempre feliz.

CLÁUDIO

   E, por Deus, que me parece muito sábio.

DOM PEDRO

De fato, de vez em quanto lhe saem umas fagulhas que sugerem ter espírito.

CLÁUDIO

Eu sempre o tive por valente.

DOM PEDRO

155 Tanto quanto Heitor, garanto; e na condução da luta podemos dizê-lo sábio; pois ou a evita com grande critério, ou a enfrenta com temor dos mais cristãos.

LEONATO

Se teme a Deus, é sua obrigação manter a paz: e se perturba a paz, deve meter-se na briga com temor e tremor.

DOM PEDRO

160 É o que faz, pois o homem teme a Deus, por mais que não o pareça, graças a algumas grandes pilhérias que faz. Bem, lamento por sua sobrinha. Não devemos procurar Benedito e revelar esse seu amor?

CLÁUDIO

De jeito nenhum, senhor; é melhor que ela acabe com essa história, ouvindo bons conselhos.

LEONATO

165 Isso é impossível, pode acabar, primeiro, com seu próprio coração.

DOM PEDRO

Está bem; esperemos o que mais sua filha nos poderá dizer. Melhor deixar as coisas se esfriarem um pouco. Gosto muito de Benedito, e gostaria que ele se examinasse com mais modéstia, e tomasse consciência de que não merece moça tão boa.

LEONATO

170 Vamos caminhando, senhor? O almoço está pronto.

CLÁUDIO

(À parte.)
Se ele não babar por ela a esta altura, nunca mais confio nos meus palpites.

DOM PEDRO

(À parte.)
Jogar a mesma rede sobre ela deve ser tarefa de Hero e sua dama. Divertido vai ser, quando cada um pensar na desmedida paixão do ou-

tro, sem nada ser verdade: é cena eu quero assistir, mesmo que seja sem palavras. Peçam a ela que o chame para o almoço.

(Saem Dom Pedro, Cláudio e Leonato.)

BENEDITO

(Avançando.)
Não pode ser cilada! A conversa foi muito séria. Eles souberam da verdade por Hero. Parecem ter pena da moça, e ao que dizem a afeição dela atinge as raias da loucura. Me ama? Ora, tem de ser correspondida. Ouvi bem como me condenam: dizem que vou me pavonear, se perceber o amor dela; e que ela morre antes de deixar transparecer qualquer indício de afeição. Eu nunca pensei em me casar: não posso parecer orgulhoso; felizes os que têm a oportunidade de ouvir seus defeitos e podem tentar corrigi-los. Dizem que ela é bela – é verdade, eu mesmo sou testemunha; e virtuosa – e é, não posso negá-lo; e sábia, a não ser por amar-me – mas juro que isso nada acrescenta a seu juízo ou à sua tolice, pois hei de ficar terrivelmente apaixonado por ela. Vou correr o risco de ouvir chistes e deboches contra mim, porque sempre fui contra o casamento: mas, acaso, não muda o apetite? Homem que come carne na juventude não a suporta na velhice. Será que tolices e implicâncias, essas balas de papel do cérebro, hão de desviar um homem no caminho de seu humor? Não, o mundo precisa de ser populado. Quando disse que ia morrer solteiro, é que não pensava viver até me casar. Aí vem Beatriz. Palavra, como é bonita! Juro que estou percebendo nela certos indícios de amor.

(Entra Beatriz.)

BEATRIZ

A contragosto, sou mandada aqui a fim de chamá-lo para o almoço.

BENEDITO

Formosa Beatriz, obrigado pelo sacrifício.

BEATRIZ

Não fiz mais sacrifício por esse agradecimento do que o seu por me agradecer. Se fosse sacrifício, não teria vindo.

BENEDITO

Então teve prazer na mensagem?

BEATRIZ

Não mais do que se pode ter em matar um pássaro bem bobo, com uma faca. O senhor não está com fome, então passe bem.

(Sai.)

BENEDITO

Ah! "A contragosto, sou mandada aqui a fim de chamá-lo para o almoço" – há um sentido duplo nisso. "Não fiz mais sacrifício por esse agradecimento do que o seu por me agradecer" – é o mesmo que dizer "Qualquer sacrifício que eu faça por você é tão fácil quanto um agradecimento". Se não sentir pena dela, não presto para nada; se não a amo, sou judeu. Vou conseguir um retrato dela.

ATO 3

CENA 1
(Entra Hero, e suas aias, Margaret e Úrsula.)

Hero

    Margaret, vá você até à sala,
    Onde há de ver a prima Beatriz,
    Conversando com o príncipe e Cláudio.
    Em seu ouvido, diga que eu e Úrsula
5   Estamos no pomar, e que falamos
    Só dela; diga que, acaso, ouviu,
    E pede que se esconda no arvoredo
    Onde há flores; na sombra, onde o sol,
    Sendo proibido, penetra escondido
10   Qual favorito que, graças ao príncipe,
    Sobe demais. Deve esconde-la ali,
    Para ouvir nosso plano. É o seu trabalho;
    Faça bem tudo, e nos deixe a sós.

Margaret

    Garanto que, num instante, a faço vir.

(Sai.)

Hero

15   Agora, Úrsula, vinda Beatriz,
    Enquanto andamos pra lá e pra cá,
    Só podemos falar de Benedito.
    Quando eu disser seu nome, o seu papel
    É fazer-lhe os maiores elogios;
20   Quanto a mim, vou contar que Benedito
    Enlouqueceu de amor por Beatriz.
    Assim, Cupido faz as suas flechas,
    Que ferem com boatos.

(Entra Beatriz, no arvoredo.)

    Está na hora;
    Pois Beatriz já está, qual ventoinha,
25   Abaixada pra ouvir nossa conversa.

Úrsula

    A alegria da pesca é ver o peixe

Cortar co'as asas a água de prata,
E engolir faminto a falsa isca:
Pois, agora, pesquemos Beatriz,
Semiencoberta por essa folhada.
Não tenha medo; aprendi minhas falas.

Hero

Vamos perto, pra que ela nada perca
Da isca doce que nós preparamos.

(Aproximando-se do arvoredo.)

Mas, Úrsula, ela é muito desdenhosa;
Eu a conheço; ela é tão arisca
Quanto a fêmea do falcão.

Úrsula

                    Mas é certo
Que Benedito ame tanto a Beatriz?

Hero

É o que dizem o príncipe e o meu noivo.

Úrsula

E pediram-lhe que o dissesse a ela?

Hero

Pois até me imploraram que o fizesse;
Mas pedi, por amor a Benedito,
Que o fizessem matar tal sentimento,
Sem permitir que Beatriz o saiba.

Úrsula

Pediu por que? Será que um homem desses
Não merece ter leito tão feliz
Quanto o em que se deita Beatriz?

Hero

Mas pelo deus do amor! Sei que merece
Tanto ou mais quanto qualquer outro homem;
Porém jamais coração feminino
Foi tão frio, e orgulhoso, quanto o dela.
Seu olhar tem desdém e pouco caso,
Para o que vê; enquanto o seu espírito
Tem a si em tal conta que, pra ela,
O mais é fraco. Ela não pode amar,

55 Nem nutrir qualquer forma de afeição,
De tanta autoestima.

ÚRSULA
                    É isso, mesmo;
E, só por isso, não é bom, por certo,
Que conheça esse amor, pra fazer pouco.

HERO
Isso é verdade. Eu não conheço homem,
60 Mesmo sábio, nobre, jovem, dotado,
De quem não faça pouco; e se for louro,
Ela jura que o quer pra sua irmã;
E, se moreno, a Natureza, por chiste,
Fez um borrão. Se alto, é uma lança,
65 Se baixo, camafeu mal esculpido;
A fala é sopro para cata-vento,
Calado é uma pedra inamovível.
A todos, ela vira pelo avesso,
E nunca dá, a verdade ou virtude,
70 O simples aplauso que estas merecem.

ÚRSULA
Mas não são certas tais reclamações.

HERO
Não; e ser sempre assim, esquisitona,
Como é Beatriz, não é louvável.
Mas quem ousa dizê-lo? Se eu falasse,
75 Caçoava de mim, ria, e esquecia,
E acabava comigo, só com graças!
Melhor que ele, qual fogo abafado,
Suspire e apague essa chama interior.
Melhor morrer, que a morte por ridículo;
80 Que é tão ruim quanto morrer de cócegas.

ÚRSULA
Fale com ela; ouça o que ela diz.

HERO
Não, eu prefiro buscar Benedito
E aconselhá-lo a matar sua paixão;
Vou inventar até certas calúnias,
85 Sobre essa minha prima. Ninguém sabe
Quanto veneno existe na palavra.

ÚRSULA

Não julgue mal assim à sua prima!
Não pode ser assim tão sem critério –
Se é que tem tanta inteligência e espírito
90 Quanto se diz – que chegue a recusar
Rapaz tão raro quanto Benedito.

HERO

Ele é exemplo para a Itália inteira,
Com a exceção do meu querido Cláudio.

ÚRSULA

Eu lhe peço, senhora, não zangar-se
95 Com o que lhe digo: o senhor Benedito
Em forma, porte, fala e até bravura
É o primeiro na fama, pela Itália.

HERO

É verdade que tem muito bom nome.

ÚRSULA

Mas foi sua excelência que lho deu.
100 Senhora, quando é que estará casada?

HERO

De amanhã em diante, todo dia.
Vamos entrar, pois quero os seus conselhos
Sobre o vestido pra usar amanhã.

ÚRSULA

(À parte.)
'Stá presa. Com certeza a apanhamos.

HERO

(À parte.)
105 Se é verdade, o amor é mesmo acaso;
E Cupido usa flecha ou armadilha.

(Saem HERO e ÚRSULA.)

BEATRIZ

(Avançando.)
Queimam os meus ouvidos? É verdade?
Condenada por orgulho e desdém?
Desdém, orgulho de donzela, adeus!
110 Não há glória por trás de um ou outro.

Pode amar, Benedito; eu correspondo,
A mão que acaricia há de domar-me.
Se me ama, hei de instigá-lo, com doçura,
A unir, no altar, os nossos dois amores.
115 Se os outros sempre o dizem tão dotado.
Eu sei que inda é melhor do que o falado.

(Sai.)

CENA 2
(Entram o Príncipe Dom Pedro, Cláudio, Benedito e Leonato.)

Dom Pedro
Só espero até seu casamento estar consumado, e logo depois parto para Aragão.

Cláudio
Eu o acompanharei até lá, senhor, se assim o permitir.

Dom Pedro
Não, isso deixaria mancha tão feia no novo brilho de seu casamento
5   quando mostrar a uma criança seu casaco novo e não a deixar usá-lo. Só pedirei que me acompanhe Benedito, porque ele é divertimento da cabeça aos pés. Já cortou por duas ou três vezes a corda do arco de Cupido, e o moleque não ousa mais atirar nele. Seu coração é forte como um sino, e sua língua é o badalo; pois, o que o coração pensa, a lín-
10   gua toca.

Benedito
Meus amigos, não sou mais o que era antes.

Leonato
É o que penso; parece-me mais triste.

Cláudio
Só espero que esteja apaixonado.

Dom Pedro
Enforquem o traidor! Não há um único pingo de sangue nele que pos-
15   sa ser realmente tocado pelo amor. Se está triste, é falta de dinheiro.

Benedito
Estou com dor de dente.[9]

---
9 A dor de dente era expressão comum para o amor, na época. (N.T.)

Dom Pedro
    É só arrancar.

Benedito
    Ou enforcar!

Cláudio
    Primeiro o queixo cai, como na forca, depois é esquartejado.

Dom Pedro
    O quê? Esses suspiros são por dor de dente?

Leonato
    Que, ou vêm da cabeça, ou são vermes.[10]

Benedito
    Só não sabe controlar a dor quem a sente.

Cláudio
    Pois aposto que está apaixonado.

Dom Pedro
    Não parece ter a cabeça virada, a não ser por essa história de virar hoje holandês, amanhã francês, ou dos dois países ao mesmo tempo, ou alemão da cintura para baixo e espanhol para cima, sem colete. A não ser que queira brincar de bobagens assim, que é o que parece, não vejo que seja palhaço da imaginação, como querem.

Cláudio
    Se não estiver apaixonado por alguma mulher, são falsos os indícios tradicionais; ele tem escovado o chapéu pela manhã; o que não prenuncia isso?

Dom Pedro
    Alguém acaso o viu no barbeiro?

Cláudio
    Não, mas o empregado do barbeiro tem sido muito visto com ele, e os antigos ornamentos de suas faces já estão recheando bolas de tênis.[11]

Leonato
    Ele está realmente parecendo mais moço, com a perda da barba.

---

10 Havia uma crença na época que a dor de dente era causada por humores cerebrais ou por vermes. (N.T.)
11 As bolas de tênis, àquele tempo, eram efetivamente recheadas com cabelos humanos ou crina de animal. (N.T.)

DOM PEDRO
E se esfrega todo com perfume; será que só o cheiro não o trai?

CLÁUDIO
É o mesmo que revelar que o rapaz está apaixonado.

DOM PEDRO
Mas o toque principal é sua melancolia.

CLÁUDIO
E desde quando tinha ele o hábito de lavar o rosto?

DOM PEDRO
Isso; ou de se pintar? Pois é o que tenho ouvido dizer a seu respeito.

CLÁUDIO
E seu gosto de brincar, agora está reduzido a cordas do alaúde, que as cravelhas apertam.

DOM PEDRO
Tudo isso dá tristes informações a seu respeito; em poucas palavras, está apaixonado.

CLÁUDIO
Pois eu ainda sei quem o ama.

DOM PEDRO
Pois eu gostaria de saber; deve ser alguém que não o conhece bem.

CLÁUDIO
Conhece, sim, e todas as suas más qualidades, mas apesar de tudo, morre por ele.

DOM PEDRO
E será enterrada de rosto para cima.[12]

BENEDITO
Mas nada disso é cura para a dor de dentes. Senhor Leonato, vamos caminhar um pouco; preparei oito ou nove palavras para dizer-lhe, que esses palhaços não devem escutar. *(Saem BENEDITO e LEONATO.)*

DOM PEDRO
Dou minha palavra que vai falar sobre Beatriz.

---

12 É característico de Dom Pedro dar um sentido sexual à frase. "To die", morrer, era um termo comumente aplicado à experiência do orgasmo. (N.T.)

CLÁUDIO
   Isso eu garanto. Hero e Margaret fizeram o que lhes cabia com Beatriz, e os dois ursos não vão mais se morder, quando se encontrarem.

   (Entra Dom João, o bastardo.)

DOM JOÃO
   Meu senhor e irmão, salve!

DOM PEDRO
   Bom dia, irmão.

DOM JOÃO
   Se tem tempo, gostaria de falar-lhe.

DOM PEDRO
   Em particular?

DOM JOÃO
   Se permitir; porém o conde Cláudio também pode ouvi-lo; o que quero dizer importa a ele.

DOM PEDRO
   Do que se trata?

DOM JOÃO
   (Para Cláudio.)
   O senhor pretende casar-se amanhã?

DOM PEDRO
   O senhor sabe que sim.

DOM JOÃO
   Não sei, quando ele souber o que sei.

CLÁUDIO
   Se houver algum impedimento, eu lhe peço que o revele.

DOM JOÃO
   O senhor talvez pense que não o amo: reflita mais tarde sobre isso, e julgue-me melhor segundo o que eu agora vou revelar-lhe. Pois creio que meu irmão lhe quer bem, e de coração ajudou-o a contratar o casamento a realizar-se – ajuda má, e trabalho gasto em causa ruim.

DOM PEDRO
   Por que isso? O que há?

Dom João

Vim aqui dizer-lhes; e para encurtar a história – pois o assunto é falado há muito tempo – a dama em questão não é honesta.

Cláudio

Quem, Hero?

Dom João

Exatamente – a Hero de Leonato, a sua Hero, a Hero de todo mundo.

Cláudio

Desonesta?

Dom João

A palavra é boa demais para descrever sua vileza. Poderia dizer bem pior; imagine o senhor título pior para atribuir-lhe. Não se espante até que lhe deem mais provas: venham comigo esta noite, e verão alguém entrar por sua janela, até mesmo na noite anterior a seu casamento. Se ainda a amar, case-se com ela amanhã; porém calharia melhor à sua honra mudar de ideia.

Cláudio

Será possível?

Dom Pedro

Eu não o creio.

Dom João

Se não acreditarem nos próprios olhos, não falem mais do que sabem. Se me seguirem, eu lhes mostro o suficiente; e tendo visto mais, e ouvido mais, ajam como julgarem certo.

Cláudio

Se vir esta noite alguma razão segundo a qual não devo casar-me com ela amanhã, diante de todos os presentes, onde deveria casar-me, eu a farei passar a vergonha que merece.

Dom Pedro

E eu, que o ajudei a cortejá-la e conquistá-la, hei de unir-me ao senhor para humilhá-la.

Dom João

Não a desrespeitarei mais, antes que me possam servir de testemunha. Sejam discretos até a noite, e deixem que a questão se resolva por si.

DOM PEDRO
>Que mudança terrível num só dia

CLÁUDIO
>Que impedimento inesperado e horrível!

DOM JOÃO
>Que maldição bem evitada! Falem apenas quando tiverem visto mais provas.

>*(Saem.)*

CENA 3

(Entram DOGBERRY e seu companheiro VERGES, com os GUARDAS-NOTURNOS.)

DOGBERRY
>Vocês são todos bons e honestos?[13]

VERGES
>São, porque, se não fossem, era uma pena eles terem de sofrer salvação de corpo e alma.

DOGBERRY
>Não, isso era castigo bom demais para eles, se tivessem qualquer pinguinho de lealdade neles, já que foram escolhidos para guardas-noturnos do príncipe.

VERGES
>Muito bem, dê suas ordens pra eles, compadre Dogberry.

DOGBERRY
>Primeiro, quem o senhor acha que seja o homem mais *desincompetente*, para ser guarda-chefe?

1º GUARDA NOTURNO
>Hugo Bolinho, senhor, ou Jorge Cascalho, pois os dois sabem ler e escrever.

DOGBERRY
>Vem cá, compadre Cascalho. Deus o abençoou com um bom nome; ser bom homem é um presente da fortuna, mas ler e escrever são coisas da natureza.

---

13 Nesta cena todos falam com sotaques regionais, fazendo incontáveis erros de gramática e palavras, e inclusive inventando outras, imitadas de termos que ouviram mas sem compreender direito. (N.T.)

2º GUARDA NOTURNO
Ambas as duas coisas, mestre guarda ...

DOGBERRY
O senhor tem. Sabia que ia responder assim. Bem, pelo que é, senhor, ora, dê graças a Deus, e nada de se gabar. E quanto a ler e escrever, é coisa que deve aparecer quando não houver necessidade de tais vaidades. O senhor foi julgado aqui o homem mais insabido e certo para ser o guarda-chefe; e por isso é quem carrega a lanterna. Sua tarefa é a seguinte: tem de compreender todos os vagabundos; e mandar parar, todo mundo que encontrar, em nome do príncipe.

2º GUARDA NOTURNO
E se não pararem?

DOGBERRY
Ora, você finge que não viu, deixa ele ir, depois junta todo o resto da guarda, e dá graças a Deus de ter se livrado de um canalha.

VERGES
Quem não parar quando se manda, é porque não é súdito verdadeiro do príncipe.

DOGBERRY
Isso; e a guarda só têm de se meter com súditos do príncipe. E nada de fazer barulho na rua; pois guarda-noturno fazendo baderna e falando é coisa muito *tolerável*, que não pode ser aceita.

1º GUARDA NOTURNO
Nós preferimos mais dormir que falar; e sabemos o que a guarda noturna tem de fazer.

DOGBERRY
Você fala como guarda experiente e tranquilo, já que eu não vejo como dormir possa ser chamado de baderna; vocês só têm de cuidar para que ninguém roube as suas armas. E lembrem-se de que têm de entrar em todas as tavernas, e mandar todo mundo que estiver bêbado para a cadeia.

1º GUARDA NOTURNO
E se eles não quiserem?

DOGBERRY
Bem, nesse caso, deixem eles em paz até o porre passar. E se aí não derem melhor resposta, podem dizer que, afinal, eles não são os homens que pensaram que fossem.

1º GUARDA NOTURNO
Muito bem, sim, senhor.

DOGBERRY
Se encontrarem algum ladrão, podem suspeitar, pelo posto que ocupam, que ele não é honesto; mas quanto a esse tipo de homem, quanto menos se meterem ou lidarem com ele, mais firme fica a honestidade de vocês.

1º GUARDA NOTURNO
A gente sabendo que ele é ladrão, não pode botar a mão nele?

DOGBERRY
Ocupando o posto que ocupam, podem; mas eu acho que quem mexe em piche fica manchado. O modo mais pacífico para vocês, se pegarem algum ladrão, é deixar ele mostrar o que é, e se escafeder da sua companhia.

VERGES
O senhor sempre teve fama de bom coração, compadre.

DOGBERRY
Juro que, por mim, não enforco nem cachorro, que dirá um homem que ainda tenha alguma honestidade nele.

VERGES
Se ouvirem alguma criança chorando, durante a noite, devem chamar a ama para acalmá-la.

1º GUARDA NOTURNO
E se a ama estiver dormindo e não nos ouvir?

DOGBERRY
Bem, nesse caso sigam seu caminho, e deixem a criança gritar até acordar a ama, pois carneira que não ouve o *baa* de sua ovelha, não responde a bezerro que muge.

VERGES
Lá isso é verdade.

DOGBERRY
Pronto, as ordens são essas: o senhor, que é o chefe, vai representar o próprio príncipe; e se encontrar o príncipe na rua, tem de mandar ele parar.

VERGES
Nossa! Não, acho que isso ele não pode.

DOGBERRY

Cinco xelins contra um, aposto com qualquer homem que conheça os estatutos, que pode mandar; claro que se o príncipe não quiser, não para, pois a guarda não foi feita para ofender ninguém, e é uma ofensa fazer qualquer homem parar contra sua vontade.

VERGES

Por Nossa Senhora que acho que é isso mesmo.

DOGBERRY

Ah, ah, ah! Muito bem, senhores, boa noite. E se acontecer alguma coisa importante, me chamem; guardem os segredos uns dos outros, e boa noite. Venha, compadre.

2º GUARDA NOTURNO

Meus senhores, ouvimos nossas ordens. Vamos sentar no banco da igreja até as duas, e depois vamos todos para a cama.

DOGBERRY

Mais uma coisa, meus compadres honestos. Peço que façam guarda junto às portas do senhor Leonato, pois como o casamento é amanhã, há muita confusão esta noite. Adeus! Fiquem alertas, é o que peço.

(Saem DOGBERRY e VERGES.)

(Entram BORAQUIO e CONRADO.)

BORAQUIO

Olá, Conrado!

2º GUARDA NOTURNO

(À parte.)
Silêncio! Não se mova.

BORAQUIO

Olá, Conrado!

CONRADO

Aqui, homem, junto do seu cotovelo.

BORAQUIO

Bem que o cotovelo estava coçando; pensei que ia até criar casca.

CONRADO

Depois eu penso numa resposta. Agora, continua com o caso.

Boraquio
Chega aqui perto, debaixo deste puxado, pois está chuviscando, que, palavra de bêbado, te conto tudo.

2º Guarda Noturno
(À parte.)
Gente, isso cheira à traição; cheguem mais perto.

Boraquio
Pois fique sabendo que ganhei mil ducados de Dom João.

Conrado
Será que alguma safadeza vale tanto?

Boraquio
Devia indagar, antes, se é possível safadeza ser tão rica; pois quando os safados ricos precisam dos safados pobres, os pobres podem pedir o preço que bem quiserem.

Conrado
É de cair o queixo.

Boraquio
Isso só mostra que você não tem decência. Você sabe muito bem que moda de colete, de chapéu, ou de capa, não são nada para homem.

Conrado
Eu sei, são coisas de vestir.

Boraquio
Estou falando da moda.

Conrado
Ah, sim; moda é moda.

Boraquio
Basta! Assim dá no mesmo dizer que um bobo é um bobo. Mas não reparou que ladrão deformado é essa tal da moda?

2º Guarda Noturno
(À parte.)
Conheço esse deformado; é ladrão há sete anos, e banca o cavalheiro. Eu lembro do nome.

Boraquio
Não ouviu alguém?

MARGARET

Pois digo que não fica tão bem, e sua prima irá dizer o mesmo.

HERO

Minha prima é uma tola, e você outra; não uso nenhuma senão esta.

MARGARET

O arranjo da cabeça ia ficar excelente, se o cabelo fosse um pouquinho mais escuro; e o seu vestido é de rara beleza. Tão bonito assim, só vi o da duquesa de Milão.

HERO

Ora, o dela era muito mais.

MARGARET

Palavra que não passava de uma camisola, comparado ao seu – lamê dourado com prata entrelaçada, enfeitado com pérolas, mangas e sobremangas, saias forradas com azul metálico: mas como finura, requinte, graça, e esplendor da moda, o seu vale dez vezes mais.

HERO

Que Deus me traga alegria em usá-lo, pois tenho o coração muito pesado.

MARGARET

E vai ficar mais, com o peso de um homem.

HERO

O que é isso, você não tem vergonha?

MARGARET

De quê, senhora? De dizer coisas honradas? O casamento não é honrado em um mendigo? Seu noivo não é honrado fora o casamento? Creio que gostaria que eu dissesse, com sua permissão, "de um marido". E maus pensamentos não deformam a fala verdadeira. Não ofendi ninguém. Há algum mal em aguentar o peso de um marido? Nenhum, desde que seja o marido certo, e a mulher certa; de outro modo é frivolidade, e não peso. Pergunte à senhora Beatriz, aí está ela.

(Entra BEATRIZ.)

HERO

Bom dia, prima.

BEATRIZ

Bom dia, doce Hero.

HERO
O que há? Mas por que esse tom triste?

BEATRIZ
Acho que estou meio desafinada.

MARGARET
É só cantar "A luz do Amor", que esse peso passa todo. Se cantar, eu danço.

BEATRIZ
Você acende a luz do amor com os pés! E com marido de boas cocheiras, não faltarão potrinhos.

MARGARET
Mas que dedução mais ilegítima! Vou pisá-la para mostrar meu desprezo.

BEATRIZ
São quase cinco horas, prima, está na hora de você se aprontar. Palavra que eu estou passando bem mal. E agora, vamos!!

MARGARET
Buscando melro, mula ou marido?

BEATRIZ
O M, que começa todos três.

MARGARET
E a não ser que ele seja um vira-casaca, ninguém mais navega pela estrela do norte.

BEATRIZ
E o que quer essa boba dizer com isso?

MARGARET
Nada, só peço a Deus que mande a todo o mundo o que desejam seus corações.

HERO
Estas luvas me foram mandadas pelo conde, e têm um perfume delicioso.

BEATRIZ
Estou entupida, prima, não sinto cheiro.

MARGARET

Uma donzela, e entupida! Pois pegou um ótimo resfriado.

BEATRIZ

Deus que me livre! Desde quando você se dedica a respostas maldosas?

MARGARET

Desde que a senhora as abandonou. Será que ser espirituosa não me calha bem?

BEATRIZ

55 Ainda não está muito aparente; devia usar seu espírito no chapéu. Mas, palavra, me sinto mal.

MARGARET

Pegue um pouco desde *cardus benedictus*[15] destilado e ponha sobre o coração; é o único remédio para a inquietação.

HERO

Você só espeta seu coração, com um cardo.

BEATRIZ

60 *Benedictus?* Por que *benedictus?* Há alguma moral escondida nesse *benedictus*.

MARGARET

Moral? Juro que não há significado nenhum, falei apenas do cardo-santo. Pode talvez pensar que pense que está apaixonada, mas pela Virgem, não sou tão tola que creia no que ouço, nem deixe de ouvir
65 o que penso que possa, nem tampouco que não pudesse pensar, ou fazer meu coração pensar em deixar de pensar que a senhora esteja apaixonada, fosse estar apaixonada, ou pudesse ficar apaixonada. No entanto, Benedito era outro assim, e agora se transformou em homem: jurava que nunca se casaria; e, no entanto, agora, apesar de
70 seu coração, está engolindo tudo sem reclamar: como a senhora há de ser convertida, não sei, porém creio que vê com os olhos, como fazem as outras mulheres.

BEATRIZ

Mas que ritmo é esse, da sua língua?

MARGARET

Não é galope falso.

---

15 "Cardo santo", erva medicinal, supostamente tranquilizante. (N.T.)

(Entra Úrsula.)

ÚRSULA

75 Saia logo, senhora! O príncipe, o conde, o senhor Benedito, Dom João e todos os outros fidalgos da cidade estão chegando para levá-la à igreja.

HERO

Ajudem-me a vestir-me, prima, Meg e Úrsula.

(Saem.)

CENA 5

(Entram Leonato, com o CHEFE DA GUARDA, DOGBERRY e VERGES, o guarda-civil.)

LEONATO

O que querem comigo, bons vizinhos?

DOGBERRY

Pela Virgem, senhor, gostaria de ter uma confidência, que lhe diz muito desrespeito.

LEONATO

Depressa, peço, pois podem ver que agora estou muito ocupado.

DEGBERRY

5 Pela Virgem que acho que sim, senhor.

VERGES

Verdade que sim, senhor.

LEONATO

Do que se trata, meus amigos?

DOGBERRY

Compadre Verges, senhor, fala um pouco fora do assunto. Está velho, senhor, e os juízos não estão tão tapados quanto, por Deus, eu gostaria que estivessem, mas, palavra, ele é tão honesto quanto a pele que tem na testa.[16]

10

VERGES

Sim, senhor. Graças a Deus sou tão honesto quanto qualquer homem vivo e não mais honesto do que eu.

---

16 Uma expressão comum na época, pois a testa franzida era tida por indício de seriedade. (N.T.)

DOGBERRY

As comparações são odorosas; *palabras*, meu vizinho Verges.

LEONATO

Vizinhos, estão ficando cacetes.

DOGBERRY

Se apraz a sua senhoria dizer que sim, mas nós somos apenas pobres funcionários do príncipe; na verdade, quanto a mim, se eu fosse tão cacete quanto um rei, ainda sentiria no coração que deveria revelar tudo a sua senhoria.

LEONATO

Dar-me toda a sua caceteação?

DOGBERRY

Sim, senhor, e se pesasse mil libras mais do que pesa, pois tenho ouvido tão boas exclamações a seu respeito quanto a respeito de qualquer outro homem na cidade, e embora eu seja apenas um pobre coitado, fico muito contente em ouvir.

VERGES

E eu também.

LEONATO

Eu gostaria muito de saber o que têm a dizer.

VERGES

Pela Virgem, senhor, nossa guarda, esta noite, a não ser pela presença de sua senhoria, agarrou um par dos maiores safados que já se viu em Messina.

DOGBERRY

É um bom homem, senhor, mas fala muito; como se diz, "Quando a idade chega, o juízo sai", Deus que nos ajude, que mundo é este! Muito bem dito, vizinho Verges; bem, Deus é um bom homem, e quando dois homens montam um cavalo, um tem que ficar atrás. Uma alma honesta, senhor, eu juro, palavra, dos melhores com quem já comi; mas Deus tem de ser adorado, e os homens não são todos iguais, vizinho. Que pena!

LEONATO

De fato, vizinho, não lhe chega aos pés.

DOGBERRY

Dons são o que Deus dá.

LEONATO
    Tenho de os deixar.

DOGBERRY
    Uma palavra, senhor: nossa guarda, senhor, de fato compreendeu duas pessoas auspiciosas, e queríamos que sua senhoria os interrogasse esta manhã.

LEONATO
    Faça você mesmo o interrogatório, e me traga o resultado; estou apressado, como podem ver.

DOGBERRY
    Haverá satisfatoriedade.

LEONATO
    Tomem um pouco de vinho, antes de ir. Até mais.

(Entra um MENSAGEIRO.)

MENSAGEIRO
    Senhor, está sendo esperado para entregar sua filha ao marido.

LEONATO
    Já vou indo; estou pronto.

(Sai, com o MENSAGEIRO.)

DOGBERRY
    Vai lá, parceiro, buscar Francis Cascalho, pede-lhe que traga sua tinta e tinteiro à prisão: temos de examinar aqueles homens.

VERGES
    E com muita sapiência.

DOGBERRY
    Não vamos poupar juízo, garanto; isto aqui há de fazer ele ficarem *mente-captus*. Mas pede ao erudito escrivão que anote toda a nossa *excomunicação*, e nos encontre na prisão.

(Saem.)

ATO 4

CENA 1
(Entram o Príncipe Dom Pedro, Dom João, o bastardo, Leonato, Frei Francisco, Cláudio, Benedito, Hero e Beatriz, com séquito.)

Leonato
Vamos, frei, seja breve; teremos só o simples ritual do casamento, e fará depois o relato de todas as suas obrigações.

Frei
Vem aqui, senhor, para casar?

Cláudio
Não.

Leonato
5   Para casar-se com ela, Frei, para casar-se com ela.

Frei
Senhora, vem aqui casar-se com o conde?

Hero
Sim.

Frei
Se algum dos dois conhece algum empecilho para que os dois não sejam unidos, ordeno-lhes que falem, pela salvação de suas almas.

Cláudio
10 Sabe de algum, Hero?

Hero
Não, meu senhor.

Frei
Sabe de algum, conde?

Leonato
Ouso responder por ele; nenhum.

Cláudio
O que ousam os homens! O que fazem os homens! Fazem todos os
15 dias, sem saber o que fazem!

BENEDITO
O que houve? Interjeições? Que pelo menos sejam risíveis, como ah, ah, ah!

CLÁUDIO
Fique aqui, Frei. E, com licença, pai.
É de alma livre e sem pressões que aqui
Me dá esta donzela, a sua filha?

LEONATO
Tão livremente quanto Deus m'a deu.

CLÁUDIO
E que valor devo eu dar-lhe, de volta,
Em contrapeso a esse rico bem?

DOM PEDRO
Nada, a não ser que venha a devolvê-la.

CLÁUDIO
Ensina boa gratidão, meu príncipe.
Ei-la, Leonato; tome-a aqui de volta.
Não dê laranja podre a um amigo;
A honra dela é feita de aparências.
Veja como enrubesce qual donzela!
Com que real aspecto de verdade
Pode o pecado cobrir suas intrigas!
Esse rubor não se mostra de prova
De pura virtude? Não jurariam,
Todos os que a veem, que era virgem,
Segundo o exterior? Porém não é.
Ela conhece a luxúria do leito:
Enrubesce de culpa, não pudor.

LEONATO
O que 'stá pretendendo, meu senhor?

CLÁUDIO
Não casar-me, ligando a minha alma
A uma rameira conhecida.

LEONATO
Caro senhor, se com seu próprio ardor
Venceu-lhe a resistência e juventude,
E abusou de sua virgindade...

CLÁUDIO

Já sei o que dirá: se a conheci
Foi por julgar-me já o seu marido,
Atenuando assim o seu pecado.
Não, Leonato.
Jamais eu a tentei, nem por palavras,
Mantendo, como irmão junto a irmã,
Pudor sincero e comedido amor.

HERO

E pareci-lhe não sentir o mesmo?

CLÁUDIO

Fora o parecer! Contra ele falo.
Parecia Diana em sua orbe!
Casta como o botão antes de abrir;
Porém, com menos controle no sangue
Que Vênus, ou lascivos animais
Cuja sensualidade é indomada.

HERO

É bom falar tão longe da verdade?

LEONATO

Não fala, príncipe?

DOM PEDRO

Falar pra quê?
'Stou desonrado, por ter trabalhado
Pra ligar meu amigo a uma perdida.

LEONATO

'Stão dizendo essas coisas, ou eu sonho?

DOM JOÃO

Senhor, são ditas e são verdadeiras.

BENEDITO

Não são núpcias!

HERO

São verdadeiras? Deus!

CLÁUDIO

Leonato, me vê aqui?

Este é o príncipe? Este o irmão?
O rosto de Hero? Nossos, estes olhos?

LEONATO

Tudo isso é; mas e daí, senhor?

CLÁUDIO

Faço uma só pergunta à sua filha,
E por sua paterna autoridade
Mande que ela responda com verdade.

LEONATO

Assim ordeno, se és minha filha.

HERO

Deus me defenda de tantos ataques!
Mas que tipo de catecismo é este?

CLÁUDIO

O que dá a verdade de seu nome.

HERO

Meu nome é Hero. Quem pode manchá-lo
Com justa acusação?

CLÁUDIO

                Só Hero pode.
Hero é que mancha a virtude de Hero.
Que homem lhe falou, ontem à noite,
À janela, entre a meia-noite e a uma?
Responda isso, se é que é donzela.

HERO

Homem nenhum, senhor, a essa hora.

DOM PEDRO

Então não é donzela. Leonato,
Sinto dizê-lo, mas, por minha honra,
Eu, meu irmão e o conde ofendido
A vimos e ouvimos, a essa hora,
Conversando à janela, com um crápula,
Que na verdade, como o vilão que é,
Confessa os vis encontros que tiveram
Mil vezes em segredo.

Dom João
     Ora, nem dá para contar, senhor,
     Nem para falar nisso!
     Não há em nossa língua castidade
     Bastante pra falar sem ofender.
95   Sinto, mocinha, pelos seus desmandos.

Cláudio
     Que Heroína não seria Hero,
     Se uma metade da beleza externa
     Fosse de seu juízo e coração!
     Que passe bem, imunda e bela; adeus!
100 De impiedade pura, impía pureza!
     Por si, eu tranco ao amor minhas portas,
     Co'as pálpebras pendendo de suspeita,
     Pensando mal de tudo quanto é belo,
     E nunca mais conhecerei a graça.

Leonato
105 Ninguém aqui tem um punhal pra mim?

     (Hero desmaia.)

Beatriz
     Que é isso, prima! Por que cai desse jeito?

Dom João
     Vamos logo. Essas coisas, reveladas,
     Sufocam seu espírito.

                    (Saem Dom Pedro, Dom João e Cláudio.)

Benedito
     Como ela passa?

Beatriz
                    Morta, eu creio. Tio!
110 Hero! Meu Tio! Benedito! Frei!

Leonato
     Destino, não remove a mão gelada!
     A morte cobre melhor sua vergonha
     Do que desejaria.

Beatriz
                    E então, prima?

Frei

    Console-se, senhora.

Leonato

115   Inda olhas pra cima?

Frei

             E por que não?

Leonato

    Por que? Não clama tudo o que há no mundo
    Sua vergonha? Pode ela negar
    A história hoje impressa no seu sangue?
    Não vivas, Hero, nem abras os olhos;
120   Acreditando não morresses logo,
    Co'espírito mais forte que a vergonha,
    Eu mesmo, terminada a repreensão,
    Cortaria-te a vida. Filha única?
    Queixei-me ser frugal a Natureza?
125   Pois uma foi demais! Pra que ter uma?
    Por que tão linda sempre ao meu olhar?
    Por que não foi com caridosa mão
    Que eu a peguei, mendiga em meu portão,
    De quem, imunda, e marcada pela infâmia,
130   Poderia dizer: "não me pertence;
    Vem de sêmen sem dono tal vergonha".
    É minha, o meu amor, o meu louvor,
    Minha pra meu orgulho – e tanto minha
    Que mais que a de mim mesmo foi a minha
135   Estima dela – que hoje está caída
    Num poço de tinta, que o próprio mar
    Tem poucas gotas pra limpar de novo,
    E nem bastante sal pra preservar
    Essa carne já suja!

Benedito

             Senhor, calma!
140   Eu, por mim, estou tão espantado
    Que não sei o que dizer.

Beatriz

    Eu juro, por minh'alma, que é calúnia!

Benedito

    Senhora, não se deitaram juntas, ontem?

BEATRIZ

    Não, ontem não; e, co'a exceção de ontem,
145   Há doze meses, sempre num só leito.

LEONATO

    Confirmado! Isso torna inda mais forte
    O que já parecia ser de ferro.
    Mentiriam dois príncipes, e Cláudio,
    Que a amava a ponto de narrar o vício
150   Lavado em lágrimas? Fora! Que morra!

FREI

    Ouça-me um momento;
    Por muito tempo já guardei silêncio,
    Entregue, enquanto tudo se passava,
    A olhar a moça. E eu pude notar
155   Mil manifestações de seu rubor
    No rosto em que vergonhas inocentes
    Quais anjos alvos o rubor baniam,
    E em seus olhos espreita uma chama
    Que queima os erros em que creem príncipes,
160   Contra a verdade virginal. Se tolo,
    Não confiem no que penso e no que vi,
    Com o muito que vivi selando
    O teor do meu livro; e nem confiem
    Em minha idade, ofício e divindade,
165   Se essa moça inocente aqui não jaz
    Sob algum grave erro.

LEONATO

                    É impossível.
    Está vendo que a graça qu'inda resta
    É a que a impede de acrescer à falta
    O horror do perjúrio: não negou nada.
170   Porque tentar encobrir com desculpas
    Aquilo que foi posto tão a nu?

FREI

    Senhora, com que homem a acusam?

HERO

    Só sabe quem acusa; eu não sei.
    Se eu conheço mais de qualquer homem,
175   Do que permite o pudor de donzela,
    Que fiquem sem perdão os meus pecados!
    Meu pai, prove que um homem me falou

Em hora estranha, ou que ontem à noite
Troquei palavras com quem quer que seja,
Torture-me, com ódio, até que eu morra!

Frei

Há algo estranho que enganou os príncipes.

Benedito

Dois deles são marcados pela honra;
E se alguém desviou o seu bom senso,
A trama tem de vir de João, bastardo,
Que só de vilanias se alimenta.

Leonato

Não sei. Se o que disseram for verdade,
A mato com estas mãos; se a caluniam,
O maior deles será informado.
Não está ainda seco este meu sangue,
Nem a velhice me matou o cérebro,
Nem a fortuna liquidou meus meios,
Nem vida má deixou-me sem amigos,
Pois eles sentirão, despertas, ágeis,
As minhas forças e a resolução,
Além de ampla coleção de amigos,
Para acertarmos contas.

Frei

                        Pare um pouco,
E ouça, neste caso, o meu conselho.
Os três saíram dando Hero por morta;
Deixe-a ficar, um tempo, recolhida;
Proclame que ela está deveras morta.
Mantenha firme a aparência de luto,
E no antigo mausoléu da família,
Cumpra os ritos, pendure os epitáfios
Que se espera de todo funeral.

Leonato

Em que dá isso? Qual o resultado?

Frei

Tudo isso, bem cumprido em honra dela,
Muda calúnia em remorso, e é um bem.
Mas não por isso imaginei tal curso;
Espero dar a luz a muito mais.
Morrendo, como será proclamado,

No mesmo instante em que foi acusada,
Terá piedade, lamento e perdão
De quem o ouça; pois sempre acontece
Que não prezamos, no justo valor,
215 Aquilo que gozamos; mas, perdido,
Então valorizamos, e sentimos
A virtude, que não foi revelada,
Do que foi nosso. Assim será com Cláudio.
Quando souber que o que disse a matou,
220 A ideia dela, viva, sutil, entra
Por seu reduto de imaginação,
E cada pedacinho de seu ser
Vai se mostrar em trajes preciosos,
Mais delicado, e mais cheio de vida,
225 Ao olhar e alcance de sua alma,
Do que quando vivia; e há de chorá-la –
Se alguma vez o amor fisgou seu fígado[17] –
Há de querer não a ter acusado,
Mesmo julgando acusar com verdade.
230 Faça assim, e sem dúvida o sucesso
Há de dar melhor forma ao sucedido,
Do que eu creio ser o mais provável.
Porém se apenas for julgada morta,
Isso já abafa o fogo dessa infâmia:
235 Se não der certo, ela pode ocultar-se,
Como convém à má reputação:
Reclusa em vida de religiosa,
Longe de olhos, mentes, pensamentos.

BENEDITO

Senhor Leonato, aceite esse conselho;
240 E embora saiba que no meu mais íntimo
Amo e estimo o príncipe e Cláudio,
Por minha honra tratarei o assunto
Com a justeza e o segredo que sua alma
Merece do seu corpo.

LEONATO

                            A dor me afoga;
245 Qualquer galho me arrasta como quer.

FREI

Bem consentido. Vamos logo embora;
Ferida estranha pede estranha cura.

---

17 Segundo o pensamento elisabetano, o fígado era onde ficava localizado o amor. (N.T.)

Venha, senhora; morra prá viver;
Núpcia adiada exige paciência.

(Saem todos menos BENEDITO e BEATRIZ.)

BENEDITO

250 Beatriz, chorou todo esse tempo?

BEATRIZ

E ainda chorarei muito mais tempo.

BENEDITO

Não é o que desejo.

BEATRIZ

Como não tem razão, choro à vontade.

BENEDITO

Sua prima, é certo, foi caluniada.

BEATRIZ

255 Ai, o que não mereceria de mim o homem que a redimisse!

BENEDITO

Não há modo de provar tal amizade?

BEATRIZ

Um muito simples, porém não de amigo.

BENEDITO

Pode um homem fazê-lo?

BEATRIZ

É ofício de homem, mas não seu.

BENEDITO

260 Não amo a nada neste mundo mais do que você – não é estranho?

BEATRIZ

Tão estranho quanto as coisas que não conheço. Seria igualmente possível dizer eu que não amo a nada tanto quanto a você, mas não deve crer-me; e, no entanto, não minto. Não confesso nada, nem nego nada. Só sinto pena de minha prima.

BENEDITO

265 Por minha espada, Beatriz, você me ama.

Beatriz

Não jure coisas que terá de engolir.

Benedito

Juro por ela que me ama, e farei engoli-la todo aquele que afirmar que eu não a amo.

Beatriz

E não engolirá as próprias palavras?

Benedito

Não há molho que possa ser inventado para elas. Eu afirmo que a amo.

Beatriz

Então, que Deus me perdoe!

Benedito

Por que ofensa, Beatriz?

Beatriz

Você me interrompeu em um momento feliz, estava por afirmar que o amava.

Benedito

Pois o faça, de todo o coração.

Beatriz

Eu o amo com parte tão grande de meu coração que não me restou nada para afirmar.

Benedito

Vamos, peça-me que faça qualquer coisa por você.

Beatriz

Mate Cláudio!

Benedito

Ah, nem pelo mundo inteiro!

Beatriz

Matou-me ao negá-lo. Adeus.

Benedito

Espere, minha doce Beatriz.

BEATRIZ

Já me fui, embora esteja aqui; seu amor não existe; peço que me deixe ir embora.

BENEDITO

Beatriz...

BEATRIZ

Verdade, deixe-me ir.

BENEDITO

Só ficando amigos primeiro.

BEATRIZ

Você ousa com mais facilidade ser meu amigo do que lutar com meu inimigo.

BENEDITO

Cláudio é seu inimigo?

BEATRIZ

Ele não se mostrou o maior dos vilões, quando caluniou, desprezou, desonrou a minha prima? Ah, se eu fosse homem! O quê! Trazê-la pela mão até a hora de tomar-lhe a mão, e depois, em acusação pública, proclamar uma calúnia, com o mais repelente rancor – Ah, Deus, se eu fosse homem! Comia-lhe o coração, no mercado.

BENEDITO

Escute, Beatriz...

BEATRIZ

Falar com um homem pela janela! Isso é coisa que se diga!

BENEDITO

Mas, Beatriz...

BEATRIZ

A doce Hero! Injustiçada, caluniada, destruída.

BENEDITO

Bea...

BEATRIZ

Príncipes e condes! Por certo um testemunho principesco, uma conta de conde, conde confeito, um rapazinho muito doce! Quem me dera ser homem, só por ele, ou ter um homem que quisesse ser homem

305 só por mim! Mas a virilidade se desmancha em cortesias, a bravura em mesuras, e os homens viram pura língua, e língua refinada: ele agora é tão valente quanto Hércules, que só conta uma mentira e jura que é assim. Eu não posso ser homem por querer, portanto vou morrer, sendo mulher, de dor.

BENEDITO

Calma, boa Beatriz. Por esta mão, eu a amo.

BEATRIZ

310 Use-a, por meu amor, para alguma coisa além de jurar por ela.

BENEDITO

Você julga, no fundo de sua alma, que o conde Cláudio caluniou Hero?

BEATRIZ

Sim, tão certo quanto tenho pensamento ou alma.

BENEDITO

Basta. Estou comprometido. Vou desafiá-lo. Beijo-lhe a mão e a deixo. Por esta mão, Cláudio vai me pagar uma conta alta. Segundo as notícias minhas que tiver, pense em mim. Vá consolar sua prima; tenho de dizer que está morta; e, assim, passe bem.

315

(Saem.)

CENA 2
(Entram os policiais, DOGBERRY e VERGES, com o SACRISTÃO, todos em vestes de funcionários da câmara local, trazendo BORAQUIO e CONRADO, seguidos pelos guardas-noturnos.)

DOGBERRY

Está reunida toda a *dissembleia*?

VERGES

Com um caixote e uma almofada para o Sacristão.

SACRISTÃO

Quais são os malfeitores?

DOGBERRY

Isso, senhor, somos eu e meu parceiro.

VERGES

5 É isso mesmo, e temos uma exibição para examinar.

SACRISTÃO
Mas quais são os ofensores a serem examinados? Que eles se apresentem, na frente do policial-chefe.

DOGBERRY
Isso! Pela Virgem! Que eles fiquem bem na minha frente. Como é o seu nome, amigo?

BORAQUIO
Boraquio.

DOGBERRY
Por favor anotem, "Boraquio". E o seu, moleque?

CONRADO
Eu sou um cavalheiro, e meu nome é Conrado.

DOGBERRY
Anotem "mestre cavalheiro Conrado". Senhores, os senhores servem a Deus?

CONRADO E BORAQUIO
Sim, senhor, assim esperamos.

DOGBERRY
Anotem que eles esperam servir a Deus; e escrevam "Deus" antes, pois Deus permita que Deus venha na frente de tais vilões! Mestres, já foi provado que os senhores são pouco mais do que canalhas falsos, e falta pouco para que todos pensem assim. Como respondem a isso?

CONRADO
Ora, senhor, nós dizemos que não somos.

DOGBERRY
Mas que sujeitos mais espirituosos, porém eu garanto, senhor, que dou jeito neles. Venha cá, moleque, uma palavra em seu ouvido, senhor; eu lhe digo que todos pensam que sejam falsos canalhas.

BORAQUIO
Eu lhe digo, senhor, que não somos.

DOGBERRY
Muito bem, chegue para lá. Juro por Deus que os dois estão *encomparsados*. Já anotaram que eles não são?

SACRISTÃO
Mestre policial, não é assim que se examina; é preciso chamar os guardas, seus acusadores.

DOGBERRY
Palavra que é o mais rápido. Que avancem os guardas. Mestres, ordeno aos dois que, em nome do príncipe, acusem esses homens.

1º GUARDA NOTURNO
Esse homem aí disse, senhor, que o Dom João, irmão do príncipe, é um safado.

DOGBERRY
Anotem aí, "o príncipe João é um safado". Ora isso é uma droga de um perjúrio, chamar o irmão do príncipe de safado.

BORAQUIO
Senhor policial...

DOGBERRY
Fica quieto aí, ô fulano; palavra que eu não vou com a sua cara.

SACRISTÃO
E o que mais o senhor o ouviu dizer?

2º GUARDA NOTURNO
Ora essa, que tinha recebido mil ducados de Dom João para acusar a senhora Hero com falsidades.

DOGBERRY
Um latrocínio como nunca foi cometido.

VERGES
Juro por Deus que é isso mesmo.

SACRISTÃO
E o que mais, rapaz?

1º GUARDA NOTURNO
E que o conde Cláudio planejou, por causa do que ele falou, fazer a senhora Hero passar vergonha diante de todos, e não casar com ela.

DOGBERRY
Vilão! Só por isso o senhor vai ser condenado à redenção eterna!

SACRISTÃO
E o que mais?

1º GUARDA NOTURNO
Foi só isso.

SACRISTÃO
E isso é mais, meus senhores, do que se possa negar. O príncipe João escafedeu-se esta manhã: Hero foi acusada assim mesmo, repudiada assim mesmo, e por isso caiu morta, na hora. Senhor policial chefe, leve esses homens, amarrados, a Leonato; eu vou na frente e mostro o resultado do interrogatório.

(Sai.)

DOGBERRY
Que sejam *agrigemados* os dois.

VERGES
Pelas mãos...

CONRADO
Fora, seus palhaços!

DOGBERRY
Deus me ajude, cadê o sacristão? É preciso anotar "os guardas do príncipe palhaços". Andem, amarrem logo. Calhorda sem vergonha!

CONRADO
Andem! Vocês são uns asnos, são uns asnos.

DOGBERRY
O senhor *dessuspeita* o meu posto? Será que não suspeita minha idade? E não tem ninguém para anotar asno! Mas, amigos, lembrem-se de que sou um asno; mesmo sem anotar, não esqueçam que sou um asno. Quanto a você, safado, é todo cheio de piedade, como será dito por testemunhas. Eu sou um sujeito de juízo; o que é mais, um oficial; o que é mais, sou proprietário; e, ainda mais, um bonitão como não há outro em Messina, que conhece a lei, percebe, e bem rico, percebe, e um sujeito que sofreu perdas, e que tem duas capas, e que em si só usa o que é bonito. Levem ele embora. Que pena que não me anotaram como asno!

(Saem).

ATO 5

CENA 1
(Entram Leonato e Antonio, seu irmão.)

Antônio

Se continua assim, vai se matar,
E não é certo agravar a dor
Contra si mesmo.

Leonato

                    Chega de conselhos,
Que aos meus ouvidos caem tão inúteis
Quanto água em peneira. Não os quero,
E nem que me consolem com prazeres,
Senão os que doem como os meus.
Traga-me um pai que adorou muito a filha,
Cuja alegria foi-se, como a minha,
E peça-lhe que fale de paciência;
Meça-lhe a dor pela extensão da minha,
E deixe-o responder, nota por nota,
Uma por outra, dor por dor tamanha
Em perfil, em cada linha e forma.
Se ele sorrir e cofiar a barba,
Zombar da dor, dizer "bem" sem gemer,
E, com dor de provérbio, embebedar
O fado em farras, tragam-m'o aqui,
E dele aprenderei a paciência.
Esse homem não existe; saiba, irmão,
Que os que dão conselhos e consolo
Jamais sentiram dor; mas se a provarem,
Viram paixão os conselhos que, antes,
Receitavam pra ira desvairada,
A loucura prendiam com fios de seda,
Curavam dor com ar, a agonia com fala.
Todos os homens pregam paciência
Aos que sofrem com a carga da tristeza
Mas nenhum tem virtude suficiente,
Pra ser moral assim quando encara
A mesma coisa. Chega de conselhos:
Minha dor grita mais do que o consolo.

Antônio

Nisso se igualam homens e crianças.

LEONATO

    Chega, eu peço; sou de carne e osso;
Eu jamais conheci um só filósofo
Com paciência para dor de dentes,
Por divinos que sejam seus estilos,
Ao fazer pouco de fortuna e dor.

ANTÔNIO

    Não guarde todo o mal para si mesmo;
Faça sofrer também os que o ofendem.

LEONATO

    Tem razão nisso; e assim hei de fazer.
Minh'alma diz que Hero é caluniada;
E assim hão de o saber Cláudio e o príncipe,
Bem como todos que a desonraram.

(Entram o PRÍNCIPE DOM PEDRO e CLÁUDIO.)

ANTÔNIO

    Aí chegam, às pressas, Cláudio e o príncipe.

DOM PEDRO

    Bom dia, bom dia.

CLÁUDIO

    Bom dia a ambos.

LEONATO

    Senhores...

DOM PEDRO

    Temos pressa, Leonato.

LEONATO

    Pressa, senhor? Pois passe bem, senhor!
Tem tanta pressa agora? Tudo bem.

DOM PEDRO

    Não queira brigar conosco, bom velho.

ANTÔNIO

    Se ele pudesse se curar com brigas,
Alguns iam cair.

CLÁUDIO

                Quem o ofende?

LEONATO

    O senhor me ofendeu, fingidor!
    Nada de puxar da sua espada,
    Não o temo.

CLÁUDIO

                Maldita a minha mão,
    Se algum dia assustar a sua idade.
    Não pretendia eu puxar da espada.

LEONATO

    Pois não brinque comigo, ou faça pouco!
    Não sou velho gagá e nem sou tolo,
    Pra ficar me gabando, na velhice,
    Do que fiz quando jovem, ou faria
    Se velho não fosse. Escute bem, Cláudio:
    Que me ofendeu e à minha filha pura,
    De modo que, esquecendo reverências,
    Grisalho e machucado pela vida,
    O desafio a lutar, de homem a homem.
    Digo que caluniou a minha filha;
    Sua mentira partiu-lhe o coração,
    E ela, hoje, jaz com os ancestrais,
    Em tumba que jamais guardou escândalo
    Que não o seu, mentira de um vilão!

CLÁUDIO

    Eu, um vilão?

LEONATO

            Sim, Cláudio, é o que digo.

DOM PEDRO

    Não fala certo, velho.

LEONATO

                  Meu senhor,
    Provo com a vida, se ele assim ousar,
    Mesmo que seja esgrimista em forma,
    E jovem bem na flor da mocidade.

CLÁUDIO

    Saia! Não quero nada com o senhor.

LEONATO

Me afasta assim? Matou a minha filha;
Se me matar, ao menos mata um homem.

ANTÔNIO

Vai matar dois de nós, e ambos homens:
E não importa qual mata primeiro.
'Stou pro que der e vier, ataque-me.
Vamos lá, menino, senhor menino;
Eu hei de bater as suas fintas,[18]
Palavra de honra que sim.

LEONATO

Irmão...

ANTÔNIO

Quieto. Por Deus, amei minha sobrinha,
Morta pela calúnia de vilões,
Que ousam tanto enfrentar um homem bom
Quanto eu pegar serpente pela língua.
Moleques, fanfarrões covardes.

LEONATO

                Mano!

ANTÔNIO

Não fale. O quê! Eu os conheço,
É o que valem até a última gota,
Moleques enfeitados, só na moda,
Que mentem, que difamam, caluniam,
Que fazem palhaçadas, macaquices,
E dizem frases cheias de perigo,
De como matariam, se pudessem,
E isso é tudo.

LEONATO

                Irmão Antônio...

ANTÔNIO

                      Não tem importância;
Não se meta, cuido eu mesmo de tudo.

DOM PEDRO

Eu não quero abusar-lhes da paciência.

---

18   Ele fala em termos de golpes de esgrima. (N.T.)

Sinto, de coração, a morte de Hero;
Porém, palavra, não a acusei
Senão com uma verdade comprovada.

LEONATO
Senhor, senhor...

DOM PEDRO
Não quero ouvi-lo.

LEONATO
Não? Vamo-nos, irmão! Serei ouvido.

ANTÔNIO
E alguns de nós hão de sofrer por isso.

(Saem LEONATO e ANTÔNIO.)

(Entra BENEDITO.)

DOM PEDRO
Pronto. Aí vem o homem que procuramos.

CLÁUDIO
Então, senhor, quais são as novas?

BENEDITO
Bom dia, meu senhor.

DOM PEDRO
Bem-vindo, senhor; quase chegou a tempo de apartar uma briga.

CLÁUDIO
Pois talvez tivéssemos nossos narizes torcidos por dois velhos sem dentes.

DOM PEDRO
Leonato e seu irmão. O que pensa disso? Se lutássemos, duvido que fossemos jovens demais para eles.

BENEDITO
Em luta desonesta não há valor. Eu vim procurar a ambos.

CLÁUDIO
Nós andamos por todo lado, a procurá-lo, pois estando em profunda melancolia, buscamos quem a afaste. Queremos o seu espírito.

BENEDITO
    Está aqui na bainha; devo puxá-lo?

DOM PEDRO
    Anda agora com o espírito à cinta?

CLÁUDIO
    Ninguém jamais o fez, embora muitos tenham a cinta no espírito. Pediria que o puxasse, para que, como os menestréis, puxasse-nos para o prazer.

DOM PEDRO
    Palavra que ele me parece pálido. O senhor está doente ou zangado?

CLÁUDIO
    Coragem! Se mataram seu cachorrinho, você tem força para matar a dor.

BENEDITO
    Ataco seu espírito, de passagem, quando o seu me atacar. Peço que escolha outro assunto.

CLÁUDIO
    Deem-lhe uma outra lança; essa aí, pelo visto, já estava quebrada.

DOM PEDRO
    Juro que cada vez ele se altera mais; parece-me que está realmente zangado.

CLÁUDIO
    Se está, é melhor apertar o cinto.

BENEDITO
    Posso dizer-lhe uma palavra no ouvido?

CLÁUDIO
    Deus que me livre de um desafio!

BENEDITO
    (À parte, para CLÁUDIO.)
    O senhor é um vilão, e não estou brincando. Confirmo tudo como preferir, com o que preferir, onde preferir. Leve isto a sério, ou o acusarei de covardia. O senhor matou uma moça doce, e sua morte cairá em peso sobre o senhor. Dê-me sua resposta.

CLÁUDIO
    Pois o encontrarei, para divertir-me.

Dom Pedro

O quê? Uma festa? Uma festa?

Cláudio

A ele eu agradeço, convidou-me para uma cabeça de vitela e um capão, que, se não trincho com requintes, minha faca não presta. Não teremos uma galinhola, também?

Benedito

Senhor, seu espírito ronda bem, logo desaparece.

Dom Pedro

Vou contar-lhe como Beatriz o elogiou no outro dia. Eu disse que seu espírito era fino, "Verdade, disse ela; "fino e pequeno". "Não", disse eu, "e grande". "Certo", disse ela, "grande e grosseiro". "Não", disse eu; "um bom espírito". "Isso", disse ela, "não faz mal a ninguém". "Não", disse eu; "o cavalheiro é sábio". "Por certo", disse ela; "um cavalheiro esperto". "Não", disse eu, "ele domina várias línguas". "Isso eu acredito", disse ela, "pois jurou-me uma coisa na noite de segunda, que renegou na terça pela manhã; só aí está uma língua dupla; são duas línguas". Assim ela, em uma hora, deformou todas as suas qualidades específicas; mas, no fim, concluiu com um suspiro que assim mesmo era o melhor homem da Itália.

Cláudio

Depois do que chorou muito e disse que lhe tinha afeição

Dom Pedro

Foi isso mesmo; e apesar de tudo, se não o odiasse tanto, haveria de amá-lo ainda mais – a filha do velho nos contou tudo.

Cláudio

Tudo, tudo; e além do mais, Deus o viu quando estava escondido no jardim.

Dom Pedro

Mas quando haveremos de firmar os chifres do touro selvagem na cabeça do sensível Benedito?

Cláudio

E com uma legenda embaixo: "Aqui mora Benedito, o homem casado"?

Benedito

Passe bem, menino, já sabe o que penso; aqui o deixo para seu humor de boatos e intrigas. Você brande chistes como o fanfarrão brande lâminas, que graças a Deus não machucam. Senhor, por suas muitas cortesias, eu lhe agradeço; e tenho de abandonar sua companhia. Seu irmão, o bastardo, fugiu de Messina. Entre os três, mataram uma moça inocente. Quanto a meu condezinho imberbe aqui, nós dois nos encontraremos; até então, fiquem em paz.

(Sai.)

DOM PEDRO
Ele está falando sério.

CLÁUDIO
Garanto que profundamente sério, por amor a Beatriz.

DOM PEDRO
E o desafiou.

CLÁUDIO
Com a maior sinceridade.

DOM PEDRO
Que coisa mais bonita é ver um homem envergar seus melhores trajes e esquecer o seu espírito!

CLÁUDIO
Torna-se um gigante ante um macaco; mas um macaco é um doutor ante um tal homem.

DOM PEDRO
Mas espere um pouco. Calma, meu coração, fique mais triste. Ele não disse que meu irmão fugiu?

(Entram os policiais DOGBERRY e VERGES, e os GUARDAS-NOTURNOS, com CONRADO e BORAQUIO).

DOGBERRY
Vamos, meu senhor; se a justiça não puder domá-lo, ela nunca mais poderá pesar nada certo. Em quem foi um maldito hipócrita uma vez, a gente tem de ficar de olho.

DOM PEDRO
O que é isso? Dois dos homens de meu irmão presos? Um deles o Boraquio?

CLÁUDIO
Melhor descobrir suas ofensas, senhor.

DOM PEDRO
Oficiais, que ofensa cometeram esses homens?

DOGBERRY
Ora, senhor, eles cometeram relatórios falsos, além de falaram muitas mentiras; em segundo lugar são caluniadores, e em sexto e último lugar macularam uma senhora, em terceiro deram verificação para coisas injustas, e para concluir, são uns calhordas mentirosos.

DOM PEDRO
Primeiro eu lhes pergunto o que fizeram, em terceiro qual foi a sua ofensa, em sexto e último por que estão presos, e, para concluir, do que são acusados.

CLÁUDIO
Bem raciocinado, segundo a classificação dele; e palavra que foi tudo muito bem apresentado.

DOM PEDRO
Qual a sua ofensa, senhores, para que sejam assim compelidos a responder por elas? Esse erudito policial é um pouco elaborado demais para ser compreendido.

BORAQUIO
Meu doce príncipe, não quero demorar mais com minha resposta. Que o senhor me ouça, e que esse conde me mate. Eu enganei seus próprios olhos: o que as suas sabedorias não souberam descobrir, esse idiotas ignorantes trouxeram à luz, pois à noite ouviram-me confessando a este homem como seu irmão Dom João me instigou a caluniar a senhora Hero, como os senhores foram levados ao pomar para me ver com Margaret, que usava um vestido de Hero, e como o senhor a desgraçou em lugar de casar-se com ela. Eles já anotaram toda a minha vilania, que prefiro selar com minha morte, a repetir para minha vergonha. A moça está morta graças às falsas acusações minhas e do meu patrão, e, em poucas palavras, não quero mais do que a recompensa de um vilão.

DOM PEDRO
Não lhe atravessa a fala o sangue como um ferro?

CLÁUDIO
Bebi veneno enquanto ele falava.

DOM PEDRO
Mas, meu irmão o mandou fazer isso?

BORAQUIO
215   E pagou-me muito bem para executá-lo.

CLÁUDIO
           A sua imagem, Hero, vem agora
           Com o raro aspecto da primeira vez.

DOGBERRY
           Vamos, levem logo os acusados. A essa altura o sacristão já reformou
           o senhor Leonato do caso; e, senhores, não se esqueçam de especifi-
220   car, quando for a hora certa, que eu sou um asno.

VERGES
           Pronto; aí vem o senhor Leonato e o sacristão.

           (Entram LEONATO, ANTÔNIO, seu irmão, e o SACRISTÃO.)

LEONATO
           Qual é o vilão? Eu quero ver seus olhos,
           Pra, quando houver um outro igual a ele,
           Eu evitá-lo. Qual destes é ele?

BORAQUIO
225   Se busca o malfeitor, olhe para mim.

LEONATO
           Foste o vilão que, falando, matou
           Minha inocente filha?

BORAQUIO
                           Sou eu mesmo.

LEONATO
           Nada disso, vilão. Tu 'stás mentindo.
           Está aqui um par de homens honrados –
230   O outro fugiu – que fez sua parte.
           Aos dois sou grato pela filha morta;
           Incluam isso nos seus grandes feitos;
           Afirmem que foi ato de bravura.

CLÁUDIO
           Não sei como implorar-lhe a paciência,
235   Mas preciso falar. Escolha a vingança,
           Imponha a *pior pena que inventar*
           Ao meu pecado; porém não pequei
           Senão por erro.

Dom Pedro

                E nem eu, tampouco.
No entanto, e só pra satisfazê-lo,
Arcarei com qualquer peso que for,
A que me condenar.

Leonato

                Não lhes posso pedir vida pra filha –
É impossível – porém peço a ambos,
Que proclamem ao povo de Messina
Quão inocente morreu; e se o amor
Lhe pode provocar triste invenção,
Pendure um epitáfio em sua tumba,
E cante-o esta noite para ela.
Amanhã de manhã venha me ver,
E se não é possível ser meu genro,
Seja sobrinho. Tem uma filha, Antônio,
Quase cópia da minha que morreu,
Agora herdeira única de ambos.
Se a ela der o que daria à prima,
Morre a minha vingança.

Cláudio

                Meu senhor,
Sua bondade é que me leva às lágrimas!
Abraço o seu desejo, e doravante
Disponha como queira deste Cláudio.

Leonato

Espero, então, amanhã, a sua vinda.
Por hoje, me despeço. Aquele crápula
Há de encontrar com Margaret, cara a cara,
Que, eu creio, conspirou, ela também,
Paga por seu irmão.

Boraquio

                Juro que não;
Não sabia o que fez, quando falou,
Mas sempre foi correta e virtuosa,
Por tudo o que sei dela.

Dogberry

Além do quê senhor, que não está em preto e branco, o acusado me chamou de asno; e peço que se lembre disso ao puni-lo. E os guardas também os ouviram falar de um tal Deformado; dizem que uma chave na orelha, com parte de um cadeado, e pede dinheiro emprestado em nome de Deus, que usa muito e não paga nunca, de tal modo que todos estão empedernidos e não fazem mais nada pelo amor de Deus; é preciso examiná-lo nesse ponto.

LEONATO
Eu lhe agradeço o trabalho honesto e justo.

DOGBERRY
Sua senhoria fala como um rapaz muito grato e respeitoso, e louvo a Deus pelo senhor.

LEONATO
Tome, por seu trabalho.

DOGBERRY
Que Deus salve a fundação!

LEONATO
Vá; eu o alivio de seu prisioneiro, e lhe agradeço.

DOGBERRY
Deixo um safardana muito safado com sua senhoria, que peço a sua senhoria que o corrija pessoalmente, para exemplo de outros. Que Deus guarde sua senhoria! Desejo tudo de bom a sua senhoria. Deus lhe restaure a saúde! Eu humildemente lhe dou permissão para sair, e se puder desejar um novo e feliz encontro, Deus que o proíba! Vamos, compadre.

(Saem DOGBERRY e VERGES.)

LEONATO
Até amanhã pela manhã, senhores; passem bem.

ANTÔNIO
Boa noite, senhores; os esperamos amanhã.

DOM PEDRO
Lá estaremos.

CLÁUDIO
Esta noite, choro Hero.

LEONATO
(Para o GUARDA-NOTURNO.)
Traga os dois. Vamos falar com Margaret,
Ver como conheceu o cafajeste.

(Saem.)

CENA 2

(Entram Benedito e Margaret.)

Benedito
Por favor, doce Margaret; faça-me seu devedor, ajudando-me a falar com Beatriz.

Margaret
E escreve-me um soneto louvando toda a minha beleza?

Benedito
E de tal categoria, Margaret, que não haverá homem que lhe fique acima, pois é a mais pura verdade dizer que você o merece.

Margaret
Não haverá homem então que me fique acima? Vou ter de passar a vida toda embaixo?

Benedito
Seu espírito reage tão rápido quanto a boca de um galgo: pega no ar.

Margaret
E o seu como um florete rombudo de esgrimista, que toca, mas não fere.

Benedito
Um espírito muito viril, Margaret, que não deseja ferir mulher. Por favor, então, chame Beatriz, que eu lhe dou meus toques defensivos.

Margaret
Prefiro as espadas; nós temos nossas próprias defesas.

Benedito
Se as usar, Margaret, precisa prender a ponta com força, que é arma perigosa para donzela.

Margaret
Bem, vou chamar Beatriz para o senhor, e creio que ela tem pernas.

Benedito
O que na certa a fará vir.

(Canta.)

O deus Cupido
No céu subido

Me conheço, me conheço,
Sabe do quanto eu mereço...
Quero dizer em canto; mas em amor, Leandro, o bom nadador, Troilus, o primeiro a usar alcoviteiro, e um livro inteiro cheio desses amantes de luxo de outrora, cujos nomes correm, fácil, pelo suave caminho do verso branco, ora, nenhum deles foi tão e tanto transformado pelo amor quanto este pobre de mim. Não sei rimar; já tentei. Não encontro rima para "alguém" senão "neném", o que é bom, ou "adorno" e "corno", o que é mau – "lição" e "bobão" – que é de bobo; são finais ameaçadores! Não, não nasci sob planeta que rime, nem sei cortejar com galanterias. (*Entra* BEATRIZ.) Doce Beatriz, quis vir quando a chamei?

BEATRIZ

E vou-me embora, se me pedir.

BENEDITO

Ah, fique até então!

BEATRIZ

"Então" já foi dito; adeus por enquanto. Porém, antes de ir, que eu vá com o que vim, ou seja, sabendo do que se passou entre você e Cláudio.

BENEDITO

Foram só más palavras ao vento – e com isso eu a beijarei.

BEATRIZ

Más palavras são só mau vento, mau vento é só mau hálito, mau hálito é repugnante; de modo que prefiro partir não beijada.

BENEDITO

Você assustou de tal modo a palavra com seu espírito que ela mudou de sentido. Porém devo dizer-lhe, claramente, que desafiei Cláudio, e que em breve devo ter a resposta dele, senão terei de passar-lhe atestado de covarde. E agora, peço que me diga, qual de meus maus aspectos é que a fez apaixonar-se por mim?

BEATRIZ

Todos eles juntos, que mantinham com tal habilidade política um estado de mal, que não permitiam a intromissão de qualquer aspecto bom. Mas por qual de meus bons aspectos é que você suportou me amar?

BENEDITO

Suportar o amor é bom! Eu suporto realmente amá-la, pois a amo contra minha vontade.

Beatriz

50 Para fazer pouco do seu coração, creio. Pobre coração! Se o despreza por mim, eu o desprezarei por você, pois jamais hei de amar o que o meu amigo odeia.

Benedito

Você e eu somos sábios demais para corte pacífica.

Beatriz

55 Não é o que parece dizer; não há um homem sábio em vinte que elogie a si mesmo.

Benedito

Isso é ideia antiga, Beatriz, que vivia no tempo das comadres. Hoje, se um homem não constrói seu túmulo antes de morrer, sua memória não dura mais que o dobre dos sinos e as lágrimas da viúva.

Beatriz

E quanto tempo dura isso?

Benedito

60 Questão: ora, uma hora em badalo e um quarto dela em catarro. Portanto, é certo que o sábio, se o Dom Verme da consciência não atrapalhar, seja a própria trombeta de suas virtudes, como eu faço. E chega de elogios a mim mesmo, já que eu mesmo terei de ser testemunha de os merecer. E agora diga, como está sua prima?

Beatriz

65 Muito mal.

Benedito

E você?

Beatriz

Muito mal, também.

Benedito

Sirva a Deus, me ame, e fique boa. Terei de deixá-la agora, pois aí vem alguém com pressa.

(Entra Úrsula.)

Úrsula

70 Senhora, tem de vir ver seu tio. A casa está uma loucura. Ficou provado que a senhora Hero foi acusada em falso, o príncipe e Cláudio vergonhosamente enganados, e que Dom João, a causa de tudo, fugiu e desapareceu. Venha logo!

BEATRIZ
Não quer vir ouvir essas novas, senhor?

BENEDITO
Viverei em seu coração, morrerei no seu colo, e serei enterrado em seus olhos; além do que, irei consigo procurar seu tio.

(Saem.)

CENA 3
(Entram CLÁUDIO, o príncipe DOM PEDRO, e três ou quatro outros, com tochas, seguidos por BALTASAR e os músicos).

CLÁUDIO
É esse o mausoléu de Leonato?

UM NOBRE
É, meu senhor.

(O epitáfio.)

CLÁUDIO
(Lendo um pergaminho.)
Levada à morte por línguas maldosas
Foi Hero que aqui jaz:
A morte, por suas horas dolorosas,
Deu-lhe, enfim, imortal paz:
Vida e morte, por vergonha, marcadas,
Vivem, na morte, em fama consagradas.

(Ele pendura o pergaminho.)

Pende aqui, pras loas proclamar,
Quando eu, já mudo, não puder falar.
E agora, músicos, cantem o hino solene.

(A canção.)

BALTASAR
Deusa da noite, perdoa,
Quem matou tua virgem boa;
E, cantando este lamento
Junto à tumba marchem lento.
Noite, ajuda o meu gemido.
Meu suspiro tão sentido,

> *Profundo, profundo*
> *Tumba é feita pra guardar*
> *Morto até morte acabar,*
> *Profunda, profunda.*

CLÁUDIO

Agora é hora de eu me despedir,
E todo ano o rito hei de cumprir.

DOM PEDRO

Bom dia, amigos; apaguem as tochas.
O lobo já espreitou; vejam, o dia
Ante as rodas de Febo, circulando,
Mancham o leste com marcas cinzentas.
A todos, grato, Saiam. Passem bem.

CLÁUDIO

Bom dia, amigos – tomem seus caminhos.

DOM PEDRO

Vamos logo; temos de nos trocar,
Pra depois ir à casa de Leonato.

CLÁUDIO

E que Himeneu hoje tenha mais sorte
Do que a de quem nós choramos a morte!

(Saem.)

CENA 4

(Entram LEONATO, BENEDITO, BEATRIZ, MARGARET, ÚRSULA, o velho ANTÔNIO, o FREI FRANCIS e HERO.)

FREI

Eu não lhes disse que ela era inocente?

LEONATO

E o são também os seus acusadores,
Que erraram pela causa que já sabe.
Margaret, porém, não deixa de ter culpa,
Mesmo que a contragosto, ao que parece
Quando a questão é bem analisada.

ANTÔNIO

Fico feliz de tudo dar tão certo.

BENEDITO
 E eu também, de outro modo obrigado
 A exigir de Cláudio um outro acerto.

LEONATO
 Bem, filha; e todas as senhoras,
 Peço que se retirem pr'outra sala,
 E que, quando eu chamar, venham veladas.

(Saem as SENHORAS.)

 Cláudio e o príncipe, pelo tratado,
 Vêm visitar-me. Irmão, sabe a receita:
 Tem de ser pai da filha de um irmão,
 E dá-la ao conde Cláudio.

ANTÔNIO
 O que farei com toda a reverência.

BENEDITO
 Frei, temo que tenho trabalho a dar-lhe.

FREI
 Qual a tarefa, senhor?

BENEDITO
 Unir-me, ou afastar-me, um ou outro.
 Bom senhor Leonato, o que é verdade,
 É sua sobrinha olhar-me com bons olhos.

LEONATO
 Se é o olhar que usa a minha filha, é verdade.

BENEDITO
 E eu devolvo o olhar com os mesmos olhos.

LEONATO
 Os mesmos, creio, que me dirigiu,
 Por Cláudio e o príncipe. Mas, que deseja?

BENEDITO
 A resposta que deu parece enigma:
 Minha vontade é a sua boa vontade
 Ser como a nossa, pra que ainda hoje
 Concorde que nos una o matrimônio;
 E é nisso, frade, que lhe peço ajuda.

LEONATO
    Meu coração está com os dois.

FREI
                            E a minha ajuda.
    Aí vêm Cláudio e o príncipe.

(Entra o Príncipe Dom Pedro, com Cláudio e mais dois ou três.)

DOM PEDRO
    Bom dia, a todos os presentes.

LEONATO
    Bom dia, príncipe; bom dia, Cláudio.
    Os esperávamos. 'Stá resolvido
    A se casar com a filha do meu mano?

CLÁUDIO
    Eu fico firme até se for etíope.

LEONATO
    Chame-a, irmão; o frade está aqui.

(Sai Antônio.)

DOM PEDRO
    Bom dia, Benedito. O que é que houve?
    Seu rosto está com um ar de fevereiro,
    Pleno de gelo, nuvens, tempestades?

CLÁUDIO
    Talvez 'steja pensando em touro bravo.
    Mas não se assuste, tem chifres de ouro
    E toda a Europa há de elogiá-lo
    Como a outra Europa ao forte Zeus,
    Quando brincou de fera apaixonada.

DOM PEDRO
    Mas a presa de Zeus era mimosa,
    Mas touro estranho é que cobriu a vaca
    De seu pai, e gerou, com esse gesto,
    Um vitelão com urro igual ao seu.

(Entram o irmão Antônio, Hero, Beatriz, Margaret, Úrsula, as damas todas mascaradas.)

CLÁUDIO

Sei que lhe devo; e aí vêm as contas;
E com qual delas devo me casar?

ANTÔNIO

Esta aqui, e sou eu que ela lhe dou.

CLÁUDIO

Então é minha. Quero ver seu rosto.

LEONATO

Não enquanto não tomar a sua mão
Diante deste frade, e se casar.

CLÁUDIO

Dê-me sua mão ante este santo frade.
Sou seu marido, se a mim quiser.

HERO

(Revelando-se.)
Quando vivi, fui sua outra esposa;
E enquanto a mim amou, foi meu marido.

CLÁUDIO

Outra Hero!

HERO

Nada de mais certo;
A outra foi manchada; mas eu vivo
E juro que estou viva e sou donzela.

DOM PEDRO

A antiga Hero! Hero, que está morta!

LEONATO

Mas só morreu enquanto caluniada.

FREI

Todo esse assombro eu posso esclarecer;
Uma vez concluídos estes ritos,
Direi como morreu a bela Hero.
Enquanto isso guardem seu espanto,
E vamos entrar logo pra capela.

BENEDITO

Mas, um momento; qual é Beatriz?

BEATRIZ
        (Revelando-se.)
    O nome é meu. Qual é o seu desejo?

BENEDITO
    Você não me ama?

BEATRIZ
                Não mais que a razão.

BENEDITO
    Então seu tio, o príncipe e Cláudio
    'Stão enganados – juraram que sim.

BEATRIZ
    Você não me ama?

BENEDITO
                Não mais que a razão.

BEATRIZ
    Então, a prima, Margaret, e Úrsula
    'Stão enganadas – juraram que sim.

BENEDITO
    Juraram que você, por mim, sofria.

BEATRIZ
    Juraram que você quase morria.

BENEDITO
    Tudo isso é falso. Não me ama, então?

BEATRIZ
    Eu não, palavra; só qual dom de amiga.

LEONATO
    Vamos, sobrinha, sei que ama o rapaz.

CLÁUDIO
    E eu juro ser ela a que ele ama,
    Pois aqui, num papel com a letra dele,
    Há um horrível soneto de sua lavra,
    Que é para Beatriz.

HERO
                E aqui há outro,

Na letra dela, que estava em seu bolso,
Que fala da afeição por Benedito.

BENEDITO

Milagre! Aí estão as nossas letras contra os nossos corações. Venha, eu a tomo para mim; mas, pela luz que me alumia, só por piedade.

BEATRIZ

Não o renego, mas pela luz que me alumia, só o aceito persuadida por outros, e em parte para salvar-lhe a vida, que está se consumindo.

BENEDITO

Paz! Vou tapar-lhe a boca.

(Beija-a.)

DOM PEDRO

E como vai "Benedito, o homem casado"?

BENEDITO

Eu lhe digo, príncipe; nem um batalhão de piadistas podem abalar o meu humor. Julga que gosto de sátiras ou epigramas? Não: homem que se pode abater com palavras, não adianta se enfeitar. Em resumo, já que resolvi casar-me, decidi que nada no mundo pode ser dito contra o casamento; e, portanto, não adianta atirarem contra mim o que dizia de contra; pois homem é coisa tola, e essa é a minha conclusão. Quanto a você, Cláudio, pensava em surrá-lo, mas como parece que vamos ser parentes, viva sem marcas e ame a minha prima.

CLÁUDIO

Eu esperava que você repudiasse Beatriz, para eu pode surrá-lo até espantá-lo da solteirice e o fizesse acasalar-se; o que fará agora, se a minha prima não o olhar muito atravessado.

BENEDITO

Vamos, somos todos amigos. Vamos dançar antes do casamento, para aliviar os corações e os saltos de nossas mulheres.

LEONATO

Teremos danças depois.

BENEDITO

Antes, eu juro! Portanto, toquem, músicos. Príncipe, o senhor está triste; arranje uma mulher, arranje uma mulher! Não há bastão mais respeitável do que o com ponta de chifre.

(Entra um Mensageiro.)

Mensageiro
    Meu Senhor, Dom João foi capturado,
115   E está vindo, escoltado, pra Messina.

Benedito
    Não pensemos nisso até amanhã; mas, para ele, hei de inventar punição exemplar. Enquanto isso, toquem, flautas!

(Dança, depois saem todos.)

Como Quiserem

Introdução
Barbara Heliodora

Na época de Shakespeare não havia direitos autorais, e quem arranjasse uma cópia de qualquer texto podia montá-lo. Só a publicação é que tinha, como única defesa, um registro a ser feito pela própria companhia dona do texto, que declarava sua intenção de publicar, antes que algum aventureiro... Isso aconteceu em agosto de 1600, quando a companhia para a qual Shakespeare escrevia pediu esse registro preventivo para *Como quiserem* e mais três peças. Como a comédia não está incluída na obra que relaciona as peças já conhecidas até 1598, a peça é datada 1599-1600, portanto no início do período áureo do poeta, quando passa a escrever suas melhores tragédias e comédias.

A fonte principal de *Como quiserem*, para a trama principal é a novela de Thomas Lodge, *Rosalynde, Euphue's Golden Legacy*, que por sua vez havia tirado seu enredo de um poema medieval intitulado *The Tale of Gamelyn*. Shakespeare segue a história das peripécias do amor entre Rosalinda e Orlando com bastante fidelidade, porém muda a maioria dos nomes dos personagens e inventa ele mesmo nada menos que Touchstone (o bobo), Audrey, William, *Sir* Oliver Martext e Jaques, o cínico cortesão que não se rende aos supostos encantos da vida na floresta. Como de hábito, o fato de seguir um modelo não impede que o poeta escreva uma obra totalmente original, com sentido bem diverso daquela que, supostamente, havia "copiado".

No final do século XVI estava em grande moda, na Inglaterra, o gênero pastoral, que fora desencadeado pelo aparecimento, na Itália, de *Il Pastor Fido*, e se popularizou na Inglaterra quando Bartholomew Young traduziu para o inglês, em 1598, a mais do que romântica *Diana Enamorada*, do espanhol Jorge Montemayor. A romantização da vida pastoril, sua concepção como um ideal de paz e harmonia, provocou, por exemplo, o aparecimento de duas peças sobre a lendária figura de Robin Hood, ambas montadas pelos Admiral's Men. Essa companhia era a maior rival dos Lord Chamberlain's Men, que teve a exclusividade das obras de Shakespeare escreveu, desde 1594 e até o final de sua carreira.

Em *Como quiserem*, Shakespeare aproveita a moda do pastoral, porém fica longe de ser fiel à total idealização da vida do campo, como faziam outros autores: se o duque Senior é deposto e banido pelo irmão duque Frederick, e com seu grupo de companheiros descobre que são "doces os usos da adversidade", a verdade é que essa adesão ao romantismo pastoral vai valer por um período limitado de tempo e, ao contrário do que acontece nas obras pastorais mais características, pois na floresta "das Ardenas" (mais uma vez a floresta de Arden, vizinha a Stratford, que o poeta conhecia bem), até em canção se reconhece que aí há inverno e mau tempo, enquanto o encontro dos irmãos Orlando e Oliver se dá quando o segundo está enrolado por uma cobra e sendo atacado por uma leão, que morde o primeiro, herói salvador. Para deixar bem clara a sua posição, Shakespeare usa a figura de Jaques, o cínico cortesão que recusa a se entregar aos supostos encantos da vida simples na floresta.

Não param aí as diferenças entre Shakespeare e seu modelo; Rosalinda e Célia, no papel do casal de falsos pastores Ganimede e Aliena, têm dinheiro para comprar a choupana, as terras e o rebanho do verdadeiro pastor, Corin, que está passando fome e ameaçado de ficar sem emprego, porque seu patrão não tem interesse em cuidar de seu colono ou propriedade. Aliás a falsidade de Ganimede e Aliena já começa com as personalidades inventadas das duas moças. Se o duque banido vive com conforto, por outro lado, o banido Orlando e seu velho e fiel criado Adam ficam exaustos e famintos na mesma floresta, e assim, com vários toques seus, Shakespeare vai criticando as ilusões da suposta delícia da vida pastoril.

Os dois pontos de vista formam o recurso crítico mais forte de Shakespeare, com representantes de dois níveis sociais diversos: Jaques e Touchstone, segundo o estabelecido pelos irônicos comentários do cortesão e do bobo, são ambos convictos de que a vida na corte é bem melhor do que essa falsa felicidade na floresta. Tudo é harmonizado por um clima encantador; a essência da peça, porém, contrasta tão bem o escapismo da falsa vida campestre com a realidade do destino do duque na corte, como o falso e o verdadeiro amor, que como sempre entra pelos olhos, mas como Cupido é cego, fica sempre sujeito a enganos. Rosalinda e Orlando, como Célia e Oliver, se apaixonam à primeira vista; Phebe se apaixona pelo aspecto exterior de Ganimede, enquanto Touchstone e Audrey mostram que esse amor imediato, pelo olhar, pode ser bem superficial. De qualquer modo, de todas as comédias é esta que o final festeja o maior número de casamentos, quatro, ao mesmo tempo em que duque Senior recupera seu ducado, encarando sem qualquer relutância a volta à vida da corte.

Que o amor afeta os valores e o raciocínio de quem se apaixona fica bem claro ao longo da comédia; trata-se, porém, de uma espécie de loucura alegre e temporária, uma espécie de rito de passagem para uma nova vida a dois, como é natural que aconteça. As próprias críticas de Shakespeare ao mito pastoral são delicadas e bem humoradas; o próprio título, *Como quiserem*, sugere que os caminhos desta vida não são os mesmos para todos, pois cada um tem de fazer sua própria escolha, e trilhar aquele que melhor se coaduna com seu caráter e temperamento. Só com sua verdade é que cada um pode encontrar a felicidade, e para deixar isso bem claro, em poucas ocasiões Shakespeare tomou tanto cuidado em desfazer os nós que formam os obstáculos a serem vencidos até que o amor possa trazer a todos a melhor das soluções.

Esse tipo de comédia ampla, multiforme, rica em eventos de alegria e dor é ainda mais difícil de ser imitada do que a comédia crítica; porém, mesmo simplificada e em prosa, tem sido o principal modelo do gênero para os autores ingleses até hoje.

LISTA DE PERSONAGENS

Duque Senior, vivendo no exílio
Duque Frederick, seu irmão, usurpador de seus domínios
Le Beau, um cortesão que serve Frederick
Charles, o lutador de Frederick
Touchstone, um bobo da corte do duque

Oliver
Orlando } filhos de Sir Rowland de Boys
Jaques

Dennis } criados de Oliver
Adam

Amiens } nobres servindo o Duque banido
Jaques

Corin } pastores da Floresta de Arden
Silvio

William, um sujeito do campo
Sir William Martex, vigário de uma paróquia do campo
Rosalinda, filha do duque Senior
Célia, filha do duque Frederick
Phebe, uma pastora de ovelhas
Audrey, uma pastora de cabras
Nobres seguidores dos dois duques, com pajens e outros servidores

ATO 1

CENA 1
(Entram Orlando e Adam, no pomar da casa de Oliver.)

ORLANDO
Que eu me lembre, Adam, foi assim que me foram legadas por testamento umas míseras mil coroas e, como disse, foi encarregado meu irmão, com as bênçãos de meu pai, de me criar bem; e aí vem a tristeza. Meu irmão Jaques ele mandou à escola, e os boletins dizem maravilhas de seu aproveitamento; mas a mim, ele me deixa pastando em casa, ou, para falar mais claro, me prende em casa sem o menor trato. Acaso diria você digno de um fidalgo do meu berço um tratamento que mal difere do de um boi estabulado? Ele trata melhor seus cavalos; estes não só têm comida de melhor qualidade, como são ensinados a fazer o que devem, para o que são contratados cavalariços de alto preço. Mas eu, seu irmão, às custas dele, não faço mais que crescer, pois seus animais que vivem de estrume lhe devem tanto quanto eu. E além desse nada que ele me dá em tanta quantidade, o que a própria natureza me concedeu sua atitude parece querer tirar de mim. Ele me faz comer com os criados, nega-me a condição de irmão e, no que lhe diz respeito, solapa minha fidalguia e minha educação. É isso, Adam, que me dói, e o espírito de meu pai, que creio existir em mim, começa a revoltar-se contra essa servidão. Não posso mais aturá-la, embora ainda não saiba qual o remédio que encontrarei para livrar-me dela.

ADAM
Ai vem meu amo, o seu irmão.

(Entra Oliver.)

ORLANDO
Afaste-se um pouco, e há de ouvir o quanto ele me provoca.

OLIVER
Então, senhor, o que está fazendo aqui?

ORLANDO
Nada. Não fui ensinado a fazer nada.

OLIVER
O que está estragando, então, senhor?

ORLANDO
Ora, senhor, eu o ajudo a estragar o que Deus fez, um irmão seu, pobre e sem méritos, com o ócio.

OLIVER

Pois, senhor, encontre ocupação melhor, para não acabar pendurado.

ORLANDO

Devo cuidar de seus porcos e comer lavagem com eles? Que pródiga herança desperdicei eu, para me encontrar em tal penúria?

OLIVER

O senhor sabe onde está?

ORLANDO

Muito bem, senhor: aqui no seu pomar.

OLIVER

E sabe diante de quem, senhor?

ORLANDO

Sei; e bem melhor do que o que está diante de mim sabe quem eu sou. É meu irmão mais velho, que de igual condição de sangue e berço deveria reconhecer-me. A cortesia das nações o faz superior a mim, por ser o primogênito, porém a mesma tradição não me nega o sangue, mesmo que houvesse vinte irmãos entre nós dois. Tenho tanto sangue de meu pai quanto o senhor, embora admitindo que, por haver nascido primeiro, merece maior reverência.

OLIVER

(Esbofeteando-o.)
O quê, moleque!

ORLANDO

(Imobilizando-o com uma chave de luta.)
Vamos, vamos, irmão mais velho; nisso você é bem mais moço.

OLIVER

Ousa botar a mão em mim, vilão?

ORLANDO

Não sou vilão, sou o filho mais moço de *Sir* Rowland de Boys; ele era meu pai, e é vilão triplo quem diz que um tal pai gerou vilões. Se não fosse meu irmão, não tirava esta mão de sua garganta enquanto a outra não houvesse arrancado-lhe a língua por dizer o que disse. Ofendeu a si mesmo.

ADAM

Queridos amos, calma. Pela memória de seu pai, fiquem de acordo.

OLIVER

50 Estou dizendo para me largar.

ORLANDO

Não largo enquanto não quiser: terá de me ouvir. Meu pai encarregou-o, em seu testamento, de me dar boa educação. Você me criou como camponês, obscurecendo e ocultando de mim todo atributo de fidalgo. O espírito de meu pai fortaleceu-se dentro de mim, e não hei mais de suportar tudo isso. Portanto, ou providencie para que eu tenha acesso a tudo o que fará de mim um cavalheiro, ou entregue-me a pequena quantia que meu pai me deixou em testamento. Com isso eu parto e vou fazer minha fortuna.

OLIVER

E vai fazer o quê? Esmolar, quando acabar o dinheiro? Muito bem, senhor, passe para dentro. Não ficarei por muito mais tempo importunado pelo senhor; receberá uma parte de sua herança. Faça favor de me deixar.

ORLANDO

Não o ofenderei por mais tempo do que me convier para o meu próprio bem.

OLIVER

65 E vá com ele, seu cachorro velho.

ADAM

Cachorro velho é minha recompensa? É bem verdade que perdi meus dentes a seu serviço. Que Deus tenha meu velho amo! Ele jamais usaria tais palavras.

(Saem ORLANDO e ADAM.)

OLIVER

Então é assim? Começa a me incomodar? Vou curar essa grosseria, sem dar nada dessas mil coroas. Olá, Denis!

(Entra DENNIS.)

DENNIS

O senhor me chamou?

OLIVER

Não estava por aí Charles, o lutador do duque, querendo falar comigo?

DENNIS

Como diz, ele está aí na porta, insistindo para ter permissão de vir à sua presença.

OLIVER

Mande-o entrar. *(Sai DENNIS.)* É uma boa saída. E a luta está prevista para amanhã.

(Entra CHARLES.)

CHARLES

Bom dia, meu senhor.

OLIVER

Caro *monsieur* Charles! Quais são as novas mais novas da nova corte?

CHARLES

Não há novas na corte, senhor, a não ser as novas já velhas. Ou seja, o velho duque foi banido pelo irmão mais moço, o novo duque, e três ou quatro nobres se impuseram exílio voluntário, com o antigo. Suas terras e rendas enriquecem o novo duque, que por isso mesmo deu-lhes com prazer permissão para partirem.

OLIVER

Sabe dizer-me se Rosalinda, a filha do duque, foi banida com o pai?

CHARLES

Ah, não; pois a filha do duque, sua prima, tanto a preza, tendo as duas sido criadas juntas desde o berço, que ou a teria seguido para o exílio, ou morrido se ficasse para trás. Ela está na corte, não menos amada por seu tio quanto a própria filha dele, e jamais duas moças se amaram tanto.

OLIVER

Onde irá morar o velho duque?

CHARLES

Dizem que já está na Floresta das Ardenas, e muitos companheiros alegres com ele; lá vivem eles como o antigo Robin Hood da Inglaterra. Dizem que todos os dias mais rapazes se juntam a eles, e passam os dias sem cuidados, como se fazia na Idade de Ouro.

OLIVER

E, então, vai lutar amanhã na presença do novo Duque?

CHARLES

Isso mesmo, senhor. E vim aqui conversar sobre assunto ligado a isso. Fui informado em segredo, senhor, que seu irmão mais moço, Orlando, está disposto a comparecer, disfarçado, querendo lutar comigo. Amanhã, senhor, luto por meu nome, e quem escapar só com algumas costelas quebradas só terá o que pediu. Seu irmão é jovem e tenro e, por consideração ao senhor, não gostaria de derrubá-lo. Vim aqui a fim de informá-lo da história, para que o senhor o faça mudar de intenções, ou se apronte para aturar as desgraças que lhe acontecerão, já que a ideia é dele mesmo, e totalmente contra a minha vontade.

OLIVER

Charles, eu lhe agradeço o que fez em consideração a mim, e que por certo eu hei de recompensar. Já ouvira falar da intenção de meu irmão, e trabalhei muito, indiretamente, por dissuadi-lo; porém ele está inabalável. Pois eu lhe digo, Charles, ele é o rapaz mais teimoso da França; ambicioso, invejoso e imitador do que há de bom nos outros, conspirador secreto e vil contra mim, seu irmão de sangue. Portanto, aja segundo seu critério; para mim tanto faz que lhe quebre o pescoço ou um dedo. E é bom que se acautele; pois se o faz passar a mínima vergonha, ou se ele não se sair glorificado à sua custa, há de tentar envenená-lo, ou fazê-lo cair, à traição, em alguma armadilha, sem deixá-lo em paz enquanto não lhe houver tirado a vida, por este ou aquele caminho escuro. Pois lhe garanto – e o digo quase em lágrimas – que não vive hoje em dia maior vilão. E ainda lhe falo como irmão, pois se lhe contasse em detalhe como ele realmente é, ficaria envergonhado, e choraria, deixando-o pálido de espanto.

CHARLES

Fico contente de ter vindo até aqui. Se ele aparecer amanhã, hei de dar-lhe sua paga. Se ele tornar a andar algum dia, jamais voltarei a lutar por dinheiro. E que Deus proteja o senhor.

OLIVER

Adeus, meu bom Charles. *(Sai CHARLES.)* Agora vou instigar o briguento. Espero com isso ver seu fim; pois a minha alma – e não sei nem por que – não odeia nada mais do que a ele. E, no entanto, ele é gentil, não foi à escola mas é instruído, pleno de nobres qualidades, amado por gente de todo tipo, tido no coração por todo mundo e em particular por minha própria gente, que melhor o conhece, e que a mim menospreza. Mas não vai durar muito; o lutador vai acabar com a história. Só me resta instigar o rapaz a ir à luta, o que vou fazer agora.

(Sai.)

CENA 2
(Entram ROSALINDA e CÉLIA, no palácio do duque.)

CÉLIA

Por favor, prima querida, fique alegre.

ROSALINDA

Célia querida, já estou demonstrando mais alegria do que sinto, e ainda quer ainda mais? A não ser que me ensine a esquecer meu pai banido, não poderá ensinar-me a mostrar qualquer maior prazer.

CÉLIA

Com o que eu vejo que não me ama tanto quanto eu a amo. Se meu tio, seu pai, houvesse banido seu tio, o novo duque, meu pai, mas você continuasse aqui comigo, eu poderia ensinar meu amor a aceitar seu pai por meu. E assim você faria, se em verdade sua afeição por mim tivesse a mesma têmpera do que a minha por você.

ROSALINDA

Muito bem; hei de esquecer as circunstâncias de minha posição para regozijar-me com a sua.

CÉLIA

Você sabe que meu pai não tem filhos senão eu, e nem probabilidade de ter outros; e eu juro que quando ele morrer você será sua herdeira, pois o que ele lhe tirou pela força, eu hei de lhe devolver por afeição. Palavra que sim, e se eu quebrar essa palavra, que eu me torne um monstro. Portanto, minha doce Rosa, minha querida Rosa, alegre-se.

ROSALINDA

Assim farei de agora em diante, prima, e vou inventar distrações. Deixe-me ver, que tal brincarmos de nos apaixonar por alguém?

CÉLIA

Pode começar, mas desde que seja de brincadeira. Não ame homem algum seriamente, e nem de brincadeira além do ponto em que poderá, com segurança e sem rubores, safar-se dele de novo.

ROSALINDA

Com o que vamos nos distrair, então?

CÉLIA

Vamos nos sentar e debochar da Fortuna, até ela cair em sua roda, e passar a distribuir seus dotes de modo mais equilibrado.

ROSALINDA

Quem dera pudéssemos! Pois seus dons são muitíssimo mal distribuídos, e a generosidade dessa senhora cega sempre erra mais no que dá às mulheres.

CÉLIA

É verdade, porque as que ela faz belas, raramente faz honestas; e as que faz honestas, geralmente faz mal dotadas.

ROSALINDA

Não, agora você está passando dos dotes da Fortuna para os da Natureza; a Fortuna reina nos dotes mundanos, não nos desenhos da Natureza.

CÉLIA

Não? Quando a Natureza cria uma criatura bela, não pode ela, pela Fortuna, cair no fogo? Embora a Natureza nos dê espírito bastante para desafiar a Fortuna, não foi a Fortuna que mandou agora esse bobo cortar a discussão?

(Entra TOUCHSTONE, o bobo.)

ROSALINDA

Pronto, aí vemos a Fortuna ser dura para com a Natureza, quando a Fortuna faz um tolo nato da Natureza cortar o espírito da mesma Natureza.

CÉLIA

Mas é possível que esse não seja trabalho da Fortuna, mas antes da Natureza que, vendo nossos dons naturais serem obtusos demais para debater com tais deusas, mandou-nos esse elemento natural para nos servir de pedra de afiar; o bobo obtuso é sempre pedra de afiar para o espírito. E agora, senhor espirituoso, por que está andando por aí?

BOBO

Senhora, deve vir logo encontrar com seu pai.

CÉLIA

Foi promovido a mensageiro?

BOBO

Por minha honra que não, mas pediram-me que a buscasse.

CÉLIA

E onde aprendeu a jurar assim, bobo?

BOBO

Com um certo cavaleiro, que jurou por sua honra serem boas as panquecas, e jurou por sua honra não ser boa a mostarda. Mas sou testemunha de que as panquecas não eram boas, mas a mostarda era, mas nem por isso ficou perjuro o cavaleiro.

CÉLIA

E como é que você prova isso, com seu imenso monte de conhecimento?

ROSALINDA

Isso mesmo; solte agora toda a sua sapiência.

BOBO

Fiquem aí paradas as duas: afaguem os queixos, jurem por suas barbas que eu sou um safado.

CÉLIA

Por nossas barbas, se as tivéssemos, garanto que é.

BOBO

Por minha safadeza, se a tivesse, então eu seria. Mas se jurarem pelo que não existe, não podem ficar perjuras. Assim como o cavaleiro, jurando por sua honra, pois ele jamais a teve; ou, se algum dia a teve, já a havia perdido em juras muito antes de ver as panquecas ou a mostarda.

CÉLIA

Por favor, de quem é que está falando?

BOBO

De alguém que o velho Frederick, seu pai, ama.

CÉLIA

O amor de meu pai é suficiente para dar-lhe honra. Chega, não fale mais dele; um dia desses ainda vai se chicoteado por falar mal dos outros.

BOBO

Pena que os bobos não possam falar de modo sábio, quando os sábios dizem tanta bobagem.

CÉLIA

Palavra que o que diz é verdade. Pois desde que o pouco de sábio que os bobos tinham foi calado, as pequenas bobagens dos sábios tornaram-se bem mais aparentes. Aí vem *monsieur* Le Beau.

(Entra LE BEAU.)

ROSALINDA

Com a boca repleta de novidades.

CÉLIA

Que derramará sobre nós, como pombos alimentando os filhotes.

ROSALINDA

E nós ficaremos recheadas de novidades.

CÉLIA
Melhor assim; teremos melhor preço no mercado. *Bon jour, monsieur* Le Beau. Quais as novidades?

LE BEAU
Bela princesa, perdeu uma ótima diversão.

CÉLIA
Uma diversão? De que cor?

LE BEAU
De que cor, madame? Como hei de lhe dar resposta?

ROSALINDA
Como mandarem o espírito e a vontade.

BOBO
Ou decretar o Destino.

CÉLIA
Bem dito! Em matéria de falta de sutileza...

BOBO
Bem, se não puder falar na minha língua...

ROSALINDA
Vai ficar sem cheiro.

LE BEAU
As senhoras me espantam. Eu queria falar da ótima luta que as senhoras perderam por não ver.

ROSALINDA
Pois conte-nos como foi a tal luta.

LE BEAU
Vou contar-lhes o princípio, e, se lhe agradar, poderão ver o fim, pois o melhor ainda está por acontecer, e aqui, onde estão, é para onde eles vêm, para o acontecimento.

CÉLIA
Conte, então, o princípio, que está morto e enterrado.

LE BEAU
Apareceu um velho, com seus três filhos...

CÉLIA
Esse começo que tenho igual, em velhas histórias.

LE BEAU
Três belos rapagões, muito bem desenvolvidos, e de boa presença...

ROSALINDA
Cartazes pendurados no pescoço, dizendo: "Saibam todos, por meio destes...".

LE BEAU
O mais velho dos três lutou com Charles, o lutador do duque, e Charles o derrubou em um minuto, quebrando-lhe três costelas e deixando-lhe pouca esperança de vida. Deu-se o mesmo com o segundo, e depois com o terceiro. Lá estão os três estirados, com o pobre velho, seu pai, a lamentá-los de tal modo que todos os que o veem choram junto com ele.

ROSALINDA
Ai, ai!

BOBO
E é essa a grande diversão, *monsieur*, que as moças perderam?

LE BEAU
Era disso que eu estava falando.

BOBO
É assim que os homens ficam cada dia mais sábios. Essa é a primeira vez que ouço dizer que costela quebrada é diversão para moças.

CÉLIA
E eu, também.

ROSALINDA
E há alguém que tenha vontade de ver essa música quebrada em seu flanco? Ainda há quem se babe com quebração de costelas? Será que devemos ver essa tal luta, prima?

LE BEAU
Têm de ver, se ficarem aqui, pois este é o local escolhido para a luta, e os participantes já estão prontos.

CÉLIA
E na certa são eles, ali, chegando. Agora é melhor ficarmos para ver.

(Clarinada. Entram o Duque Frederick, nobres, Orlando, Charles e séquito.)

Duque Frederick
Vamos lá. Já que o rapaz não se deixa convencer, o perigo fica por conta de sua ânsia de se mostrar.

Rosalinda
120 O homem é aquele?

Le Beau
Ele mesmo, madame.

Rosalinda
É muito moço. Mas tem aspecto promissor.

Duque Frederick
Como estão, filha e sobrinha? Vieram até aqui só para ver a luta?

Rosalinda
Sim, meu senhor, se assim o permitir.

Duque Frederick
125 Terão bem pouco prazer nela. Eu lhes digo que o rapaz leva grande desvantagem. Por piedade da juventude do desafiador, gostaria de dissuadi-lo, mas o rapaz não se deixa convencer. Falem com ele, moças; vejam se conseguem demovê-lo.

Célia
Chame-o até aqui, *monsieur* Le Beau.

Le Beau
130 *Monsieur* o desafiador, as princesas o chamam.

Orlando
E eu as obedeço, com todo o respeito e dever.

Rosalinda
Jovem, desafiou Charles, o lutador?

Orlando
Não, bela princesa: ele lançou desafio geral. Eu vim, como tantos outros, pôr à prova, com ele, a força de minha juventude.

Célia
135 Cavalheiro, tão jovem, seu espírito é ousado demais para a sua idade.

Já testemunhou a cruel prova da força desse homem; se pudesse ver a si mesmo com seus olhos, ou avaliar a si mesmo com seu critério, o perigo dessa sua aventura o aconselharia a buscar empresa de forças mais iguais. Pedimos, pelo seu próprio bem, que pense em sua segurança e desista dessa tentativa.

ROSALINDA
Faça isso, bom rapaz; sua reputação não ficará manchada por isso. Nós faremos pedido nosso ao duque, impedir que a luta tenha lugar.

ORLANDO
Eu imploro, não me castiguem com pensamentos duros, embora eu me confesse muito culpado, negando o que quer que seja a moças tão belas e boas. Deixem que seus belos olhos e bons votos me acompanhem em minha provação; na qual, se for derrotado, só passará vergonha alguém que nunca foi apreciado; se morto, só morrerá alguém que deseja morrer. Não ofenderei amigos, pois não tenho nenhum que me lamente; nem trago injúria ao mundo, pois nele eu nada tenho. Neste mundo eu só ocupo um lugar que poderá ser mais bem preenchido, quando eu o deixar vazio.

ROSALINDA
A pouca força que tenho, quisera que estivesse ela consigo.

CÉLIA
E a minha também, para ampliar a dela.

ROSALINDA
Passe bem. Peço aos céus que esteja enganada a seu respeito.

CÉLIA
Que tudo o que deseja vá consigo!

CHARLES
Como é, onde está esse rapazinho metido que tanto deseja ir deitar-se com sua mãe terra?

ORLANDO
Aqui, pronto, senhor, embora sua vontade traga em si objetivos bem mais modestos.

DUQUE FREDERICK
A prova será reduzida a uma queda.

CHARLES
Eu garanto a sua Graça que não há de persuadi-lo a uma segunda, depois de tanto tentar dissuadi-lo da primeira.

ORLANDO
> Pode debochar de mim depois, mas não deveria debochar de mim antes. Vamos lá.

ROSALINDA
> Que Hércules o proteja, jovem!

CÉLIA
> Quem me dera ser invisível, para agarrar o grandão pelas pernas.

(Eles lutam.)

ROSALINDA
> Mas que rapaz estupendo!

CÉLIA
> Se eu tivesse um raio nos olhos, sei muito bem quem ele haveria de derrubar.

(Gritaria. CHARLES cai.)

DUQUE FREDERICK
> Chega, chega.

ORLANDO
> Não, imploro a sua Graça; eu ainda não tomei fôlego.

DUQUE FREDERICK
> Como está, Charles?

LE BEAU
> Ele não pode falar, meu senhor.

DUQUE FREDERICK
> Levem-no embora. *(CHARLES é carregado para fora.)* Como é o seu nome, rapaz?

ORLANDO
> Orlando, meu senhor, o filho mais moço de *Sir* Rowland de Boys.

DUQUE FREDERICK
> Quem dera fosse filho de outro alguém.
> O mundo sempre achou seu pai honrado,
> Mas eu sempre o julguei meu inimigo.
> Me agradaria mais esse seu feito,
> Se fosse descendente de outra casa.

Mas, passe bem. É um rapaz valente.
Mas queria que tivesse outro pai.

(Saem o Duque, Lebeau e o séquito.)

CÉLIA
Fosse eu meu pai, faria isso, prima?

ORLANDO
185 Me gabo de ser filho de *Sir* Rowland,
O seu caçula, e não troco esse nome
Sequer pra ser herdeiro desse Frederick.

ROSALINDA
Meu pai sempre prezou muito *Sir* Rowland,
E o mundo inteiro o julga qual meu pai.
190 Soubesse eu antes de quem era filho,
Teria feito em pranto o meu pedido,
Pra que não se arriscasse.

CÉLIA
                         Boa prima,
Vamos agradecer-lhe e encorajá-lo.
A grosseria e a inveja de meu pai
195 Me angustiam. Senhor, merece o prêmio.
Se cumprir tão bem promessa de amor,
De forma justa, como fez agora,
Será feliz sua amada.

ROSALINDA
(Dando-lhe uma corrente de seu pescoço.)
                         Senhor,
Use-a por mim; por alguém no infortúnio,
200 Que mais daria, se tivesse os meios.
Vamos, prima?

CÉLIA
                         Sim; passe bem, senhor.

ORLANDO
Nem dizer "obrigado"? O bom em mim
'Stá derrotado, e o que fica assim
É um boneco, só um bloco inerte.

ROSALINDA
205 Ele nos chama. Foi-se o meu orgulho:

Pergunto-lhe o que quer. Chamou, senhor?
Senhor, foi bem na luta e derrubou
Mais que seus inimigos.

CÉLIA

                Vamos, prima?

ROSALINDA

'Stou indo. Passe bem.

                                    (Saem ROSALINDA e CÉLIA).

ORLANDO

210   Mas que paixão pesou em minha língua?
Não consegui falar, e ela queria.

     (Entra LE BEAU.)
Pobre Orlando, que aqui foi derrubado!
Força menor que a de Charles o venceu.

LE BEAU

Meu senhor, aconselho, como amigo,
215   A deixar o lugar. Se mereceu
Grande elogio, aplausos e amor,
Mesmo assim, o humor do duque é tal,
Que ele faz de seu feito aberração.
O duque é caprichoso e, na verdade,
220   Será melhor pensar nisto que eu digo.

ORLANDO

Obrigado, senhor; porém, me diga
Qual das duas era filha do duque,
Dessas que aqui assistiram à luta?

LE BEAU

Nenhuma é filha, por comportamento,
225   Porém, é sua filha a mais alta,[1]
E a outra é filha do que foi banido,
Retida pelo tio usurpador
Pra acompanhar a filha, pois se amam
Ainda mais do que duas irmãs.
230   Fui informado de que agora o duque
Ficou desagradado da sobrinha,
Sem maior base ou motivo concreto,

---

[1] Que Rosalinda, sobrinha do duque, é a mais alta, fica provado pela escolha dos disfarces das duas, mais adiante; esse engano, porém, vem desde o *Folio* de 1623, e pode ser puramente testemunho da pressa com que Shakespeare às vezes escrevia. (N.T.)

			Que ter suas virtudes proclamadas,
			Ou sentir o destino de seu pai.
235		Em pouco tempo, contra a pobre moça,
			O mal estoura. Vá com Deus, senhor.
			Que doravante, em um mundo melhor,
			Venha a ser mais amado e mais famoso.

												(Sai Le Beau.)

	ORLANDO
			Eu lhe sou grato. Passe muito bem.
240		Da panela, eu caí para o fogão,
			Deste tirano pro tirano irmão.

CENA 3
(Entram Célia e Rosalinda.)

	CÉLIA
			O que é isso, prima Rosalinda! Cupido que nos perdoe, nem uma só palavra?

	ROSALINDA
			Nem uma só, para atirar a um cachorro.

	CÉLIA
5		Não, suas palavras são preciosas demais para serem atiradas a vira-latas. Atire algumas para mim; deixe-me capenga com razões.

	ROSALINDA
			Então ficam duas primas de cama, uma capenga com razões, a outra enlouquecida sem nenhuma.

	CÉLIA
			E tudo isso é por seu pai?

	ROSALINDA
10		Não, uma parte é pelo pai de meus filhos. Como é espinhoso esse mundo em que vivemos!

	CÉLIA
			São só carrapichos, prima, atirados em você por brincadeira; se saímos dos caminhos batidos, eles se prendem na saia.

	ROSALINDA
			Das roupas eu posso tirar, mas os espinhos que sinto estão no coração.

	CÉLIA
			Pois arranque-os de lá.

ROSALINDA
    Só se tirar da pele e ficar com ele.

CÉLIA
    Ora, ora, lute com suas afeições.

ROSALINDA
    Ai, elas tomam o partido de um lutador melhor que eu.

CÉLIA
    Ai, boa sorte para você! Que chore na hora certa, em razão de uma queda. Mas, fora de brincadeira, vamos agora falar sério. Será possível, que tão de repente, pudesse passar a gostar tanto do filho caçula de *Sir* Rowland de Boys?

ROSALINDA
    O duque, meu pai, amava muito o pai dele.

CÉLIA
    E daí se conclui que você terá de amar muito o seu filho? Raciocinando assim, eu teria de odiá-lo, pois meu pai odiava muito o dele; mas nem por isso eu odeio Orlando.

ROSALINDA
    Não, palavra, não o odeie, por amor a mim.

CÉLIA
    E por que não deveria? Ele não o merece?

ROSALINDA
    Deixe que eu o ame por isso, enquanto você o ama porque eu o amo. Olhe, aí vem o duque.

(Entra o Duque Frederick, com nobres.)

CÉLIA
    Com os olhos plenos de raiva.

DUQUE FREDERICK
    Moça, prepare-se com toda a pressa,
    E saia desta corte.

ROSALINDA
                    Eu, tio?

DUQUE FREDERICK
                        Sim.

                Se dentro de dez dias a encontrar
                A vinte milhas desta nossa corte,
35   Morrerá.

        ROSALINDA
                        Eu suplico a sua Graça,
                Dizer-me qual a falta que me pesa.
                Se tiver por mim mesma informação,
                Ou se conheço meus próprios desejos,
                Se nem sonho o que fiz, se não 'sou louca,
40   E espero não 'star, tio querido,
                Nem por ideia ainda por nascer
                O ofendi.

        DUQUE FREDERICK
                        Assim fala o traidor.
                Pensando anular atos com palavras,
                São todos inocentes como a graça.
45   Basta dizer que não confio em si.

        ROSALINDA
                Desconfiança não me faz traidora.
                Diga onde encontra plausibilidade.

        DUQUE FREDERICK
                É filha de seu pai, e isso me basta.

        ROSALINDA
                Também o era quando o usurpou,
50   Também o era quando o exilou.
                A traição não se herda, meu senhor,
                Ou, se a recebemos dos amigos,
                O que me importa? Meu pai não traiu.
                Então, senhor, não cometa o engano
55   De ver como traição minha pobreza.

        CÉLIA
                Amado soberano, ouça a mim.

        DUQUE FREDERICK
                Sei, Célia; por você ela ficou,
                Pois de outro modo iria com o pai.

        CÉLIA
                Eu não pedi, então, pr'ela ficar;
60   Foi só por seu prazer e seu remorso.
                Era eu jovem demais pra avaliá-la,

          Porém hoje a conheço. Se é traidora,
          Também o sou. Juntas sempre dormimos,
          Estudamos, comemos, e brincamos,
65   E a toda parte, quais cisnes de Vênus,
          Íamos juntas, e inseparáveis.

     DUQUE FREDERICK
          Ela é esperta demais para você
          O seu próprio silêncio e paciência
          Falam ao povo, que tem pena dela.
70   Você é tola; ela lhe rouba a fama,
          E você brilha mais em suas virtudes
          Quando ela for. Portanto, feche os lábios.
          É firme e irrevogável o decreto
          Que assinei contra ela; está banida.

     CÉLIA
75   Assine outro contra mim, senhor.
          Não sei viver sem sua companhia.

     DUQUE FREDERICK
          É uma tola. Prepare-se, sobrinha.
          Ficando além do prazo, eu lhe juro,
          Por minha própria honra, morrerá.

                    (*Saem o* DUQUE FREDERICK *e seu* SÉQUITO.)

     CÉLIA
80   Ah, minha Rosalinda; pr'onde irá?
          Que tal trocar de pais? Lhe dou o meu.
          E não fique mais triste do que eu.

     ROSALINDA
          Tenho mais causa.

     CÉLIA
                    Isso não tem, prima.
          Alegre-se; não soube já que o duque
85   Baniu a mim, sua filha?

     ROSALINDA
                    Isso não fez.

     CÉLIA
          Não fez? Falta a Rosalinda o amor
          Que lhe ensina sermos uma as duas.

Separar-nos? Separar a nós duas?
Não; que meu pai arranje uma outra herdeira.
Portanto, invente um meio pra fugirmos,
Para onde irmos e o que levaremos,
E nem pense em arcar com essa mudança,
Aguentando essa dor, e me deixar.
Pois, pelo céu, na crise destas dores,
Diga você o que disser, vou junto.

ROSALINDA

Ora, e pra onde haveremos de ir?

CÉLIA

Procurar o meu tio nas Ardenas.²

ROSALINDA

E que perigo havemos de passar
Nós, duas moças, indo assim tão longe?
Beleza é mais que ouro, pr'assaltante.

CÉLIA

Eu me visto com roupas bem humildes,
Sujando o rosto com essa terra escura;
Você faz o mesmo, e, assim, passaremos,
Sem provocar ninguém.

ROSALINDA

Não é melhor,
Já que eu sou mais alta do que a média,
Que eu me vista, de alto a baixo, de homem?
Eu penduro na coxa um bom facão,
Uma lança na mão e, se no peito,
Escondo o medo todo da mulher,
Tenho por fora aspecto marcial,
Como os outros covardes fanfarrões,
Que disfarçam seu medo com a aparência.

CÉLIA

Como hei de chamá-la, quando homem?

ROSALINDA

Ganimede, que foi pajem de Júpiter.
E você, qual o nome que há de usar?

---

2   Como a ação se passa na França, a referência fica válida como francesa, mas na realidade, assim como em outras ocasiões, a floresta que Shakespeare usa é em essência, sempre, a floresta de Arden, perto de Stratford.

CÉLIA
>	Algo que faça referência a mim.
>	Não sou mais Célia, sou Aliena.

ROSALINDA
>	Prima, e se nós tentássemos roubar
>	O esperto bobo da corte do duque?
>	Não seria uma ajuda, pra viagem?

CÉLIA
>	Só por mim, ele vai ao fim do mundo;
>	Deixe que eu o convenço. Vamos logo
>	Pegar as nossas joias e valores,
>	Ver qual a hora e qual é o jeito
>	Pra escaparmos da perseguição
>	Depois da fuga. Iremos, encantadas,
>	Pra sermos livres, e não exiladas.

(Saem.)

ATO 2

CENA 1
(A floresta de Arden. Entram o Duque Senior, Amiens e dois ou três nobres vestidos como habitantes da floresta.)

Duque Senior
Então, meus companheiros neste exílio,
Viver assim não é muito mais doce
Do que em pompa pintada? Estas florestas
Mais livres de perigos do que a corte?
5 Nem sentimos a punição de Adão:
Às várias estações, garras do gelo,
O gelado e cruel vento do inverno,
Mesmo tremendo, eu sorrio e digo:
"Não é bajulação; são conselheiros
10 Que, com clareza, lembram o que sou".
Tem doces usos a adversidade
Que como o sapo feio e venenoso
Traz na cabeça joia preciosa;
E, nesta vida, livre de fuxicos,
15 Árvores falam, riachos são livros,
Pregam as pedras, e há bem em tudo.
Não mudo nada.

Amiens
É feliz sua Graça,
Que assim traduz caprichos da fortuna
Em hábitos tão doces e tranquilos.

Duque Senior
20 Como é? Vamos, então, matar veados?
Porém lamento esses tolos malhados,
Nativos desta urbe abandonada,
Perderem em seu lar suas galhadas,
E ainda serem trinchados.

1º Nobre
Meu senhor,
25 É o que dizia Jaques, melancólico,
Jurando que sua Graça usurpa mais
Do que o seu irmão que o exilou.
Ainda hoje, o nobre Amiens e eu mesmo,

           Escondidos, o vimos estirar-se
30   Sob um carvalho, que joga as raízes
           No riacho que brinca na floresta
           Bem no lugar aonde um pobre cervo,
           Que um caçador, errando, só ferira,
           Fora deitar-se. E em verdade, senhor,
35   Dava o pobre animal tantos gemidos
           Que cada um lhe esticava o couro
           A ponto de estourar. E grandes lágrimas
           Juntavam-se na ponta do focinho
           Numa triste corrida; e o infeliz peludo,
40   Aos olhos desse Jaques melancólico,
           Ficou parado à beira do riacho,
           Enchendo-o com seu pranto.

     DUQUE SENIOR
                         E falou Jaques?
           Não pregou um sermão pelo espetáculo?

     1º NOBRE
           Mas, claro; e com mil comparações.
45   Primeiro, vertendo seu pranto n'água:
           "Pobre cervo, que faz seu testamento
           Como os humanos, que dão sempre mais,
           Aonde há muito". Por estar sozinho,
           Esquecido por todos os amigos,
50   "'Stá certo", disse, "pois, sempre, a desgraça
           Afasta a companhia". E um rebanho
           Logo passa no pasto, descuidado,
           Sem saudação, "Ah,"disse Jaques,
           "Vão logo, cidadão gordos e lisos";
55   A moda é essa. Desde quando olham
           Para os que ficam pobres e quebrados?
           E assim, com invectivas, cortou fundo
           O corpo do país, cidade e corte,
           E desta nossa vida onde, jura,
60   Somos usurpadores e tiranos,
           Que assustam e que matam animais,
           Aonde nascem e é sua casa.

     DUQUE SENIOR
           E lá o deixaram, em contemplação?

     2º NOBRE
           Sobre o cervo soluçante.

Duque Senior
                        Onde foi?
65   Quero encontrá-lo num desses ataques,
        Pois o que diz dá muito o que falar.

1º Nobre
        Pois lá o levo, logo, logo.

                                                        (Saem.)

CENA 2
(Uma sala no palácio. Entra o Duque Frederick, com nobres.)

Duque Frederick
        Será possível que ninguém as visse?
        Não pode ser; algum vilão na corte
        Teve de consentir com tudo isso.

1º Nobre
        Não soube de ninguém que a tenha visto.
5   As aias que as servem em seu quarto,
        E as viram deitar-se, logo cedo
        Deram com o leito sem o seu tesouro.

2º Nobre
        Senhor, o bobo grosseiro, que tanto
        Fez sua Graça rir, também sumiu.
10   Hispéria, a aia-chefe da princesa,
        Confessa que ouviu, entre sussurros,
        Sua filha e a prima elogiando
        Os feitos e os encantos do rapaz
        Que há pouco derrotou o forte Charles;
15   E acredita, mesmo, que elas duas
        Partiram escoltadas pelo jovem.

Duque Frederick
        Chamem o seu irmão. Tragam-me o jovem.
        Se ele não vem, que me tragam o irmão;
        Eu o faço encontrá-lo. Vão, depressa!
20   E nem a busca nem a indagação
        Acabam sem eu ver as fugitivas.

                                                        (Saem.)

CENA 3

(Diante da casa de Oliver. Entram e se encontram Orlando e Adam.)

Orlando

Quem está aí?

Adam

Meu jovem amo? Ah, meu jovem amo,
Meu doce amo, ah, minha memória
Do velho *Sir* Rowland! Que faz aqui?
5 Por que é virtuoso? E tão amado?
E por que é gentil, forte e valente?
Por que fez a tolice de vencer
O lutador do duque caprichoso?
Antes de si chegaram seus louvores;
10 Não sabe, amo, que para alguns homens
Suas virtudes servem de inimigo?
Assim, as suas, todas elas, amo,
São seus traidores mais santificados.
Que mundo é este, onde o que é bom
15 É veneno pr' aquele que o ostenta.

Orlando

Mas, o que foi?

Adam

Ah, jovem infeliz,
Não cruze a porta, pois sob este teto
Vive o inimigo de suas graças todas.
Seu irmão – seu irmão, não – porém filho,
20 Porém não filho, não o direi filho
Daquele que eu quase disse seu pai,
Ouvindo que o louvavam, esta noite
Pretende incendiar a sua casa,
Com você dentro. E, se fracassar,
25 Buscará outros meios de matá-lo.
Eu o ouvi, ao fazer os seus planos.
Isto não é um lar; é um matadouro.
Teme-o, fuja dele, aí não entre.

Orlando

E para onde quer que eu vá, meu Adam?

Adam

30 Qualquer lugar, a não ser este aqui.

ORLANDO

Mas quer que vá por ai, esmolando,
Ou, apoiado em bravura e espada,
Passe a viver de roubo, nas estradas?
É o que posso – e tenho – de fazer;
35 Porém não faço, venha o que vier.
Prefiro até sujeitar-me à maldade
Do sangue mau de irmão sanguinolento.

ADAM

Nem pense. Eu tenho quinhentas coroas,
Que ao tempo de seu pai, do meu salário,
40 Pude juntar, pra ser mãe adotiva,
Quando já não prestasse pra servir,
E me visse esquecido em algum canto.
Tome-as, e Aquele que alimenta os pássaros,
Há de velar por mim. 'Stá aqui o ouro,
45 Eu lhe dou tudo. Deixe-me servi-lo.
Embora velho, sou rijo e de fibra,
Pois quando moço nunca sujeitei
O meu sangue a bebidas muito quentes;
E nem dei cabeçadas procurando
50 Tudo o que debilita e enfraquece.
Minha velhice, assim, é inverno forte,
Gelado mas amigo. Se levar-me,
Eu servirei melhor que muito jovem,
Em seus trabalhos e necessidades.

ORLANDO

55 Meu bom velho, como em si se revela
O constante serviço de outros tempos,
Que por dever, não ganho, transpirava.
Você não é pra moda destes tempos,
Que todos suam só por promoção
60 E, ao tê-la, logo esquecem do serviço,
Junto com a posse; mas seu caso é outro.
Mas, velho, está podando árvore podre,
Incapaz de lhe dar uma só flor,
Em paga do serviço ou do esforço.
65 Mas, venha; vamos os dois partir juntos,
E antes de gastarmos todo o resto,
Teremos teto, mesmo que modesto.

ADAM

Pode partir, meu amo, que eu o sigo

70 Até o último alento seu amigo!
Dos dezessete até os oitenta, ativo,
Aqui vivi, porém não mais eu vivo.
Aos dezessete é grande o mundo afora,
Mas aos oitenta, não há mais demora;
Mas destino melhor eu não reclamo
75 Do que morrer sem dever a meu amo.

(Saem.)

CENA 4

(Na floresta de Arden. Entram Rosalinda como Ganimede, Célia como Aliena e Touchstone.)

ROSALINDA
Zeus, como está cansado o meu espírito!

BOBO
Pouco me importa o espírito, se as pernas não estivessem cansadas.

ROSALINDA
Eu estou até disposta a envergonhar minha roupa de homem e chorar como mulher. Mas tenho de consolar o sexo frágil, já que calça e casaco têm de se mostrar corajosos diante das anáguas; portanto coragem, boa Aliena.

CÉLIA
Eu só peço que aguentem minhas queixas. Não consigo continuar.

BOBO
Quanto a mim, prefiro aguentá-las a carregá-la; mas não carregaria cruz se a carregasse, pois não há cruzados em sua bolsa.

ROSALINDA
10 Bem, estamos na Floresta das Ardenas.

BOBO
Bom, agora que estou nas Ardenas fiquei ainda mais bobo; quando estava em casa, o lugar era bem melhor, mas quem viaja tem de se contentar com tudo.

ROSALINDA
Pois contente-se, bom Touchstone.

(Entram Corin e Silvio.)

15   Olhem quem vem lá,
       Um velho e um moço conversando sério.

   CORIN
       Mas assim ela o despreza mais.

   SILVIO
       Ah, Corin, você sabe quanto a amo?

   CORIN
       Só imagino; eu também já amei.

   SILVIO
20   Corin, um velho assim nem imagina,
       Mesmo que em jovem fosse amante igual
       Ao que mais suspirou num travesseiro.
       Porém, se seu amor foi como o meu,
       E sei que homem algum amou assim,
25   Quantas foram as ações ridículas
       A que levou a sua fantasia?

   CORIN
       A pelo menos mil que eu esqueci.

   SILVIO
       Ora, então nunca amou com muita força.
       Se não recorda uma tolice ao menos,
30   Em que o amor o fez precipitar-se,
       Jamais amou.
       Ou se não ficou triste, como eu,
       Caceteando alguém com loas dela,
       Jamais amou.
35   Se não largou amigo de repente,
       Como a paixão me faz fazer agora,
       Jamais amou.
       Ah, Phebe, Phebe, Phebe!

                                                           (Sai.)

   ROSALINDA
       Pobre pastor, vendo o seu ferimento,
40   Por azar, vi qual é meu sentimento.

   BOBO
       E eu, o meu. Lembrei que, quando amei, quebrei a minha espada nu-

ma pedra, e disse que tomasse aquilo por ir de noite até Jane dos Sorrisos; e lembro-me do beijo da pá de seu pilão, e das tetas da vaca que suas mãozinhas ordenhavam; e lembro-me de fazer a corte a uma ervilha em lugar dela, da qual tirei duas bolinhas, devolvendo-as depois e, chorando lágrimas, dizer "Use-as como lembrança minha". Nós, que amamos de verdade, fazemos bobagens como essas; mas como tudo é mortal na natureza, assim também toda natureza apaixonada é mortal em sua loucura.

ROSALINDA

Você fala mais sabiamente do que pensa.

BOBO

É; eu só vou saber mesmo o quanto eu sou esperto quando tropeçar na minha esperteza.

ROSALINDA

Zeus, Zeus! Pastor, sua paixão
Combina com a minha emoção.

BOBO

E com a minha, embora já esteja meio gasta.

CÉLIA

Por favor, um de vocês pergunte àquele homem, se por ouro ele nos dá comida. Vou desmaiar de fome.

BOBO

Olá, olá, palhaço!

ROSALINDA

Calma, bobo; ele não é seu parente.

CORIN

Quem chama?

BOBO

Melhores que você.

CORIN

Se não forem, são muito desgraçados.

ROSALINDA

Já disse, calma. Boa tarde, amigo.

CORIN

    Para o senhor, também; e para todos.

ROSALINDA

65   Pastor, lhe peço, por ouro ou amor,
    Se houver abrigo à venda, no deserto,
    Nos leve onde comer e descansar.
    Pois a donzela, exausta com a viagem,
    Já desfalece.

CORIN

          E dá pena, senhor,
70   E quero, pro bem dela e para o meu,
    Tivesse eu mais fortuna pr'ajudá-la.
    Mas sou pastor que serve um outro homem;
    Nem tenho as peles que aqui pastoreio.
    Meu amo tem disposição azeda,
75   E não procura o caminho do céu
    Por ser hospitaleiro.
    Mas seu pombal, rebanho e até pastos
    Estão à venda, e em nosso aprisco,
    Devido à sua ausência, não há nada
80   Que os alimente. O que há, podem ver,
    E, em tudo o que me cabe, são bem-vindos.

ROSALINDA

    E quem há de comprar rebanho e pasto?

CORIN

    Aquele jovem que viram há pouco,
    Que nem vontade tem de comprar nada.

ROSALINDA

85   Eu peço que, fazendo tudo às claras,
    Compre a choupana, o pasto e o rebanho,
    E nós lhe damos com o que pagar.

CÉLIA

    E acertamos sua paga. Gosto do lugar,
    E é um prazer ficar aqui uns tempos.

CORIN

90   Pois está tudo, com certeza, à venda.
    Venham comigo; e se só de ouvido
    Gostam do solo, ofício, e dessa vida,

Eu lhes serei pastor mais que fiel,
E, com o seu ouro, compro tudo agora.

(Saem.)

CENA 5
(Em um outro ponto da floresta. Entram AMIENS, JAQUES *e outros.)*

AMIENS

(Cantando.)
Sob esse arvoredo antigo
Quem quiser deitar comigo,
E tornar dó-re-mi-sol
Em canto de rouxinol,
5   Venha cá, cá, pro meu lado.
Não terá aqui consigo,
Nem mesmo um só inimigo,
Senão o inverno gelado.

JAQUES

Mais, mais, por favor, mais.

AMIENS

10 Eu o deixarei melancólico, *monsieur* Jaques.

JAQUES

E eu agradeço. Mais, por favor. Eu sugo melancolia de uma canção como um furão suga ovos. Mais, por favor, mais.

AMIENS

Minha voz está rouca, não posso agradá-lo.

JAQUES

Não quero que me agrade, quero que cante, Vamos, mais uma estrofe. É estrofe que se chamam?

AMIENS

O que quiser, *monsieur* Jaques.

JAQUES

Isso mesmo. Que me importam os nomes, pois não me devem nada. Vai cantar?

AMIENS

Mais porque pede, do que por prazer.

JAQUES

Pois então, se jamais agradeci a alguém, eu lhe agradeço; mas o que chamam de elogios, é como o encontro de dois babuínos. E quando alguém me agradece de coração, parece-me que lhe dei uma moeda, e que ele me agradeceu como mendigo. Vamos, cante, e que os que não cantam, guardem a língua.

AMIENS

Muito bem, terminarei a canção. Senhores, ponham a mesa; o duque quer beber sob esta árvore. Ele esteve o dia todo à sua procura.

JAQUES

E eu passei o dia todo a evitá-lo. Ele discute demais para o meu gosto. Eu tenho tantas ideias quanto ele, mas agradeço aos céus e não me gabo delas. Vamos, cantarola aí.

AMIENS

(Cantando.)
Quem não gosta de ambição
E ama a vida ao sol, então,
Buscando seu alimento
Com grande contentamento,
Venha cá, cá, pro meu lado.

(TODOS cantam.)

Não terá aqui consigo
Nem mesmo um só inimigo,
Senão o inverno gelado.

JAQUES

Dou-lhe um verso para essa música, que fiz ontem à noite, apesar de minha falta de invenção.

AMIENS

E eu o cantarei.

JAQUES

É assim.
O homem vai só vai ter paz, no
 Dia em que virar asno,
Sem riqueza e sem conforto,
Gostando de tudo torto,
Ducdame, ducdame, ducdame,[3]

---

3 Não há limite para o papel e tinta já gastos na tentativa de encontrar explicação ou sentido para "Ducdame". É provável que tenha sido inventada, só para dar um final rítmico à estrofe de Jaques. (N.T.)

Igual a ele há de ver
Muito tolo aqui crescer,
É só esperar que eu chame.

AMIENS

O que é "ducdame"?

JAQUES

Uma invocação grega, que conclama os tolos a um círculo. Vou dormir, se puder; se não puder, bradarei contra o primogênito do Egito.

AMIENS

E eu vou procurar o duque; o banquete está posto.

(Saem.)

CENA 6
(Em outro ponto da floresta. Entram ORLANDO e ADAM.)

ADAM

Amo querido, não posso mais. Morro de fome. Vou deitar-me aqui, e medir minha cova. Adeus, meu bom amo.

ORLANDO

O que é isso, Adam? Está faltando coragem? Viva um pouco, descansa um pouco, alegre-se um pouco. Se esta floresta estranha tiver alguma coisa selvagem para dar, ou sirvo de comida para ela ou a trago como comida para você. Sua imaginação está mais perto da morte do que suas forças. Por favor, se acomode; afaste a morte ainda um pouco. Eu estarei aqui de novo em um instante, e se não trouxer comida, dou-lhe permissão para morrer; mas se morrer antes de eu voltar, estará ofendendo os meus esforços. Isso! Parece mais animado, e eu volto num instante. Mesmo assim, está ao relento. Venha, eu o carregarei para algum abrigo, e você não há de morrer por falta de um jantar, se houver qualquer coisa viva nesta selva. Coragem, Adam.

(Saem.)

CENA 7
(Uma refeição servida, em outro ponto da floresta. Entram o DUQUE SENIOR, AMIENS, e NOBRES, como fora-da-lei.)

DUQUE SENIOR

Creio que se mudou em uma fera,
Pois em lugar algum encontro o homem.

1º NOBRE

    Senhor, saiu daqui ainda agora.
    Estava alegre, ouvindo uma canção.

DUQUE SENIOR

5   Se ele, de som terrível, vira músico,
    Em breve haverá luta entre as esferas.
    Vão buscá-lo. Eu quero falar com ele.

1º NOBRE

    Me poupou o trabalho; aí vem ele.

(Entra JAQUES.)

DUQUE SENIOR

    Então, como é, *monsieur*? Que vida é essa,
10   Que temos de implorar sua companhia?
    Mas, por que essa alegria?

JAQUES

    Um bobo, um bobo! Encontrei na floresta
    Um bobo multicolor; mundo infame!
    Por minha vida, eu encontrei um bobo,
15   Ali, deitado, se esquentando ao sol,
    Ofendendo a Fortuna em bom estilo,
    Em tom muito correto, mas um bobo.
    "Bom dia, bobo", eu disse. "Não", disse ele;
    "Bobo, só quando o céu me der fortuna."
20   Tira do saco um relógio de sol,
    E depois de espiar, com olhar fosco,
    Diz, sabiamente, "Agora são dez horas.
    O que nos mostra como vai o mundo:
    Há uma hora, apenas, eram nove,
25   E com mais uma hora, vão ser onze;
    E de hora em hora amadurecemos,
    E depois, de hora em hora, apodrecemos,
    E está feita uma história". Quando ouvi
    Um bobo comentar assim o tempo,
30   Meus pulmões deram pra cacarejar,
    Só por um bobo ser contemplativo;
    E continuei rindo, sem parar,
    Por uma hora exata. Bobo nobre!
    Um grande bobo! Eu quero usar seus guizos!

DUQUE SENIOR

35   Mas que bobo é esse?

Jaques

    Bobo notável! Já serviu na corte
    E diz que moça, sendo bela e jovem,
    Tem o dom de o saber. E o seu cérebro,
    Mais seco que biscoito que sobrou
40   Depois da viagem, ele traz repleto
    De comentários, que ele espalha
    Bem mutilados. Ah, se eu fosse um bobo!
    Queria usar seu casaco de cores.

Duque Senior

    Eu lhe dou um.

Jaques

               É só o que lhe peço,
45   Desde que livre o conceito que tem
    De toda opinião erva daninha
    Que me diz sábio. E quero liberdade
    Da mesma dimensão que tem o vento,
    Pra soprar onde quero, como os bobos;
50   E os que mais amargarem os meus chistes,
    Serão os que mais riem. E por que o farão?
    Por razões simples como ir à capela.
    Quem, com sabedoria, o bobo acerta,
    Faz tolice, mesmo sendo inteligente,
55   Parecendo insensível. De outro modo,
    A tolice do sábio fica exposta
    Só pelo olhar que o bobo lança à volta.
    Deem-me meus guizos. Deem-me permissão
    Pra dizer o que penso que, todinho,
60   Eu lavo o corpo infecto deste mundo,
    Se com paciência tomam meus remédios.

Duque Senior

    Que vergonha! Eu bem sei o que faria,

Jaques

    Feitas as contas, o que, se não bem?

Duque Senior

    Ia pecar, pra punir o pecado.
65   Pois você mesmo foi um libertino,
    Tão sensual quanto o cio animal,
    E toda bolha e casca e carga má
    Que apanhou em sua vida de devasso,
    Iria vomitar no mundo inteiro.

JAQUES

70   E quem pode gritar o seu orgulho,
            Com condição de condenar a outros?
            Ele não flui, tão grande quanto o mar,
            Até baixar a maré de seus meios?
            Que mulher, na cidade, eu nomeio,
75   Ao dizer que uma tal nos ombros leva
            Em ombros sem valor, valor de um príncipe?
            Quem poderá dizer que falo desta,
            Quando aquela, e a vizinha, são iguais?
            Ou qual aquele, de função humilde,
80   Que afirma que eu não pago sua elegância,
            Pensando que falo dele e, muito tolo,
            Não veste a carapuça do que eu digo?
            É isso mesmo! E, daí? Eu só indago
            Como o ofendi; se a carapuça serve,
85   Ele é que se ofendeu; e se não serve,
            Minha advertência voa, sem destino,
            Sem ninguém que a queira. Quem vem lá?

            (Entra ORLANDO, empunhando uma espada.)

ORLANDO

            Parem agora! E não comam mais.

JAQUES

            Ainda não comemos nada.

ORLANDO

90   Nem comam, antes de quem necessita.

JAQUES

            De onde será que veio o garnizé?

DUQUE SENIOR

            É o desespero que o faz tão ousado?
            Ou desrespeita o bom comportamento
            Ao ponto de não ter civilidade?

ORLANDO

95   Acertou na primeira; o espinho agudo
            Do puro desespero arrancou-me a postura
            Da simples cortesia. Não sou rude,
            Tenho *alguma educação*. Mas, insisto,
            Que morre aquele que tocar tais frutos
100   Até eu resolver os meus problemas.

JAQUES
　　　　Se a razão não o atende, eu vou morrer.

DUQUE SENIOR
　　　　O que quer? Gentileza alcança mais
　　　　Do que a força pra nos fazer gentis.

ORLANDO
　　　　Estou louco por comida, e quero essa.

DUQUE SENIOR
105　　　Sente-se e coma; é bem-vindo à mesa.

ORLANDO
　　　　É tão gentil assim? Peço desculpas.
　　　　Pensei que tudo aqui fosse selvagem,
　　　　E por isso é que assumi o aspecto
　　　　Do mando rude. Mas, quem são, senhores,
110　　　Que em meio a esta selva inacessível
　　　　À sombra desses ramos melancólicos,
　　　　Perdem, sem dor, as horas que se arrastam.
　　　　Se acaso já tiveram dias melhores,
　　　　Se um dia ouviram o dobre dos sinos,
115　　　Se já foram à festa de um bom homem,
　　　　Se já limparam lágrimas dos olhos,
　　　　E sabem ter piedade, e o que a precisa,
　　　　Que a gentileza seja a minha arma;
　　　　Nessa esperança eu guardo a minha espada.

DUQUE SENIOR
120　　　Verdade é que vimos dias melhores,
　　　　E ouvimos sinos santos nas igrejas,
　　　　Festejamos com os bons, e enxugamos
　　　　Lágrimas que a piedade fez cair;
　　　　Portanto sente-se, com gentileza,
125　　　E ordeno que se sirva do que temos
　　　　Pra atender sua necessidade.

ORLANDO
　　　　Pois guardem mais um pouco a sua ceia,
　　　　Enquanto eu, cervo, busco a minha corsa,
　　　　E a alimento. Existe um pobre velho,
130　　　Que está exausto de seguir-me, a pé,
　　　　Só por amor; até que se alimente
　　　　Quem a idade e a fome tanto oprimem,
　　　　Não toco em nada.

DUQUE SENIOR

                Vá busca-lo, logo,
E, até voltarem, tudo fica inteiro.

ORLANDO

135   Obrigado, e por isso tenham bênçãos.

                                        (Sai.)

DUQUE SENIOR

Viu, não somos só nós os infelizes:
Este teatro amplo, universal,
Apresenta espetáculos mais tristes
Que a nossa cena.

JAQUES

                O mundo é um grande palco,
140   E os homens e as mulheres são atores.
Têm as suas entradas e saídas,
E o homem tem vários papeis na vida,
Seus atos sendo sete: grita o infante
Que soluça e vomita aos braços da ama;
145   Depois o colegial, com sua pasta
E a cara matinal, como um lagarto
Se arrasta sem vontade à escola. O amante,
Bufando como um forno, uma balada
Faz aos olhos da amiga. Eis o soldado,
150   Com pragas, e de barba arrepiada,
Zeloso de sua honra, ágil na luta,
A perseguir a ilusão da glória
Mesmo na boca do canhão. E agora
O juiz, de vasta pança bem forrada,
155   Olhos severos e cerrada barba,
Cheio de sábias leis, e ocos exemplos,
Faz seu papel. A sexta idade o muda
Em Pantalão magrela e de chinelos,
Óculos no nariz, sacola ao lado:
160   As roupas, bem poupadas, são um mundo
Para as canelas secas; sua voz,
Possante outrora, volta à de criança
Falha e assovia. Então, a última cena,
Que põe um fim a essa vária história:
165   *É a segunda infância, o próprio olvido*,
Sem sentidos, sem olhos, sem mais nada.

(Entram Orlando e Adam.)

Duque Senior
  Bem-vindos. Pouse a carga venerável,
  E deixe que se alimente.

Orlando
  Sou mais grato por ele.

Adam
        Se preciso,
170 Mal tenho fôlego pra dizê-lo eu mesmo.

Duque Senior
  Por nada, e comece logo. Agora
  Não o importuno com indagações.
  Toquem música, e cante, meu bom primo.

Amiens
  (Cantando.)
  Sopra, inverno tão ventoso
175 Nunca foste tão maldoso
  Quanto a humana ingratidão.
  Nem teu dente tão afiado,
  Já que nunca é enxergado,
  Só teus ares rudes são...
180 Canta, canta, aos azevinhos
  Amor e amizade louquinhos.
  Então viva os azevinhos,
  Vida alegre é só carinhos.
  Gela, gela, céu incerto,
185 Teu morder tão vai tão perto
   Quanto bondade esquecida.
  Pondo a água em rodopio,
  Teu ferrão tem menos fio
  Do que amigo que olvida.
190 Canta, canta etc.

Duque Senior
  Se é verdade que é filho de *Sir* Rowland,
  Como corre entre amigos confiáveis,
  E, com meus olhos, vejo a sua imagem,
  Bem desenhada e viva no seu rosto,
195 Seja muito bem-vindo. Eu sou o duque
  Que amava seu pai; sua história toda,

Conte-me, em minha caverna. Bom velho,
É tão bem-vindo aqui quanto o seu amo.
Tome-lhe o braço. Dê-me sua mão
E conte tudo o que lhe aconteceu.

(Saem.)

ATO 3

CENA 1
(No palácio. Entram o Duque e Oliver.)

DUQUE FREDERICK
Não o viu desde então? Não é possível.
E se não fosse misericordioso,
Não buscaria um objetivo ausente
Pra vingar-me, tendo-o aqui. Mas, ouça:
5 Encontre o seu irmão, seja onde for;
Até com vela. O quero vivo ou morto,
Dentro de um ano, ou não espere mais
Levar a vida em nosso território.
Suas terras e mais tudo o que for seu
10 Que valha a pena, nós lhe tomaremos,
Até que possa, pela fala dele,
Mudar o que pensamos do senhor.

OLIVER
Se sua Alteza soubesse o que sinto!
Nunca amei meu irmão, em minha vida.

DUQUE FREDERICK
15 O que é pior. Pois ponham-no pra fora,
E que gente da minha, habilitada,
Vasculhe a sua casa e as suas terras.
É para já; e enxotem-no daqui.

(Saem.)

CENA 2
(Na floresta. Entra Orlando, com papéis na mão.)

ORLANDO
Pende aí, verso meu, prova de amor,
E, desta noite tríplice rainha,
Vela co'olhar, da esfera superior,
A caçadora desta vida minha.
5 Terei árvores por livros, amada;
Nos troncos eu escrevo o pensamento
Até que todos, ao ver a ramada,
Espalhem suas virtudes num momento.
Fixa, Orlando, na forma, em forma estável,
10 A ela única, casta e inefável.

(Sai.)

(Entram CORIN e o bobo, TOUCHSTONE.)

CORIN

E o que lhe parece essa vida no campo, mestre Touchstone?

BOBO

Na verdade, pastor, em ser ela mesma, é uma vida boa; porém, por ser vida de pastor, não é. Em ser solitária, gosto muito; mas em ser bem privada, é uma vida horrível. Agora, no que diz respeito ela se passar nos campos, me agrada muito; mas no que diz respeito não ser na corte, é muito chata; por ser uma vida frugal, saiba que calha bem com meu gosto; mas por não haver nela muita fartura, contraria muito o meu estômago. E você, pastor, tem alguma filosofia?

CORIN

Não mais do que saber que quanto mais se fica doente, menos à vontade se fica; e que aquele a quem faltam dinheiro, meios e contentamento, fica sem três bons amigos; que a propriedade da chuva é a de molhar, e a do fogo a de queimar; que o pasto bom engorda os carneiros; e que uma das principais causas da noite é a falta do sol, e que aquele que não recebeu espírito da natureza e nem aprendeu as artes, pode se queixar de lhe faltar boa educação e de pertencer a uma raça muito opaca.

BOBO

Já vi que se trata de um filósofo natural. Já esteve na corte alguma vez, pastor?

CORIN

Para falar a verdade, não.

BOBO

Então está perdido e danado.

CORIN

Espero que não.

BOBO

Pois garanto que está danado, igual a ovo que só fritou de um lado.

CORIN

Por não ter estado na corte? Explique-se.

BOBO

Ora, se você nunca esteve na corte, nunca viu boas maneiras; se nunca viu boas maneiras, suas maneiras têm de ser más; a maldade é pecado, e pecado traz danação. Você está correndo muito perigo, pastor.

CORIN

Nem um pouco, Touchstone. As maneiras que são boas na corte são tão ridículas no campo quanto o comportamento do campo é motivo de riso na corte. Você diz que na corte as pessoas não se saúdam, mas beijam-se as mãos; isso no campo seria falta de higiene, se os cortesãos fossem pastores.

BOBO

Exemplos, rápido; vamos, exemplos.

CORIN

Nós estamos sempre lidando com nossos carneiros, e as peles dos carneiros são gordurosas.

BOBO

Ora, e as mãos dos cortesãos não suam? E a gordura do carneiro não é tão saudável quanto o suor de um homem? Exemplo melhor, vamos.

CORIN

Além disso, nossas mãos não grossas.

BOBO

Os lábios as sentirão melhor. Muito superficial, de novo. Quero exemplo mais sólido.

CORIN

Elas estão muitas vezes alcatroadas com as cirurgias de nossos carneiros; quem gosta de beijar mão sujas com alcatrão? As mãos do cortesão são perfumadas com almíscar.

BOBO

Homem superficial! É mesmo comida para verme em relação a um bom pedaço de carne! Aprenda com os sábios e anote! Almíscar tem berço bem inferior ao alcatrão, pois é o fluxo muito imundo de um gato. Arranje exemplos melhores, pastor.

CORIN

Seu espírito é demais o da corte, para mim. Vou descansar.

BOBO

Descansar danado? Deus que o ajude, sujeito fútil. Deus talhou-lhe a cabeça para o tempero, mas ainda está cru!

CORIN

Senhor, eu sou só um trabalhador; alegro-me com o bem dos outros, me contento com meus males; e meu maior orgulho é ver minhas ovelhas pastarem e meus carneirinhos mamarem.

BOBO

Pois esse é outro pecado básico dos seus, ficar juntando ovelhas e carneiros, e querer ganhar a vida com a cópula do gado; é cafetão de madrinha da tropa, entrega uma ovelhinha de doze meses à cabeça torta de um velho carneiro cornudo, em união mais que desigual. Se não for danado por isso, é porque o diabo não aceita pastores. De outro modo, não vejo como pode escapar.

CORIN

Lá vem meu mestre Ganimede, o irmão da minha nova patroa.

(Entra ROSALINDA, com um papel na mão.)

ROSALINDA

Em toda a largura da Índia
Joia maior é Rosalinda.
O vento a leva, valorosa,
E o mundo aplaude Linda rosa.
Nenhum dos retratos dela
É digno da Rosabela;
Face a ser lembrada ainda
É a da bela Rosalinda..

BOBO

Rimar assim eu rimo oito anos; só parando para almoçar, jantar e dormir. Parecem mesmo versos de vendedora de manteiga na feira.

ROSALINDA

Passa fora, Bobo.

BOBO

Só para dar uma amostra:
Se ao cervo falta ovelhinda,
É só buscar Rosalinda.
Se um gato busca bichanda,
É na certa Rosalanda.
No inverno a lã é bem-vinda,
Como sempre é Rosalinda.
A colheita pronta e finda,
Quem carrega é Rosalinda.
Doce com casca horrorosa,
É noz como a Linda Rosa.
E como na rosa linda,
Há espinho em Rosalinda.

Isso é verso a galope; por que a senhora se deixa infectar com eles?

ROSALINDA

95   Quieto, bobo tonto! Encontrei-os numa árvore.

BOBO

          Uma árvore que dá frutos muito ruins.

ROSALINDA

          Vou enxertá-la com você, e ela ficará enxertada com mexericas. E serão as primeiras frutas do campo; pois você há de apodrecer antes de estar maduro, que é o que acontece a todo mexeriqueiro.[4]

BOBO

100   A senhora falou; mas se com sabedoria ou não, só a floresta há de julgar.

ROSALINDA

          Quieto! Aí vem a minha irmã, lendo. Afaste-se.

(Entra CÉLIA, com um escrito na mão.)

CÉLIA

          (Lendo.)
          Isto tem de ser deserto,
          Por não ter gente? Negado.
          Dou línguas às folhas perto,
105   *Pr'um discurso requintado.*
          Algumas, que é breve a vida,
          A via onde o homem erra;
          Só uma ponte comprida
          Marca seu tempo na terra;
110   *Outras de jura quebrada*
          Que afasta amigo de amigo,
          Mas na mais bela florada,
          Ou no fim de cada artigo,
          Rosalinda eu vou gravar;
115   *E ensino, a quem possa ler,*
          O que o céu sabe juntar
          Num só e pequeno ser.
          O céu disse à Natureza,
          Que num corpo caberia
120   *Toda a graça e a beleza,*
          Que a mesma destilaria.
          Rosto de Helena, não peito;
          De Cleópatra, seu porte;
          De Atalanta o que é bem feito;
125   *De Lucrécia não a sorte.*

---

[4] No original a fruta é nêspera, *medlar*, que é usada para o trocadilho com *meddler*, metido, mexeriqueiro.(N.T.)

> De Rosalinda o total
> Que um júri pleno moldou –
> De todo traço ideal,
> Pro melhor que já criou.
> O céu deu esse dom a ela,
> Pr'eu viver escravo dela.

ROSALINDA
Ah, meu Júpiter tão terno, com que homilia de amor cacete anda cansando seus paroquianos, sem ao menos gritar "Paciência, boa gente!".

CÉLIA
O que é isso? Amigos falsos? Pastor, afaste-se um pouco. E você também, moleque.

BOBO
Vamos, pastor; batamos em retirada honrosa, sem mala e cuia, mas com o essencial.

(Sai com CORIN.)

CÉLIA
Ouviu os versos?

ROSALINDA
Sim, senhora, a todos, e a mais ainda, pois uns outros tinham na métrica mais pés do que esses versos aí podiam suportar.

CÉLIA
Não importa; os pés podiam dar suporte aos versos.

ROSALINDA
Ah, mas pé quebrado não aguenta nem a si mesmo sem os versos, e por isso ficou quebrado no verso.

CÉLIA
Mas ouviu sem espanto que o seu nome fosse pendurado e talhado nessas árvores todas? O fogo da palha já estava quase apagando quando você chegou; veja, este eu achei em uma palmeira.

ROSALINDA
Nunca fui tão rimada desde o tempo de Pitágoras[5], quando fui um rato irlandês, que mal me lembro.

---

[5] Em referência à teoria do filósofo sobre a transmigração das almas.

CÉLIA
E imagina quem fez isso?

ROSALINDA
Foi um homem?

CÉLIA
E uma corrente, que outrora você usava no pescoço. Está mudando de cor?

ROSALINDA
Diga, quem?

CÉLIA
Meu Deus! É coisa difícil fazer os amigos se encontrarem; porém montanhas podem ser movidas por terremotos, e por isso se encontrarem.

ROSALINDA
Não, mas quem é?

CÉLIA
Será possível?

ROSALINDA
E como não? Eu lhe imploro, com a mais pedintíssima das veemências, que me diga quem é ele.

CÉLIA
Que maravilha! Que maravilha! Que maravilha mais maravilhosa! E ainda mais maravilhosa! E muito mais, que não posso sequer expressar!!!

ROSALINDA
Pela cor das minhas faces! Está pensando que mesmo arreada como um homem tenho calça e colete em meus sentimentos? Mais uma polegada de espera são os Mares do Sul das descobertas. Imploro que me diga logo quem é, e que fale depressa. Eu queria que você fosse gaga, para poder derramar o nome desse homem por sua boca como sai o vinho de garrafa de gargalo fino; ou muito de uma vez, ou nada. Por favor, tire a rolha de sua boca, para eu poder beber as novidades.

CÉLIA
Para poder enfiar um homem em sua barriga.

ROSALINDA
Ele é feito por Deus? Que tipo de homem? Sua cabeça vale um chapéu? Ou seu queixo uma barba?

CÉLIA
Não, tem muito pouca barba.

ROSALINDA
Pois que Deus lhe mande mais, se o homem por isso ficar grato. Que eu impeça sua barba de crescer, se você demorar mais em me fazer conhecer o queixo.

CÉLIA
É o jovem Orlando, aquele que derrubou o lutador e o seu coração, de uma só vez.

ROSALINDA
Deixe de brincadeiras. Fale como uma moça séria e verdadeira.

CÉLIA
Mas juro, prima, que é ele.

ROSALINDA
Orlando?

CÉLIA
Orlando.

ROSALINDA
Mas, que coisa! O que vou fazer com minhas calças e meu colete? O que estava fazendo ele quando o viu? O que disse ele? Parecia bem? Para onde foi? O que está fazendo aqui? Como se despediram? E quando irá vê-lo novamente? Responda, numa palavra!

CÉLIA
Só se, primeiro, você pedir emprestada para mim a boca de Gargantua.[6] Teria de ser uma palavra grande demais para a minha boca em seu tamanho atual. Dizer apenas sim ou não a todos esses detalhes, já dava um catecismo.

ROSALINDA
Mas ele sabe que eu estou aqui nesta floresta, e vestida deste modo? E pareceu tão bonito quanto no dia em que lutou?

CÉLIA
É mais fácil contar átomos do que responder os interrogatórios dos apaixonados. Mas prove uma pitada de meu encontro com ele, e deguste-a com toda a atenção. Encontrei-o debaixo de uma árvore, *parecendo uma pinha caída*.

---

6 Referência ao gigante criado por Rabelais.(N.T.)

ROSALINDA
Terá de ser chamada a árvore de Zeus, para produzir tais frutos.

CÉLIA
Dê-me a honra de me ouvir, senhora.

ROSALINDA
Continue.

CÉLIA
Lá estava ele, estendido como um cavaleiro ferido.

ROSALINDA
Embora seja doloroso ver tal cena, favorece muito aquele pedaço de terra.

CÉLIA
Mande parar sua língua, por favor; ela fica corcoveando. Ele estava vestido de caçador.

ROSALINDA
Isso é mau agouro! Ele vem matar meu coração!

CÉLIA
Prefiro cantar meu canto sem bordão. Você está me fazendo desafinar.

ROSALINDA
E você não sabe que eu sou mulher? Quando penso, tenho de falar. Querida, continue.

CÉLIA
Você me atrapalha. Quieta! Não é ele quem vem lá?

(Entram ORLANDO e JAQUES.)

ROSALINDA
É ele. Vamos ouvir afastadas.

JAQUES
Obrigado por sua companhia, mas, para falar a verdade, prefiro ficar só comigo mesmo.

ORLANDO
Eu também; no entanto, só por boas maneiras, agradeço-lhe por ter ficado comigo.

JAQUES

Vá com Deus; e encontremo-nos o mínimo possível.

ORLANDO

E eu desejo que fiquemos ótimos estranhos.

JAQUES

Só lhe peço que não estrague mais árvores escrevendo versos em suas cascas.

ORLANDO

E eu só peço que não estrague meus versos, lendo-os com tamanha má vontade.

JAQUES

Rosalinda é o nome de sua amada?

ORLANDO

Exatamente.

JAQUES

Não gosto do nome dela.

ORLANDO

Não houve maior preocupação em agradá-lo, quando ela foi batizada.

JAQUES

Qual é a estatura dela?

ORLANDO

Ela é exatamente da altura do meu coração.

JAQUES

Quanta resposta bonitinha. Será que não tem conhecido mulheres de ourives, para decorar com elas algumas joias?

ORLANDO

Não; mas lhe respondo com o chitão pintado comum, no qual estudou suas perguntas.

JAQUES

Tem espírito bem ágil; deve ter sido feito do calcanhar de Atalanta.[7] Não quer sentar-se comigo para, juntos, gritar contra nossa amada, o mundo, e todas as *nossas misérias*?

---

[7] Heroína mitológica, famosa por afirmar que só se casaria com o homem que a vencesse numa corrida. (N.T.)

ORLANDO
Não falarei mal de ninguém que respire neste mundo, a não ser eu mesmo, de quem conheço mais defeitos.

JAQUES
Seu pior defeito é estar apaixonado.

ORLANDO
É defeito que não trocaria nem pela melhor das suas virtudes. Estou cansado de você.

JAQUES
Para falar a verdade, eu estava procurando um bobo, quando o encontrei.

ORLANDO
Ele se afogou no rio; é só você olhar bem lá dentro que o verá com certeza.

JAQUES
Lá só verei minha própria imagem.

ORLANDO
Que penso ser ou um bobo ou um zero à esquerda.

JAQUES
Não vou gastar mais tempo com você. Adeus, *signior amore*.

ORLANDO
Alegro-me com sua partida. *Adieu, monsieur melancolie.*

(Sai JAQUES.)

ROSALINDA
(À parte, para CÉLIA.)
Vou falar com ele como lacaio abusado, e com estas roupas vou me divertir com ele. *(Para ORLANDO.)* Está ouvindo, senhor lenhador?

ORLANDO
Muito bem; o que deseja?

ROSALINDA
Por favor, que horas são?

ORLANDO
Deveria perguntar em que parte do dia estamos; não há relógios na floresta.

ROSALINDA

Então não há amantes verdadeiros na floresta, pois de outro modo, os suspiros por minuto e gemidos de hora em hora, marcariam o passo lento do Tempo tão bem quanto qualquer relógio.

ORLANDO

E por que não o passo rápido do Tempo? Não vale para ele também?

ROSALINDA

De modo nenhum. O Tempo passa de modo diverso para pessoas diversas. Vou contar-lhe para quem o Tempo anda a passo, para quem o Tempo trota, para quem o Tempo galopa, e para quem ele para.

ORLANDO

Por favor, para quem ele trota?

ROSALINDA

Ora, ele trota duro para a moça, entre o tratar do casamento e o dia da cerimônia. Se o período for de sete noites, mesmo assim parecerá ser de sete anos.

ORLANDO

E para quem ele anda a passo?

ROSALINDA

Para o padre que não sabe latim, para o homem rico que não tem gota, para o que dorme bem porque não pode estudar, e para o outro que vive alegre porque não sente dor; ao primeiro falta a carga de estudo pouco e inútil; o outro por desconhecer a carga pesada e cansativa da pobreza. Para esses, o Tempo anda a passo.

ORLANDO

E para quem ele galopa?

ROSALINDA

Para o ladrão que vai para a forca; pois por mais devagar que ele ande, vai achar que chegou lá depressa demais.

ORLANDO

E para quem ele para?

ROSALINDA

Para advogados de férias, pois eles dormem entre uma temporada e outra,[8] e não percebem que o Tempo passa.

---

8 Os tribunais na Inglaterra têm períodos determinados de funcionamento, com intervalos de um mês ou dois entre um e outro. (N.T.)

ORLANDO
Onde mora, bonito jovem?

ROSALINDA
Com esta pastora, minha irmã; aqui nos arredores da floresta, como franja em barra de saiote.

ORLANDO
E são nativos do lugar?

ROSALINDA
280 Assim como o coelho que, como sabe, vive onde nasceu.

ORLANDO
Sua pronúncia é um tanto melhor do que a adquirida em lugar tão distante e ermo.

ROSALINDA
Muitos já me disseram o mesmo. Mas foi um tio meu, sacerdote, quem me ensinou a falar; e quando jovem ele morou mais lá para
285 o centro, e aprendeu a cortejar, pois lá ele se apaixonou. Eu o tenho ouvido falar muitas vezes contra isso, e dou graças a Deus por não ser mulher, para não ser afetada por tantas tolices ofensivas quanto ele atribui às mulheres em geral.

ORLANDO
Será que se lembra dos principais males de que ele acusou as mulheres?

ROSALINDA
290 Nenhum era principal; são todos iguais, como moedas, cada um deles parecendo falta única e monstruosa, até que outra falta, sua companheira, vem mostrar-se igual à primeira.

ORLANDO
Pois então diga-me quais são algumas delas.

ROSALINDA
Não; só gasto meus remédios com os que estão doentes. Há um ho-
295 mem que anda pela floresta ferindo as árvores talhando "rosalinda" nas cascas; pendura odes nos arbustos e elegias nas sarças; na verdade, endeusando o nome de Rosalinda. Se pudesse encontrar esse fantasista, iria dar-lhe bons conselhos, pois ele parece está sofrendo da terçã do amor.

ORLANDO
300 Sou eu quem está assim derrubado de amor. Por favor, conte-me os seus remédios.

ROSALINDA
>Não vejo nenhuma das marcas de meu tio em você. Ele me ensinou a reconhecer quando um homem está apaixonado; e você não me parece estar preso nesse tipo de gaiola.

ORLANDO
>Quais são as marcas de que ele fala?

ROSALINDA
>Face encovada, que você não tem; olho triste e afundado, que você não tem; disposição irritadiça, que você não tem; barba mal cuidada, que você não tem – mas isso eu deixo passar – pois barba rala é igual a herança de irmão mais moço. Além disso suas meias deviam estar sem ligas, seu boné sem fita, suas mangas desabotoadas, e tudo em você deveria demonstrar um aspecto de desolação e desleixo. Mas você não tem nada desse tipo de homem: está até muito bem arrumado no que veste, como se amasse a si mesmo, mais do que parecendo amante de qualquer outra pessoa.

ORLANDO
>Rapaz, eu só queria poder fazer com que você acreditasse que amo.

ROSALINDA
>Eu, acreditar! Era o mesmo que fazer seu amor acreditar, o que garanto ela estará mais disposta a fazer do que a declarar que ela ama. Esse é dos pontos nos quais as mulheres enganam suas próprias consciências. Mas, fora de brincadeira, é você que anda pendurando esses versos nas árvores, nos quais Rosalinda é tão admirada?

ORLANDO
>Eu lhe juro, menino, pela alva mão de Rosalinda, que eu sou ele, esse ele tão infeliz.

ROSALINDA
>Mas está tão apaixonado quanto dizem as suas rimas?

ORLANDO
>Nem rima e nem razão podem expressar o quanto.

ROSALINDA
>O amor é só uma loucura, e eu lhe digo que merece casa escura e chibata tanto quanto os loucos; e a razão de os amantes não serem punidos assim é ser tal tipo de loucura tão comum que os que batem também podem estar apaixonados. Mas eu prefiro a cura por conselhos.

ORLANDO
E algum dia curou alguém com isso?

ROSALINDA
Já, e foi assim. Ele tinha de imaginar que eu fosse seu amor, sua amada; e eu o fazia me cortejar todos os dias. Quando então eu, sendo apenas um jovem instável, sofria, ficava efeminado, caprichoso, sentimental e afetuoso, orgulhoso, fantástico, macaqueador. Superficial, inconstante, sempre em lágrimas, sempre sorrindo, tomado das mais variadas paixões e sem nenhuma paixão verdadeira, já que os meninos e as mulheres, na maior parte, são farinha do mesmo saco; às vezes gostava dele, às vezes o odiava; às vezes amável, às vezes o mandando embora; às vezes chorando por ele, às vezes cuspindo nele; de tal modo que passava meu cortejador da loucura do amor para uma loucura verdadeira, que consistiu em renegar todos os hábitos do mundo e ir morar em algum buraco monástico. E assim eu o curei, e do mesmo modo assumirei a responsabilidade de lavar seu fígado[9] até deixá-lo limpo como um coração de carneiro, sem restar uma única manchinha de amor nele.

ORLANDO
Mas, rapaz, eu não quero ser curado.

ROSALINDA
Pois eu o curaria, se me chamasse de Rosalinda e viesse todo dia à minha cabana para me cortejar.

ORLANDO
Pois para provar a fidelidade de meu amor, eu o farei. Diga-me onde fica.

ROSALINDA
Venha comigo, que eu lhe mostro; e, por falar nisso, é preciso que me diga em que lugar da floresta você mora.

ORLANDO
Com o maior prazer, bom rapaz.

ROSALINDA
Não, tem de me chamar de Rosalinda. Irmã, não vem conosco?

(Saem.)

---

9 Na época de Shakespeare, o fígado era tido como a localização principal do amor. (N.T.)

CENA 3

(Um outro lugar na floresta. Entram Touchstone, o Bobo, Audrey e Jaques, mais atrás.)

Bobo

Mais depressa, boa Audrey. Eu pego suas cabras, Audrey. E como é, Audrey, já sou eu o homem certo? Se contenta com meus traços simples?

Audrey

Seus traços? Por Deus! Que traços?

Bobo

5 Aqui estou eu, com você e suas cabras, como o poeta mais caprichoso, o mais honesto Ovídio que já existiu entre os Godos.

Jaques

(À parte.)
Que conhecimento mais mal abrigado, pior do que Zeus em cabana de sapê!

Bobo

Quando os versos de um homem não podem ser compreendidos, nem seu espírito brilhante amparado por uma criança esperta, a compreensão, isso deixa o homem mais morto que conta grande em sala pequena. Juro que gostaria que os deuses a tivessem feito mais poética.

Audrey

Eu não sei o que é "poética". É coisa honesta em palavras e atos? É coisa certa?

Bobo

15 Para falar a verdade, não; pois a poesia mais verdadeira é a que mais finge, e os amantes são dados à poesia; e o que eles juram em verso pode-se dizer que estejam fingindo.

Audrey

E ainda quer que os deuses me tivessem feito mais poética?

Bobo

Quero, de verdade. Pois você jura que é honesta. Mas se fosse poeta, eu ainda poderia ter alguma esperança de que estivesses fingindo.

Audrey

20 E não quer que eu seja honesta?

Bobo

Não, palavra; a não ser que fosse feia; pois quando se junta a honestidade com a beleza, é o mesmo que temperar açúcar com molho de mel.

JAQUES

(À parte.)
Um bobo com massa cinzenta!

AUDREY

Bem, eu não sou bonita, e por isso peço aos deuses que me façam honesta.

BOBO

E para falar a verdade, gastar honestidade com uma sem-vergonha feia é o mesmo que servir carne boa em prato sujo.

AUDREY

Eu não sou sem-vergonha, e dou graças aos deuses por me fazerem feia.

BOBO

Pois que os deuses sejam louvados por sua feiúra; a falta de vergonha pode vir depois. Mas seja como for, hei de me casar com você; e para isso já procurei *Sir* Oliver Trocatexto, cura da aldeia aqui perto, que prometeu encontrar comigo aqui neste ponto da floresta e nos conjuntar.

JAQUES

(À parte.)
Esse encontro eu não perco.

AUDREY

Bem, que os deuses nos tragam alegria!

BOBO

Amém. É possível que homem de coração covarde trema numa hora dessas; pois aqui o único templo é a floresta, e a congregação é só de feras chifrudas. E daí? Coragem! Se os chifres são detestáveis, eles são necessários. Dizem que há gente que nem consegue calcular seus bens. Certo. E muito homem de chifres dos bons e nem sabe que tem de calcular. Bom, o que for dote da noiva não foi conseguido por ele. Chifres? Também. Só os pobres? Nada disso. Os dos mais nobres alces são tão imensos quanto os dos mais reles. E o solteiro recebe uma tal benção? Não. Assim como a cidade murada tem mais valor do que a aldeia, do mesmo modo a testa de um homem casado é mais honrada do que a lisa de um solteirão; e tanto quanto a defesa vale mais que o desabrigo, um chifre é mais precioso do que a falta dele. Aí vem *Sir* Oliver. *(Entra SIR OLIVER TROCATEXTO.) Sir* Oliver Trocatexto, o senhor é muito bem-vindo. O senhor nos despacha aqui mesmo debaixo desta árvore, ou vamos ter de ir à sua capela?

SIR OLIVER
Não há ninguém aqui para dar essa mulher em casamento?

BOBO
Eu não a quero, se for presente de outro homem.

SIR OLIVER
Porém ela tem de ser dada, pois senão o casamento não é válido.

JAQUES
(Avançando.)
Continue, continue; eu a darei.

BOBO
Boa tarde, meu bom mestre seja-lá-quem-for. Como está? Foi ótimo encontrá-lo. Deus lhe pague por sua companhia. Estou contentíssimo de o ver. É uma questãozinha à toa. Não, por favor, cubra-se.

JAQUES
Você quer se casar, Bobo?

BOBO
Como o boi tem sua canga, o cavalo seu freio, e o falcão seus guisos, assim também o homem tem seus desejos, e como os pombos namoram, o casamento tem de ser beliscado.

JAQUES
Mas você, sendo homem de sua educação, irá casar-se à sombra de uma sebe, como um mendigo? Vá à igreja, e arranje um bom padre que possa explicar-lhe o que é o casamento. Esse sujeito aí não poderá juntá-los melhor do que se junta duas tábuas; e um de vocês vai virar painel encolhido, e entortar tanto quanto madeira fresca.

BOBO
(À parte.)
Eu não estou interessado em ser mais bem casado por este ou por outro, pois este não há de me casar muito bem; e não sendo bem casado, isso será uma boa desculpa para ficar sem mulher, no futuro.

JAQUES
Venha comigo, ser aconselhado.

BOBO
Venha, Audrey querida
Pois é casar, ou viver em pecado.
Adeus, bom mestre Oliver. E não
Oh doce Oliver

75 Oh doce Oliver,
    Não vá se esquecer de mim
    Mas
    Vá-se embora,
    Eu disse, agora,
80 Não vou me casar assim.

(Saem Jaques, Touchstone e Audrey.)

Sir Oliver

Pouco importa. Não é um safado mentiroso desses que há de me afastar de minha vocação.

(Sai.)

CENA 4

(Perto de sua choupana, na floresta. Entram Rosalinda e Célia.)

Rosalinda

Não fale comigo, que eu choro.

Célia

Tudo bem, porém tenha o cuidado de se lembrar que as lágrimas não caem bem em um homem.

Rosalinda

Mas não tenho eu razões para chorar?

Célia

5 As melhores que se possa ter. Portanto, chore.

Rosalinda

Até o cabelo dele é de cor fingida.

Célia

Um pouco mais castanho que o de Judas. Na verdade, os beijos dele são filhos diretos de Judas.

Rosalinda

Mas, na verdade, a cor de seus cabelos é muito boa.

Célia

10 Excelente. Castanho sempre foi a única cor que se possa querer.

Rosalinda

E os beijos dele são tão repletos de santidade quanto o toque do pão consagrado.

CÉLIA

Ele comprou um par de lábios descartados por Diana. E freira de uma irmandade gélida não beija de modo mais religioso, pois eles têm a castidade do gelo.

ROSALINDA

Mas por que ele jurou que vinha hoje de manhã e não veio?

CÉLIA

Na certa porque não há um pingo de verdade nele.

ROSALINDA

Você pensa mesmo isso?

CÉLIA

Penso; não o julgo larápio nem ladrão de cavalos, mas quanto à verdade de seu amor, parece tão côncavo quanto copo de tampa, ou noz comida por vermes.

ROSALINDA

Infiel no amor?

CÉLIA

Quando ama; mas de momento não creio que ame.

ROSALINDA

Você o ouviu jurar que me amava.

CÉLIA

"Amava" não é "ama"; além disso, jura de amante não é melhor do que a de botequineiro. Os dois são especialistas em contas falsas. Ele está aqui na floresta, servindo o duque seu pai.

ROSALINDA

Eu encontrei o duque ontem, e conversei muito com ele. Perguntou-me quem eram meus pais: eu lhe disse que eram tão bons quanto ele, e ele riu e me deixou ir embora. Mas por que falar de pais, quando existe um homem como Orlando?

CÉLIA

Ah, bravura é com ele! Escreve versos bravos, fala bravas palavras, jura bravas juras, e com bravura as quebra todas, bem no meio do coração da amada, como um cavaleiro pífio, que no torneio avança de lado e quebra a lança com a nobreza de um ganso. Mas são sempre bravos os que a juventude monta e a tolice guia. Quem vem aí?

(Entra CORIN.)

CORIN
        Ama e amo, já tanto perguntaram
        Pelo pastor que chorava de amor
        Quando o viram, sentado comigo,
40   A louvar a pastora desdenhosa,
        A quem amava.

CÉLIA
                E onde anda ele?

CORIN
        Se quiserem ver cena interpretada
        Entre as pálidas feições de quem ama
        E o brilho rubro do desdém e orgulho,
45   Andando um pouco, eu as levarei
        Pra vê-la.

ROSALINDA
                Venha logo; vamos lá.
        Quem ama se alimenta vendo amor.
        Leve-nos lá, e tem minha promessa
        De ser ativo ator em sua peça.

(Saem.)

CENA 5
(Na floresta. Entram SILVIO e PHEBE.)

SILVIO
        Não me desdenhe, Phebe, não o faça.
        Diga que não me ama, mas o diga
        Sem amargura. Até mesmo o carrasco,
        Empedernido com a visão da morte,
5   Não desce a lâmina sobre o pescoço
        Sem implorar perdão. Quer ser mais dura
        Que o que vive do sangue que derrama?

(Entram, ao fundo, ROSALINDA, CÉLIA e CORIN.)

PHEBE
        Eu não desejo ser o seu carrasco;
        E fujo, porque não quero ofendê-lo.
10   Você fala que vê morte em meus olhos:
        É quase certo, e até bem provável,
        Que olhos, sendo o que há de mole e frágil,
        Mesmo fechando-se, por medo, aos átomos,
        Sejam chamados tiranos e assassinos.

15   Eu lhe franzo o meu cenho com vontade,
           E se meus olhos ferem, que o matem.
           E finja desmaiar: por que não cai,
           Ou, se não conseguir, mas que vergonha!
           Não minta que meus olhos o assassinam;
20   É só mostrar onde eles o feriram.
           Até do arranhão de um alfinete
           A marca fica; encoste-se em espinho,
           A cicatriz ou a marca da palma,
           Fica um momento; porém os meus olhos,
25   Que eu volto pra você, jamais o ferem,
           E nem, por certo, há olhos com tal força
           Que cheguem a ferir.

      Silvio
                  Querida Phebe,
           Se algum dia, e algum dia próximo,
           Você encontrar um rosto fresco e lindo,
30   Há de sentir o invisível talho
           Que faz flecha de amor.

      Phebe
                  Mas, até lá,
           Não chegue perto; e quando ele chegar,
           Pode zombar de mim, sem ter piedade,
           Como, até lá, não tenho eu por você.

      Rosalinda
           (Avançando.)
35   Por quê? Quem terá sido sua mãe
           Para que exulte, e insulte, ao mesmo tempo,
           Esse infeliz? Pois não tendo beleza –
           E juro que a não vejo mais em si
           Que vá pra cama a não ser sem vela –
40   Por isso é orgulhosa e sem piedade?
           O que é isso? Por que me olha assim?
           Em você não vejo mais do que o comum,
           O normal, da Natureza. E, por Deus,
           Creio que quer prender o meu olhar!
45   Nada disso, orgulhosa. Nem pensar.
           Jamais seu cenho ou seu cabelo pretos,
           Seus olhos de botão, faces cremosas,
           Hão de fazer com que eu a adore.
           Tolo pastor, por que a segue assim,
50   Bufando, cinza, com o vento do sul?
           Você é homem mil vezes mais belo,

　　　　　　　Que ela como mulher. Tolos assim
　　　　　　　Enchem o mundo de crianças feias.
　　　　　　　Em seu olhar, ela se vê mais bela
55　　　　　　Do que lhe mostra qualquer de seus traços.
　　　　　　　Moça, veja quem é. E, ajoelhada,
　　　　　　　Dê graças pelo amor de um homem bom;
　　　　　　　Pois tenho de dizer-lhe, ao pé do ouvido,
　　　　　　　Que venda quando puder, que é difícil.
60　　　　　　Peça perdão; deve amá-lo e aceitá-lo;
　　　　　　　Feia fica mais feia, com atos feios.
　　　　　　　Leve-a, pastor. E passem muito bem.

　　　PHEBE
　　　　　　　Doce rapaz, me xingue por um ano.
　　　　　　　Prefiro o seu xingar que o amor dele.

　　　ROSALINDA
　　　　　　　　(Para PHEBE.)
65　　　　　　Ele se apaixonou por sua feiura *(Para SILVIO.)* E ela vai se apaixonar
　　　　　　　pela minha raiva.¹⁰ Se assim for, tão depressa quanto ela o respon-
　　　　　　　de com olhares aborrecidos, eu a cubro de palavras amargas. *(Para
　　　　　　　PHEBE.)* Por que me olha assim?

　　　PHEBE
　　　　　　　Porque não lhe quero mal.

　　　ROSALINDA
70　　　　　　Peço que não se apaixone por mim,
　　　　　　　Pois sou mais falso que jura com vinho.
　　　　　　　Nem gosto de você. A minha casa
　　　　　　　Fica perto das oliveiras que ali crescem.
　　　　　　　Vamos, irmã. Pastora, olhe-o melhor,
75　　　　　　Nada de orgulho; é por todos notado
　　　　　　　Que ninguém sofre mais que esse coitado.
　　　　　　　Vamos ao nosso rebanho.

　　　　　　　　　　　　　　　　　(Saem ROSALINDA, CÉLIA e CORIN.)

　　　PHEBE
　　　　　　　Morto, pastor, sua força 'stá a brilhar,
　　　　　　　"Quem ama, sem ser com o primeiro olhar?"¹¹

　　　SILVIO
80　　　　　　Doce Phebe!

10　Alguns editores determinam que essas duas frases são ditas "à parte", o que parece bastante lógico. (N.T.)
11　Citação de "Hero and Leander", do então recém-falecido Christopher Marlowe. (N.T.)

PHEBE

                Que está dizendo, Silvio?

SILVIO

Doce Phebe, tenha pena de mim.

PHEBE

Ora, suave Silvio, pena eu tenho.

SILVIO

Mas onde a pena existe, existe alívio.
Se a tem pelo que sofre o meu amor,
É só me dar amor, que pena e dor
São logo exterminadas.

PHEBE

Tem meu amor. Não somos bons vizinhos?

SILVIO

Mas quero ter você.

PHEBE

                Isso é ganância.
Já houve tempo em que o odiava;
E não se trata agora de amá-lo,
Mas você fala assim, tão bem, de amor,
Que a sua irritante companhia
Resolvi aturar; e dou-lhe emprego.
Porém não busque maior recompensa
Que a alegria de eu usá-lo assim.

SILVIO

Meu amor é tão santo e tão perfeito,
E eu tão indigente de favores,
Que vou pensar que é safra das mais fartas
Ficar com as más espigas recusadas
Pelo primeiro a colher. Dê-me apenas
Vez por outra um sorriso, e disso vivo.

PHEBE

Conhece esse rapaz que me falou?

SILVIO

Não muito bem, mas o tenho encontrado
E ele comprou a choupana e as terras
Que pertenciam ao velho campônio.

    Phebe

        Não pense que pergunto por amá-lo.
        É implicante, embora fale bem –
        Que me importam palavras? Mas, palavras,
        Quando ele fala, agradam a quem ouve.
110   Ele é um rapaz bonito – mas não muito –
        E orgulhoso, mas com orgulho certo.
        Vai ser bom homem. O melhor que há nele
        É seu aspecto; e antes de sua língua
        Ferir depressa, o olhar já curou tudo.
115   É meio baixo, mas pra idade é alto.
        A perna é meio assim, mas é bem boa.
        E o lábio é de um vermelho bonitinho,
        Um pouco mais robusto e apetitoso
        Que o que leva nas faces; diferença
120   Como a da rosa rubra e a adamascada.
        E há moças, Silvio, que se reparassem
        Nele, por partes, como eu, chegavam
        Quase a se apaixonar; mas, quanto a mim,
        Não amo e nem odeio a ele; mesmo assim,
125   Tenho mais causas pra ódio que pra amor.
        Pois o que fez, senão repreender-me?
        Chamou de pretos meu cabelo e olhos,
        E se me lembro bem, zombou de mim.
        Fico espantada de não ter respondido.
130   Mas tudo bem. Calei, não consenti.
        Vou mandar-lhe uma carta provocante,
        E você pode entregá-la, não é, Silvio?

    Silvio

        Com todo o coração.

    Phebe

                    Vou escrever.
        Está tudo na cabeça e no meu peito.
135   Serei amarga e bastante ríspida.
        Venha comigo, Silvio.

                                      (Saem.)

ATO 4

CENA 1
(Na floresta de Arden. Entram Rosalinda, Célia e Jaques.)

JAQUES
Eu lhe peço, belo rapaz, que me permita conhecê-lo melhor.

ROSALINDA
Dizem que o senhor é um sujeito melancólico.

JAQUES
E sou mesmo. Acho melhor do que andar rindo.

ROSALINDA
Todos que cheguem a extremos de melancolia ou riso são sujeitos abomináveis, e se traem ante qualquer mínima censura, pior que bêbados.

JAQUES
É bom ficar triste e não dizer nada.

ROSALINDA
Então é bom ser poste.

JAQUES
Não tenho a melancolia do erudito, que vem da concorrência, nem a do músico, que é fantasiosa; nem a do cortesão, que vem do orgulho; nem a do soldado, que vem da ambição; nem a da dama, que é de refinamento afetado; nem a do amante, que tem um pouco de todas; a minha, porém, é só minha, composta de muitos ingredientes, extraída de muitos objetos, e de fato das variadas contemplações de minhas viagens, nas quais fico ruminando até ficar envolvido pela mais caprichosa tristeza.

ROSALINDA
Um viajante! Palavra, tem muitas razões para ser triste. Temo que tenha vendido as próprias terras para ver as dos outros. E depois ter visto muito e ficado apenas com olhos ricos e mãos pobres.

JAQUES
Sim, conquistei minha experiência.

(Entra Orlando.)

ROSALINDA

E sua experiência o entristece. Prefiro ter um bobo que me alegre do que experiência que me entristeça, e ainda ter de viajar para conquistá-la.

ORLANDO

Feliz bom dia, Rosalinda querida.

JAQUES

Que Deus o tenha, falando em verso branco!

ROSALINDA

Adeus, *monsieur viajante*. Capriche no sotaque, e vista-se de modo estranho; despreze tudo o que é bom em seu país; não goste de seu local de nascimento, e quase repreenda Deus por o ter feito do jeito que é; pois de outro modo jamais acreditarei que andou nadando de gôndola. *(Sai Jaques.)* Então, Orlando, por onde andou esse tempo todo? Você, apaixonado? Se me torna a fazer uma molecagem dessas, nunca mais apareça ante os meus olhos.

ORLANDO

Minha linda Rosalinda, cheguei menos de uma hora depois do prometido.

ROSALINDA

Quebrar uma hora de promessa no amor! Aquele que divide o minuto em mil partes, e quebra uma só parte dessas mil do minuto, pode dizer que Cupido o tocou no ombro, mas garanto que seu coração continua inteiro.

ORLANDO

Perdoe-me, querida Rosalinda.

ROSALINDA

Não, com atraso igual a esse, não me apareça mais. Prefiro ser cortejada por um caracol.

ORLANDO

Um caracol?

ROSALINDA

Isso; um caracol. Que pode vir devagar, mas já carrega a casa na cabeça, dote melhor do que você possa oferecer a qualquer mulher. Além disso, ele traz seu destino com ele.

ORLANDO

Que é qual?

ROSALINDA

Ora, os chifres – que gente como você provavelmente ficará devendo a suas esposas; mas ele vem armado com seu fado, evitando calúnias a respeito da mulher.

ORLANDO

Virtude não cria chifres; e minha Rosalinda é virtuosa.

ROSALINDA

E eu sou a sua Rosalinda.

CÉLIA

Ele está disposto a chamá-lo assim; porém ele tem uma Rosalinda de aspecto bem melhor que o seu.

ROSALINDA

Vamos, faça-me a corte, faça logo: pois estou com humor de festa e disposto a consentir. O que me diria agora, se eu fosse sua Rosalinda de verdade?

ORLANDO

Eu a beijaria antes de falar.

ROSALINDA

Não, é melhor falar primeiro, e quando ficar totalmente perdido por falta do que dizer, pode então aproveitar a ocasião para beijar. Os bons oradores, quando perdem o rumo, costumam cuspir, e quando falta aos amantes – que Deus nos proteja! – assunto, o recurso mais simples é o do beijo.

ORLANDO

E se o beijo for negado?

ROSALINDA

Aí ela o leva a implorar de novo, e começa todo um assunto novo.

ORLANDO

Quem fica sem assunto, diante da sua idolatrada amada?

ROSALINDA

Ora, você, se eu fosse a sua amada; pois se não, julgaria minha honestidade inferior ao meu espírito.

ORLANDO

Mas ficam gastos?

ROSALINDA
Não os seus trajes; só seus rogos de amor. Não sou a sua Rosalinda?

ORLANDO
Me apraz dizer que é, porque gostaria de estar falando com ela.

ROSALINDA
Pois na pessoa dela, digo que não o quero.

ORLANDO
Na minha própria pessoa, então, eu morro.

ROSALINDA
Não, palavra, morra por procuração. O pobre mundo está com quase seis mil anos, e nesse tempo todo não houve um só homem que tenha morrido em sua própria pessoa, quero dizer, por questão de amor. Troilus teve o crânio arrebentado por uma maça grega, mesmo tendo feito tudo para morrer antes, e ele é um dos paradigmas do amor. Leandro teria vivido por muitos anos, embora Hero fosse ser freira, se não fosse por aquela noite quente do auge do verão; mas o coitado resolveu se lavar no Helesponto e, por causa de câimbras, se afogou, e os tolos cronistas da época resolveram que foi por Hero de Sestos. Mas é tudo mentira: homens têm morrido de tempos em tempos, e os vermes os têm comido, mas nunca por amor.

ORLANDO
Não gostaria que minha Rosalinda certa pensasse assim, pois juro que só um olhar dela de cenho franzido poderia me matar.

ROSALINDA
Por esta mão, ela não mataria uma mosca. Mas, vamos, agora serei sua Rosalinda com disposição mais receptível; peça-me o que quiser, que eu concedo.

ORLANDO
Então me ame, Rosalinda.

ROSALINDA
Sim, eu juro que o amarei, até mesmo às sextas e sábados.

ORLANDO
E me aceita?

ROSALINDA
Você e mais uns vinte iguais.

ORLANDO
O que está dizendo?

ROSALINDA
Você não é bom?

ORLANDO
95 Espero que sim.

ROSALINDA
Pois então é possível se querer demais alguma coisa boa? Vamos, irmã; você será o padre e há de nos casar. Orlando, dê-me a sua mão. O que diz, minha irmã?

ORLANDO
Por favor, case-me.

CÉLIA
100 Eu não sei o que se diz.

ROSALINDA
Tem de começar com "Você, Orlando..."

CÉLIA
Então, vamos. Você, Orlando, tem a intenção de aceitar Rosalinda por sua esposa?

ORLANDO
Tenho.

ROSALINDA
105 Ter, tem; mas quando?

ORLANDO
O mais depressa que ela puder casar comigo.

ROSALINDA
Então você tem de dizer "Eu tomo a você, Rosalinda, como mulher".

ORLANDO
Eu tomo a você, Rosalinda, como mulher.

ROSALINDA
Eu deveria indagar com que autoridade; porém eu tomo a você, Or-
110 lando, *como meu marido*. A moça tomou a dianteira do padre, mas é certo que o pensamento da mulher sempre corre mais que suas ações.

ORLANDO
E todos os pensamentos, que têm asas.

ROSALINDA
E agora diga-me por quanto tempo a toma, agora que já a possui?

ORLANDO
Para um dia mais que sempre.

ROSALINDA
Melhor um dia, sem o sempre. Não senhor, Orlando, o homem é abril quando faz a corte, e dezembro quando casa. As moças são maio enquanto são donzelas, mas o céu muda quando se tornam esposas. Eu terei mais ciúmes de você do que um pombo-macho da barbária de sua fêmea, mais barulhento que papagaio contra a chuva, mais inventor de modas que um macaco, mais tonta de desejos que um mico. Chorarei por nada, como Diana na fonte, principalmente quando você estiver disposto a ficar alegre. E vou rir como uma hiena quando você mostrar que quer dormir.

ORLANDO
Mas será que a minha Rosalinda fará esse tipo de coisa?

ROSALINDA
Ora, juro que ela fará o que eu faço.

ORLANDO
Porém, ela é sábia.

ROSALINDA
Se não fosse, não teria espírito bastante para fazer o que eu disse. Quanto mais sábia, mais caprichosa. Feche as portas do espírito de uma mulher, e ele sairá pela janela; feche essa, sairá pela fechadura; feche essa, e ele sairá com a fumaça pela chaminé.

ORLANDO
Um homem cuja mulher tivesse um espírito desses poderia perguntar "Espírito para me desespiritar?".

ROSALINDA
Melhor guardar tal pergunta guardada, até dar com o espírito de sua mulher indo para a cama do vizinho.

ORLANDO
E que espírito tem espírito para conseguir justificar uma coisa dessas?

ROSALINDA

Ora, pode dizer que estava indo procurá-lo lá. Você jamais a apanhará sem uma resposta, a não ser que a encontre sem a língua. A mulher que não puder fazer de seu erro motivo para acusar o marido, melhor que jamais amamente o próprio filho, pois irá criar um tolo.

ORLANDO

Por duas horas, Rosalinda, devo deixá-la.

ROSALINDA

Ai, ai, amor, não posso ficar duas horas sem você.

ORLANDO

Tenho de servir o duque em seu almoço, porém às duas horas estarei de novo aqui com você.

ROSALINDA

Pois pode ir, pode ir. Sabia que tipo de homem você ia ser. Meus amigos me avisaram, e eu não esperava menos. Essa sua língua de bajulador me conquistou. É só mais uma descartada, pois que venha a morte! Você disse duas horas?

ORLANDO

Disse, doce Rosalinda.

ROSALINDA

Eu juro, falo a verdade, e que Deus me ajude, e por todas as outras juras que não sejam perigosas, se você quebrar o mínimo pedacinho de sua promessa, se vier um minuto depois da hora, hei de considerá-lo o mais patético dos quebradores de promessas, o mais oco dos amantes, e o menos merecedor daquela que você chama de Rosalinda, que possa ser encontrado do cômputo geral dos infiéis: portanto, lembre-se do meu aviso, e mantenha sua promessa.

ORLANDO

Com não menos religião do que se você fosse de fato a minha Rosalinda. Então, adeus.

ROSALINDA

Muito bem, o Tempo é o velho juiz que examina todos os transgressores desse tipo, e que o Tempo o julgue. Adeus.

(Sai ORLANDO.)

CÉLIA

Você simplesmente desrespeitou nosso sexo com essa sua brincadeira de amor. Precisamos arrancar suas calças e coletes pela cabeça, e mostrar ao mundo o que o passarinho fez ao seu próprio ninho.

ROSALINDA

Ah, prima, prima, prima, minha linda priminha, se você soubesse quantas braças de profundidade tem o meu amor! Mas não dá para sondar. Minha afeição tem um fundo desconhecido, como a Baía de Portugal.[12]

CÉLIA

Talvez seja sem fundo, que vai deixando passar a afeição, à medida que ela vai entrando.

ROSALINDA

Não. O malvado do bastardo de Vênus, gerado pelo pensamento, concebido num repente, e nascido da loucura, o menino cego e sapeca que atrapalha os olhos de todo mundo porque os seus estão perdidos, deixemos que ele julgue até que ponto estou afundada no amor. Eu lhe digo, Aliena, não suporto ficar longe dos olhos de Orlando. Vou procurar um canto sombrio para suspirar, até que ele volte.

CÉLIA

Pois eu vou dormir.

CENA 2

(Em outro ponto da floresta. Entram JAQUES e NOBRES, como caçadores.)

JAQUES

Quem foi que matou o cervo?

1º NOBRE

Senhor, fui eu.

JAQUES

Vamos apresentá-lo ao duque como um conquistador romano; e seria bom colocarmos os chifres em sua cabeça, como ramo da vitória. Como é, caçador, não tem uma canção para a ocasião?

2º NOBRE

Tenho, senhor.

JAQUES

Pois então cante. Não precisa ficar muito bem afinada, desde que fique bem barulhenta.

---

12 Sir Walter Raleigh usa a expressão, que parecer sido usada até o terceiro quarto do século XIX em referência ao trecho da costa portuguesa entre o Porto e Cintra. (N.T.)

(Um tom é dado, e todos cantam.)

Todos

    Que ganhará quem matou o veado?
10 *Pele de couro e o cenho chifrado.*
    Que cante pra casa. E o resto é arcado
    Com o peso.
    Não tema usar essa bela galhada,
    Desde o nascer, ela lhe foi destinada.
15 *O seu pai a usou*
    E seu pai o gerou.
    A galhada, a galhada, a galhada
    Não é coisa que seja desprezada.

(Saem.)

CENA 3
(Ainda na floresta. Entram Rosalinda e Célia.)

Rosalinda

O que diz agora, já não passa das duas? E não vejo muito Orlando por aqui.

Célia

Eu lhe garanto, que com o mais puro amor e perturbado cérebro, ele levou arco e flechas, e foi dormir em algum lugar. Mas veja quem vem aí.

(Entra Silvio.)

Silvio

    Meu recado é pro senhor, rapaz.
    A minha Phebe é que pediu que eu desse.
    Não sei o que é que diz, mas adivinho
    Pelos olhos zangados e ar de vespa
10 Que tinha enquanto ela escrevia isso,
    Que deve conter zanga. Me perdoe.
    Eu sou apenas portador sem culpa.

Rosalinda

    Com essa carta espanta-se a paciência,
    Que quer brigar. Mas quem atura isso?
15 Ela diz que não sou belo, e sou rude.
    Que sou vaidoso, e não podia amar-me,
    Nem que homem fosse fênix. Mas Deus sabe
    Que não é dela o amor que ando caçando;
    Por que me escreve assim? Ouça, pastor,
20 Esta carta, você é que inventou.

SILVIO

    Juro que não. Não sei o que contém;
    Foi Phebe que escreveu.

ROSALINDA

              Você é tolo,
    Virado pelo avesso pelo amor.
    A mão dela, de couro, é que escreveu.
25   Cor de pedra amarela. Pensei mesmo
    Que fossem luvas, mas eram só as mãos.
    Mão de cuidar da casa. Não importa.
    Mas não foi ela que inventou a carta.
    É inventada e escrita só por homem.

SILVIO

30   Mas eu tenho a certeza que é dela.

ROSALINDA

    É de um estilo fanfarrão e cruel,
    De quem quer briga. Me desafia como
    Turco um cristão. Cabeça de mulher
    Não inventa essas coisas gigantescas,
35   Esses termos etíopes, mais negros
    Em efeito que em forma. Quer ouvi-la?

SILVIO

    Por favor, eu não ouvi ainda;
    E, crueldade, eu já ouvi, de Phebe.

ROSALINDA

    Ela me faz de Phebe; ouça a malvada.

        (Lendo.)

40   *Será que és deus transformado em pastor,*
    Pra queimar coração de uma donzela?
    Há mulher que ofenda tanto?

SILVIO

    O senhor chama isso de ofensa?

ROSALINDA

        (Lendo.)
    Deixas de lado a tua divindade
45   *Pra lutar com o amor de uma mulher?*
    Mas alguém já ouviu tais desaforos?

>   *Enquanto olhar humano me buscou,*
>   *Não provocou em mim qualquer vingança.*
>   *O que faz de mim uma fera.*
> 50   *Se o desprezo desse seu olhar*
>   *Pôde criar um tal amor no meu,*
>   *Ai, ai, em mim que estranho efeito então*
>   *Provocaria ele, sendo doce?*
>   *Enquanto me ofendeu, eu o amei;*
> 55   *O que não hão de provocar teus rogos?*
>   *Aquele que te leva o meu amor*
>   *Não sabe que esse amor existe em mim;*
>   *Mande por ele, selada, a resposta,*
>   *Se a tua juventude e natureza*
> 60   *Vão aceitar a oferta leal*
>   *De mim mesma e do que sei fazer,*
>   *Mas se por ele a recusa chegar,*
>   *Vou achar meios para me matar.*

SILVIO

E o senhor chama isso de desaforo?

CÉLIA

65 Que pena, meu pobre passtor!

ROSALINDA

70 Tem pena dele? Não, ele não a merece. Ainda quer amar uma mulher dessas? O que, para fazer de você um instrumento de cordas soltas, onde há de tocar com você melodias desafinadas? Não é possível! Pois vá atrás dela, já que percebi que o seu amor o transformou em cobra domada, e diga o seguinte a ela: que se me ama, ordeno que o ame; se não quiser, que jamais a aceitarei, a não ser que você peça por ela, Se você ama de verdade, vá-se embora, sem uma palavra; pois lá vem mais companhia.

(Sai SILVIO.)

(Entra OLIVER.)

OLIVER

75 Bom dia, belos. Por favor, não sabem
Onde, por estes cantos da floresta
Há um aprisco cercado de oliveiras?

ROSALINDA

A oeste daqui, mais ali embaixo.
Entre os vimes e o murmúrio do rio,
À esquerda, na sua direita, é o lugar.

80 Mas no momento a casa está sozinha,
    Sem ninguém dentro.

OLIVER
    Tendo a língua servida pelos olhos,
    Eu reconheço, pela descrição,
    Suas vestes e idades. Ele é claro,
85 Com um toque feminino, e sempre agindo
    Como uma irmã mais velha. A moça é baixa,
    Mais morena que o irmão. Não são, então,
    Os donos da cabana que eu procuro?

ROSALINDA
    Não há vaidade em responder que somos.

OLIVER
90 Orlando manda que eu saúde a ambos,
    E ao rapaz que chama Rosalinda,
    Seu lenço ensanguentado. Não é ele?

ROSALINDA
    Sou eu. Mas do que nos fala esse lenço?

OLIVER
    De minha vergonha, se me perguntam;
95 Que homem sou eu, e como, onde e por que
    O lenço foi manchado.

CÉLIA
                    Diga, eu peço.

OLIVER
    Quando Orlando partiu, a última vez,
    Deixou uma promessa de voltar
    Em uma hora; e, andando na floresta,
100 Mascando o acridoce de seus sonhos,
    Eis o que aconteceu! Olhou pro lado
    E vejam o que se mostrou a ele:
    Sob um velho carvalho, todo musgo,
    Quase sem folha ao alto, de tão velho,
105 Um infeliz, cansado e desgrenhado,
    Está dormindo. Em torno do pescoço,
    'Stá enrolada cobra verde e ouro
    Que, ágil na ameaça, se aproxima
    De sua boca aberta. No entretanto,
110 Ao ver Orlando ela soltou a presa

            E, sinuosa, deslisou pra longe,
            Para um arbusto e, sob a sombra desse,
            Uma leoa, de mamas já secas,
            Estava deitada, em felina guarda,
115   Esperando que o homem despertasse,
            Pois é da têmpera real da fera
            Não atacar o que já parece morto.
            Ao vê-lo, Orlando, foi se aproximando
            E viu ser seu irmão, irmão mais velho.

    CÉLIA
120   Ora, eu o ouvi falar de seu irmão,
            Que descreveu como o mais desumano
            Dos homens vivos.

    OLIVER
                            E tinha razão,
            Pois eu sei bem que ele era desumano.

    ROSALINDA
            E quanto a Orlando? Ele o deixou ali,
125   Pra ser comida de leoa faminta?

    OLIVER
            Duas vezes virou-se, e tentou ir.
            Mas a bondade, melhor que a vingança,
            E a natureza, mais forte que esse acerto,
            O fez lutar, afinal, com a leoa,
130   Que logo derrubou; e nessa queda,
            Do miserável sono eu despertei.

    CÉLIA
            Mas é o seu irmão?

    ROSALINDA
                            E ele o salvou?

    CÉLIA
            Foi o senhor quem o tentou matar?

    OLIVER
            Fui eu. Mas não sou eu. Não me envergonho
135   De dizer o que fui, e a conversão,
            De gosto doce, fez-me o que ora sou.

    ROSALINDA
            E o lenço ensanguentado?

OLIVER
                    Já vou lá.
            Quando, depois do encontro entre nós dois,
            Contando histórias lavadas por pranto –
140   Como a razão para eu estar ali –
            Ele me conduziu ao gentil duque,
            Que me deu novas roupas, e equipou-me,
            E me entregou ao amor de meu mano,
            Que me levou até sua caverna,
145   E, se despindo, mostrou-me que, do braço,
            A leoa arrancara alguma carne,
            E inda sangrava; ele, então, desmaiou,
            E ao desmaiar chamou por Rosalinda.
            Eu o acordei, tratei sua ferida,
150   E após um tempo, de coração forte,
            Ele mandou-me aqui, desconhecido,
            Pra contar sua história e dar o lenço
            Manchado com seu sangue ao tal pastor
            Que, em brincadeira, chama Rosalinda

                (ROSALINDA *desmaia*.)

     CÉLIA
155   Que é isso, Ganimede! Ganimede!

     OLIVER
            Muita gente desmaia por ver sangue.

     CÉLIA
            É mais que isso. Primo Ganimede!

     OLIVER
            Veja, ele está vindo a si.

     ROSALINDA
            Queria estar em casa.

     CÉLIA
160   Nós o levamos lá. Por favor, poderia segurá-lo pelo braço?

     OLIVER
            Mais coragem, rapaz. Você é homem! Porém lhe falta coração de homem.

     ROSALINDA
            Eu sei, eu o confesso. Amigo, alguém pode dizer que fingi muito bem. Por favor diga a seu irmão como eu fingi bem. Ora viva!

OLIVER

165 Mas não foi fingimento, é muito forte o testemunho de seu aspecto garantido que o caso foi de uma emoção verdadeira.

ROSALINDA

Foi fingido, eu garanto.

OLIVER

Pois muito bem, alegre-se, e agora finja que é homem.

ROSALINDA

Vou fingir. Mas, para falar a verdade, eu, por direito, deveria ter sido
170 mulher.

CÉLIA

Vamos, está cada vez mais pálido, É melhor ir para casa. Meu senhor, venha conosco.

OLIVER

Irei. Porém tenho de ir levar a resposta sobre se perdoa meu irmão, Rosalinda.

ROSALINDA

175 Vou inventar qualquer coisa. Mas não deixe de elogiar meu fingimento para ele. Vamos indo?

(Saem.)

ATO 5

CENA 1
(Na floresta de Arden. Entram Touchstone, o bobo, e Audrey.)

BOBO
Havemos de encontrar a hora, Audrey. Paciência, gentil Audrey.

AUDREY
Palavra que aquele padre servia muito bem, apesar de tudo que aquele cavalheiro velho disse.

BOBO
Sir Oliver era um homem de grandes pecados, Audrey, um Borratexto muito safado. E existe um jovem aqui na floresta, Audrey, que diz ter direito a você.

AUDREY
Já sei quem é. Não tem nem o menor dos interesses em mim. Lá vem esse de quem está falando.

(Entra William.)

BOBO
Para mim, dar de cara com um bobo é um prato feito. Nós, os dotados de espírito, temos muito por que responder; vai ser um desafio de deboches. Não conseguimos evitar.

WILLIAM
Boa tarde, Audrey.

AUDREY
Boa tarde para você, William.

BOBO
Boa tarde, gentil amigo. Cubra a cabeça, cubra a cabeça. Por favor, cubra-se. Que idade tem?

WILLIAM
Vinte e cinco, senhor.

BOBO
Uma idade madura. Seu nome é William?

WILLIAM
William, sim, senhor.

BOBO

  Bonito nome. Nasceu aqui na floresta?

WILLIAM

  Sim, senhor; graças a Deus.

BOBO

  Graças a Deus. Uma boa resposta. E é rico?

WILLIAM

  Na verdade, assim, assim.

BOBO

  "Assim, assim" é bom, muito bom, muitíssimo bom. E no entanto não é; é assim, assim. Você é sábio?

WILLIAM

  Sim, senhor; tenho bastante espírito.

BOBO

  Ora, muito bem dito. Lembro-me agora de um ditado: "O bobo pensa que é sábio, mas o sábio sabe que é bobo". O filósofo pagão, quando queria comer uma uva, abria os lábios quando a punha na boca, indicando com isso que as uvas foram feitas para serem comidas, e os lábios para serem abertos. Você ama esta donzela?

WILLIAM

  Amo, sim, senhor.

BOBO

  Dê-me sua mão. Você é estudado?

WILLIAM

  Não, senhor.

BOBO

  Então, aprenda isto comigo. Ter é ter; pois é uma figura de retórica que a bebida, sendo derramada de uma caneca para um copo, por encher um, esvazia a outra. Pois não há escritor que não concorde que *ipse* é ele. Então, você não é *ipse*, porque eu sou ele.

WILLIAM

  Qual é ele, senhor?

BOBO

  O ele, senhor, que tem de casar com essa mulher. Portanto, palhaço, abandone – que é o termo vulgar para afaste-se – a sociedade – que em termos grosseiros é companhia – dessa fêmea – que em linguagem comum chamamos mulher. No todo, abandone a sociedade dessa fêmea, ou pereça, palhaço, que para que compreenda quer dizer morra; a saber, eu o mato, o liquido, traduzo vida em morte, sua liberdade em escravidão. Usarei venenos para você, ou um *bastinado*,[13] ou aço. Eu o sacudo em pedaços; o atropelo com política; o mato de cento e cinquenta modos diferentes. Portanto, treme e parte.

AUDREY

Obedeça, bom William.

WILLIAM

Que Deus o proteja, senhor.

(Sai.)

(Entra CORIN.)

CORIN

Nosso amo e ama o procuram. Venha logo, venha logo.

BOBO

Corre, Audrey, corre, Audrey. Eu estou indo.

(Saem.)

CENA 2
(Em um outro ponto da floresta. Entram ORLANDO e OLIVER.)

ORLANDO

Será possível que conhecendo tão pouco goste dela? Que bastando ver, você a amasse? E amando a cortejasse? E, cortejada, ela o aceitasse? E vai perseverar até obtê-la?

OLIVER

Não ponha em dúvida a loucura de tudo, nem a pobreza dela, nem o pouco conhecimento, minha corte repentina, nem seu repentino consentimento. Antes diga comigo que eu amo Aliena; diga com ela que ela me ama; concorde com os dois, para que possamos vir a possuir-nos um ao outro. Só lhe trará benefícios; pois a casa de meu pai e todas as rendas que eram de *Sir* Rowland eu deixarei para você, a fim de viver e morrer como pastor, aqui mesmo.

ORLANDO

Tem meu consentimento. Que se casem amanhã. Eu hei de convidar o duque e todos os seus alegres seguidores. Vá preparar Aliena; pois veja, aí vem minha Rosalinda.

---

13 Uma surra com um bastão. (N.T.)

(Entra Rosalinda.)

ROSALINDA
Deus o salve, irmão.

OLIVER
E a você, bela irmã.

ROSALINDA
Meu caro Orlando, não sabe como me entristece ver seu coração assim amarrado com um lenço.

ORLANDO
É o meu braço.

ROSALINDA
Pensei que seu coração tivesse sido ferido pelas garras de um leão.

ORLANDO
Ferido foi, mas pelos olhos de uma dama.

ROSALINDA
Contou-lhe seu irmão como eu fingi desmaiar, quando ele me mostrou o seu lenço?

ORLANDO
E maravilhas ainda maiores do que essa.

ROSALINDA
Sei do que fala. Não, é verdade. Nunca houve nada tão rápido, nem a luta entre dois bodes, nem a gabolice de César dizendo *vim, vi, e venci*. Pois seu irmão e minha irmã, mal se encontraram, se olharam; mal se olharam, se amaram; mal se amaram, suspiraram; mal suspiraram juntos, perguntaram um ao outro a razão; mal souberam da razão, e buscaram o remédio. E por tal gradação construíram uma espécie de escada para o casamento, que desejam subir incontinente, para não serem incontinentes antes do casamento. Estão no delírio do amor, e só querem ficar juntos. Pau nem pedra os separa.

ORLANDO
Vão casar-se amanhã, e eu convidarei o duque para as núpcias. Mas como é amargo olhar a felicidade pelos olhos de um outro! Na mesma medida chegarei eu amanhã ao cume da tristeza do meu peito, só julgando feliz meu irmão, por obter o que deseja.

ROSALINDA
Quer dizer que amanhã eu não posso lhe servir de Rosalinda?

ORLANDO
Não posso continuar a viver só de pensamento.

ROSALINDA

Então não hei de cansá-lo mais com tanta conversa inútil. Ouça-me então – pois agora vou falar por razões muito concretas – quando digo que sei que é um cavalheiro de boa linhagem. Digo isso não para que tenha boa opinião de meu conhecimento, quando digo que sei que o é; nem me esforço para gozar de alguma medida de maior estima, conquistada com uma convicção sua que faça bem a si próprio, não que me renda maior graça. Desde os três anos de idade que eu converso com um mágico, profundo em sua arte, e sem perigo de danação. Se você ama Rosalinda tanto em seu coração quanto seus gestos proclamam, quando seu irmão se casar com Aliena, você se casará com ela. Sei em que dificuldades da fortuna ela está envolvida, mas não é impossível para mim, se isso não lhe parecer inconveniente, apresentá-la amanhã diante de seus olhos, totalmente humana e sem perigos.

ORLANDO

Você diz isso tudo a sério?

ROSALINDA

Por minha vida, que muito prezo, embora eu seja uma mágica. Portanto, vista sua melhor roupa, convide seus amigos; pois se quiser casar-se amanhã, o será; com Rosalinda, se é o seu desejo. Veja! Aí vê um apaixonado dela e uma apaixonada dele.

(Entram SILVIO e PHEBE.)

PHEBE

Rapaz, foi muito descortês comigo
Mostrando a carta que era pra você.

ROSALINDA

Pouco me importa. Eu até me dedico
A ser grosseiro e duro com você.
Se é seguida por um fiel pastor,
Deve olhar, deve amar, quem a adora.

PHEBE

Bom pastor, diga a ele o que é amar.

SILVIO

É só ser feito de suspiro e pranto,
Como eu sou por Phebe.

PHEBE

Como eu por Ganimede.

ORLANDO

E eu por Rosalinda.

Rosalinda
E eu por mulher nenhuma.

Silvio
É só ser feito de fé e serviço
70 Como eu sou por Phebe.

Phebe
E eu por Ganimede.

Orlando
E eu por Rosalinda.

Rosalinda
E eu por mulher nenhuma.

Silvio
É ser feito todo só de fantasia,
75 Só feito de paixão e de desejos,
Só adoração, dever e correção,
Só humildade, paciência e impaciência,
Só pureza, provas sem fim, e ritos;
Como eu por Phebe.

Phebe
80 E eu por Ganimede.

Orlando
E eu por Rosalinda.

Rosalinda
E eu por mulher nenhuma.

Phebe
(Para Rosalinda.)
Se isso é verdade, por que me condena por amá-lo?

Silvio
(Para Phebe.)
Se isso é verdade, por que me condena por amá-la?

Orlando
85 Se isso é verdade, por que me condena por amá-la?

Rosalinda
A quem diz "Por que me condena por amá-la?".

Orlando
A alguém que não está aqui, e não me ouve.

ROSALINDA

Por favor, chega disso, parece o uivo de lobos irlandeses para a lua. *(Para Silvio.)* Eu o ajudarei se puder. *(Para Phebe.)* Eu a amaria se pudesse. Amanhã, encontrem-se todos comigo. *(Para Phebe.)* Eu casarei com você, se algum dia casar com mulher, e me casarei amanhã. *(Para Orlando.)* Eu o satisfarei, se algum dia satisfizer um homem, e você se casará amanhã. *(Para Silvio.)* Eu o deixarei contente, se o que o agrada o contentar, e você se casará amanhã. *(Para Orlando.)* Se ama Rosalinda, encontre-me. *(Para Silvio.)* Se ama Phebe, encontre-me. E como não amo mulher nenhuma, eu virei ao encontro. Pois passem bem, já deixei minhas ordens.

SILVIO

Não faltarei, se viver.

PHEBE

Nem eu.

ORLANDO

Nem eu.

(Saem.)

CENA 3
(Em outro ponto da floresta. Entram Touchstone, o bobo e Audrey.)

BOBO

Amanhã é o dia feliz, Audrey. Amanhã nós vamos nos casar.

AUDREY

Eu o desejo de todo o coração; e espero que não seja desejo desonesto, desejar ser uma mulher do mundo. Aí vêm dois dos pajens do duque banido.

(Entram dois Pajens.)

1º PAJEM

Saudações, honesto cavalheiro.

BOBO

E eu o saúdo. Venham, sentem-se, e cantem.

PAJENS

(Cantando.)
Um namorado e sua amada
E hey e ho e hey noninô
No milharal em caminhada,
Na primavera, a época mais linda,
Quando aves cantam seus trinados
É o mês feliz dos namorados.

	Por entre os campos de centeio
	E hey e ho e hey noninô
15	Os camponeses dão passeio,
	Na primavera, a época mais linda,
	Quando aves cantam seus trinados,
	É o mês feliz dos namorados.
	É quando cantam suas canções,
20	E hey e ho e hey noninô,
	Que as flores saem dos botões,
	Na primavera, a época mais linda,
	Quando aves cantam seus trinados,
	É o mês feliz dos namorados.
25	Portanto, use o tempo agora,
	E hey, e ho, e hey noninô.
	Quando o amor coroa a flora,
	Na primavera, a época mais linda,
	Quando aves cantam seus trinados,
30	É o mês feliz dos namorados.

BOBO

Sinceramente, rapazes, embora não houvesse muito conteúdo nos versos, a música estava bem desafinada.

1º PAJEM

Engano seu, senhor. Marcamos muito bem o tempo. O nosso tempo não foi perdido.

BOBO

35 Foi sim, pois conto como tempo perdido o que é gasto ouvindo canções tolas. Vão com Deus, e que Deus conserte suas vozes.

(Saem.)

CENA 4

(Em outro ponto da floresta. Entram DUQUE SENIOR, AMIENS, JAQUES, ORLANDO, OLIVER e CÉLIA.)

DUQUE SENIOR

Mas acredita, Orlando, que o rapaz
Possa fazer tudo o que prometeu?

ORLANDO

Às vezes acredito, às vezes não,
Pois quem espera, teme; e sabe disso.

(Entram ROSALINDA, SILVIO e PHEBE.)

ROSALINDA

5 Paciência, já está quase tudo pronto.

>   (*Para o* DUQUE.)
>   Diz que se trago a sua Rosalinda
>   Há de concedê-la, aqui, a Orlando?

DUQUE SENIOR
>   E mesmo tendo um reino eu a daria.

ROSALINDA
>   E você diz que a aceita, se eu a trago?

ORLANDO
>   Mesmo que fosse o rei dos reinos todos.

ROSALINDA
>   (*Para* PHEBE.)
>   E quer casar comigo, se eu quiser?

PHEBE
>   Mesmo que pra morrer, logo depois.

ROSALINDA
>   Porém, se não quiser casar comigo,
>   Concorda em dar-se a seu fiel pastor?

PHEBE
>   Foi esse o acordo.

ROSALINDA
>   (*Para* SILVIO.)
>   Se ela quiser, você aceita Phebe?

SILVIO
>   Mesmo que ela e a morte fossem uma.

ROSALINDA
>   Prometi acertar esse enredado.
>   Honre a palavra, duque, e dê a filha;
>   A sua, Orlando, e fique-lhe com a filha;
>   A sua, Phebe, e case-se comigo,
>   Ou, não querendo, tome o fiel pastor.
>   Honre a palavra, Silvio, que a aceita
>   Se ela a mim recusar; e agora eu parto
>   A fim de esclarecer todas as dúvidas.

>   (*Saem* ROSALINDA *e* CÉLIA.)

DUQUE SENIOR
A mim parece ver nesse pastor
Alguns dos belos traços de minha filha.

ORLANDO
Quando eu pela primeira vez o vi,
Julguei que fosse irmão de sua filha.
Mas, senhor, ele é cria da floresta,
E recebeu rudimentos de instrução
Meio disparatados, de um seu tio,
Que ele garante ser um grande mágico,
Oculto nos limites da floresta.

JAQUES
Estou certo de que vai haver outro dilúvio, e esses casais estão vindo para a arca. Aí vem um par de bichos muito estranhos, que são chamados de bobos em todas as línguas.

(Entram TOUCHSTONE e AUDREY.)

BOBO
Saudações e cumprimentos para todos.

JAQUES
Meu nobre senhor, dê-lhe as boas-vindas. Esse é o cavalheiro multicolor que tantas vezes encontrei na floresta. E ele jura que já foi cortesão.

BOBO
E se alguém duvidar, que me purgue a verdade. Já dancei, já cortejei damas, já fui político com amigo, escorregadio com inimigo, passei a perna em três alfaiates, tive quatro brigas, e gostaria de ter brigado em uma delas.

JAQUES
E como se resolveram as coisas?

BOBO
Para falar a verdade, nos encontramos, e descobrimos que a briga era sobre a sétima causa.

JAQUES
A sétima causa? Por Deus que eu gosto desse sujeito.

DUQUE SENIOR
Eu gosto muito dele.

BOBO

Que Deus lhe pague, eu lhe retribuo o gosto. Eu me apresento aqui, senhor, em meio ao resto dos copulativos campestres, para jurar e perjurar, segundo o quê o casamento liga e o sangue separa. Uma pobre virgem, senhor, uma coisa meio feiosa, senhor, mas só minha; um capricho sem graça esse meu, senhor, o de querer o que nenhum outro homem aceita. A rica honestidade mora como mendiga, senhor, em uma casa de pobre, assim como a pérola em uma ostra imunda.

DUQUE SENIOR

Palavra que ele é rápido e sentencioso.

BOBO

De acordo com o pouco alcance de sua flecha, e a doçura de suas tolices.

JAQUES

Mas quanto à sétima causa. Como resolveram a briga com a sétima causa?

BOBO

Com uma mentira que passou por sete etapas. Segura esse corpo melhor, Audrey. Foi assim, senhor. Eu não gostei do corte da barba de um certo cortesão; ele mandou me avisar que se eu dissesse que sua barba estava mal cortada, ele diria que achava que estava; isso se chama de Troco com Cortesia. Eu mandei dizer a ele, de novo, que não estava bem cortada, ele me mandou dizer que a cortava como lhe aprazia; isso se chama o Chiste Modesto. Se novamente não estiver bem cortada, e ele desconsiderasse meu julgamento, isso se chama a Resposta Emburrada. Se novamente não estivesse bem cortada, ele responderia que eu não falava a verdade; e isso se chama a Reprovação Desafiadora. E ainda uma vez não estivesse bem cortada, ele diria que eu minto, o que se chama a Contrapartida Provocadora, E assim chegamos à Mentira Circunstancial e à Mentira Direta.

JAQUES

E quantas vezes o senhor disse que a barba dele não estava bem cortada?

BOBO

Não ousei ir além da Mentira Circunstancial, nem ousou ele acusar-me da Mentira Direta. Medimos nossas espadas, e nos separamos.

JAQUES

Será que poderia agora nomear, em ordem, os vários graus da mentira?

BOBO
Ora, senhor, nós lutamos tendo em mãos os manuais, e só segundo o que diz o livro, do mesmo modo que os senhores têm livros de boas maneiras. Vou nomear cada etapa. A primeira é o Troco com Cortesia; a segunda, o Chiste Modesto; a terceira, a Resposta Emburrada; a quarta, a Reprovação Desafiadora; a quinta a Contrapartida Provocadora; a sexta a Mentira Circunstancial, e a sétima a Mentira Direta. Todas essas podem ser evitadas, menos a Mentira Direta; e esta também pode ser evitada, com um SE. Sei de uma ocasião em que sete juizes não conseguiram acertar uma briga, mas quando as partes se encontraram em pessoa, uma delas pensou em um SE, como por exemplo, "Se você disse isso, então eu disse aquilo". E se apertaram as mãos e saíram irmãos jurados. SE é o grande pacificador; e é dotado de grandes virtudes.

JAQUES
Não é uma raridade esse sujeito, senhor? Ele é igualmente bom em tudo, e no entanto é um bobo.

DUQUE SENIOR
Ele usa sua tolice como um cavalo saltador, e é montado nele que atira seus golpes de espírito.

(Entram HIMENEU, ROSALINDA, em seus próprios trajes, e CÉLIA. Continua a música.)

HIMENEU
No céu há alegria plena
Se toda luta terrena
Em paz está.
Bom duque, a filha recebeu
Vinda do céu, que Himeneu,
Trouxe pra cá.
Pra poder juntar mão com mão
De quem a tem no coração.

ROSALINDA
(Para o DUQUE.)
Ao senhor eu me dou, porque sou sua.

(Para ORLANDO.)

Ao senhor eu me dou, porque sou sua.

DUQUE
Se há verdade no olhar, é minha filha.

ORLANDO
Se há verdade no olhar, é Rosalinda.

PHEBE
110 Se o olhar e o aspecto são verdade,
Do meu amor o que resta é saudade.

ROSALINDA
Não tenho pai, se não for este aqui.
Nem marido, se não for este aqui.
Pra casar com mulher, só esta aqui.

HIMENEU
115 Não permito confusão.
Só eu trago a conclusão
Desses acontecimentos.
Oito mãos devem ser dadas
E por Himeneu ligadas,
120 Para haver contentamento.
Vocês dois nada separa;
Vocês dois o amor juntara;
Você ou a ele aceita,
Ou casa com mulher feita.
125 Vocês dois tão certos são,
Quanto o inverno e o trovão,
Durante o hino da boda,
Falem bem na coisa toda,
Pra que o espanto, com a razão,
130 Explique por que aqui estão.

(A Canção.)

A boda é de Juno a coroa,
Benção que vem a mesa e leito.
Himeneu a terra povoa,
A boda sempre há de ter preito.
135 *Honra, alta honra em quantidade,*
A Himeneu em toda cidade.

DUQUE SENIOR
É tão bem-vinda, sobrinha querida,
Quanto é a filha, na mesma medida.

PHEBE
(Para SILVIO.)
Engulo o dito; você hoje é meu,
140 Por ser fiel, você me convenceu.

(Entra Jaques de Boys.)

Jaques de Boys
    Peço audiência, uma palavra ou duas.
    Sou o segundo filho de *Sir* Rowland
    E a este alegre grupo eu trago novas.
    O duque Frederick, ao ouvir dizer
145   Que nobres, todo dia, vêm para cá,
    Armou grande poder de infantaria,
    Conduzido por ele, no intuito
    De capturar seu irmão, e matá-lo.
    Mas, ao chegar já perto da floresta,
150   Ele encontrou um velho religioso,
    E após muito argumento converteu-se
    E abandonou seu plano e, mais, o mundo.
    Ao mano banido lega a coroa,
    E lhe devolve suas terras todas,
155   Que perdera com o exílio. Que é verdade,
    Empenho a minha vida.

Duque
                Salve, jovem.
    Traz presentes a seus irmãos, nas bodas;
    A um, terras perdidas, e, ao outro,
    Uma terra sem fim, grande ducado.
160   Primeiro, na floresta, concluamos
    O que aqui foi gerado e começado;
    E depois disso, todos deste grupo alegre
    Que suportaram conosco esses dias,
    Irão compartilhar das novas messes,
165   Segundo a posição de cada um.
    Mas esqueçam agora as dignidades,
    Pra festejar em nossos usos rústicos.
    Mais música! E vocês, noivos e noivas,
    Bem compassados, dancem com os compassos.

Jaques
170   Com sua licença, Alteza. Se ouvi bem,
    O duque vai ter vida religiosa,
    E deixa ao abandono pompa e corte?

Jaques de Boys
    Exatamente.

Jaques
    Vou procurá-lo. De tais convertidos
175   Há muito o que se ouvir e aprender.

(Para o Duque.) A Vossa Alteza deixo antigas honras,
Que merecem virtude e paciência.
(Para Orlando.) A você, o amor que mereceu:
(Para Oliver.) A você, terra, amor, bons aliados.
(Para Silvio.) A você, deixo um leito merecido.
(Para o Bobo.) A vocês, brigas, pois seu casamento
Só levou mantimentos pra dois meses.
Felicidades! Minha dança é outra.

DUQUE

Fique, Jaques, fique.

JAQUES

Não sou de festas. Da sorte que lhes é dada
Ouvirei, na caverna abandonada.

DUQUE

Vamos, vamos. Que comecem os ritos,
Que cremos só trarão dias bonitos.

(Uma dança, ao fim da qual Rosalinda será deixada só, a fim de dizer o Epílogo.)

ROSALINDA

Não é moda ver a dama como epílogo; porém não é mais feio que ver o cavalheiro como prólogo. Se é verdade que bom vinho não precisa anúncio, é verdade que boa peça não precisa epílogo. No entanto, os bons vinhos usam bons anúncios; e boas peças ficam melhores com a ajuda de um bom epílogo. Em que situação fico eu, então, que nem sou bom epílogo, nem posso insinuar-me em favor de uma boa peça? Não estou vestida de mendiga, e portanto mendigar não me irá bem. Meu caminho será o da conjuração, e começarei com as mulheres. Eu lhes ordeno, mulheres, pelo amor que têm aos homens, que gostem tanto desta peça quanto lhes der prazer. E eu lhes ordeno, homens, pelo amor que têm às mulheres – e percebo por seus sorrisos babados que nenhum as odeia – que entre vocês e as mulheres a peça possa agradar. Se eu fosse mulher, eu beijaria todos os que têm barba e me agradassem, compleições que gostassem de mim, e cujo hálito não me desafiasse. E tenho a certeza de que todos os que têm boas barbas, ou bons rostos, ou hálito doce, hão de, pela minha simpática oferta, quando eu fizer minha reverência, dizer-me adeus.

(Sai.)

Noite de Reis

Introdução
Barbara Heliodora

O único texto de época de *Noite de Reis*, tida por muitos como a obra-prima da fase de ouro das comédias românticas, é o encontrado no *First Folio* das obras completas de Shakespeare. De modo geral, ele é de boa qualidade, tendo sido muito provavelmente baseado no *prompt-book*, ou livro do contrarregra, isto é, em um texto passado a limpo pelo escriba da companhia, onde não só as abreviações do autor ficavam esclarecidas, como também rubricas bastante detalhadas indicam seu uso no controle do espetáculo em si. A data da composição não pode ser precisada em termos absolutos, mas a obra não pode ter sido escrita nem antes de 1599, quando foi publicado o "novo mapa com o aumento das Índias", de autoria de Emerie Molineux (que Maria cita no Ato 3), nem depois de 2 de fevereiro de 1602, quando John Manningham anotou em seu diário tê-la visto em espetáculo apresentado no Middle Temple, a escola de direito onde residia. Mesmo que seja impossível ser mais preciso do que isso, uma série de detalhes torna incontestável o fato de *Noite de Reis*, talvez a mais luminosa e envolvente das comédias de Shakespeare, ser contemporânea muito próxima de *Hamlet*, o que a torna forte elemento da destruição do mito romântico de o período trágico ser consequência de alguma infelicidade pessoal na vida do autor.

É perfeitamente possível indicar algumas fontes possivelmente utilizadas por Shakespeare na composição desta comédia, cujo título foi contestado como inadequado por Pepys, mas que na verdade cabe muito bem se a encararmos justamente como uma obra escrita para ser apresentada na temporada natalina, ocasião festiva e de congraçamento. O triângulo Viola-Orsino-Olívia, além de aparecer em vários *scenarii de commedia dell'arte*, pode ser encontrado na comédia *Gl'Ingannati*, apresentada em 1531, na *Academia degli Intronati* de Siena, e publicada em 1537, cuja popularidade é facilmente atestada por *Les Abusées* (tradução para o francês de Charles Etienne, 1543), *Gl'Inganni* (variante de Niccolò Sacchi, 1562), *Los Engaños* (versão simplificada de Lope de Rueda, 1567), *Gl'Inganni* (outra variante de Curzio Gonzaga, 1592) e *Laelia* (versão latina de *Les Abusées*, montada em 1595, porém não publicada) — para falar apenas das versões dramáticas, já que em forma de romance a situação passa igualmente por várias encarnações, das quais a mais importante para o caso é a narrativa de "Apolônius e Silla" no *Riches Farewell to Military Profession* (1581). Tudo isso, é claro, sem contarmos que já na *Comédia dos erros*, que também fora apresentada em *uma noite de Reis*, Shakespeare já havia utilizado a história de gêmeos separados por um naufrágio (que ele encontrou em Plauto), e que já pusera em cena, anteriormente, uma jovem disfarçada de pajem, não só a servir seu amado, como até mesmo a ajudá-lo a conquistar nova amada, em *Os dois cavalheiros de Verona*. Se em *Noite de Reis* só houvesse esse triângulo, talvez pudéssemos afirmar que aí (em *Gli'Ingannati* e em *Riches*) estariam as fontes da comédia. Mas há também o trio cômico Sir Toby-Maria-Sir Andrew, mais Feste (o bobo) e Fabian, que juntam influências da *commedia dell'arte* com tradições medievais inglesas, conjunto esse que opera em nível rasteiro, por vezes até mesmo grosseiro, a ser contrastado com os idealizantes requintes do primeiro grupo. E, para coroar a complexidade do problema, na há qualquer fonte conhecida para um dos personagens mais marcantes da obra, Malvólio. O resultado, como de hábito, é que Shakespeare, como fez (e disse) Molière depois dele, toma "o que quer, onde quer", porém, jamais produzindo nada que se pareça com as obras anteriores, por assim dizer saqueadas pelo poeta. Acusada a certa altura de ser leve como uma teia de aranha, é possível que a analogia de *Noite de Reis* com esta seja mais correta doque foi a intenção desmerecedora, se pensarmos na surpreendente consistência e resistência que têm os fios de uma teia...

Noite de Reis não é a soma de várias influências ou fontes, mas, antes, o ouro que resultou da operação alquímica que Shakespeare realizou, juntando ao material já conhecido pitadas novas de interpretação e tom, graças a acréscimos e manipulações cujo segredo só ele parecia dominar. Como de regra quase que sem exceções em Shakespeare — e parte integrante de sua preocupação com o bom diálogo com sua platéia —, os principais temas da peça são enunciados logo no início da ação, com aquele que talvez seja realmente o mais importante, o do *excesso*, sendo introduzido logo no segundo verso: a música que Orsino pede em excesso expressa a desordem, a desmedida de seu romantizado suposto amor por Olívia, que lembra iguais desordens e desmedidas no suposto amor de Romeu por Rosalind, antes de ele conhecer Julieta. O egoísmo desse pseudoamor, a imensa preocupação de Orsino com seus próprios sentimentos, seu exagerado sofrimento, sua decantada infelicidade, também estabelecem o tema básico; e quando sabemos que, pela morte do irmão, Olívia jurou passar sete anos velada, sem ver ninguém, chorando diariamente, e abjurando o amor dos homens, estamos obviamente diante de outro exemplo de excesso e autoencantamento com sentimentos tão contrários à ordem natural das coisas quanto os de Orsino.

Esses sofrimentos ilusórios e autoimpostos são, como de hábito em Shakespeare, ao menos em parte resultado do excesso de lazer de uma classe privilegiada e, de momento, errando em dar mais atenção a eles do que às muitas responsabilidades que correspondem a seus privilégios, e a eles se contrapõe o sofrimento muito mais real, e por isso mesmo tocante, de alguém da mesma classe que enfrenta a realidade com maior objetividade e coragem, Viola. Também ela, no naufrágio, julga ter perdido um irmão amado, mas ao se ver sozinha em terra estranha tem a presença de espírito de disfarçar-se de pajem e procurar emprego até poder retomar sua vida, em termos mais equilibrados, o que a leva a servir Orsino (por quem se apaixona) e ainda ter de servir de mensageiro entre este e Olívia. A situação naturalmente se agrava quando Olívia, esquecendo seus excessivos votos de luto, se apaixona por Viola / Cesário, mas com isso fica completado o principal quadro de falsos ou difíceis amores a serem resolvidos, como sempre, depois de esbarrarem em toda uma série de obstáculos; a maior prova, para Shakespeare, de que os amores de Orsino / Olívia e Olívia / Cesário são falsos é o fato de serem ambos autogratificantes, egoístas, privados de generosidade do verdadeiro amor. Orsino fala de seu amor em termos de mar, como Julieta; mas em Orsino o mar é faminto, ao contrário do de Julieta, que quanto mais dá, mais rico fica. De certa forma, Orsino é um Romeu que permanece por mais tempo "apaixonado" por Rosalind.

Mas *Noite de Reis* oferece vários outros exemplos de excesso: Sir Toby é uma herança dos valeiros armados que defendiam os castelos dos nobres da Idade Média, e que agora, sem função, é apenas um *miles gloriosus*, decadente, um residente aturado porque parente, mas abusado e um tanto incômodo. Seu amigo Sir Andrew também tem resquícios medievais, na medida em que naquela época os viajantes eram recebidos como hóspedes por longos períodos — mas aqui ele é também um tolo de comédias populares tradicionais, usado por Sir Toby para obter dinheiro, graças a promessas de que sua prima Olívia, a dona da casa, estaria prestes a apaixonar-se pelo ridículo visitante: alguns anos mais tarde, ele será o Rodrigo explorado por Iago em *Otelo*.

Considerando que o objetivo de Sir Andrés seria casar-se com Olívia, não podemos deixar de incluí-lo entre os "excessos" ou aberrações do amor; mas nessa categoria fica ainda muito mais claramente enquadrado Malvólio, um dos grandes personagens da vasta galeria shakespeariana. Não faltarão os que queiram afirma que Shakespeare tem preconceitos de classe, e que sua condenação de Malvólio nasce apenas do fato de ele, mero administrador da casa de Olívia, sonhar em se casar com sua patroa; mas a crítica verdadeira de Shakespeare é de natureza bem diversa: todo vestido de preto, palmatória do mundo, pregando austeridade e abstinência, um típico representante das forças puritanas que fechariam os teatros ao implantar sua ditatorial "república" em 1642, o que é criticado nele é sua hipocrisia, pois o "amor" que ele proclama não é por Olívia, mas apenas por seu dinheiro, por uma sonhada vida mansa e sensual, com joias, lazer e poder (jamais exercidos por Olívia com os tons arbitrários que vislumbramos nos devaneios de Malvólio). E é sempre bom notar que, ao lidar com dois tipos contrastantes de comportamentos excessivos — e mesmo que reconheça que falta a ambos o equilíbrio ideal para o ser humano dentro do grupo social —, Shakespeare deixa transparecer que, entre os dois erros, há nele mais simpatia pelo desregramento generoso da bonomia de Sir Toby do que pelo autocongratulatório puritanismo de Malvólio, implacável para com as fraquezas humanas dos outros e indulgente só para com as suas próprias.

Todas essas confusões de valores servem para configurar a desordem tanto individual quanto do grupo social; e muito embora em uma comédia como esta as ênfases sejam muito mais tênues e os abalos muito menos arrasadores, temos de reconhecer que a diferença entre as comédias, peças históricas e tragédias de Shakespeare, no que tange à inter-relação entre a ordem no universo, no Estado e nas relações interpessoais, é apenas quantitativa, jamais qualitativa. É preciso apenas um mínimo de atenção para entrevermos, através da leveza e do divertido jogo não só de *Noite de Reis*, como de todas as comédias que Shakespeare escreveu, aquelas convicções mais básicas que norteiam o poeta. Em todos os casos, tais convicções têm de ser buscadas como discretíssima teia subjacente a toda a sua obra — no mais das vezes por meio de seu uso de estrutura ou de imagens —, já que sua missão é a de captar a infinita variedade do gênero humano, nunca a de manifestamente punir e premiar, menos ainda a de enunciar estreitas lições de moral. Aqui, como em outras obras, o *happy ending* corresponde, essencialmente, ao fato de os personagens, após uma série de peripécias, aprenderem a se conhecer melhor e, por *chegarem a identificar seus sentimentos mais verdadeiros*, alcançarem a harmonia interior e, assim, poderem participar com maior equilíbrio e proveito do grupo social a que pertencem.

De todos os personagens de *Noite de Reis*, o mais problemático para um público do século XXI é Feste, o Bobo. Até muito pouco antes da composição da obra, o cômico oficial da companhia fora William Kemp, de comicidade mais rasgada e óbvia, provavelmente pronto a introduzir "cacos" inconvenientes em momentos de maior seriedade, como critica Shakespeare na famosa fala de Hamlet aos atores. A entrada de Robert Armin para a companhia do Lord Camerlengo determina toda uma nova linha nos papéis do *clown* principal do grupo, mas a ginástica verbal de trocadilhos e charadas, tão cara aos elisabetanos, permanece bem distante de nós. A situação de assumida melancolia que domina tanto Orsino quanto Olívia no início da ação não propicia a função do Bobo, que vive da observação e do comentário dos pecadilhos dos que o cercam, e os esforços de Feste para provocar o riso podiam encantar o público do *Globe* pela exploração do jogo de palavras, mas por certo não nos parecem nada divertidos. Feste não deixa de ter algo da função de Puck no *Sonho*, isto é, a de observador isento de envolvimentos emocionais, porém seu aspecto mais importante é o ser ele, mesmo que precário em suas críticas a respeito daquele mundo galante, um pequeno rascunho do memorável bobo de *Rei Lear*, o implacável crítico do erro de julgamento de seu amo, o incansável instigador do despertar da consciência do velho rei. Mas em *Noite de Reis* o que de melhor ele nos dá são suas várias canções, e em particular a última, que traz o público de volta para o mundo real, no qual os finais felizes raramente acontecem como nas comédias românticas.

Sobre o final da comédia é preciso ainda uma palavra, pois raramente Shakespeare é tão cuidadoso em desatar cada um dos incontáveis nós que deu durante o desenrolar da ação: a aparência e a realidade, na relação entre personagens, e o autoengano, na realidade interior de cada um, são hábil e encantadoramente esclarecidos, para que a ordem e a harmonia possam ser integralmente alcançadas. Por tempo demais as comédias de Shakespeare foram elogiadas como deliciosas bolhas de sabão, lindas porém sem conteúdo; já é tempo de tirarmos delas um prazer ainda maior, dando ouvidos ao que o autor estava querendo propor ao escrevê-las.

LISTA DE PERSONAGENS

ORSINO, duque da Ilíria

VALENTINE
CURIO } fidalgos que servem o duque

1º OFICIAL
2º OFICIAL } a serviço do duque

VIOLA, mais tarde disfarçada como Cesário
SEBASTIAN, seu irmão gêmeo
CAPITÃO do navio naufragado, que protege Viola
ANTÔNIO, outro capitão de navio, que protege Antônio
OLÍVIA, uma condessa
MARIA, aia de Olívia
SIR TOBY BELCH, parente de Olívia
SIR ANDREW AGUECHEEK, companheiro de Sir Toby Belch
MALVÓLIO, administrador de Olívia
FABIAN, um dos servidores de Olívia
FESTE, bobo de Olívia
CRIADO de Olívia
PADRE
MÚSICOS, NOBRES, MARINHEIROS, SERVIDORES

A cena: Ilíria.

ATO 1

CENA 1

(Música. Entram Orsino, o duque da Ilíria, Cúrio e outros nobres.)

DUQUE

Se a música alimenta o amor, tocai.
Dai-ma em excesso pra que, saciado,
O apetite se esgote e morra, enfim.
A mesma frase! Que compasso triste!
5 Ao meu ouvido chega com o som doce
Que sopra sobre um campo de violetas,
Roubando e dando odor. Agora, basta!
Já não é tão doce quanto antes.
O espírito do amor, tão vivo e alerta,
10 Que, sem levar em conta o quanto pode,
Recebe como o mar. Nada o penetra,
Por mais alto que seja o seu valor,
Sem se abater, cair em baixo apreço,
Num segundo! Tão rico em fantasia,
15 É dono eterno da imaginação.

CÚRIO

Não quer caçar, senhor?

DUQUE

O quê, Cúrio?

CÚRIO

O coração da corça.

DUQUE

Vivo caçando o que mais nobre tenho!
Desde a primeira vez que vi Olívia
20 Pareceu-me que o ar tornou-se puro;
Meu coração tornou-se logo em corça
E meus desejos, cães cruéis e feros,
Desde então me perseguem.

(Entra Valentine.)

Que diz ela?

VALENTINE

Meu senhor, não deixaram que eu entrasse;

25   Mas tive, da criada, esta resposta:
     Nem mesmo o céu, por estes sete anos,
     Poderá ter acesso àquele rosto;
     Qual noviça andará sempre velada;
     Todos os dias regará seu quarto
30   De amargo pranto, só pra conservar
     O morto amor do irmão, que quer manter
     Pra sempre na tristeza da lembrança.

DUQUE
     Se ela tem coração tão delicado
     Que paga assim o amor só de um irmão,
35   Como amará quando a dourada flecha
     Matar todas as outras emoções
     Que nela vivem, quando mente e fígado,
     E coração, esses três soberanos,
     Se vierem condensar num só monarca.
40   Ide na frente – vamos buscar flores,
     O amor pensa melhor sob os seus ramos.

(Saem.)

CENA 2
(Costa marítima. Entram Viola, Capitão e marinheiros.)

VIOLA
     Que terra é esta, meus amigos?

CAPITÃO
     Esta é a Ilíria, senhora.

VIOLA
     E o que hei de fazer eu na Ilíria?
     O meu irmão está no Elísio;
5   Talvez não se afogasse; o que me dizem?

CAPITÃO
     Sua própria salvação foi mero acaso.

VIOLA
     Meu pobre irmão, talvez o acaso o salve.

CAPITÃO
     Eu sei, senhora; e pra dar-lhe alento
     Garanto-lhe que, após partir-se a nave,
10   Quando a senhora e os poucos que consigo

        Pegaram nosso barco, eu vi seu mano,
        Sensato no perigo, atar-se bem
        (Co'a ajuda do bom senso e da coragem)
        A um forte mastro que no mar boiava,
15   Onde, qual Arion montando o golfinho,
        Vi-o fazendo a onda sua amiga,
        Enquanto o pude ver.

   VIOLA

        Por isso, este ouro.
        A minha salvação dá-me esperança;
20   E o que conta permite-me esperar
        Pela dele. Conhece este país?

   CAPITÃO

        Sim, senhora. Nasci e fui criado
        A menos de três horas de onde estamos.

   VIOLA

        Quem o governa?

   CAPITÃO

25   Um duque, nobre em nome e em natureza.

   VIOLA

        Qual o seu nome?

   CAPITÃO

        Orsino.

   VIOLA

        Orsino, sim; meu pai falava dele.
        Então era solteiro.

   CAPITÃO

30   E ainda o é. Ou era, até há pouco;
        Pois eu me fui daqui faz só um mês,
        Quando então comentavam (como sabe
        Os grande fazem e os menores falam)
        Que ele buscava o amor da bela Olívia.

   VIOLA

35   Ela o que é?

   CAPITÃO

        Jovem virtuosa, ela é filha de um conde

   Que morreu há alguns anos e a deixou
   Tutelada do filho, seu irmão,
   Que há pouco morreu, e por cujo amor
40   Dizem ter ela a vista e a companhia
   Dos homens abjurado.

VIOLA

      Quem me dera
   Servi-la, pra ficar oculta ao mundo
   Até encontrar momento em que quisesse
   Dizer quem sou.

CAPITÃO

      Difícil consegui-lo,
45   Pois ela nega ouvido a toda súplica –
   Mesmo às do duque.

VIOLA

   Sua conduta tem algo de bom;
   Embora a natureza encubra às vezes
   Com o belo a poluição, em você
50   A mente só reflete, quero crer,
   O belo aspecto exterior que ostenta.
   Eu lhe peço (e com paga generosa)
   Oculte quem eu sou e me auxilie
   Com o disfarce que acaso venha a ter
55   A forma desse intento. Hei de servir
   O duque; diga-lhe que eu sou eunuco –
   Só ganhará com isso. Eu sei cantar
   E a ele falarei com tanta música
   Que é provável que queira o meu serviço.
60   O que mais venha, ao tempo deixarei:
   Que o seu silêncio cubra o que eu, só, sei.

CAPITÃO

   Seja então seu eunuco e eu seu mudo;
   E se eu falar, da vista perca eu tudo.

VIOLA

   Eu lhe agradeço. E, agora, me conduza.

             (Saem.)

CENA 3
(A casa de Olívia. Entram Sir Toby e Maria.)

Toby

Mas que raios quer dizer minha sobrinha, tomando assim a morte do irmão? As preocupações são inimigas da vida.

Maria

Palavra, Sir Toby, que o senhor tem de voltar mais cedo para casa, à noite. Sua prima, minha ama, faz grandes restrições aos seus horários.

Toby

Pois ela que restrinja as restrições.

Maria

Sim, mas o senhor tem de se ater aos modestos limites da ordem.

Toby

Ater? Não ficarei nem um pouco mais atado do que estou. Estas roupas são suficientemente boas para comer e beber, e estas botas também. E se não forem, elas que se enforquem com seus próprios cadarços.

Maria

Essas bebeções e bebedeiras ainda acabam com o senhor. Ontem ouvi minha ama falando disso; e também de um cavaleiro tolo que o senhor trouxe para cá uma noite dessas, a fim de cortejá-la.

Toby

Quem? Sir Andrew Aguecheek?

Maria

Esse mesmo.

Toby

Ele é uma das figuras mais altas da Ilíria.

Maria

E isso conta para o que ele quer?

Toby

Ora, ele conta com três mil ducados por ano.

Maria

É; mas os ducados vão caducar em um ano, de tão tonto e gastador que ele é.

Toby

Que vergonha dizer isso! Ele toca viola da gamba e fala três ou quatro línguas, palavra por palavra, sem olhar no livro, e tem todos os dotes singelos da natureza.

Maria

Tem todos mais simplórios que singelos, porque além de tolo ainda é brigão; e se não fosse o dote de covardia que tem para acalmar seu furor briguento, dizer os que têm juízo que logo, logo, receberia uma cova para dote.

Toby

Ponho a mão no fogo que os que dizem isso dele são safados e maledicentes. Quem são eles?

Maria

Os que garantem, além do mais, que toda noite ele se embebeda em sua companhia.

Toby

Bebendo à saúde de minha sobrinha, que eu beberei enquanto a goela aguentar e houver bebida na Ilíria. Covarde e crápula é quem não bebe por minha sobrinha até a cabeça rodar como o moinho da aldeia. O que foi, moça? Castiliano vulgo, pois aí vem Sir Andrew.

(Entra Sir Andrew.)

Andrew

Sir Toby Belch! Então, Sir Toby?

Toby

Meigo Sir Andrew!

Andrew

Que Deus a abençoe, linda megera.

Maria

E ao senhor também.

Toby

Aborde-a, Sir Andrew, aborde-a.

Andrew

O que é que foi?

Toby

A criada de quarto de minha sobrinha.

Andrew

Cara senhora Abórdea, eu gostaria de ampliar nosso conhecimento.

Maria

Meu nome é Maria, senhor.

Andrew

Bondosa senhora Maria Abórdea...

Toby

Está enganado, cavaleiro. "Aborde-a" quer dizer encare-a, aproxime-se, ataque-a.

Andrew

Palavra que não poderia atacá-la assim, na frente de tanta gente. "Abórde-a" é tudo isso?

Maria

Passem bem, senhores.

Toby

Se a deixar partir assim, nunca mais poderá desembainhar sua espada, Sir Andrew.

Andrew

Se parte assim, senhora, que eu jamais possa desembainhar minha espada de novo! Bela dama, pensa acaso que está lidando com um tolo?

Maria

Senhor, eu nem sequer toquei na sua mão.

Andrew

Pela Virgem, pois toque; eis aqui a minha mão.

Maria

Cada um pensa o que quer. Mas peço que azeite um pouco a sua mão.

Andrew

Para quê, querida? Qual é a sua metáfora?

Maria

Está seca, senhor.

Andrew

Mas é claro. Eu não sou tão tolo que não saiba manter seca a mão. Qual o chiste?

MARIA
Um chiste seco, senhor.

ANDREW
E a senhora é prenhe deles?

MARIA
Até as pontas dos dedos; mas agora eu largo a sua mão e fico estéril.

(Sai.)

TOBY
Cavaleiro, o que te falta é um cálice de Madeira! Quando já te vi assim derrotado?

ANDREW
Acho que nunca, a não ser que tenha visto o Madeira me derrotar. Às vezes até penso que não sou mais esperto do que um cristão ou qualquer outro medíocre. Sou de comer muita carne e creio que isso me faça mal ao espírito.

TOBY
Sem dúvida.

ANDREW
Se eu acreditasse mesmo, desistia dela. Amanhã cavalgo para casa, Sir Toby.

TOBY
Pourquoi, meu cavaleiro?

ANDREW
O que é "pourquoi"? É ir ou não ir? Quem me dera ter gasto com as línguas o tempo que gastei com esgrima, dança e lutas de ursos. Ah, se eu tivesse me encaixado nas artes!

TOBY
Tua cabeleira teria ficado muito artística.

ANDREW
O quê? Será que a arte teria "encaixado" meus cabelos?

TOBY
Nem se pergunta, pois está visto que a natureza, sozinha, não conseguiu nada.

ANDREW

Mas até que ficam bastante bem em mim assim, não ficam?

TOBY

Uma beleza. Caem como fibras de linho na roca; e espero ver uma boa mulher tomar-te entre as pernas para puxá-los e tecê-los.

ANDREW

Eu juro que amanhã vou para casa, Sir Toby. Sua sobrinha não quer ser vista e, quando quiser, aposto quatro contra um que não vai querer nada comigo. O próprio conde, que é vizinho, a corteja.

TOBY

Ela não quer nada com o conde. Não deseja casar-se acima de sua posição, seja em fortuna, idade ou espírito; já a ouvi jurar que não. Vamos, homem, a esperança é a última que morre.

ANDREW

Fico mais um mês. Eu sou o sujeito de mentalidade mais estranha do mundo. Há épocas em eu só gosto de espetáculos e farras.

TOBY

E és bom nessas quelque choses, cavaleiro?

ANDREW

Tão bom quanto qualquer outro na Ilíria, desde que ele seja inferior a meus superiores, embora não queira me comparar aos velhos experimentados.

TOBY

Qual a tua excelência na galharda?

ANDREW

Palavra que ainda dou minhas cabriolas!

TOBY

Quanto a mim, capricho nas coxas.

ANDREW

Meu passinho de rapada atrás é tão bom quanto o de qualquer homem na Ilíria.

TOBY

Mas por que fica tudo isso escondido? Por que ficam tais dotes ocultos por um véu? Será que existem só para juntar poeira, como retrato de velha? Por que não vais à igreja em uma galharda e voltas em um coranto? Meu próprio andar devia ser uma jiga. Eu não deveria verter águas senão com um passa-pé; Será este um mundo em que se deva esconder virtudes? Eu já imaginava, pela magnífica constituição de tua perna, que ela fora concebida sob o signo da galharda.

ANDREW

Ah, ela é muito forte e brilha com a maios mediocridade em malhas de cores malditas. Vamos nos meter em uma farra qualquer?

TOBY

E que mais haveríamos de fazer? Não nascemos sob o signo de Touro?

ANDREW

Touro? Isso é para as ancas e o coração.

TOBY

Não, senhor; é para pernas e coxas. Deixa-me vê-lo saracotear. Ah! Mais alto, há, há, excelente!

(Saem.)

CENA 4
(Palácio do duque. Entram VALENTINE e VIOLA, vestida de homem.)

VALENTINE

Se o duque continua com seus favores para com você, é provável que progrida muito. Há apenas três dias que ele o conhece e você não é mais um estranho.

VIOLA

O senhor teme seus caprichos ou minha negligência, quando põe em dúvida a continuação do seu amor? Ele é inconstante em seus favores, senhor?

VALENTINE

Não, pode crer que não.

(Entram o DUQUE, CÚRIO e séquito.)

VIOLA

Obrigado. Aí vem o conde.

DUQUE

Olá, quem viu o Cesário?

VIOLA

Aqui estou, meu senhor, para servi-lo.

DUQUE

    (Para CÚRIO e os CRIADOS.)
Afastai-vos por um pouco. *(Para VIOLA.)* Cesário,
Não sabes menos que tudo. Eu abri
Para ti os segredos de minh'alma.
Vai, portanto, buscá-la, meu bom jovem;
Não aceites recusas; junto à porta,
Dize que teus pés lá criarão raízes
Se não te dão audiência.

VIOLA

                Mas por certo.
Senhor, se ela está entregue à dor
O quanto dizem, nuca há de me ver.

DUQUE

Com clamor quebra as regras do bom trato
Antes de me voltares sem lucrar.

VIOLA

Se eu lhe falar, senhor, que faço então?

DUQUE

Então canta a paixão do meu amor;
Espanta-a co'as palavras dos meus votos;
Calha-te bem viver a minha dor.
Ela ouvirá melhor a juventude
Do que o núncio de aspecto mais sisudo.

VIOLA

Penso que não, senhor.

DUQUE

                Crê-me, rapaz,
Pois caluniará a tua idade
Quem disser que és um homem. Nem Diana
Tem os lábios tão rubros; e a voz fina
É como a da donzela, aguda e clara;
Tudo em ti tem aspecto de mulher.
Sei que tuas estrelas são propícias
Para o assunto. Que alguns sigam com ele,
Ou todos, mesmo, pois eu fico melhor
Quando sem companhia. Tem sucesso
E serás livre como o teu senhor
Com a sua fortuna.

VIOLA

           Eu farei tudo
Pra conquistá-la. *(À parte.)* Ó luta desditosa
Cortejar quando quero ser sua esposa.

(Saem todos.)

CENA 5
(Casa de Olívia. Entram Maria e o Bobo.)

MARIA

Não; ou me diz onde andou ou não abro a boca o suficiente para fazer passar nem sequer um fiapo de desculpa para você. A minha ama é capaz de enforcá-lo por sua ausência.

BOBO

Pois que me enforque. Quem já está bem enforcado neste mundo não precisa ter medo de bandeira.

MARIA

Explique-se.

BOBO

Ninguém tem medo do que já não vê.

MARIA

Isso é resposta esfarrapada. eu sei onde nasceu o ditado "não tenho medo de bandeira".

BOBO

Onde, senhora Maria?

MARIA

Na guerra, nisso é que você vai acabar se metendo, com todas as suas tontices.

BOBO

Bem, que Deus dê sabedoria a quem a tem, e que todos os bobos saibam usa seus talentos.

MARIA

Ou você acaba enforcado por ficar ausente tanto tempo, ou será posto na rua – o que não é o mesmo que enforcá-lo?

BOBO

Há muito enforcamento que impediu mau casamento; e se for posto na rua, que o verão me proteja.

MARIA

Quer dizer, então, que está inabalável?

BOBO

Eu não diria tanto, mas estou firme em dois pontos.

MARIA

Para, se um arrebentar, o outro aguentar; ou, se os dois arrebentarem, suas calças caem.

BOBO

Bom, muito bom, na verdade! Continue assim. Se Sir Toby deixasse de beber, você seria um pedaço de Eva tão espirituoso quanto qualquer outro na Ilíria.

MARIA

Chega, malandro; agora basta. Aí vem minha ama É melhor apresentar desculpas sensatas.

(Sai.)

(Entra OLÍVIA, com MALVÓLIO e outros servidores.)

BOBO

Espírito, se te apraz, faz-me bom de bobices! Os espirituosos que pensam possuir-te muitas vezes são só bobos, e eu que estou certo de não te ter posso passar por sábio. Pois, como diz Quinapalus, "melhor um bobo espirituoso do que um espirituoso bobo". Que Deus a abençoe, senhora.

OLÍVIA

Levem embora o bobo.

BOBO

Não ouviram, camaradas? Levem embora a senhora.

OLÍVIA

Chega, você é bobo que secou; para mim, chega. E, além disso, ficou muito desonesto.

BOBO

Duas faltas, madona, que a bebida e bons conselhos podem consertar. Dando de beber ao bobo, ele não fica mais seco. Peça ao desonesto que se emende; se se emendar, não será mais desonesto; se não puder, que o remendão o remende. Qualquer coisa emendada é remendada; a virtude que escorrega fica só com remendos de pecado, e o pecado que se emenda fica remendado de virtude. Se esse silogismo simples servir, ótimo. Se não, o que se há de fazer? O único cornudo verdadeiro é a calamidade, logo a beleza é uma flor. A senhora pediu que levassem embora o bobo; portanto, repito, levem-na embora.

OLÍVIA

Senhor, eu pedi-lhes que o levassem.

BOBO

Erro de apreensão do mais alto grau. Senhora, *cucullus non facir monachum*, o que quer dizer que não uso roupa de bobo no meu cérebro. Madona, deixe-me provar-lhe que é boba.

OLÍVIA

E pode fazê-lo?

BOBO

Com a maior facilidade, madona.

OLÍVIA

Apresente suas provas.

BOBO

Tenho de tomar-lhe o catecismo para isso, madona. Minha boa ratinha, responda-me.

OLÍVIA

Na falta de outra tolice qualquer, ouvirei suas provas.

BOBO

Boa madona, por quem chora?

OLÍVIA

Bom bobo, pela morte de meu irmão.

BOBO

Creio que a alma dele está no inferno, madona.

OLÍVIA

Eu sei que a alma dele está no céu, bobo.

BOBO

Então é boba, madona, por chorar pela alma de seu irmão, que está no céu. Levem embora a boba, cavalheiros.

OLÍVIA

O que pensa desse bobo, Malvólio? Ele não está se emendando?

MALVÓLIO

Está, e há de continuar, até que os golpes da morte o sacudam. A senilidade, que traz a decadência ao sábio, sempre melhora o bobo.

BOBO

Que Deus lhe mande, senhor, uma rápida senilidade, para o aprimoramento de sua bobice. Sir Toby jura que eu não sou nenhuma raposa, porém nem por dois vinténs dará sua palavra que o senhora não é boba.

OLÍVIA

O que diz a isso, Malvólio?

MALVÓLIO

Espanta-me que Vossa Senhoria se deleite com malandro tão estúpido. Eu o vi no outro dia ser derrotado por um bobo de taverna que não tinha mais miolos que uma pedra. Olhe só agora, ele já não pode defender-se. A não ser que a senhora ria e lhe dê oportunidade, fica engasgado. Eu lhe digo que, para mim, os sábios que muito cacarejam com bobices decoradas não passam de palhaços de bobos.

OLÍVIA

Você padece de egoísmo, Malvólio, e prova tudo com apetite destemperado. Ser generoso, livre de culpa e ter boa disposição é encarar como flechas sem ponta coisas que você considera balas de canhão. Não há calúnia em bobo da casa, mesmo quando só faz deblaterar, nem ofensa em homem sabidamente sério, mesmo quando só faz recriminar.

BOBO

Que Mercúrio a cubra de esperteza e artimanha, por falar bem dos bobos.

(Entra MARIA.)

MARIA

Madame, está no portão um jovem que deseja muito falar com a senhora.

OLÍVIA

Do conde Orsino, não é?

MARIA

Não sei, madame. É um jovem bem-apessoado e traz bela criadagem.

OLÍVIA

Quem da minha casa o detém?

MARIA

Seu parente, Sir Toby, madame.

OLÍVIA

Tire-o de lá, por favor. Fala qual um louco. É uma vergonha! *(Sai MARIA.)* Vá lá, Malvólio. Se for súplica do conde, eu estou doente ou então saí. Faça o que quiser, mas livre-se dele. *(Sai MALVÓLIO.)* Agora viu, senhor, como suas momices estão gastas e as pessoas não gostam mais delas.

BOBO

Falou por nós, madona, como se seu filho mais velho fosse bobo. Que Júpiter entupa seu crânio de cérebro, pois – lá vem ele – um de seus parentes tem massa cinzenta fraquíssima.

(Entra SIR TOBY.)

OLÍVIA

Juro que já está meio bêbado. Quem está no portão, meu primo?

TOBY

Um cavalheiro.

OLÍVIA

Um cavalheiro? Que cavalheiro?

TOBY

Há um cavalheiro aqui. *(Arrota.)* Raios partam os arenques defumados! Então, bobo, o que há?

BOBO

Meu bom Sir Toby.

OLÍVIA

Primo, primo, como caiu tão cedo nessa lassidão?

TOBY

Devassidão? Desafio a devassidão. Há alguém no portão.

OLÍVIA

Muito bem; quem é ele?

TOBY

Seja ele o demônio ou o que queira, não me importa. Desde que eu tenha fé, é o que digo. Bem, tudo dá na mesma.

OLÍVIA

Bobo, com o que se parece um homem bêbado?

BOBO

Com um afogado, um bobo e um louco. O primeiro trago dá-lhe a febre do bobo, o segundo o enlouquece e o terceiro o afoga.

OLÍVIA

Vá buscar o médico legista para ver meu primo, pois já atingiu o terceiro grau de bebida. Já se afogou. Vá cuidar dele.

BOBO

Por enquanto está só louco, e o bobo cuidará do louco.

(Sai.)

(Entra MALVÓLIO.)

MALVÓLIO

Madame, o rapazinho jura que lhe há de falar. Disse-lhe que estava doente; ele garante entender muito do assunto e, portanto, virá falar-lhe. Disse-lhe que estava dormindo. Parece que já previra isso também e, portanto, virá falar-lhe. O que devo dizer a ele, senhora? Tem resposta para todas as recusas.

OLÍVIA

Diga-lhe que não irá falar comigo.

MALVÓLIO

Já disse, e ele diz que ficará à sua porta como poste de delegacia ou plantado como um banco, mas que há de lhe falar.

OLÍVIA

Que espécie de homem é ele?

MALVÓLIO

Ora, da espécie humana.

OLÍVIA

Mas homem de que maneiras?

MALVÓLIO

Péssimas maneiras. Quer falar com a senhora, quer a senhora queira, quer não.

OLÍVIA

Que aspecto e idade tem ele?

MALVÓLIO

Não velho o bastante para ser homem, nem moço o bastante para

130 ser menino; é como a vagem antes de ser ervilha, como a maçã que ainda não ficou vermelha. Ele está na mudança da maré, entre menino e homem. É muito bonito e fala muito fino. Parece que mal foi desmamado.

OLÍVIA

Deixe-o entrar. Chame a minha aia.

MALVÓLIO

Aia, a senhora está chamando.

(Sai. Entra MARIA.)

OLÍVIA

135 Dê-me o meu véu; vamos, jogue-o sobre o meu rosto. Ouçamos novamente o embaixador de Orsino.

(Entra VIOLA.)

VIOLA

Qual é a honrada senhora da casa?

OLÍVIA

Fale comigo; responderei por ela. O que deseja?

VIOLA

140 Mais radiosa, requintada e inigualável das belezas – por favor, digam-me se esta é a senhora da casa, pois eu jamais a vi. Não gostaria de desperdiçar meu discurso, pois não só foi excepcionalmente bem escrito como também fiz grande esforço para decorá-lo. Minhas belas, não me menosprezem. Sou muito sensível, mesmo ao menor dos maus-tratos.

OLÍVIA

145 De onde vem, senhor?

VIOLA

Sei dizer muito pouco além do que estudei e essa pergunta não está incluída no meu papel. Gentil e bondosa donzela, dê-me garantia razoável de que é a senhora da casa, para eu poder continuar minha fala.

OLÍVIA

150 O senhor é ator?

VIOLA

Não, meu perspicaz coração; e, no entanto, juro pela própria peçonha da malícia, não sou o que represento. A senhora é a ama desta casa?

Olívia

A não ser que me usurpe, sim, sou eu.

Viola

Se for ela, é certo que não se usurpa, pois o que é seu para conceder não é seu para reter. Mas isso fica fora de minha incumbência. Continuarei minha fala em seu louvor, para depois revelar o âmago de minha mensagem.

Olívia

Vamos ao que importa. Dispenso-lhe os louvores.

Viola

Que pena, fiz muita força para estudá-los e são muito poéticos.

Olívia

Então ainda é mais provável que sejam fingidos. Peço-lhe que os guarde. Ouvi dizer que foi muito atrevido à minha porta, e permiti que entrasse mais para observá-lo do que para ouvi-lo. Se for louco, vá-se embora; se tiver uso da razão, seja breve. Não estou de lua para ouvir conversas tolas.

Maria

Quer enfurnar as velas, senhor? O caminho é por aqui.

Viola

Não, boa lambazeira; ainda vou flutuar um pouco aqui. Acalme um pouco o seu gigante, gentil senhora![1]

Olívia

Diga o que tem em mente.

Viola

Sou mensageiro.

Olívia

Por certo tem algo de horrível a dizer-me, já que age com tão assustadora cortesia. Diga qual a sua missão.

Viola

É só para os seus ouvidos. Não trago prenúncios de guerra, nem exigências de vassalagem. Na mão trago a oliveira; minhas palavras são tão cheias de paz quanto de significado.

---

[1] A fala toda se refere à pouca altura de Maria. (N.T.)

OLÍVIA

175 No entanto, começou de forma rude. O que deseja?

VIOLA

A rudeza que exibi aprendi com a recepção que tive. O que sou e o que desejo são coisas tão secretas quanto a virgindade, divinas a seus ouvidos, profanas aos dos outros.

OLÍVIA

180 Deixem-nos aqui sozinhos; ouçamos a palavra divina. *(Saem MARIA e os CRIADOS.)* Qual o seu texto?

VIOLA

Doce senhora –

OLÍVIA

Uma doutrina reconfortante; tem muito a seu favor. De onde vem seu texto?

VIOLA

Do seio de Orsino.

OLÍVIA

185 Do seu seio? Em que capítulo do seu seio?

VIOLA

Segundo a Teologia, no primeiro de seu coração.

OLÍVIA

Já o li. É heresia. Não tem mais a dizer?

VIOLA

Boa senhora, permita-me ver seu rosto.

OLÍVIA

190 Tem encargo de seu senhor para negociar com o meu rosto? Creio que já fugiu do seu texto. Porém abriremos a cortina para mostrar-lhe o quadro. *(Tira o véu.)* Veja, senhor, assim era eu neste momento. Não está bem-feito?

VIOLA

É excelente, se foi Deus quem fez tudo.

OLÍVIA

É tudo indelével, senhor; resistirá ao vento e às intempéries.

BOBO
E que agora o deus da melancolia te proteja, e que o alfaiate te faça um colete de tafetá furta-cor, pois tua mente é uma verdadeira opala. Eu gostaria que homens tais fossem lançados ao mar, para que seus negócios abrangessem todos os lugares, pois é isso que sempre faz do nada uma boa viagem.

(Sai.)

DUQUE
E que os demais se afastem.

(Saem CÚRIO e os SERVOS.)

Vai, Cesário,
Inda uma vez à cruel soberana.
Diz-lhe que meu amor, que é dos mais nobres,
Não dá valor a vastos latifúndios;
Os bens com que a fortuna a fez dotar,
Diz-lhe que eu julgo instáveis como o acaso,
Mas que o milagre da suprema gema
Com a qual a natureza a adornou
É que atraiu e prendeu a minh'alma.

VIOLA
Senhor, e se ela não puder amá-lo?

DUQUE
Não o admito.

VIOLA
Mas terá de admitir.
Digamos que alguma dama – o que é possível –
Sofra por seu amor com tanta pena
Quanto a que sente. E se não puder
Amá-la, não terá de lho dizer?
Não terá ela, então, de admiti-lo?

DUQUE
Não há no mundo peito de mulher
Que ature o bater forte da paixão
Do meu amor; e nem um coração
Tão grande quanto o meu e nem tão firme.
O seu amor não passa de apetite,
Não chega a ser paixão: é paladar
Que, satisfeito, cansa e regurgita;
Mas o meu é faminto como o mar,
Digere como ele. Não compare

(Entra Malvólio.)

Malvólio
    Pronto, às suas ordens.

Olívia
    Corre atrás desse jovem mensageiro,
    O homem do conde. Deixou-me este anel
    Sem que o quisesse. Diga que o recuso.
260 Eu não desejo que encoraje o amo,
    Nem que o iluda, pois não sou para ele.
    Se amanhã o rapaz tornar a vir,
    Darei minhas razões. Pode ir, Malvólio.

Malvólio
    Irei, madame.

                  (Sai.)

Olívia
265 Não me entendo e já temo constatar
    Que a mente é submetida pelo olhar.
    Forte fado, ninguém a si maneja:
    Tem de ser o que queres – e assim seja.

                  (Sai.)

ATO 2

CENA 1
(À beira-mar. Entram Antônio e Sebastian.)

ANTÔNIO

Não fica mais um pouco? Nem quer que eu vá com o senhor?

SEBASTIAN

Se me permite, não. Meus astros brilham negros sobre mim; a malignidade de meu fado talvez destemperasse o seu. Portanto eu rogo que me deixe, para que eu possa arcar sozinho com meus males. Seria má recompensa ao seu amor lançar qualquer um deles sobre o senhor.

ANTÔNIO

Mas diga-me para onde pensa ir.

SEBASTIAN

Não, em verdade, senhor. Minha viagem não será mais que errante. Percebo no senhor um toque tão notável de modéstia que sei que não tentará arrancar de mim o que prefiro guardar, mas que me provoca, por seus modos, a prestar contas de mim mesmo. Quero que saiba, então, a meu respeito, Antônio, que meu nome é Sebastian, embora eu me dissesse Rodrigo. Meu pai era aquele Sebastian de Messalina de quem estou certo já ouviu falar. Deixou atrás de si a mim e a uma irmã, nascida na mesma hora. Prouvesse aos céus que assim, juntos, tivéssemos nosso fim. Foi o senhor quem alterou esse plano, pois, cerca de uma hora antes que me salvasse da arrebentação, minha irmã afogou-se.

ANTÔNIO

Que tristeza!

SEBASTIAN

Uma jovem, senhor, que, apesar de dizerem parecer-se muito comigo era, ainda assim, julgada bela por muitos. Embora eu não pudesse, ante tais elogios, acreditar muito, ao menos isto eu posso afirmar: tinha uma mente tal que nem a inveja deixaria de chamar bela. Ela já se afogou, senhor, em água salgada, embora eu pareça querer produzir mais ainda, para afogar sua lembrança.

ANTÔNIO

Peço perdão por recebê-lo tão mal.

SEBASTIAN

Ó bom Antônio, perdoe-me o trabalho que dei.

ANTÔNIO

Se não quiser matar-me por seu amor, permita que seja seu criado.

SEBASTIAN

Se não quiser desfazer o que fez, isto é, matar o que salvou, não o deseje. Adeus, agora. Há bondade em meu peito e ainda estou tão perto dos hábitos de minha mãe, que qualquer nova provocação fará com que meus olhos me traiam. Vou para a corte do conde Orsino. Adeus.

(Sai.)

ANTÔNIO

Que a bondade dos deuses o acompanhe.
Tenho inimigos na corte de Orsino,
Senão, em breve eu o veria lá.
Mas, seja como for, o quero tanto
Que irei, vendo o perigo como encanto.

(Sai.)

CENA 2
(Rua perto da casa de OLÍVIA. Entram VIOLA e MALVÓLIO, por entradas diferentes.)

MALVÓLIO

Não esteve ainda agora com a condessa Olívia?

VIOLA

Agora mesmo, senhor. Andando lentamente, só cheguei até aqui.

MALVÓLIO

Ela lhe devolve este anel, senhor. Poderia me ter poupado este trabalho, trazendo-o o senhor mesmo. Ela acrescenta mais que o senhor deve dar a seu amo desesperadas garantias de que ela não o quer. E, mais, que não deve jamais vir aqui a serviço dele, a não ser que seja para relatar como o seu amo recebeu tal notícia. Assim, aceite-o.

VIOLA

Ela tomou-me o anel. Eu não o quero.

MALVÓLIO

Vamos, senhor, sei que com irreverência o atirou a ela, e é vontade de-

la que ele lhe seja devolvido. Se ele lhe valer o esforço de abaixar-se,
aí está ele, à sua vista; senão, que seja de quem o encontrar.

(Sai.)

VIOLA
Anel? Não lhe dei nada! O que é isso?
Deus queira que não ame o meu aspecto.
Olhou-me bem, tão bem que eu já pensava
Que seus olhos prendiam sua língua,
Pois falava aos arrancos, sem sentido.
Sei que me ama e as artes da paixão
Vêm me chamar por este mensageiro.
Nada de anel do amo? Mas se ele
Não deu nada, é a mim que ela quer;
E se assim for, antes amasse um sonho.
Disfarce, já percebo que és maléfico,
E que em ti o demônio pode agir.
Como é fácil ao falso que é bonito
Moldar o coração de uma mulher!
É da nossa fraqueza, não de nós,
Que isso vem, pois só somos o que somos.
Que dará isto? O meu amo a ama
E eu, monstrengo, também amo a ele;
E ela, enganada, pensa amar a mim.
Como isso acabará? Como homem,
Desespero por obter o amor do meu amo;
Mas, como mulher (ai, que tristeza!)
Que suspiros inúteis dá Olívia!
Só o tempo, e não eu, desfaz tal nó,
Firme demais pr'eu desatá-lo só.

(Sai.)

CENA 3

(Sala na casa de OLÍVIA. Entram SIR TOBY e SIR ANDREW.)

TOBY
Venha, Sir Andrew. Quem ainda não se deitou à meia-noite levanta-se cedo; e diluculo sugere, sabe como é.

ANDREW
Não, para falar a verdade, não sei não – mas eu sei que ficar acordado até tarde é ficar acordado até tarde.

TOBY
Uma conclusão falsa; detesto-a, como a uma caneca vazia. Ficar acor-

...depois da meia-noite, e depois ir para a cama, é cedo; de modo ...e ir para a cama depois da meia-noite é deitar-se cedo. Nossa vida ...ão consiste nos quatro elementos?

É o que dizem, mas eu acho, antes, que ela consiste em comer e beber.

(Entra o Bobo.)

ANDREW

Por minha fé, aí vem o bobo.

BOBO

Então, meus corações? Nunca viram o retrato de "nós três"?

TOBY

Bem-vindo, jumento. Agora, vamos a uma canção.

ANDREW

Palavra de honra, o bobo tem voz excelente. Eu daria quarenta xelins para ter as pernas e a voz para cantar que o bobo tem. Verdade, estava muito agradável em tuas bobices ontem à noite, quando falaste de Pigromitus e dos Valpianos atravessando o equinócio de Queubus. Muito bom, de verdade. Eu te mandei seis pence para tua namorada. Recebeste-os?

BOBO

Eu contraembolsei a tua gratificação, já que o nariz de Malvólio não é pelourinho. A minha senhora tem a mão branca, mas seus sequazes não são cerveja de taverna.

ANDREW

Excelente. Ora, essa foi a melhor bobice de todas. Agora uma canção!

TOBY

Vamos, aí estão seis pence para você.

ANDREW

E eu dou seis mais. Se um cavaleiro dá...

BOBO

Querem canção de amor ou canção da vida boa?

TOBY

De amor, de amor.

ANDREW

Isso, isso, eu não me importo com vida boa.

Bobo

(Canta.)

Amada, aonde vais vagando?
Fica, o teu amor 'stá chegando,
Que canta no grave e no agudo.
Não foge, que os dias errantes
Cessam com o encontro de amantes;
O sábio sabe de tudo.

Andrew

Excelente, na verdade.

Toby

Bom, bom.

Bobo

(Canta.)

Que é amor? Não é porvir;
O gozo de agora faz rir:
O que há de vir ninguém garante.
Não há fartura na demora,
Dá-me então teus beijos agora:
A juventude é inconstante.

Andrew

Uma voz melíflua, palavra de cavaleiro.

Toby

Uma canção contagiante.

Andrew

Deveras doce e contagiosa.

Toby

Ouvida pelo nariz é de contágio muito doce. Mas vamos fazer o céu dançar de verdade? Ou despertar a coruja noturna com uma música capaz de arrancar três almas de um só tecelão? Vamos?

Andrew

Argh, vamos! Se gostam de mim, vamos! Eu, com música, sou um urso.

Bobo

A única diferença é a argola no nariz.

Andrew

Isso mesmo! A música vai ser "O crápula".

BOBO
"Fique calado, ó crápula", cavaleiro? Serei obrigado a chamá-lo de crápula, cavaleiro.

ANDREW
Não será a primeira vez que alguém me chama de crápula. Comece, bobo. Comece com "Fique calado".

BOBO
Se ficar calado, não começo nunca.

ANDREW
Está tudo muito bem, vamos começar.

(Começa a cantar. Entra MARIA.)

MARIA
Mas que baderna é essa que estão armando aqui? Se a ama não mandou chamar Malvólio, seu administrador, para pô-los pela porta afora, eu não sei, não.

TOBY
Somos muito marotos para cair nessas lorotas da sua ama. Malvólio é um borra-botas e *(Canta.)* "nós somos três alegres companheiros". Será que eu não sou consanguíneo? Deixemo-nos de asneiras, minha senhora. *(Canta.)* "Havia um homem na Babilônia, minha senhora"...

BOBO
Raios me partam se o cavaleiro não dá um ótimo bobo.

ANDREW
Ele é muito bobo, quando tem vontade. E eu também. Ele é mais sofisticado, mas meu talento é mais natural.

TOBY
(Canta.)
Na Noite de Reis.

MARIA
Pelo amor de Deus, quieto!

(Entra MALVÓLIO.)

MALVÓLIO
Senhores, estão loucos? Ou o que mais podem estar? Será que não têm bom senso, compostura ou decência, para gritarem como funileiros no meio da noite? Fazem uma taverna da casa de minha senho-

ra, para guincharem seus cantos de remendão sem tentar sequer abaixar um pouco a voz? Será que não têm respeito por lugar, pessoa ou hora?

TOBY
Qualquer um pode marcar hora por nosso ritmo. Vá se enforcar.

MALVÓLIO
Sir Toby, tenho de ser rude com o senhor. Minha senhora pediu-me que lhe dissesse que, muito embora o abrigue como seu parente, ela não tem nada a ver com as suas desordens. Se puder separar sua pessoa de seu mau comportamento, será bem-vindo a esta casa. Senão, e se lhe aprouvesse despedir-se dela, estaria perfeitamente disposta a desejar-lhe boa viagem.

TOBY
(Canta.)
Adeus, meu coração, pois tenho de partir.

MARIA
Não, meu bom Sir Toby.

BOBO
(Canta.)
Diz seu olhar que está pra se extinguir.

MALVÓLIO
Ah, então é assim?

TOBY
(Canta.)
Porém não morrerei jamais.

BOBO
(Canta.)
Sir Toby, assim é mentir demais.

MARIA
Essa frase depõe muito a seu favor.

TOBY
(Canta.)
Devo mandar que se vá?

BOBO
(Canta.)
E se mandar, adianta lá?

TOBY

(Canta.)
Mas mandar sério, sem bobagem?

BOBO

(Canta.)
Não, não, não, não; não terá coragem!

TOBY

Isso é mentira; e de pé quebrado. *(Para MALVÓLIO.)* Serás tu acaso mais que administrador? Pensas, acaso, que por seres virtuoso, não haverá mais nem bolos nem cerveja?

BOBO

Isso mesmo, por Sant'Ana – e que o gengibre também continue a nos esquentar a boca.

(Sai.)

TOBY

Senhor bobo, tem toda a razão – quanto a si, senhor, vai lustrar teu colar com migalhas. Um copo de vinho, Maria!

MALVÓLIO

Senhora Maria, se sentisse pelo apreço de minha senhora algo mais que desprezo, não contribuiria com os meios para atos tão desregrados. Por esta mão, garanto que ela vai saber de tudo.

(Sai.)

MARIA

Vá abanar as orelhas!

ANDREW

Seria quase tão bom quanto beber quando se tem fome desafiá-lo para um duelo e depois quebrar a palavra e fazê-lo de bobo!

TOBY

Avante, cavaleiro! Escreverei um desafio em teu nome, ou, se preferes, irei expressar-lhe tua indignação de viva voz.

MARIA

Caro Sir Toby, tenha paciência por esta noite. Desde que aquele rapaz do conde esteve com minha ama, hoje, ela ficou muito perturbada. Quanto a monsieur Malvólio, deixem-no comigo. Se não o fizer ficar na boca do mundo ou transformá-lo em motivo de ridículo, podem julgar até que não sou suficientemente esperta para me deitar direito na minha cama. Eu sei que posso fazê-lo.

Toby

Revele-nos, revele-nos. Conte-nos algo sobre ele.

Maria

Sabe, senhor, às vezes ele é uma espécie de puritano.

Andrew

Se eu tivesse sabido, eu o teria escorraçado como a um cão.

Toby

Por ser puritano? Suas recônditas razões para isso, caro cavaleiro?

Andrew

Recônditas eu não tenho, mas tenho razões muito boas.

Maria

Um diabo de puritano que ele é, pois não é nada com constância a não ser um velhaco, um jumento presunçoso, que decora gestos e frases para ter acessos de declamação. Tão entupido de excelentes qualidades, sendo ele mesmo, que acredita que estas garantem que todos os que o veem o amem; e é nesse vício dele que a minha vingança vai encontrar material para trabalhar.

Toby

O que pretende fazer?

Maria

Deixarei cair em seu caminho obscuras missivas de amor, nas quais, pela cor de sua barba, o feitio de sua perna, seu modo de andar, a expressividade de seus olhos, sua testa e compleição, ele se julgará delirantemente retratado. Eu tenho a letra muito parecida com a de minha ama, sua sobrinha; em coisas escritas há muito tempo é impossível distinguir uma da outra.

Toby

Excelente. Estou cheirando alguma arte.

Andrew

Já chegou ao meu nariz também.

Toby

Ele pensará, pelas cartas que irá deixar cair, que elas são de minha sobrinha e que ela está apaixonada por ele.

MARIA
É, estou apostando em um cavalo bem dessa cor.

ANDREW
E o seu cavalo vai fazer dele um jumento.

MARIA
Sem dúvida.

ANDREW
Ah, vai ser admirável.

MARIA
140   Será um esporte para reis, eu garanto. Sei que meu remédio vai funcionar nele. Vou esconder os senhores – e o bobo será o terceiro – onde ele irá encontrar a carta. Por hoje, cama, para sonhar com o que vai acontecer. Adeus.

(Sai.)

TOBY
Boa noite, Pentesilea.

ANDREW
145   Pois para mim ela é uma boa moça.

TOBY
É uma cadelinha de raça – e que me adora. E daí?

ANDREW
Eu também fui adorado uma vez.

TOBY
Vamos nos deitar, cavaleiro. Precisas mandar buscar mais dinheiro.

ANDREW
Se eu não conquistar sua sobrinha, vou ficar em um grande aperto.

TOBY
150   Manda buscar dinheiro, cavaleiro. Se não a ganhar podes chamar-me Cotó.

ANDREW
Se eu não a conquistar, seja como for, nunca mais confie em mim.

TOBY

Vamos, vamos; eu vou preparar um quentão. É tarde demais para ir para a cama agora. Vamos, cavaleiro; vamos, cavaleiro.

(Saem.)

CENA 4
(O palácio do duque. Entram o DUQUE, CÚRIO, VIOLA e outros.)

DUQUE

Quero mais música. E bom dia, amigos.
E agora, bom Cesário, essa canção
Antiga e estranha que escutamos ontem.
Senti que ela aliviou minha paixão
5   Mais do que as árias frias e estudadas
De nosso tempo tonto e apressado.
Vamos, um verso apenas.

CÚRIO

Não está aqui, com seu perdão, senhor, quem deveria cantá-la.

DUQUE

E quem é ele?

CÚRIO

10   Feste, o cômico, senhor; um bobo que dava grande prazer ao pai da Lady Olívia. Está aí pela casa.

DUQUE

Vá procurá-lo, e que no entanto toquem a melodia.

(Sai CÚRIO, toca a música.)

Vem cá, rapaz. Se acaso um dia amares,
Nas dores desse amor lembra de mim,
15   Pois todo amante é fiel como eu,
Sempre inconstante em todo sentimento
A não ser na constância da visão
Do ser amado. Gosta dessa música?

VIOLA

Ela é o eco perfeito para o trono
20   Onde senta o amor.

DUQUE

Que bem o dizes.

Por Deus que, mesmo jovem, teu olhar
Parece já ter visto um rosto amado.
Não foi, rapaz?

VIOLA

Um pouco, meu senhor.

DUQUE

Como é ela?

VIOLA

Tem sua compleição.

DUQUE

Não te merece, então. Que idade tem?

VIOLA

Mais ou menos a sua, meu senhor.

DUQUE

Velha demais! Que a mulher tome sempre
Algum homem mais velho do que ela,
Pois só assim se adapta a seu marido
E prende-lhe pra sempre o coração.
Pois, rapaz, apesar do que afirmamos,
A nossa fantasia é mais instável,
Mais sedenta, irrequieta, mais perdida.
Que a da mulher.

VIOLA

Eu sei que sim, senhor.

DUQUE

Pois então ama alguém que seja jovem,
Senão o teu afeto não resiste,
Já que a flor da mulher, como a da rosa,
Mal se abre, começa a fenecer.

VIOLA

Assim é, mas é pena que assim seja;
Já morreu, mal a perfeição viceja.

(Entram CÚRIO e o BOBO.)

DUQUE

Rapaz, canta a canção de ontem à noite.

>   Ouve, Cesário, ela é antiga e simples;
>   A fiandeira que tricota ao sol
>   E as donzelas que fiam na roca
> 45   Sempre a cantam. Singela e verdadeira,
>   Ela fala do amor que é inocente,
>   Como nos velhos tempos.

Bobo

>   Está pronto, senhor?

Duque

>   Canta, por favor.

Bobo

> 50   Venha, venha, ó morte boa,
>   Pra nos ciprestes eu jazer.
>   Meu alento, agora voa,
>   Bela cruel me faz morrer.
>   A minha mortalha florida
> 55   Preparai bem;
>   A minha morte tão sofrida
>   É sem ninguém.
>   Nenhuma flor, nenhuma flor,
>   Seja jogada em meu caixão;
> 60   Nenhum amigo mostre dor,
>   Onde meus ossos sintam chão.
>   Para poupar lágrima e dor
>   Quero baixar
>   Em tumba que nenhum amor
> 65   Possa encontrar.

Duque

>   *(Dando-lhe dinheiro.)*
>   Toma por teu trabalho.

Bobo

>   Trabalho algum, senhor. Tenho prazer em cantar, senhor.

Duque

>   Então pagarei teu prazer.

Bobo

>   É verdade, senhor, que vez por outra o prazer é pago.

Duque

> 70   E agora dá-me permissão para eu deixar-te.

O amor que uma mulher teria por mim
Com o meu por Olívia.

VIOLA

                     Mas, eu sei...

DUQUE

O que é que sabes?

VIOLA

Bem demais como amam as mulheres:
Seus corações são firmes como os nossos;
A filha de meu pai amou um homem
Como amaria eu, sendo mulher,
Ao senhor.

DUQUE

           E como é a sua história?

VIOLA

Não é. Nunca falou de seu amor.
Deixou-o oculto, qual verme na flor,
Roer seu róseo rosto. Sofreu só
E com melancolia auriverde
Ficou, como uma estátua da Paciência,
Sorrindo em sua dor. Não soube amar?
Nós homens somos mais dados a juras,
Mas somos mais aspecto que desejo,
Provamos mais com juras que com amor.

DUQUE

Mas, rapaz, tua irmã morreu de amor?

VIOLA

Eu sou todas as filhas de meu pai
E também os irmãos, e mesmo assim não sei.
Senhor, devo eu ir lá?

DUQUE

                 É o que eu desejo.
Corre. Dá-lhe esta joia e diz por mim
Que o meu amor não cede e nem tem fim.

                                               (Saem.)

CENA 5

(O jardim de Olívia. Entram Sir Toby, Sir Andrew e Fabian.)

Toby

Pare com isso, signior Fabian.

Fabian

Vou parar aqui mesmo. Se eu perder o mínimo detalhe dessa brincadeira, quero morrer fervido em melancolia.

Toby

Não gostarias de ver esse desgraçado desse sonso mesquinho passar uma boa vergonha?

Fabian

Exaltaria, senhor. Como sabe, ele me privou dos bons olhos da minha ama por causa de uma briga de ursos.

Toby

Para irritá-lo teremos novo urso, e há de ficar todo roxo de tanta tontice. Não é, Sir Andrew?

Andrew

Se não for, coitadas das nossas vidas.

(Entra Maria.)

Toby

Lá vem o diabinho. Então, meu ouro da Índia?

Maria

Vão os três para trás da sebe. Malvólio está vindo por aqui. Ficou do lado de lá, ao sol, mais de meia hora ensaiando diante da própria sombra. Observem-no, se querem se divertir, pois sei que esta carta vai transformá-lo no mais contemplativo de todos os idiotas. Escondam-se, em nome da tolice. *(Os três se escondem.)* Deita-te aí *(Atirando no chão a carta.)*, pois lá vem a fruta que se pesca com a isca da lisonja.

(Sai.)

(Entra Malvólio.)

Malvólio

questão de fortuna, tudo é boa ou má fortuna. Maria disse certa vez que ela gosta de mim, e eu mesmo já a ouvi chegar bem perto e dizer que, se amasse, seria alguém do meu tipo. Além o quê, ela me trata com muito mais respeito do que a qualquer outro que serve. Como deveria eu compreendê-la?

Toby

Mas é um velhaco convencidíssimo!

Fabian

Silêncio! Seus pensamentos fazem dele um peru dos mais raros. Vê como se pavoneia com as pernas arrepiadas.

Andrew

Por Deus que eu bem podia surrar esse calhorda.

Toby

Silêncio, digo!

Malvólio

Ser o conde Malvólio!

Toby

Ai, crápula!

Andrew

Com a pistola! Vamos, com a pistola!

Toby

Quieto, quieto!

Malvólio

Há precedentes. A senhora de Strachy casou-se como criado de quarto.

Andrew

Tenha vergonha, Jezebel!

Fabian

Silêncio! Agora já embarcou. Vejam como vai inchando a imaginação.

Malvólio

Já estando três meses casado com ela, instalado no nardo...

Toby

Ai, um estilingue para acertá-lo no olho!

Malvólio

Reunindo meus comandados, vestido com meu manto rebordado, tendo apenas deixado o leito onde ficou adormecida Olvia...

TOBY

Que ele torre no inferno!

FABIAN

40 Silêncio, silêncio!

MALVÓLIO

E então, usando porte imperioso, após haver-lhe lançado um olhar grave e sereno, dizer-lhes que conheço o meu lugar, como espero que conheçam o deles; mandar chamar meu primo Toby...

TOBY

Cobras e lagartos!

FABIAN

45 Silêncio! Quietos, quietos! É agora, agora!

MALVÓLIO

Sete de meus homens, com subserviente estremecimento, irão buscá-lo. Eu franzo um pouco o cenho, talvez dê corda um pouco em meu relógio, ou brinque com meu... qualquer joia rara. Toby se aproxima; faz-me uma reverência,

TOBY

50 Um homem desses pode ficar vivo?

FABIAN

Nem que o silêncio tenha de ser conquistado à força, ainda assim, quietos!

MALVÓLIO

Estendo-lha assim a mão, cortando meu sorriso habitual com austero olhar de autoridade...

TOBY

55 E Toby não aproveita o momento para dar-lhe um bofetão na boca?

MALVÓLIO

E digo: "Primo Toby, já que a fortuna escolheu-me para a sua sobrinha, permita-me a prerrogativa destas palavras".

TOBY

Quais? Quais?

MALVÓLIO

"Terá de corrigir a sua embriaguez."

Toby

Fora, verme!

Fabian

Não, paciência, senão rompemos o fio da armadilha.

Malvólio

"Além do quê, desperdiça seu tempo com um tolo cavaleiro."

Andrew

Garanto que sou eu.

Malvólio

"Um tal Sir Andrew."

Andrew

Eu sabia que era eu. Muita gente me chama de tolo.

Malvólio

Mas o que é que temos aqui? *(Pega a carta.)*

Fabian

Agora o passarinho caiu no alçapão.

Toby

Paz, e que o espírito cômico o inspire a lê-la alto.

Malvólio

Por minha vida, é a letra de minha ama. São esses os seus "cês", os seus "us", seus "tês"; é assim que faz seu "pê" maiúsculo. É, sem resquício de dúvida, a sua letra.

Andrew

Seus "cês", seus "us", seus "tês"? O que é isso?

Malvólio

"Ao desconhecido bem-amado, esta e meus bons votos." São mesmo frases dela! Lacre, com sua licença. Alto lá! Com a imagem de Lucrécia, que ela usa em seu sinete. É de minha senhora. A quem mandaria isso? *(Abre a carta.)*

Fabian

Agora está perdido, todo inteiro.

Malvólio

(Lendo.)
"Júpiter sabe que eu adoro;

Mas a quem?
Lábios, quietos, eu imploro;
Ninguém saberá a quem."
"Ninguém saberá." O que se segue? Agora muda a métrica! "Ninguém saberá." E se fosses tu, Malvólio?

TOBY
Pela Virgem! Enforca-te, doninha!

MALVÓLIO
(Lendo.)
"Ao que eu amo posso ordenar,
Mas o silêncio, que é lâmina aguda,
Meu coração vive a cortar.
M. O. A. I. a minha vida muda."

FABIAN
Que charada mais maluca.

TOBY
Rapariga excelente, sigo eu.

MALVÓLIO
"M. O. A. I. a minha vida muda." Não, mas primeiro deixe-me ver, deixe-me ver, deixe-me ver.

FABIAN
Com que veneno ela lhe preparou o prato!

TOBY
Com que ansiedade o gavião o come!

MALVÓLIO
"A quem amo eu posso ordenar." Ora, ela pode ordenar-me; eu a sirvo, ela é a minha senhora. Ora, isto é óbvio para qualquer cérebro normal. Quando ao final, o que poderá significar essa disposição alfabética? Se pudesse fazê-la assemelhar-se a qualquer coisa em mim! Calma! "M. O. A. I."

TOBY
Isso! Resolve essa! Segue a pista falsa!

FABIAN
Perdigueiro, amarra errado a mais errada das raposas!

MALVÓLIO
M. – Malvólio. M. – Ora, é a inicial do meu nome.

FABIAN
Eu não disse que ia pegar? Nunca vi faro tão bom para pista falsa.

MALVÓLIO
M. – Porém depois não há consonância na sequência. Não resiste a uma análise detalhada. O A. deveria seguir-se, porém segue-se o O.

FABIAN
É, espero que tudo isso acabe com O.

TOBY
Isso ou eu o chicotearei até que saia o O.

MALVÓLIO
E atrás vejo um I.

FABIAN
Ora, se tivesse olhos para trás, veria mais humilhação em seus calcanhares que boa fortuna à sua frente.

MALVÓLIO
M. O. A. I. Essa dissimulação não é como a primeira; entretanto, se eu forçasse isto um pouco, faria com que se curvasse para mim, já que todas essas letras entram em meu nome. Atenção! Agora temos algo em prosa. *(Lendo.)* "Se isto cair em tua mão, reflete. Minha estrela pôs-me acima de ti, mas não temas a grandeza. Alguns nascem grandes, alguns conquistam a grandeza e a alguns outros a grandeza é impingida. Teus Fados abriram as mãos; que teu sangue e teu espírito os abracem e, para acostumar-se ao que provavelmente serás, abandona tua atitude de humildade e aparece renovado. Sê hostil a um parente, grosseiro com os criados. Que em tua língua ressoem problemas de Estado; cultiva a excentricidade afetada. Assim te aconselha a que suspira por ti. Lembra-te de quem te elogiou as meias amarelas e desejou que usasses sempre as ligas em cruz. Digo-te que te lembres. Avante, estás feito, se assim o desejares. Se não, que eu ainda e sempre te veja feitor, companheiro de criados, indigno do toque dos dedos da Fortuna. Adeus. Aquela que gostaria de trocar de posição contigo, aventurosa infeliz." A luz e o céu aberto não são mais reveladores. Isto é óbvio. Serei orgulhoso, lerei autores políticos, humilharei Sir Toby em público, repudiarei conhecidos de baixa classe, seguirei cada sugestão, para ser o homem certo. Não estou me enganando, não estou me deixando levar pela imaginação, pois toda razão me incita à mesma coisa: que a minha senhora me ama. Ainda recentemente ela apreciou minhas meias amarelas e elogiou minhas pernas pelas ligas em cruz; nesta carta, ela se manifesta ao meu amor e, com bondosas indiretas, me encaminha pra os hábitos

se que gosta. Meus astros, estou feliz. Serei presunçoso, orgulhoso, com meias amarelas e ligas em cruz, com a maior rapidez com que possa vesti-las. Louvados sejam Júpiter e meus astros. Ainda há um post-scriptum. *(Lendo.)* "Não podes deixar de perceber quem sou. Se aceitas o meu amor, que isso se revele em teu sorriso. Teu sorriso te vai muito bem. Portanto, em minha presença, sorri sempre, meu doce, meu caro, eu te imploro." Júpiter, obrigado. eu sorrirei, farei tudo o que tu quiseres.

(Sai.)

Fabian

Não perderia minha parte nesta brincadeira nem que o xá me desse uma pensão de milhões.

Toby

Eu seria capaz de me casar com a rapariga, só por ter inventado essa trama.

Andrew

E eu também.

Toby

Sem pedir-lhe como dote nada mais que outra estripulia como esta.

(Entra Maria.)

Andrew

Eu também não.

Fabian

Aí vem minha caçadora de idiotas.

Toby

Quer pisar em meu pescoço?

Andrew

E no meu também?

Toby

Quer que jogue nos dados minha liberdade, para transformar-me em teu escravo?

Andrew

É mesmo, e eu também?

TOBY

Ora, tu o mergulhaste em tal sonho que, quando este sumir, terá da ficar louco.

MARIA

Mas, fora de brincadeira, funcionou bem com ele?

TOBY

Como aguardente com uma parteira.

MARIA

Se quiserem, então, colher os primeiros frutos da brincadeira, observem-no em seu primeiro encontro com minha ama. Virá de meias amarelas, o que ela abomina, e de ligas em cruz, moda que ela detesta, e sorrirá para ela, o que, no momento, é tão pouco apropriado à sua disposição – já que anda fascinada com a melancolia que é impossível que não provoque um desprezo excepcional em relação a ele. Se querem vê-lo, sigam-me.

TOBY

Até os portais do inferno, minha espirituosa diabinha.

ANDREW

E eu também vou.

(Saem.)

ATO 3

CENA 1
(Jardim de Olívia. Entram Viola e o Bobo, com um tambor.)

VIOLA

Que Deus te abençoe, amigo, e à tua música. O que te sustenta é o seu tambor?

BOBO

O que me sustenta é a igreja.

VIOLA

Então é homem da igreja?

BOBO

5 Nada disso, senhor. Mas vivo da igreja porque moro em minha casa, que foi construída ao lado da igreja, e o que a sustenta é a igreja.

VIOLA

Mas assim poderá dizer que o mendigo sustenta o rei, se chegar perto dele, ou que o seu tambor sustenta a igreja, já que mora consigo ao lado dela.

BOBO

10 É o que o senhor disse. Ao que chegamos! Uma frase não passa de luva de pelica para quem tem espírito. Num instante o avesso passou para o lado direito!

VIOLA

Sem dúvida. Quem muito brinca com as palavras acaba por dar-lhes uma vida fácil.

BOBO

15 Senhor, nesse caso preferiria que minha irmã não tivesse nome.

VIOLA

Por quê?

BOBO

Ora, porque seu nome é uma palavra, e brincar com ela poderia levar minha irmã a ter vida fácil. Mas em verdade as palavras viraram marginais desde o dia em que as promissórias tiraram-lhe a dignidade.

VIOLA

20 Por que razão, rapaz?

BOBO

Eu juro, senhor, que não posso oferecer nenhuma sem palavras, senhor, e as palavras se tornaram tão falsas que me repugna usá-las para demonstrar razões.

VIOLA

E eu juro que você é um rapaz alegre que não se importa com nada.

BOBO

Não é verdade, senhor. Eu me importo com alguma coisa; porém, em sã consciência, meu senhor, não me importo com o senhor. Se isso é não me importar com nada, senhor, eu espero que isso o torne invisível.

VIOLA

Você não é o bobo da senhora Olívia?

BOBO

Claro que não, senhor. A senhora Olívia não faz bobagens. E acho que não há de ter um bobo seu, senhor, enquanto não se casar; e um bebê bobo, senhor, é tão parecido com um marido quanto um peixinho com um peixão – o marido é mais bobo. Não sou por certo seu bobo, senhor; sou apenas seu corruptor de palavras.

VIOLA

Eu o vi recentemente no palácio do conde Orsino.

BOBO

A arte do bobo, senhor, dá volta à Terra, como o Sol: brilha em toda parte. Eu lamentaria, senhor, que a bobagem andasse tão junto do seu amo quanto de minha ama. Creio que lá eu vi a sua sabedoria.

VIOLA

O que é isso? Agora quer que eu seja o seu alvo? Chega de conversa. Tome, para as suas despesas. *(Dá-lhe uma moeda.)*

BOBO

Que Júpiter lhe mande uma barba em sua próxima remessa de cabelo.

VIOLA

Dou-lhe a minha palavra que sofro por uma barba, muito embora não a quisesse em meu queixo. Sua ama está em casa?

BOBO

Será que duas destas não dariam filhotes, senhor?

VIOLA ...se guardadas e postas para trabalhar a juros.

BOBO farei o papel de Pandarus da Frigia, senhor, por juntar uma Créssida e este Troilus.

Já compreendi. Foi bem pedido. *(Dá-lhe outra moeda.)*

Não é muito mendigar-se uma mendiga. Créssida acabou mendiga. A minha ama está em casa, senhor. Eu descobrirei de onde o senhor vem. Quem é o que quer já escapam ao meu universo; eu poderia ter dito "elemento", mas o termo já anda um pouco desgastado.

(Sai.)

VIOLA
Tem juízo de sobra pra ser bobo,
55   Pois pra ser bobo é preciso espírito.
Tem de saber o humor daqueles com quem brinca,
E a sua posição – e a hora certa,
Sem deixar escapar, qual falcão novo,
Uma só pluma. E essa profissão
60   É tão penosa quanto a arte de um sábio,
Pois num bobo que é sábio se acredita,
Mas o sábio que é bobo é uma desdita.

(Entram Sir Toby e Sir Andrew.)

TOBY
Deus o salve, senhor!

VIOLA
E ao senhor também.

ANDREW
65   Dieu vous garde, monsieur.

VIOLA
Et vous aussi; votre serviteur.

ANDREW
Espero que seja, senhor; e eu sou seu.

TOBY
Adentrará a casa, senhor? Minha sobrinha deseja que [...] ela que tem afazeres.

VIOLA
Meu destino é sua sobrinha, meu senhor, quero dizer, ela é [...] teia a minha viagem.

TOBY
Sustente-se nas pernas, cavalheiro; ponha-as em movimento.

VIOLA
Elas me sustentam melhor, senhor, do que sustenta o senhor ao [...] zer isso.

TOBY
Eu quero dizer, senhor, que entre, vá, ande.

VIOLA
Pois então entro, vou, corro. Porém, eis que somos impedidos.

(Entra OLÍVIA com MARIA.)

Excelsa e prendadíssima senhora, que os céus a cubram de chuvas olorosas.

ANDREW
O rapaz é um cortesão de primeira. "Chuvas olorosas" – vejam só!

VIOLA
Minha missão será muda, senhora, a não ser para o seu fértil e consagrado ouvido.

ANDREW
"Olorosas", "fértil", "consagrado" – vou aprender as três de cor.

OLÍVIA
Que o portão do jardim fique fechado e que nos deixem só para ouvir.

(Saem SIR TOBY, SIR ANDREW e MARIA.)

Dê-me sua mão, senhor.

VIOLA
Meu dever é humílimo serviço.